D0278622

Carol Goodman

De zomergodin

the house of books

Het gedicht op blz. 152 is vertaald door Rob van Moppes

Oorspronkelijke titel
Arcadia Falls
Uitgave
Ballantine Books, New York
An imprint of The Random House Publishing Group, a division of Random House, Inc., New York

Vertaling
Cherie van Gelder
Omslagontwerp
Studio Jan de Boer BNO, Amsterdam
Omslagillustratie
Clayton Bastiani/Trevillion Images
Foto auteur
Brian Velenchenko
Opmaak binnenwerk
ZetSpiegel, Best

ISBN 978 90 443 2630 7
D/2011/8899/136
NUR 302

www.thehouseofbooks.com
www.carolgoodman.com

Voor Andrew en Katy

DANKWOORD

Mijn dank gaat uit naar mijn eerste lezers: Gary Feinberg, Scott Silverman en Nora Slonimsky. Lisa Huber heeft me heel edelmoedig gebruik laten maken van haar kennis van folklore.

Ik bedank mijn agent Loretta Barrett en haar zakelijk partner Nick Mullendore dat ze mij in staat stellen om te schrijven, mijn onovertroffen uitgever Linda Marrow voor haar begrip en haar vriendschap en alle mensen bij Ballantine voor hun inzet om dit boek mogelijk te maken: Gina Centrello, Elizabeth McGuire, Kim Hovey, Dana Isaacson, Brian McLendon, Lisa Barnes en Junessa Viloria. En ten slotte had ik dit boek niet kunnen schrijven zonder de liefde en de steun van mijn familie: mijn moeder, Marge Goodman, mijn man Lee, mijn broers Bob en Larry, mijn neef en nichtje Andrew en Katy en mijn stiefdochter en dochter, Nora en Maggie.

EEN

'We zijn verdwaald,' zegt mijn dochter voor de derde keer binnen een uur tegen me. 'Ik heb toch tegen je gezegd dat we een navigatiesysteem moesten kopen. Lexy's moeder heeft er ook een en zij verdwalen nóóit.'

'We zijn niet verdwaald,' zeg ik en kan me nog net bedwingen om Sally onder de neus te wrijven dat we ons ten eerste niet langer dezelfde dingen kunnen veroorloven als Lexy's moeder en ten tweede dat Lexy's moeder alleen maar naar het Americana-winkelcentrum of naar de kapper rijdt, twee bestemmingen op nog geen tien kilometer afstand van hun huis in Kings Point zodat de kans op verdwalen vrijwel nihil is. In plaats daarvan zeg ik: 'We nemen de toeristische route.'

Sally slaat haar ogen ten hemel en gooit haar hoofd in de nek met een gebaar dat inmiddels zo vertrouwd en gracieus is dat het een yoga-asana lijkt. Dat heb ik een paar weken geleden ook bij wijze van grap tegen haar gezegd. Het was een van die dingen waar we vroeger altijd samen om konden lachen: tieners die de ogen ten hemel slaan. Maar in plaats van te lachen vroeg ze me op een overdreven geduldig toontje of ik alsjebliéft geen grapjes meer wilde maken. En of ik ook alsjeblieft wilde ophouden alles met yoga te vergelijken, had ze er nog aan toegevoegd terwijl ze de dopjes van haar iPod in haar oren duwde.

'Toeristisch houdt in dat we ook iets te zien krijgen. Hoe afgelegen is dat huis eigenlijk?'

'Het ligt maar tweeënhalf uur rijden van de stad.'

'Is er wel een trein?' vraagt Sally, terwijl ze haar nek rekt en begint te snuiven alsof ze de lucht van vrijheid in de neus krijgt. Als ze rechtop zit, kun je pas zien hoe mooi ze is. Ze lijkt op een exotische waadvogel met zo'n sierlijke lange nek.

'Eh, nee, dat geloof ik niet. Maar misschien is er wel een bus.'

'O,' zegt Sally, terwijl ze weer zoals gewoonlijk onderuitzakt. Ze trekt haar lange benen – in de voorgebleekte spijkerbroek die meer heeft gekost dan de maandhuur van mijn eerste appartement – op tot aan haar kin en plugt haar iPod in. 'Geweldig. Een bus.' Alsof ik het over de postkoets heb. Mooi zo. Het laatste wat ik wil, is dat Sally de benen neemt naar de stad.

Maar ze heeft wel gelijk als ze zich over het uitzicht langs deze 'toeristische route' beklaagt. Direct na de afrit van de snelweg zagen we alleen de laaghangende nevel aan weerszijden van de smalle tweebaansweg die kronkelend omhoogloopt door de bergen. Ik zou kunnen opmerken dat ze vroeger altijd dol was op mist en dat ik haar op nevelige ochtenden maar al te vaak eerder heb wakker gemaakt om haar lopend naar school te brengen. Dan deden we net alsof we verdwaald waren in het bos en ik speelde Hans terwijl zij Grietje was, of de houthakker als ze de voorkeur gaf aan Roodkapje. Toen vond ze het altijd juist leuk om verdwaald te zijn. Haar lievelingssprookjes waren verhalen over kinderen die in het bos verdwaalden en allerlei slimme manieren bedachten om weer thuis te komen: door broodkruimels te strooien of een uitgetrokken draad te gebruiken uit de mouw van hun gebreide trui. Het was een spelletje waar je echt van kon genieten als je wist hoe het zou aflopen: met het verlichte raam van een huisje dat in het donker wenkte, waarmee alle akelige betoveringen verbroken werden en alles weer zo zou worden als het was geweest. Ik kon haar niet kwalijk nemen dat ze niet langer in een dergelijke sprookjesafloop geloofde.

Het is helemaal niet leuk om echt verdwaald te zijn, zoals nu. Hoewel ik de routebeschrijving van de website van de school heb uitgeprint, snapte ik er eigenlijk niet veel van. Toen ik belde om duidelijkheid te krijgen moest Ivy St. Clare, de rectrix, daar om lachen. 'O, dat beschouwen wij als onderdeel van de ontgroeningsprocedure. Alleen de mensen die Arcadia ook echt kunnen vinden horen hier thuis.' Daarna had ze me nog een heel stel impressionistische aanwijzingen gegeven. 'Je moet in ieder geval de toeristische route langs Wittekill Creek nemen. Dan sla je rechts af bij een oude vervallen schuur – op dat punt is het nog ongeveer anderhalve kilometer naar de school – en daarna ga je omhoog langs een steile helling, via de appelboomgaard waar we vroeger op zomeravonden altijd concerten hielden.' Vervolgens had ze tien minuten lang zitten mijmeren over de tijd waarin de Arcadia School nog een kunstenaarscollectief was geweest, met beroemde muzikanten, dichters en schilders die allemaal sámenwerkten (een woord dat ze om de haverklap gebruikte en een soort magische lading meegaf). Virgil Nash, de beroemde schilder en een van de eerste docenten van het collectief, had zelfs mandoline gespeeld. Via de telefoon had ik een lange anekdote te horen gekregen over Virgil Nash en een stel vrouwelijke pottenbakkers voordat ik de kans kreeg om te vragen wat ik moest doen wanneer we langs de appelboomgaard waren gereden ('rechts afslaan bij het bord van de Witte Heks'). Die aanwijzingen staan op het gele briefje dat ik op het dashboard heb geplakt ('het navigatiesysteem van de arme luitjes,' had ik tegen Sally gezegd, waarbij ik even was vergeten dat ik geen grapjes meer mocht maken), maar daar schiet ik niet veel mee op als ik de boomgaard of het bord niet eens kan zien.

'Zien die eruit als appelbomen?' vraag ik zonder echt een antwoord te verwachten van mijn ingeplugde dochter. Maar ze verraadt zichzelf door opzij te kijken naar de met knobbelige takken uitgeruste vormen die links van de weg uit de nevel opdoemen.

'Hé,' zegt ze, terwijl ze de dopjes uit haar oren trekt. 'Die doen me denken aan dat verhaal dat je mij altijd voorlas toen ik nog klein was. "Bomen die als trollen op krukken door de modder marcheren."'

'Dat zijn die bomen,' zeg ik, terwijl ik mijn best doe om mijn stem effen te houden. Enthousiasme, ook al zo'n verboden emotie, is geheid de beste manier om elk sprankje nieuwsgierigheid in Sally met wortel en tak uit te roeien. Maar ik vind het echt fantastisch dat ze zich dat verhaal herinnert. 'Ik heb je toch verteld dat de beide vrouwen die dat verhaal geschreven en geïllustreerd hebben, Vera Beecher en Lily Eberhardt, hier gewoond hebben?'

'O ja, die twee potten over wie jij een boek schrijft.'

'We weten niet of ze lesbisch waren, lieverd,' merk ik op, terwijl ik me afvraag hoe ze momenteel over lesbiennes denkt. Vorig jaar hebben de moeders van Sally's vriendinnen heel wat zenuwachtige e-mailtjes uitgewisseld over de nieuwste trend in biseksuele experimenten. Waar het uiteindelijk op neerkwam, was dat Jessica Feingold een verhaal verzonnen had over twee meisjes die op het feestje voor haar zestiende verjaardag met elkaar hadden zitten vrijen. Toen ik aan Sally vroeg wat er nu precies aan de hand was, deed ze het hele voorval af als een reactie op een bepaalde tv-uitzending waarin twee meisjes elkaar gekust hadden. Daarna zei ze tegen me dat ik de woorden seksualiteit, geslacht en vrijen niet meer mocht gebruiken.

'Destijds woonden ongetrouwde vrouwen vaak samen. Zo is dat kunstcollectief ook begonnen. Een paar kunstenaressen uit de stad besloten om hier samen te gaan wonen, zodat ze een bestaan als kunstenaar op konden bouwen in plaats van te trouwen en hun tijd te verdoen aan een opgroeiend gezin.' Ik zwijg en vraag me af of ik daarmee de indruk heb gewekt dat het hebben van kinderen en een carrière als kunstenaar onverenigbaar zijn en hoe ik moet uitleggen dat in die tijd – we hebben het over de jaren twintig en dertig – dat ook werkelijk vaak zo was. 'De vrouwen hadden elkaar leren kennen op een kunstacademie in New York en waren tot de conclusie gekomen dat ze als kunstenaar meer kans op een carrière maakten als ze niet trouwden. Een van hen, Vera Beecher, stelde het landgoed van haar familie ter beschikking. Daarna sloot een heel stel andere kunstenaars zich bij hen aan.'

'Was het dan een soort hippiecommune?' vroeg Sally.

'Zoiets, ja, alleen gebeurde dit eind jaren twintig, begin jaren dertig, lang voordat er hippies waren. Ze noemden zichzelf bohemiens of socialisten. Zelfs van beatniks had nog niemand gehoord...'

'Ik weet het, mam. Net als Audrey Hepburn in die Gap-commercials.'

'Ja zoiets. Enfin, ze besloten om het Arcadia te noemen – naar het stadje natuurlijk, maar ook omdat Arcadia een plaats in Griekenland was, waar het leven volmaakt heette te zijn.'

'En was het dat ook?' vraagt ze.

'Was wat ook?'

'Was het leven hier...' ze rolt met haar ogen, 'volmaakt?'

'Nou ja, niets is volmaakt,' begin ik, maar dan besef ik ineens hoe vaak ik haar dat de afgelopen tien maanden al voorgehouden heb. Ze hoeft niet met haar ogen te rollen, het onderwerp hangt mij net zo goed de keel uit. 'Gedurende een tijdje wel, ja. Ze konden leven van het geld dat ze verdienden met hun illustraties voor modebladen en kinderboeken, waardoor ze de kans kregen om te schilderen. Vera Beecher had een opdracht gekregen voor een aantal muurschilderingen in een college in Pennsylvania en samen met Lily Eberhardt schreef ze sprookjes die ze ook illustreerden. Het verhaaltje dat ik je vroeger voorlas...'

'*Het wisselkind*... zo heette dat toch?'

'Ja,' zeg ik. Ik durf er nauwelijks op in te gaan, zo blij ben ik dat ze zich ons lievelingsverhaaltje voor het naar bed gaan nog herinnert. 'Dat was hun eerste sprookje. Daarna zouden ze er nog meer schrijven en die werden zo populair dat ze genoeg geld hadden om de school op te richten. De opbrengst van de sprookjes wordt nog steeds gebruikt voor beurzen aan leerlingen van middelbare scholen die talent hebben voor schrijven, beeldende kunst of muziek.' Ik kom in de verleiding om daar 'net als jij' aan toe te voegen, maar dat doe ik niet, want de laatste keer dat ik haar getalenteerd noemde, zei ze dat ze daardoor het gevoel kreeg dat ik haar onder druk zette. 'Weet je nog waar *Het wisselkind* over ging?'

'Eh... o ja, hoor... Er was eens een meisje dat het leuk vond om net te doen alsof ze verdwaald was, tot... tot...'

'...tot de dag waarop ze werkelijk de weg kwijtraakte. Ze speelde graag...'

'...in de oude boomgaard en dan deed ze net alsof de bomen trollen waren die op krukken door de modder marcheerden,' maakt Sally de zin af, met een stem waarin alle verboden emoties tussen vreugde en blijdschap doorklinken. 'Tot ze op een dag een oude heks tegenkwam, die helemaal in het wit was gekleed... O-lieve-hemel-nog-aan-toe, stop, stop!' schreeuwt Sally en begint zo hard op het dashboard te timmeren dat ik bijna van de weg raak. 'Daar is ze! De Witte Heks!'

Uit de mist doemt een scheefstaande gestalte op – een uit tin gestanste vrouwengestalte met een heksenhoed en een bezem. Het beschilderde metalen bord zit onder de roest, maar dit is duidelijk de Witte Heks, het enige overblijfsel van een clandestiene kroeg uit de tijd van de drooglegging die zich hier al bevond toen de kunstenaars vanuit de stad naar deze omgeving verhuisden.

'Dan moeten we deze kant op,' zeg ik en rijd een smalle eigen weg op. Meteen wordt het zo donker om ons heen dat ik moet stoppen... en prompt slaat de motor af, waardoor ik eraan herinnerd word dat de temperamentvolle, elf jaar oude Jaguar van mijn man Jude eigenlijk allang een beurt had moeten hebben. Maar in plaats van meteen rekensommetjes te gaan maken – hoeveel ik voor de auto zou krijgen, hoeveel het zou kosten om een vervangende wagen te kopen, hoeveel er nog op mijn spaarrekening staat, hoeveel het leven in Great Neck ons kost, hoeveel minder we ergens anders nodig zouden hebben, wat het huis me zou opleveren, hoe erg Sally me zal haten omdat ik haar voor haar derde jaar van school haal – iets wat in de afgelopen maanden bijna een tweede natuur van me is geworden, kijk ik omhoog naar het gewelfde bladerdak boven ons hoofd, met takken die als biddende handen in elkaar grijpen en luister naar het geluid van het water dat van hun gespikkelde ledematen drupt. Dan slaak ik een zucht waarvan ik het gevoel heb dat ik die al tien maanden heb ingehouden, vanaf het moment dat Judes secretaresse me belde met de mededeling dat hij tijdens zijn wekelijkse partijtje squash in elkaar was gezakt en naar het St. Francis Hospital was gebracht, omdat ze daar de beste cardiologische afdeling hadden.

'Dit is het kristallen pad dat het verdwaalde meisje neemt nadat ze de witte heks heeft ontmoet,' zegt Sally met een stem die zelf ook zo helder als kristal klinkt. Het is voor het eerst in maanden dat ze iets zegt waarin geen bitterheid of spijt doorklinkt. 'Kijk, de bomen lijken op meisjes in gescheurde jurken door de manier waarop de schors erbij hangt en ze houden hun met sproeten bezaaide armen omhoog om een luifel te vormen die het verdwaalde meisje tijdens haar tocht zal beschermen. En als de zon door de bomen schijnt, valt het licht op de mistdruppeltjes die daardoor in kristallen veranderen... O!' Sally grijpt mijn hand. Mijn hart begint zo heftig te bonzen dat ik even bang ben dat ze nóg een van haar ouders zal verliezen – een gedachte die me naast die lange rij getallen 's nachts wakker houdt en waardoor ik behalve de rekeningen van de supermarkt en de hypotheekaflossingen ook nog eens mijn eigen hartslag ga tellen. De polis van de levensverzekering is een van de polissen die Jude in het jaar voordat hij stierf als onderpand voor zijn leningen heeft gebruikt. Maar dan zie ik wat zij ziet. De lucht in het oosten is nog steeds donker en betrokken, maar in het westen is vlak boven de horizon een streepje zonlicht verschenen. De stralen daarvan vallen op de toppen van de bomen en op de tussen de bladeren verstopte waterdruppeltjes, die daardoor beginnen te twinkelen als kaarsen in een donkere kerk.

Ik kijk naar Sally en daar zie ik ook licht, het licht van verrassing dat van haar gezicht straalt. Daardoor verdwijnen heel even de donkere kringen onder haar ogen, de ruwe huid om haar mond, de grof afgeknipte punten van haar kastanjebruine haar en de kapotte nagelriemen aan haar handen. Heel even is ze weer het schattige kind dat ik me van een jaar geleden herinner.

Behoedzaam start ik de auto en bid dat de motor voor de verandering eens meteen zal aanslaan... en dat gebeurt ook! Misschien is het hier inderdaad volmaakt, denk ik. 'Kun je je de rest van het verhaal ook nog herinneren?'

'Ja, maar vertel jij het maar. Dat deed je altijd zo mooi.'

'Oké,' zeg ik, hoewel ik mijn oren bijna niet kan geloven. Ik kan me de laatste keer dat ik volgens Sally iets goed heb gedaan niet eens meer herinneren. 'Nadat het verdwaalde meisje de Witte Heks tegenkwam, liep ze via het kristallen pad het bos in en aan het eind daarvan belandt ze bij het huisje van de heks. De heks biedt haar onderdak aan en zegt dat als ze een jaar voor haar blijft werken haar familieleden alles krijgen wat ze nodig hebben: een warm huis, genoeg te eten, rijke vrijers voor haar zusjes en mooie kleren voor haar moeder.

"Maar zullen ze me dan niet missen?" vraagt het meisje.

Dan legt de heks haar uit dat ze in haar plaats een fee zal sturen die sprekend op haar lijkt.'

'Het wisselkind,' zegt Sally.

'Ja. Het meisje moet alleen naar de oude rode beuk gaan die aan de rand van het weiland staat en een van de wortels opgraven...'

'Is dat een rode beuk?' vraagt Sally en wijst omhoog langs de heuvel naar een gat tussen de notenbomen, waar een enkele boom met wijnkleurige bladeren op een groen gazon voor een stenen landgoed in tudorstijl opdoemt. Ik huiver om een detail dat ik bij het voorlezen altijd wegliet: dat de bladeren van de beuk rood waren van het bloed van de wisselkinderen in de wortels. Dat gedeelte van het verhaal vond ik altijd griezelig, maar nu ga ik toch verder omdat ik geen minuut van Sally's aandacht wil verspillen.

'Ja,' zeg ik tegen haar. 'Het meisje begint te graven tot ze een knoestige wortel vindt die de vorm heeft van een baby. Die haalt ze uit de grond en wikkelt hem in een stukje katoen, dat ze van haar eigen jurkje scheurt...'

'Daarom lijken de notenbomen ook op meisjes met gescheurde jurken,' jubelt Sally. Ik werp een snelle blik op haar. Ze zit kaarsrecht en met glanzende ogen op haar stoel, met de witte snoertjes van de iPod als een wirwar op haar schoot. Net kale worteltjes, denk ik terwijl er een rilling over mijn rug loopt.

'Goh, daar heb ik nooit aan gedacht,' zeg ik. 'En volgens mij kun je best gelijk hebben. Maar goed, de heks heeft dus tegen haar gezegd dat ze de wortel schoon moet spoelen met bronwater, niet met water uit de beek, maar de bron is ver weg en het meisje weet dat het veel moeite zal kosten om de emmer omhoog te krikken. Terwijl ze naar de bron loopt, moet ze de beek oversteken...'

Op datzelfde moment hobbelen de wielen van de Jaguar over een houten brug en Sally timmert vol enthousiasme met twee handen op de ruit, waarbij de ringen aan haar vingers als losse tanden tegen het glas kletteren. 'Hier is het, hier is het!' roept ze uit. 'En natuurlijk luistert het meisje – zoals al die domme meisjes in sprookjes – niet naar wat de heks heeft gezegd en spoelt de wortel af in de beek. En dan gaat ze terug naar het huis van de heks, waar ze samen met de wortel in één bed moet slapen. Jasses! Weet je nog hoe bang ik daarvan werd? Soms werd ik wakker en dan wist ik zeker dat die wortel in mijn bed lag en tot leven was gekomen. Maar het was altijd gewoon een van mijn eigen knuffels en dan moest pap komen om mijn hele bed na te speuren.'

'En dan haalde hij zelfs de lakens eraf en schudde de dekens uit,' zeg ik met opnieuw een snelle blik op Sally om te zien hoe ze reageert nu haar vader ineens in het verhaal opduikt. De psychotherapeut die ik voor haar heb geregeld zegt dat ik niet bang moet zijn om samen met haar herinneringen op te halen aan Jude, maar het resultaat is opnieuw dat ze ineens haar mond niet meer opendoet. Ze trekt haar schouders op, waardoor haar sleutelbeenderen helemaal uitsteken. Hoeveel is ze eigenlijk afgevallen sinds de dood van Jude? Wanneer heb ik haar voor het laatst normaal zien eten? Ze heeft bij het tentje in Rockland County waar we vanmorgen zijn gestopt bosbessenpannenkoeken besteld, maar daarvan heeft ze maar een halve opgegeten. Welk kind eet haar pannenkoek nou niet op? Ik vraag me af of ik nu nog iets over haar vader moet zeggen – bijvoorbeeld dat hij zoveel van haar hield dat hij alle bedden ter wereld wel had willen doorzoeken om er zeker van te zijn dat ze er veilig in kon gaan liggen, of dat het feit dat hij ineens op slag dood was en ons achterliet met schulden, tweede hypotheken en leningen met de levensverzekering als onderpand niet betekent dat hij niet van ons hield.

Maar ik ga gewoon dapper verder met het sprookje, terwijl de weg omhoog blijft lopen door een dicht naaldwoud dat even donker en geheimzinnig is als het bos waarin de heks woont.

'In de ochtend is de wortel veranderd in een perfecte kopie van het meisje, tot en met de sproetjes op haar armen en de winkelhaak in haar katoenen jurk. De heks stuurt het wisselkind over het kristallen pad naar het huisje aan de rand van het bos waar de familie van het verdwaalde meisje woont, zodat het wisselkind haar plaats kan innemen. Het meisje blijft in het huis van de heks, waar ze ijverig haar best doet om het de oude heks naar de zin te maken. Ze doet niet alleen gewoon huishoudelijk werk, zoals koken en schoonmaken en de was, maar ze doet ook allerlei extra dingen om het huis van de heks mooier te maken. Ze spint de wol van de wilde berggeiten om er prachtige vloerkleden en wandtapijten van te maken. Ze trekt de gebroken ruitjes uit de vensters en maakt nieuwe van gekleurd glas in prachtige patronen, waardoor het licht dat binnenvalt op rondgestrooide juwelen lijkt. Ze haalt hout uit het bos en maakt daar behaaglijke stoelen en stevige tafels van. Ze graaft bij de beek klei op en boetseert vazen voor de wilde bloemen die ze in het veld plukt.

Maar hoe mooi het meisje het huis ook maakt, ze blijft toch iedere nacht dromen van haar eigen huis en telt de dagen tot haar dienstjaar bij de heks erop zit. Als die dag aanbreekt, geeft de heks haar de jurk terug die ze bij aankomst droeg en het stuk dat eruit is gescheurd, is gerepareerd met stof van puur goud. Dan gaan ze op de veranda zitten wachten tot het wisselkind terugkomt. Ze blijven de hele dag wachten. Ten slotte, als de avond is gevallen, kijkt de heks het meisje aan en vraagt: "U hebt die wortel toch niet toevallig in stromend water afgespoeld? Want daarmee heb je het wisselkind gevleugelde voeten gegeven en zal het nooit terugkomen."'

Dat is niet het eind van het verhaal, maar wij hebben wel het eindpunt van onze reis bereikt. Helemaal boven aan de steile weg zie ik een bordje staan met het opschrift FLEUR-DE-LIS. Dat is de naam van het huisje dat ik volgens Ivy St. Clare samen met Sally zal mogen gebruiken – de gratis woonruimte die het me onmogelijk maakte om deze baan af te wijzen. (Niet dat ik, met mijn afgebroken studie Engels en een berg onbetaalde rekeningen, me zou kunnen permitteren om het even welke baan af te wijzen.)

We stoppen zonder iets te zeggen voor het huisje. Het ligt zo verborgen tussen de bomen dat het even duurt voordat ik het goed kan zien, maar dan begint langzaam maar zeker tot me door te dringen dat de leistenen dakpannen begroeid zijn met mos en dat er heel wat ontbreken. De ruwe grenen wanden zijn smerig en beschimmeld en het merendeel van de ruiten is gebarsten en bedekt met spinnenwebben. Een vrijstaande garage met een scheef dak leunt tegen de rechterkant van het huis. Dit zou het huis van de heks kunnen zijn voordat het verdwaalde meisje kwam opdagen om alles in orde te maken. De hut is nog steeds betoverd. Niets is opgeknapt. Sally's vader is nog steeds op zijn tweeënveertigste aan een hartaanval overleden en ik ben nog steeds de boze heks die het huis uit haar kindertijd – haar kasteel, haar koninklijk erfgoed – heeft verkocht, waardoor we nu verbannen zijn naar dit armoedige onderkomen. Ik kijk Sally aan, op zoek naar een spoortje van het licht dat ik een paar minuten geleden nog in haar ogen zag stralen, maar ze zit weer onderuitgezakt op haar stoel, stopt de oordopjes van de iPod in haar oren, klapt haar mobieltje open en zet haar zonnebril op. Vlak onder mijn ogen ben ik haar opnieuw kwijtgeraakt.

TWEE

'Het heeft wel iets sprookjesachtigs, hè?'

Maar Sally heeft voorlopig haar buik vol van sprookjes. 'Ik krijg geen signaal,' zegt ze. 'Je kunt hier toch wel mobiel bellen?'

'Dat weet ik eigenlijk niet,' jok ik. In feite heeft het hoofd van de school me verteld dat het huis in een witte vlek van het mobiele netwerk ligt, maar ik heb de moed niet kunnen opbrengen om dat ook aan Sally te vertellen. Ik hoopte dat ze, als ze niet meer constant met haar vriendinnen zat te sms'en, misschien af en toe bereid zou zijn om met mij te praten.

'En hoe zit het met MSN?' vraagt ze. 'Ik bedoel maar, je kunt me niet bij al mijn vrienden wegslepen zonder dat ik contact met ze kan houden.'

Het huis ziet er eerder uit alsof het vol schimmel en muizen zit, dan dat er elektriciteit en een telefoonaansluiting zijn. Het lijkt in ieder geval niets op het beeld dat mij de afgelopen paar maanden, tijdens die hele verdrietige periode waarin we afscheid moesten nemen van ons oude leven, voor ogen heeft gestaan: dat van een keurig witgeschilderd houten huisje met een veranda aan de voorkant en een kleine tuin. Niet al te groot, zei ik bij mezelf toen ik ons landhuis in Great Neck te koop zette. Niet al te nieuw, dacht ik terwijl ik de moderne Deense meubelen die Jude en ik bij Roche-Bobois hadden gekocht van prijskaartjes voorzag. Niet meer dan ik zelf kan onderhouden, prentte ik mezelf in, toen ik de huishoudster en de tuinlieden moest laten gaan.

Met al dat 'niet' had ik in ieder geval de spijker op de kop geslagen. Het huis is opgetrokken uit het ruwe dennenhout van de omliggende bossen en het graniet van de helling waar het tegenaan is gebouwd. De enige kleur komt van het verschoten groen en roestbruin van de dakranden. Het hele huis is gehuld in de kleuren van een fazant die beschutting zoekt in het struikgewas. Ik heb het gevoel dat het zal verdwijnen als ik even met mijn ogen knipper.

'In de bibliotheek zullen ze vast wel internet hebben,' zeg ik uiteindelijk tegen Sally. 'Dat hebben ze tegenwoordig op alle privéscholen.'

'Niet op derderangs privéscholen.' Sally zakt nog verder onderuit op haar stoel. Ze maakt geen aanstalten om uit te stappen, maar hetzelfde geldt voor mij. Het is net alsof we gevangenzitten op de oprit van ons nieuwe huis, alsof we omringd zijn door doornstruiken. Misschien denkt Sally wel dat, als ze niet uitstapt, ik de auto in de achteruit zal zetten en via dezelfde weg door de dennenbossen en langs de notenbomen terug zal rijden naar de snelweg. Om vervolgens weer op weg te gaan naar Great Neck en als slimme kinderen langs de wollen draad van onze uitgehaalde truien niet alleen ons huis terug zullen vinden maar ook de toestand van een jaar geleden. Dan zal ik weer de vrouw zijn van de welvarende manager van een hedgefonds. Niet zo'n typische huisvrouw uit de voorsteden die ik niet kan uitstaan – types als de moeder van Lexy die de hele dag in hun BMW heen en weer rijden tussen de kapper en Burberry's – maar een vrouw met literaire interesses en net voldoende tijd om onze getalenteerde dochter op te voeden. Vorig jaar september volgde ik de laatste colleges die ik nodig zou hebben om mijn studie Engels aan de City University af te ronden. Sally begon aan het tweede jaar van de middelbare school. Ze was lid van de kunstclub en het literaire tijdschrift en had een voordracht van de National Honor Society, die steun verleent aan getalenteerde studenten. Het hedgefonds bestond inmiddels bijna drie jaar. Destijds had Jude zijn baan als effectenmakelaar bij Morgan Stanley opgegeven en ik wist wel dat we ons zwaar in de schulden hadden gestoken om het fonds te beginnen – en ons de manier van leven te kunnen veroorloven die volgens Jude noodzakelijk was om een succesvolle indruk te wekken – maar dat was het me wel waard geweest, want daardoor was Jude vaker thuis en veel minder gestrest. Hij had er niet meer zo jong en zorgeloos uitgezien sinds zijn tweede jaar op Pratt, waar we elkaar hadden leren kennen. Hij zag er niet uit als een man die minder dan drie maanden te leven had.

Als ik de tijd terug kon draaien en daar verandering in zou kunnen brengen, was ik bereid om in de achteruit dwars door New York State terug te rijden naar Long Island.

'Waarom denk je dat het een derderangs school is?' vraag ik. 'Ze hebben een bijzonder goede reputatie, met name op het gebied van de kunstopleiding. Leerlingen die hier eindexamen hebben gedaan worden toegelaten tot de dure universiteiten aan de oostkust en de beste kunstacademies. Weet je nog wel dat oma altijd zei dat ze wenste dat ze hiernaartoe had gekund?' Ik zeg er niet bij dat mijn moeder altijd verbitterd is gebleven omdat haar eigen moeder haar geen toestemming had gegeven om naar de Arcadia School te gaan, zelfs niet nadat ze een volledige beurs had gekregen. Toen ik hoorde dat hier een baan vrijkwam – een leerkracht die op het laatste moment vervangen moest worden omdat ze ergens anders was gaan werken – had ik het gevoel dat ik door hier te komen misschien een oud zeer kon genezen. Op dit moment is elke vorm van genezing welkom.

Sally slaakt een overdreven zucht en steekt een vinger op – een gebaar van Jude die alles op zijn vingers aftelde. 'Ten eerste: het schooljaar begint in augustus.'

'Dat is om de leerlingen de gelegenheid te geven elkaar te leren kennen.'

'Alsjeblieft, er zijn hier maar zeshonderd leerlingen. Ik weet zeker dat die elkaar binnen de kortste keren van haver tot gort kennen. Ten tweede zit het hier barstensvol rijke, verwende kinderen.'

Ik kan mijn lachen bijna niet inhouden. Dat zij zich daar druk over maakt terwijl ze altijd in het materialistische, rijke Great Neck heeft gewoond! Maar ik antwoord gewoon: 'Ze hebben hier ook beurzen voor getalenteerde kunststudenten en ze laten alleen maar leerlingen toe die aan de eisen voldoen, of ze het lesgeld nu wel of niet kunnen betalen. Je weet toch nog wel dat we je portfolio op moesten sturen om ervoor te zorgen dat je hier naar school kon?' Ik had Sally niet verteld hoe opgelucht ik was dat ze werd toegelaten, want dat betekende dat ik niet voor een dure privéschool hoefde te betalen of haar naar de openbare school in Arcadia Falls moest sturen. 'Volgens mij zul je de kunstlessen hier vast leuk vinden.'

'Die vond ik juist leuk op mijn oude school. En ten derde is de school opgericht door lesbische hippieheksen.'

'Heksen?' Ik herhaal alleen dat laatste woord want de beschuldigingen van lesbische en hippiepraktijken heb ik al gehoord.

'Dat heb ik zelf op internet opgezocht. Wist je dat er een legende is waarin wordt verteld dat de stad Arcadia Falls is gesticht door een groep heksen die door de Hollandse gemeenschap in Kingston uitgekakt was?'

'Dat klinkt me erg vergezocht in de oren, maar zelfs als er een grond van waarheid in schuilt, dan hebben we het nog steeds over de stad en niet over de school. De school is gesticht door kunstenaars...'

'Die werden aangetrokken door al dat gedoe over hekserij. Ik heb de Facebook-profielen van de studenten hier bekeken. Ze houden zich allemaal bezig met hekserij en voodoo. Dat wordt hier zelfs onderwezen.'

'Dat geldt voor de cursus folklore, die hier wordt gegeven, Sally. Daarom is het voor mij ook zo'n geschikte plek om les te geven. Er zijn niet veel high schools die dat soort lessen op het rooster hebben staan.'

'Misschien omdat het een typisch onderwerp is voor mislukkelingen, al bedoel ik dat niet persoonlijk. En ten vierde zitten hier bijna alleen meisjes.'

'De school is al sinds de jaren zeventig voor zowel jongens als meisjes toegankelijk,' zeg ik, waarbij ik eraan voorbijga dat ik me gekwetst voel omdat mijn eigen dochter het vakgebied waarop ik me de laatste acht jaar heb geconcentreerd typisch iets voor mislukkelingen vindt. Toen ik voor mijn specifieke gebied koos – Sprookjes in de negentiende- en twintigste-eeuwse vrouwenliteratuur – had de achtjarige Sally het ontzettend cool gevonden dat ik de verhalen die ik haar voor het slapengaan voorlas, bij mijn studie kon gebruiken. 'Tegenwoordig is de verhouding zestig-veertig. Hoewel ik ook vind dat je je echt nog niet druk hoeft te maken over jongens.'

'Waarom stuur je me niet meteen naar het klooster?' gilt Sally met zo'n hoge stem dat het niet alleen pijn doet aan mijn oren, maar ook een aanslag moet zijn op haar stembanden. Ze houdt het niet langer uit in de benarde ruimte van de auto (een tweepersoons wagen, Jude, hoe kwam je daar toch bij?). Ze duwt het rechterportier open (dat een vreemd gekraak produceert vanaf het moment dat het drie maanden geleden geschampt werd door een Hummer) en stapt uit terwijl ze me een laatste belediging naar het hoofd smijt.

'Omdat jij niet meer aan seks kunt doen, hoeft dat nog niet te betekenen dat andere mensen zich daar ook van moeten onthouden.'

Ze laat het portier openstaan en loopt met grote passen het van onkruid vergeven pad op om op de gebarsten stoep te gaan zitten. Ik stap uit om haar binnen te laten. Sally's woede-uitbarsting heeft het lamlendige gevoel verdreven dat ons in de greep had gekregen en terwijl ik naar de voordeur van ons nieuwe huis loop, schiet me door mijn hoofd dat dit voorlopig voor ons wel eens de enige vorm van magie zou kunnen zijn.

Binnen zie ik dat Sally al zit te snuffelen in de verhuisdozen die ik vooruit heb gestuurd.

'Bah, het ruikt hier naar handenarbeid!' klaagt Sally.

'Grenenhout,' zeg ik en gooi alle ramen open om de muffe lucht te verjagen. Het zijn ouderwetse schuiframen, die sprekend lijken op de ramen in het eerste appartement waarin Jude en ik samenwoonden, op Avenue B in de East Village. Jude had het guillotineramen genoemd. Hier klinken ze ook alsof er een Française wordt onthoofd op het moment dat ik ze openduw.

'Moeten we deze saaie meubels echt houden? Ik heb toch gezegd dat we onze oude dingen moesten meenemen.'

Ik kan haar er natuurlijk op wijzen dat onze enorme leren bank nooit in dit woonkamertje zou hebben gepast, maar dan zou nog eens extra opvallen hoe klein het huis is. De zitkamer is ongeveer even groot als de bijkeuken in ons oude huis.

'Dit is een stijl die Arts and Crafts wordt genoemd,' zeg ik in plaats daarvan en klop op een rookstoel die is bekleed met een motief dat eruitziet als verlepte slablaadjes op vers geschoffelde aarde. Een somber patroon dat helaas ook het behang en de gordijnen siert. Een stofwolkje stijgt op uit de stoel, alsof het de geest is van de laatste persoon die erin heeft gezeten. Aan de laag stof te zien waarmee alles hier is bedekt, moet dat enkele tientallen jaren geleden zijn geweest. Wat had Ivy St. Clare me ook alweer over de telefoon verteld? Ik ben sinds de dood van Vera niet in Fleur-de-Lis geweest. Dat kon ik niet opbrengen. Dat was inmiddels tien jaar geleden. Het was niet tot me doorgedrongen dat ze bedoelde dat er níémand meer binnen was geweest. 'In kunstenaarskolonies was de Arts and Crafts-stijl in de eerste helft van de eeuw heel populair. Van de twintigste eeuw,' verbeter ik mezelf voordat Sally me erop kan wijzen dat we niet langer in de twintigste eeuw leven. 'Kolonies als Roycroft, Byrdcliffe en Arcadia maakten hun eigen meubels. Sommige van deze dingen zijn misschien wel hier in Arcadia gemaakt...'

'Hadden ze dan geen geld genoeg om meubels te kopen?'

'Het was onderdeel van de filosofie van de Arts and Crafts-beweging dat de kunstenaars met allerlei materialen moesten kunnen werken zodat ze in staat waren hun eigen producten te vervaardigen. Ze fokten schapen voor de wol waarvan ze hun eigen kleden en kleren maakten en gebruikten plaatselijke houtsoorten om meubels te maken. Inheemse bomen en bloemen kwamen zelfs in hun ontwerpen voor. Kijk maar...' Ik veeg een lading vuil van de armleuning van de stoel. 'In deze leuning is een beuk gesneden en aan de andere kant een lelie. Volgens mij is hetzelfde motief bij de haard gebruikt.' Ik wijs naar een houten paneel met de afbeelding van een beuk. 'En ook op de tegels in de haard.' Ik poets het roet van de tegels tot er een gebroken blauwgroen glazuur verschijnt. Het patroon met de beuk en de lelie wordt langs de hele haard herhaald, maar de tegels zijn allemaal gebroken. Met name die met de afbeelding van de lelie.

'Het ziet eruit alsof iemand ze met een pook te lijf is gegaan,' zegt Sally. 'Waarschijnlijk nadat hij of zij knettergek werd van dat behang... Hé, er is toch een of ander kort verhaal over een vrouw die stapelgek wordt van haar eigen behang?'

'"The Yellow Wallpaper" van Charlotte Perkins Gilman,' zeg ik, dolgelukkig dat Sally zich iets herinnert van de negentiende-eeuwse literatuur waarover ik haar zo vaak vertel. 'Ik weet dat zij op bezoek is geweest bij de Byrdcliffe Colony in Woodstock. Misschien is ze hier ook wel geweest.'

'Ja en toen is ze vast door dit walgelijke behang op het idee gekomen voor dat boek.'

'Het zal er vast leuker uitzien als alles schoon is en de gordijnen zijn gewassen... Misschien kunnen we wat nieuwe overtrekken maken.' Ik kijk om me heen in de sombere kamer en probeer me voor te stellen wat er moet gebeuren om niet meteen aan een begrafenisonderneming te denken.

'Ik wens je veel succes,' zegt ze terwijl ze een doos oppakt met het opschrift SALLY. 'Ik ga een kijkje nemen in de slaapkamers. Die kunnen niet veel erger zijn dan dit.'

Ik glimlach bemoedigend, blij dat Sally in ieder geval énige vorm van belangstelling toont voor het huis, maar ik vrees voor haar reactie als blijkt dat ze zich vergist. Wat gebeurt er als de slaapkamers wél veel erger zijn? Ik heb plotseling het gevoel dat ik niet nog een tirade aan kan horen. Het mag dan laf zijn om voor het misnoegen van een zestienjarig meisje op de vlucht te slaan, maar onwillekeurig zoek ik toch een excuus om er even vandoor te gaan.

'Ik moet mijn nieuwe baas eerst laten weten dat ik aangekomen ben... en erachter proberen te komen waar ik iets te eten en schoonmaakspullen kan inslaan. Vind je het heel erg om hier even alleen te blijven?'

'Maakt niet uit.' Sally's stem klinkt bestudeerd nonchalant. We weten allebei dat ze sinds de dood van Jude last heeft van nachtmerries. 'Het spookt hier toch niet, hè?'

'Nee, lieverd, natuurlijk niet,' zeg ik haastig. Uit het feit dat ik gewoon al blij ben dat ze me een vraag stelt waarop ik het antwoord weet, blijkt hoe fragiel onze verstandhouding is geworden. Maar terwijl ik wegga, moet ik ineens denken aan die kapotgeslagen lelies boven de open haard en ik vraag me af of er echt geen kwade geesten in het huis ronddwalen.

Ivy St. Clare had me verteld dat haar kantoor in Beech Hall op precies elfenhalve minuut lopen van Fleur-de-Lis is.

'Dat weet ik omdat ik die wandeling zo vaak heb gemaakt toen Vera nog leefde.' Ze had een zucht geslaakt waarmee ze erin slaagde om zelfs via de telefoon duidelijk te maken hoeveel energie het verdriet haar in de loop der jaren had gekost. 'Vera zei altijd dat ik ongewoon lichtvoetig was. Mijn musje noemde ze me.'

Dat moet wel waar zijn. Het kost mij zeker vijf minuten om het pad te vinden. (Dat begint tussen de twee oude eiken die schuin tegenover je voordeur staan. Je moet links aanhouden om bij Beech Hall te komen.) En ik loop zeker een kwartier over het smalle, door dennen omzoomde pad voordat ik op het gazon voor Beech Hall uitkom. Daar blijf ik even staan om de omgeving op te nemen. Voor het stenen, gedeeltelijk betimmerde tudorlandhuis glooit het gazon omlaag naar de rode beuk die Sally en ik vanuit de auto hebben gezien. In de late middagzon hebben de bladeren een glanzend paarse kleur, die totaal niet aan bloed doet denken. Het gras eronder is bezaaid met studenten die profiteren van het uitblijven van de regen en op plaids en handdoeken zitten te lezen of met elkaar kletsen. De meisjes – het zijn voornamelijk meisjes, waardoor ik me afvraag of die gemelde 'veertig procent' niet een tikje overdreven is – dragen sportbeha's en shorts of topjes en opgerolde spijkerbroeken. Ik zie een heleboel tattoos.

Op de colleges in de stad waar ik de laatste paar jaar als hulplerares heb gewerkt, was me al opgevallen dat de hoeveelheid getatoeëerd vlees onder mijn studenten geleidelijk toenam, maar ik ben verbaasd dat leerlingen van een middelbare school al met tatoeages rondlopen. Zou Sally de getatoeëerde studenten van Arcadia platvoers vinden of zou het erop uitdraaien dat ze zelf ook een tattoo wil? Of, Sally kennende, allebei? Ik zal snel moeten besluiten of ik mijn poot stijf wil houden en nee zal zeggen – in welk geval Sally waarschijnlijk de benen neemt naar Kingston om zich daar in een of andere onhygiënische, door Hells Angels gerund zaakje te laten behandelen – of dat ik ja zal zeggen, zodat ik in ieder geval nog een stem in het kapittel heb over waar het zal gebeuren en de hoeveelheid huid die geïnkt mag worden. Voor de zoveelste keer dit jaar vraag ik me af wat Jude zou hebben gedaan. De innerlijke stilte waarmee die vraag ontvangen wordt, is haast nog pijnlijker dan dat hij er niet meer is. Vroeger kon ik meestal van tevoren zeggen hoe Jude in de meeste situaties zou reageren. Zijn dood heeft daar geen verandering in gebracht, maar wat ik in de nasleep van zijn dood te weten ben gekomen wel.

Als ik Beech Hall binnenkom, duurt het even tot mijn ogen na al dat zonlicht en die lichtgekleurde ledematen aan het donker gewend zijn. Het enige licht komt van twee smalle, gebrandschilderde ramen op de overloop van de eerste verdieping, recht boven mijn hoofd. Wanneer ik weer iets kan onderscheiden, zie ik in een nis rechts van me een bronzen standbeeld van een naakte vrouw. Ze kijkt over haar schouder en haar lange haar valt over haar rug in de vijver met waterlelies aan haar voeten. Ze ziet eruit alsof ze de persoon die net binnen is gekomen een boze blik toewerpt vanwege de tocht door de open deur. Dat kan ik haar niet kwalijk nemen. Zelfs op deze zomerdag voel ik de kou van de stenen vloer door mijn dunne gympen optrekken en het zweet in mijn nek prikt door de tocht.

Ineens heb ik het idee dat ik me wat netter aan had moeten kleden voor mijn kennismaking met Ivy St. Clare. De hal die uit de schaduwen tevoorschijn komt, doet indrukwekkend formeel aan. Dat had ik niet verwacht bij een privéschool die gesticht is door een kunstenaarscollectief, maar dan herinner ik me dat Beech Hall oorspronkelijk aan de familie van Vera Beecher toebehoorde. Zij heeft er in de jaren dertig een kunstenaarskolonie van gemaakt. De omvang van haar gift dringt pas tot me door nu ik in deze grote tochtige hal sta en opkijk naar het wapen van de familie Beecher – uiteraard een beuk – dat in de houten lambrisering op de eerste verdieping is uitgesneden. Wat een toevluchtsoord moet dit in de crisistijd zijn geweest voor armlastige kunstenaars! Ze hebben zich in Arcadia vast in het paradijs gewaand.

Een groep meisjes, die de rol van 'armlastige kunstenaars in het paradijs' inmiddels kennelijk heeft overgenomen, komt door de deur naar binnen stormen en loopt om me heen. 'Neem me niet kwalijk,' zeg ik wanneer ze me passeren. Een van de meisjes gooit het lange zwarte haar dat tot aan haar middel hangt op haar rug waardoor een hartvormig gezichtje tevoorschijn komt dat me met de onbewogenheid van een vos aanstaart, maar ze loopt door zonder iets te zeggen. Een van haar metgezellen, een lang blond meisje, blijft staan.

'Kan ik u misschien helpen?' vraagt ze op zo'n beleefde toon dat ik even met stomheid ben geslagen. Wanneer ben ik voor het laatst zo hoffelijk bejegend door een van Sally's vriendinnen? Dan doet ze nog iets ongelooflijks. Ze kijkt me recht aan. Recht in de ogen.

'Ja, als je zo lief wilt zijn. Ik ben op zoek naar het kantoor van de rectrix.'

'Dan bent u vast de nieuwe lerares Engels,' zegt ze terwijl ze haar hand uitsteekt. 'Ik ben Isabel Cheney. Ik ga uw cursus folklore voor laatstejaars volgen. Ik heb alle boeken al gelezen en verheug me er echt op.'

'Isabel!' roept een stem van de overloop boven. Het is het meisje met het vossengezichtje. 'Hou op met dat stroopsmeren en ga mee. Miss Drake zit op ons te wachten met de laatste veranderingen aan onze kostuums. Als je niet over de zoom van je jurk wilt struikelen, zou ik maar opschieten.'

'Mijn kostuum zit al prima, Chloe. Ik ben namelijk geen dwerg.'

Het meisje op de overloop – Chloe – trekt een boos gezicht. 'Maar we moeten ons werkstuk ook nog inleveren.'

'Ik heb míjn aandeel in het werkstuk bij me.' Isabel houdt een knaloranje map omhoog. 'Nu ga ik eerst mevrouw Rosenthal even naar het kantoor van de rectrix brengen. Ik zie je zo wel in de leeskamer.'

Chloe werpt nog een lange blik op de oranje map, alsof ze die het liefst uit Isabels handen zou willen rukken, maar dan steekt ze haar handen omhoog en draait ons de rug toe met een gemompeld 'zal wel', de favoriete reactie van tieners.

'Sorry,' zegt Isabel terwijl ze me weer aankijkt.

'Maar je hoeft me er toch niet helemaal naartoe te brengen? Ik wil niet dat je te laat komt voor je...' Ik had 'les' willen zeggen, maar dan dringt ineens tot me door dat de lessen nog niet zijn begonnen.

'We hoeven alleen maar de jurken voor de Openingsavond te passen en zoals ik al zei, míjn jurk past prima. Chloe is alleen maar pissig omdat ik haar mijn deel van het werkstuk dat we eigenlijk samen moesten maken, niet wil geven. Ze is namelijk bang dat het beter is dan het hare. En dat is ook zo,' zegt ze met een zelfvoldane glimlach in mijn richting. 'Chloe wordt gek van jaloezie als ze het onder ogen krijgt!'

We lopen door een lange, galmende gang die vol staat met schildersezels, komen via een kort trapje in een gang met aan weerszijden vitrinekasten waarvan ik vermoed dat ze vroeger gebruikt zijn voor het serviesgoed van de familie maar waarin nu allerlei kunstbenodigdheden zijn opgeslagen, en wandelen dan na een paar treetjes omlaag door een kleine zitkamer waar een blond meisje als een blok ligt te slapen op een roze fluwelen bank. Onder haar ligt de vloer bezaaid met houtskoolschetsen van naakte figuren, die met hun schaduwachtige ledematen verwikkeld lijken in een dromerige orgie. 'Tjonge,' zeg ik. 'Ik ben echt blij dat je me erheen brengt. Dit huis lijkt op een doolhof.'

'Dat komt omdat de Beechers zo'n terughoudende familie waren,' vertelt ze me. 'Ze werden in Engeland vervolgd wegens hun geloof en toen ze naar Massachusetts emigreerden werd Hiram Beecher beschuldigd van hekserij. Vandaar dat ze hier aan de rand van de rimboe gingen wonen en een huis bouwden met allerlei kronkelende gangen en geheime schuilplaatsen, voor het geval ze zich moesten verbergen.'

'Je weet heel wat van geschiedenis,' zeg ik.

Isabel straalt. 'Ik ben dol op geschiedenis! Ik ben van plan om aan Brown of Cornell zowel geschiedenis als politieke wetenschappen te gaan studeren. Ik ben bezig met een eindexamenwerkstuk over de geschiedenis van Arcadia.'

We staan inmiddels voor een stel brede eiken deuren waarvan ik aanneem dat ze de toegang vormen tot het kantoor van Ivy St. Clare. 'Ik heb ook onderzoek gedaan naar de geschiedenis van Arcadia,' zeg ik. 'Misschien moeten we onze aantekeningen maar eens naast elkaar leggen.'

'Ja, ik heb uw artikel over de historische bronnen van Lily Eberhardts sprookjes gelezen. Ik vond het wel goed, maar... nou ja, ik denk dat u uw mening over de werkelijke betekenis van de sprookjes wel zult wijzigen wanneer u meer over haar leven te weten komt.'

'Tja,' zeg ik, een tikje onthutst door die aanmatigende houding, 'daarvoor ben ik ook hier.' Ik schenk haar een stijf glimlachje dat hopelijk verhult hoe nijdig ik ben omdat ik door een tiener op de vingers word getikt. Typisch de arrogantie van de jeugd, prent ik mezelf in. Ze komt er gauw genoeg achter dat er meer is in het leven dan goede cijfers op school en je gelijk halen... en dat niet iedereen even vriendelijk op haar zelfvoldaanheid zal reageren. 'Bedankt dat je me hierheen hebt gebracht,' voeg ik er iets vriendelijker aan toe.

'Graag gedaan,' zegt ze. 'Veel succes met de rectrix. Ze kan soms behoorlijk intimiderend zijn.' Met die laatste waarschuwing draait Isabel Cheney zich om en loopt terug. Ik kijk haar na en benijd haar om de zekerheid van haar jeugdige zelfvertrouwen, het vertrouwen dat alles precies zo zal gaan als je het gepland hebt. Een beetje van dat vertrouwen zou me goed van pas komen nu ik op de deur van mijn nieuwe baas klop.

DRIE

'Binnen,' roept een zachte, maar doordringende stem.

Als ik over de drempel van Ivy St. Clares kantoor naar binnen stap, is mijn eerste indruk niet alleen dubbel maar ook tegenstrijdig. Ten eerste heb ik het gevoel dat ik terecht ben gekomen in een soort feestgewoel, maar tegelijkertijd lijkt het vertrek leeg. Ik zie al snel dat die eerste indruk door de muurschilderingen wordt opgeroepen. Alle wanden worden bevolkt door monumentale dames in middeleeuwse kostuums. Sommigen van hen bespelen muziekinstrumenten, anderen hebben schetsboeken of een palet in hun handen. Er zit er een achter een weefgetouw, terwijl weer een ander naast een brok marmer knielt, met een hamer boven het hoofd om het stuk steen te bewerken. In het centrum van de schildering, recht boven de bureaustoel, zit een hoogblonde vrouw met een pen in de ene en een schetsboek in de andere hand. Ze kijkt recht de kamer in, alsof ze op het punt staat het portret van de toeschouwer te tekenen. De muze van de tekenkunst, herinner ik me, als ik het werk herken als De Kunst, een beroemde muurschildering van Vera Beecher uit de jaren veertig. Het is een kleinere uitvoering van het werk dat ze in opdracht van een college in Pennsylvania heeft gemaakt. Ik ken foto's van beide versies, maar daarop was niet te zien hoe de figuren de ruimte domineren en de indruk wekken dat de kamer vol mensen zit, hoewel de stoel achter het enorme eiken bureau leeg is, net als de twee die ervoor staan.

Ik werp een blik op de ramen, met het gevoel dat mijn nieuwe werkgeefster naar buiten moet zijn geglipt om mij voor de gek te houden. Misschien hoort dat ook wel bij het ontgroeningsritueel, net zoals die veel te vage routebeschrijving. Maar dan zie ik een soort bobbel in de zware gordijnen.

'Mevrouw St. Clare?' zeg ik tegen het gordijn, dat toevallig hetzelfde motief van verlepte slablaadjes heeft als de gordijnen in mijn huisje. 'Ik ben Meg Rosenthal.'

'Ja, ja, heel even. Ik heb haar bijna.'

Ik loop iets naar voren en doe dan een stapje opzij, waardoor ik een nietig vrouwtje in de erker op de vensterbank zie zitten, met opgetrokken benen en een dik schetsboek op haar knieën. Haar hoofd is over het papier gebogen, waardoor haar gezicht verborgen wordt door een lok volmaakt wit haar. Ik kijk uit het raam om te zien wat ze zit te tekenen en zie dan dat ik na de kronkelweg die Isabel me heeft laten afleggen toch weer op de een of andere manier uitzicht heb op het gazon voor het huis. De meeste studenten zijn inmiddels verdwenen, met uitzondering van één meisje dat in slaap is gevallen. Ze ligt op haar zij met het gezicht naar de rode beuk. Haar lange, roodblonde haar ligt als een waterval van herfstbladeren op het gras.

Ik kijk naar het schetsboek en zie dat Ivy St. Clare de welving van de heup van het meisje, haar lange, gespreide benen en de val van haar haar perfect heeft getroffen, allemaal afgezet tegen de enorme boom die hoog boven haar uittorent. Maar in de tekening is zij niet alleen, er zijn nog andere wezens bij haar op het gazon.

Heupen, ellebogen en schouderbladen kolken vlak onder de oppervlakte van het gras door elkaar. Het is zo'n indringend beeld dat ik, wanneer ik opnieuw uit het raam kijk, min of meer verwacht dat de omgeving ineens bevolkt wordt door de metgezellen die aan de verbeelding van de kunstenares zijn ontsproten. Uiteraard is het grasveld leeg, maar nu zie ik wel waar die ondergrondse figuren vandaan komen. De wortels van de beuk kronkelen door het gazon en komen hier en daar zelfs even aan de oppervlakte voordat ze weer onder de grond verdwijnen. Zodra je de tekening van de kunstenares onder ogen hebt gehad, wordt het moeilijk om ze niet als begraven lichamen te beschouwen.

'Zo! Ik geloof dat ik het voorlopig wel aardig heb vastgelegd. De zon is achter de wolken verdwenen.' Ze huivert en trekt een van de twee smalle ramen aan weerszijden van het brede middenraam dicht. Dan gooit ze het schetsboek op de vensterbank en kijkt op. Het witte haar glijdt opzij en onthult een verschrompeld gezichtje dat een treffende gelijkenis vertoont met een walnoot en dat veel te klein lijkt voor de grote bruine ogen die naar me opkijken. Als ze opstaat van de vensterbank, zie ik dat er aan Ivy St. Clare in alle opzichten geen centimeter verspild is. Ze zal niet veel groter zijn dan een meter achtenveertig en ze is zo slank als een elfje, een indruk die nog eens wordt benadrukt door een geelbruine driekwartbroek en een donkergroene tuniek met een diepe reverskraag die haar scherpe sleutelbeenderen en ingevallen borst extra accentueert. Op de kraag zit een ronde zilveren broche met een gegraveerd motief van twee vrouwen in een krans van klimop. Haar haar lijkt nog steeds op het recht afgeknipte helmpje dat ik herken van haar foto's uit de jaren veertig, maar het is inmiddels van kastanjebruin in wit veranderd.

'Je hebt ons dus gevonden,' zegt ze, terwijl ze haar hoofd een tikje scheef houdt. 'Ben je al helemaal op orde in Fleur-de-Lis?'

'Mijn dochter is bezig met uitpakken. Ik vond dat ik even hiernaartoe moest komen om u te vertellen dat we gearriveerd zijn.'

'Daar ben ik blij om. Ik wilde net om thee bellen. Ga alsjeblieft zitten.'

Ze gaat op de rand van het bureau zitten, drukt op de intercomknop van een chique bureautelefoon en vraagt aan een zekere Dymphna of ze de thee binnen wil brengen.

'Ik hoop dat het huisje niet al te vervallen is. Ik heb er een paar leerlingen naartoe gestuurd om het schoon te maken...' ze zwijgt abrupt als ze de verbaasde blik op mijn gezicht ziet. 'O nee, vertel me nou niet dat het niet is schoongemaakt!'

'Dat geeft echt niet...'

'Natuurlijk geeft dat wel! We gaan er hier bij de Arcadia School prat op dat we volkomen zelfstandig zijn. De leerlingen hebben allemaal een taak en het duo dat ik naar Fleur-de-Lis heb gestuurd, hoefde vorige week niet in de keuken te werken, omdat ze het huisje voor u in orde moesten maken. Ik zal een woordje met ze moeten wisselen als wij uitgepraat zijn... Aha, daar is Dymphna al.' Ivy St. Clare glijdt van het bureau af omdat ze kennelijk bij de deur iets heeft gehoord wat mij is ontgaan. Maar ze blijkt wel gelijk te hebben. Een gezette vrouw staat met een volgeladen dienblad in de deuropening. De rectrix probeert het aan te pakken, maar de vrouw negeert haar, sloft langzaam over het tapijt en zet het blad op het bureau.

'Dymphna, wie heb ik opdracht gegeven om Fleur-de-Lis schoon te maken?'

'Chloe Dawson en Isabel Cheney,' antwoordt ze, terwijl ze thee inschenkt. 'Maar het verbaast me niets dat ze er met de pet naar gegooid hebben. Ze zijn allebei druk bezig met de voorbereidingen van het feest ter gelegenheid van de Openingsavond.'

Ivy St. Clare slaakt een lange, diepe zucht. 'Ik dacht dat ze zouden proberen elkaar de loef af te steken bij het schoonmaken, maar kennelijk vonden ze het festival belangrijker.' Ze kijkt mij aan. 'We beginnen het jaar altijd met een herfstritueel dat we de Openingsavond noemen. Chloe en Isabel zijn de twee ouderejaars met de beste cijfers, dus zij hebben de hoofdrollen gekregen. Aangezien ze hier al zo vroeg waren, vond ik dat ze ook je huisje wel konden doen. Ik zal nog wel even een woordje met ze wisselen.'

'Het geeft echt niet,' zeg ik opnieuw en wens dat ik de toestand van het huis verborgen had kunnen houden. Ik vind het een vervelend idee dat de beide meisjes nu zullen denken dat ik over hen geklaagd heb, met name Isabel Cheney die zo aardig voor me is geweest. 'Ik heb Isabel Cheney net ontmoet,' voeg ik eraan toe. 'Ze was zo vriendelijk om me hierheen te brengen. Ze leek me een bijzonder verantwoordelijk en intelligent meisje.'

'Een agressief en ambitieus type,' zegt rectrix St. Clare met een lichte huivering. 'Waarschijnlijk is ze nu al van plan om je te vragen haar bij een bepaald college voor te dragen. Ik veronderstel dat ze zichzelf te goed vindt voor haar schoonmaaktaken, maar het hoort bij onze filosofie dat elke leerling een aandeel heeft in het dagelijkse reilen en zeilen van de school. Weet je waar die meisjes op dit moment zijn, Dymphna?'

'Boven in de leeskamer. Miss Drake legt de laatste hand aan hun kostuums. Moet ik ze naar beneden sturen?'

De rectrix houdt even nadenkend haar hoofd schuin. Ik vind dat ze sprekend lijkt op een roodborstje dat met het kopje vlak boven de grond luistert of het wormen hoort. 'Nee,' zegt ze. 'Ik ga wel naar boven, dan kan ik meteen even naar de kostuums van de meisjes kijken. Dank je, Dymphna. Dat was alles.'

'Goed dan,' zegt Ivy St. Clare als Dymphna is verdwenen, 'ik neem aan dat je graag iets meer wilt weten over de lessen die je hier zult moeten geven.'

'Ja.' Ik neem een slokje van de thee die verkwikkend en vrij donker is – darjeeling? – en een tikje kruidig. 'Ik ben echt blij dat ik de kans krijg om ook een cursus folklore te geven.'

'En wij zijn blij dat we jou hebben om dat te doceren,' zegt ze terwijl ze me een bordje overhandigt met een bruine boterham met boter en een stukje appeltaart. 'Zodra ik zag dat jij als onderwerp voor je proefschrift de sprookjes van Vera Beecher had gekozen was mijn interesse gewekt. Ik vond het ook interessant om te zien dat je op college kunstgeschiedenis hebt gestudeerd. Teken je nog steeds?'

'Nee, nauwelijks,' zeg ik. Ik ben even stil om een hapje van de appeltaart te nemen – verrukkelijk op smaak gebracht met boter, kaneel en pecannoten – en om me af te vragen of ik haar de waarheid zal vertellen: dat ik dat bij de geboorte van Sally heb opgegeven. Maar ik weet nooit zeker hoe andere vrouwen daarop zullen reageren – met name vrouwen die zelf geen kinderen hebben – dus sla ik het maar over. 'Maar toen ik mijn studie weer oppakte, leek het me wel leuk om de studie van beeldende kunst te combineren met een taal.'

'Dat is precies wat we hier in Arcadia zoeken. Tussen twee haakjes, ik heb echt genoten van je artikel over de illustraties die Dante Gabriel Rossetti heeft gemaakt voor "Goblin Market" van zijn zusje Christina. Dat is een van mijn lievelingsgedichten. Vera droeg dat 's avonds vaak voor.' St. Clare zet haar theekopje neer, sluit haar ogen en begint te reciteren met een lage stem die vrijwel geen enkele gelijkenis vertoont met haar normale, vrij hoge timbre. Daardoor krijg ik het onbehaaglijke gevoel dat Vera Beecher via haar tot me spreekt. 'We moeten de saters niet aanzien/We moeten hun vruchten afslaan/Wie weet in welke aarde/hun hongerige, dorstige wortels hebben gestaan.' Ze stopt zoveel voldoening in die laatste zin, dat er voor het eerst sinds mijn kennismaking met Rossetti's gedicht over demonische verleiding weer een koude rilling over mijn rug loopt.

'Ik zal Rossetti zeker behandelen bij de lessen over negentiende-eeuwse literatuur, net als de Brontës, Thomas Hardy...'

'Ja, prima, prima... En ik ga ervan uit dat je voor de cursus folklore niet alleen het standaardmateriaal zult gebruiken, maar ook de Verhalen uit Arcadia van Vera Beecher, ook al omdat je daar je proefschrift aan wijdt... Ik neem aan dat je daar bijna klaar mee bent?'

'O ja,' zeg ik. Hopelijk klink ik overtuigend. In werkelijkheid heb ik door de dood van Jude, het regelen van zijn erfenis, mijn pogingen om werk te vinden en de verhuizing al bijna een jaar niet meer aan het proefschrift kunnen werken.

'Mooi. De meeste van onze docenten zijn al afgestudeerd, maar het bestuur en ik hadden het gevoel dat gezien je belangstelling voor de sprookjes van Vera Beecher...'

'Bedoelt u niet de sprookjes van Vera Beecher én Lily Eberhardt? Ze zijn door beide vrouwen geschreven en geïllustreerd. Een van de doelstellingen van mijn thesis is om vast te stellen wie van de twee wat heeft geschreven en getekend.'

Ivy trekt een pruimenmondje, waardoor haar gezicht nog zuiniger wordt. Het schiet me ineens te binnen dat het misschien niet zo'n goed idee was om mijn nieuwe baas in de rede te vallen terwijl ze net mijn professionele tekortkomingen aanstipte. 'Ik denk dat je er wel achter zult komen dat de meeste illustraties van de hand van Vera zijn, die van de twee duidelijk de grootste kunstenares was. En wat het schrijven betreft, die eer gunde Vera graag aan Lily, vooral nadat Lily was overleden. Lily beschikte over een schat aan kinderverhalen die ze van haar moeder had gehoord en ze vond het leuk om die 's avonds bij het haardvuur te vertellen. Dat was haar bijdrage aan het collectief. Vervolgens schreef Vera ze op in haar aantekenboekje en maakte er kunstwerken van. Geloof me, ik heb de originele verhalen gehoord en daarna het eindproduct gelezen. Er bestaat geen enkele twijfel over wie ze in feite heeft geschréven.'

'Maar u kwam hier toch pas in 1945?' zeg ik. 'En hoe oud was u toen ook alweer? Een jaar of zestien?' Ik weet uit mijn onderzoek dat Ivy St. Clare op de Arcadia School een van de eerste leerlingen was met een beurs. 'En Lily was hier al vanaf het eind van de jaren twintig. Hoe weet u dan dat de samenwerking al die jaren op dezelfde manier heeft plaatsgevonden?'

'Omdat Vera me heeft gevraagd alle vroege versies van de sprookjes uit te werken. Die staan allemaal in de notitieboeken.'

'De notitieboeken van Vera? Ik kan niet wachten tot ik die te zien krijg. Zitten ze in het archief van de schoolbibliotheek?'

'Nee, daarvoor zijn ze veel te kostbaar... en te fragiel. Ik bewaar ze boven in de leeskamer, hier in Beech Hall. Achter slot en grendel.'

'Die aantekeningen zouden enorm veel toevoegen aan mijn werk.'

Ivy St. Clare kijkt me met haar heldere bruine ogen strak aan en ik moet me inhouden om niet in elkaar te krimpen. Het is net alsof een havik me aanstaart. Ik weet ineens zeker dat ze mijn verzoek zal afslaan en me meteen daarna op staande voet zal ontslaan. En wat moet ik dan beginnen? Nadat ik ons huis in Great Neck en vrijwel de hele inboedel heb verkocht om de schulden die Jude had gemaakt af te betalen, heb ik alleen nog maar een elf jaar oude auto en een onafgemaakte studie. Ik ben achtendertig en heb niet meer gewerkt sinds ik in mijn studententijd een baantje als serveerster had. Deze baan is de enige mogelijkheid die ik heb om in Sally's en mijn levensonderhoud te voorzien. Ik haal diep adem en zet me schrap om me te verdedigen als dat nodig blijkt.

Maar Ivy St. Clare ontslaat me niet. Ze glimlacht en zegt: 'Natuurlijk mag je Vera's notities inkijken. Dat is een van de redenen waarom ik je heb aangenomen. Het wordt hoog tijd dat ze de academische erkenning krijgt die ze verdient. Laten we meteen maar naar de leeskamer boven gaan. Ik moet toch even met Chloe en Isabel praten.'

'Dank u wel.' Ik vraag me af waarom ik me niet opgeluchter voel. Heel even zag ik in gedachten al hoe Sally en ik hier wegreden en voor de tweede keer vandaag leek me dat best een goed idee. Maar dat komt waarschijnlijk omdat ik me ongerust maak over mijn nieuwe baan... mijn eerste échte baan.

Ivy St. Clare staat op en opnieuw valt me op hoe klein ze is. 'Als we nu meteen de notitieboeken ophalen, zal ik ook tegen Dymphna zeggen dat ze wat cake en boterhammen in moet pakken om mee te nemen voor je dochter. Als ze een gewone tiener is, zal ze wel rammelen van de honger.'

Bij die opmerking over honger vlamt er iets in haar ogen op, alsof ze zich op de een of andere manier laaft aan de eetlust van jonge mensen.

'Dank u wel, dat is heel lief van u.' Als ze via de intercom met Dymphna praat, loop ik terug naar het raam en kijk naar het gazon. De hemel is weer bewolkt en het slapende meisje is verdwenen. Voordat ik me omdraai, valt mijn oog op het schetsboek van Ivy St. Clare dat nog steeds op de vensterbank ligt. Door de laatste hand die ze aan de tekening heeft gelegd, zijn de ondergrondse figuren op een subtiele manier veranderd. Ineens wordt duidelijk dat ze op weg zijn naar het slapende meisje. Degene die het dichtst bij haar is, heeft al een hand boven het gras en staat op het punt om haar naar beneden te trekken, om samen bij hen onder de grond te zijn.

VIER

Ik loop achter Ivy St. Clare aan door de roze zitkamer, waaruit de slapende kunstenares en haar houtskoolschetsen zijn verdwenen, en vervolgens via een smalle trap naar de eerste etage.

'Deze kamer werd in de winter door de familie Beecher als zitkamer gebruikt,' verkondigt ze terwijl ze de dubbele eiken deur opendoet. 'Vera vond het heerlijk om hier te zitten lezen als het overdag sneeuwde.' Het tafereel in het vertrek zou zo een historisch tableau met als titel 'Een dag vol sneeuw' kunnen zijn. Meisjes in witte jurken hangen op banken en met chintz beklede stoelen. Lange banen doorzichtige tule liggen op de vloer of hangen over tafels en boekenplanken. In het midden van al dat witte schuim staat Isabel Cheney onbeweeglijk als een standbeeld in een lange witte jurk met een hoge empire taille, terwijl een vrouw met zilverkleurig haar – miss Drake neem ik aan – aan haar voeten knielt. Isabel lijkt sprekend op een godin, maar de vrouw ligt niet aan haar voeten om haar te aanbidden, ze speldt de zoom af.

'Ik snap er niets van,' zegt Isabel wanneer wij binnenkomen. 'Gisteren mankeerde er niets aan de lengte.'

'Misschien ben je weer een paar centimeter gegroeid.' Die opmerking komt van het donkere meisje met het vossengezicht dat ik ook al eerder heb gezien – Chloe. Ze hangt in een loveseat met haar witte jurk wijd uitgespreid, zodat niemand naast haar kan gaan zitten. Ze is omringd door een aantal meisjes, die op de grond zitten of op de armleuningen van de loveseat. Ze barsten in lachen uit bij haar volgende opmerking. 'Om je middel, bedoel ik.'

'Is dat soms de reden waarom jullie tweeën Fleur-de-Lis niet op tijd schoongemaakt hebben voordat mevrouw Rosenthal arriveerde?' doorbreekt de afgemeten stem van de rectrix het gegiechel. 'Omdat jullie je tijd verspillen aan gekibbel?'

Isabel Cheney kijkt van de rectrix naar mij en haar gezicht wordt rood van schaamte. Hoewel ik haar net pas heb leren kennen, heb ik toch het gevoel dat ik haar vertrouwen beschaamd heb.

'Ik weet niet waar u het over heeft,' zegt Chloe. 'Ik heb boven schoongemaakt. Isabel zou dat op de begane grond doen, maar toen ik beneden kwam, zat ze weer zoals gewoonlijk met haar neus in een boek.'

'Je hebt zelf gezegd dat je de benedenverdieping ook zou doen als ik het hele onderzoek voor ons werkstuk op me zou nemen!' weerlegt Isabel.

'Dat zou je in ieder geval hebben gedaan, want je vindt jezelf toch veel intelligenter dan de rest.'

'Meisjes!' De stem van de rectrix snoert de meisjes de mond. 'Jullie waren sámen verantwoordelijk voor het schoonmaken van het hele huis en er werd ook van jullie verwacht dat jullie sámen aan dat onderzoek zouden werken. Hier op Arcadia wordt geen werk afgeschoven.'

'Maar rectrix, ik heb echt een heel interessant en oorspronkelijk onderzoek...' begint Isabel, maar dan staat miss Drake op en valt haar in de rede.

'Ik ben bang dat het allemaal mijn schuld is, rectrix,' zegt ze terwijl ze de speld uit haar mond pakt. 'Ik heb de meisjes echt achter hun vodden gezeten vanwege de Openingsavond. En Isabel heeft echt schitterend werk verricht met haar onderzoek naar de oude rituelen die hier zijn gehouden. Misschien zou u even naar haar werkstuk moeten kijken om...' De vrouw bukt zich om een oranje map – dezelfde die Isabel eerder bij zich had – van een stoel te pakken, maar de rectrix steekt haar hand op.

'Ik twijfel er niet aan dat miss Cheney een schitterend rapport heeft geschreven – dat is altijd het geval – maar daar gaat het nu niet om. Deze school is gesticht om de geest van samenwerking te bevorderen. Vrouwen die vrouwen helpen om hun artistieke doel te bereiken. En jullie tweeën hebben in dat opzicht...' Ze werpt Isabel en Chloe een kille blik toe, '... jammerlijk gefaald. Ik begin me af te vragen of ik voor de festiviteiten van vanavond niet beter plaatsvervangers voor jullie kan zoeken...'

'Dat is niet eerlijk!' Chloe springt op, waardoor haar te lange witte jurk als een pompoen om haar heen hangt. Ze lijkt behoorlijk overstuur. 'Isabel mag al sinds mei de godin zijn. Vanavond is haar laatste optreden en ik begin nog maar net. Dus dan is het ongelijke straf.'

Godin? Ik begin me af te vragen wat voor soort ritueel voor vanavond is geprogrammeerd. Ik kan me herinneren dat de stichters van Arcadia heel wat bewerkelijke voorstellingen hebben gegeven – van meidansen tot tableaus rond de kortste dag – maar ik wist niet dat ze dat nog steeds deden. Misschien had Sally toch gelijk en is deze school inderdaad een tikje vreemd.

'Misschien zijn de meisjes wel bereid om morgen te komen schoonmaken,' zeg ik. 'Dan kan ik die notitieboeken later wel ophalen.'

Rectrix St. Clare kijkt me aan alsof ze niet alleen mijn aanwezigheid vergeten is, maar ook niet meer weet wie ik ben. Dan herpakt ze zich. 'Dat vind ik een uitstekend voorstel, mevrouw Rosenthal. Ik zal het materiaal dat u nodig hebt wel bij elkaar zoeken zodat het morgen voor u klaarligt. En jullie tweeën – Isabel en Chloe – gaan met mij mee naar beneden. Ik ben nog niet klaar met jullie.'

'De jurk van Chloe moet nog veranderd worden,' zegt miss Drake. 'Waarom neemt u niet eerst Isabel mee, dan stuur ik Chloe wel zodra ik met haar klaar ben.'

'Prima,' zegt de rectrix, die er ineens ontzettend moe uitziet. 'Loop maar mee, Isabel. En u moet niet vergeten bij de keuken langs te gaan, mevrouw Rosenthal. Dymphna zal het eten al wel voor u ingepakt hebben.'

Ze draait zich om en loopt weg in de richting van haar kantoor, met Isabel op haar hielen. Ik loop achter hen aan, omdat ik geen flauw idee heb hoe ik anders bij de keuken moet komen. Maar ik houd wel een paar meter afstand. Als de rectrix een hoek om loopt, draait Isabel zich naar me om. 'Het spijt me echt dat het huis niet schoongemaakt is,' zegt ze.

'En het spijt mij dat ik mijn mond niet heb gehouden, Isabel.'

Ze lacht tegen me. 'Dat maakt niet uit. Ik haal me wel vaker moeilijkheden op de hals. Tussen twee haakjes, via die gang komt u vanzelf bij de keuken.' Ze draait zich weer om en ik zie hoe ze haar rug recht wanneer ze achter de rectrix aan loopt. Ik hoop dat ik haar niet al te veel problemen heb bezorgd. Per slot van rekening is ze de eerste vriendin die ik hier heb gemaakt.

In de keuken tref ik Dymphna Byrnes die achter een enorm gietijzeren fornuis grote scheppen soep overhevelt in een plastic bak. 'Alsjeblieft, dat is veel te veel,' zeg ik tegen haar.

'Ik zou mijn mond maar houden, anders doet ze er nog een schep bij.'

De opmerking komt van een man die naast het slagersblok zit, tegen de achterwand van de keuken. Hij draagt een donkerblauw jack voorzien van een geborduurd schild met de tekst ARCADIA FALLS SHERIFF'S DEPARTMENT. Hij zit achter een kom met dezelfde soep en trakteert me op een scheve glimlach. Zijn gezicht is zo verweerd dat hij duidelijk in de veertig is, maar de ondeugende blik in zijn lichtgroene ogen doet jongensachtig aan.

'Dymphna is net als de heks in "Hans en Grietje". Ze probeert iedereen vet te mesten.'

'Ach, hou toch op, Callum Reade. Jij komt toch ook alleen maar hier omdat ik zo lekker kan koken? Om mijn schoonheid zal het niet gaan, dat weet ik best,' zegt Dymphna met een stem die diep gekrenkt klinkt, maar ze bukt zich om haar glimlach te verbergen en doet net alsof ze aan de soep ruikt.

'Hé, je onderschat je charmes, Dymphna, heks dat je bent.' Hij tilt de kom op en giet het restant van de soep in zijn mond. Dan staat hij op en brengt de kom naar het aanrecht. Ik vang een glimp op van de sheriffsster onder zijn jack en wanneer hij zich over de gootsteen buigt, zie ik bij zijn middel de doffe metalen glans van de kolf van een pistool. 'Maar ik ben bang dat ik hier vanavond alleen maar ben gekomen om met je baas te praten. Is ze vrij?' Het dringt ineens tot me door dat hij dat aan mij vraagt en niet aan de kokkin.

'Eh, ze heeft net een van de leerlingen in haar kantoor laten opdraven,' zeg ik en vraag me af wat de sheriff hier te zoeken heeft. Is er een misdaad op het schoolterrein gepleegd?

'Welke leerling?' vraagt de sheriff.

'Isabel Cheney.'

'Echt waar?' De sheriff kijkt de kokkin even aan. 'Wat heeft zij misdaan? Het andere team te hard aangepakt bij het dispuut? Of ingebroken in de schoolcomputer en met de cijfers van Chloe Dawson gehannest?'

'Zij had samen met Chloe Dawson mijn huisje schoon moeten maken en dat hebben ze niet gedaan. Wat is er met die twee meisjes aan de hand? Ze vlogen elkaar bijna naar de keel.'

'Al sla je me dood,' zegt de sheriff en strijkt met twee handen door zijn haar dat daardoor als versgemaaide tarwestoppeltjes overeind blijft staan. 'Ik ben alleen maar de sheriff van een kleine stad, geen puberpsycholoog. Maar één ding kan ik je wel vertellen: ik zou niet graag tussenbeide willen komen als die twee het aan de stok hebben.' Hij geeft me een knipoog, duwt met zijn schouder de klapdeur open en verdwijnt.

'Maakt de plaatselijke politie zich altijd zo druk over de school?' vraag ik terwijl ik neerkijk op de grote plastic bak met soep om mijn blos te verbergen. Ik voel mijn wangen branden. Ik kan me niet herinneren wanneer een man me voor het laatst een knipoogje heeft gegeven.

'Ach, vorig jaar hebben we tijdens de festiviteiten voor de Openingsavond wat moeilijkheden gehad. Nu schakelt de rectrix voor alle zekerheid van tevoren de politie in. En trouwens, Callum Reade houdt graag een oogje in het zeil. Hier...' Ze geeft me de bak met soep.

'Dat is echt veel te veel,' probeer ik haar te overtuigen, maar ze schudt haar hoofd.

'Wat jullie vanavond niet opeten, kan ingevroren worden. U hebt een opgroeiende dochter en...' – ze bekijkt me even hoofdschuddend van top tot teen – '... u ziet er zelf ook uit alsof u in geen tijden een fatsoenlijke maaltijd hebt gehad.'

'Mijn man is afgelopen herfst overleden en vanaf die tijd laat mijn eetlust te wensen over,' zeg ik, verrast over mijn openhartigheid. De enige die in Great Neck zag dat ik tien pond was afgevallen was een moeder die me tijdens een hockeywedstrijd vroeg hoe ik dat had klaargespeeld. Door verdriet, had ik het liefst willen zeggen, en door de stapels rekeningen waarvan ik niet weet hoe ik ze moet betalen. En doordat ik erachter ben gekomen dat het geld waarvan mijn dochter had moeten gaan studeren vorig jaar zonder mijn toestemming is uitgegeven. In plaats daarvan had ik gezegd dat ik minder koolhydraten was gaan eten. Maar nu vertel ik de mollige, moederlijke Dymphna: 'Niets smaakt me meer.'

Ze klakt met haar tong terwijl ze een brood uit een metalen broodtrommel haalt. 'Zo reageerde miss Vera ook toen miss Eberhardt overleed. Ze heeft veertien dagen lang vrijwel geen kruimel aangeraakt.' Ze begint het bruine, met hele korrels doorregen brood met het kartelmes in haar rechterhand in dikke plakken te snijden, terwijl ze tegelijkertijd met links elke boterham van een dikke laag boter uit een aardewerken pot voorziet: het is zo'n sierlijk staaltje coördinatie dat ik de neiging krijg om te applaudisseren. 'Ik dacht dat ze zichzelf dood zou hongeren. Miss St. Clare en ik hebben er de handen vol aan gehad om te proberen haar weer op de been te krijgen. Maar het heeft een vol jaar geduurd voordat ze zichzelf weer was. Pas nadat we te horen kregen dat Virgil Nash zelfmoord had gepleegd ging ze weer eten.'

'Echt waar? Weet u zeker dat het daaraan lag?'

Dymphna houdt op met brood snijden en smeren en beide messen blijven even werkloos in de lucht hangen. 'Ik weet nog dat ze me die dag naar haar kantoor liet komen en zei dat ik een schilderij van Nash dat in de eetkamer hing, van de muur moest halen. "Ik wil niet dat het werk van een zelfmoordenaar boven de hoofden van onze meisjes hangt," zei ze tegen me. En die avond kwam ze voor het eerst sinds de dood van miss Eberhardt naar beneden voor het diner en at alles op wat haar voorgezet werd. Daarna heeft ze nooit meer problemen met haar eetlust gehad.'

Dymphna legt beide messen op het aanrecht en veegt de kruimels van haar schort. Ze wikkelt het beboterde brood in waspapier en doet het samen met de plastic bak met soep in een canvas tas die ze aan mij geeft. 'Er gaat niets boven wraak om de eetlust te stimuleren.'

Bij mijn vertrek uit Dymphna's keuken heb ik stapels eten bij me. Voordat ik weer weg kan heeft ze nog een appeltaart, een stuk of tien appels, een blik havermout, koffie en een liter melk in mijn tas gestopt. Ik voel me een beetje als het meisje in Rossetti's gedicht dat van de markt bij de dwergen terugkomt met verboden vruchten om haar zusje te verleiden weer te gaan eten. Terwijl ik de voordeur van Beech Hall uit loop, wurmt Chloe Dawson zich gehuld in een wolk witte stof langs me heen. Behalve haar eigen jurk heeft ze nog een witte jurk over haar arm.

'Chloe,' zeg ik wanneer ze langs me heen schiet, 'heb je even een momentje?'

Ze draait zich om en ik zie dat haar hartvormige gezichtje opgezwollen is en nat van de tranen.

'Ik wou alleen maar zeggen dat ik het allemaal heel erg vervelend vind. Het was echt niet mijn bedoeling om jou en Isabel in problemen te brengen.'

'Het ligt niet aan u,' zegt ze. 'Het ligt aan Isabel. Ze wilde per se dat werkstuk in haar eentje maken. Nu krijgen we er allebei een onvoldoende voor. Weet u wel wat dat voor mijn gemiddelde betekent? Nu kom ik vast niet meer in aanmerking voor een topuniversiteit. Hebt u haar trouwens gezien?'

'Nee,' zeg ik, terwijl ik het gazon afspeur. 'Maar daarginds onder die boom staat een heel stel leerlingen.'

'Ja, dat is de groep van de Openingsavond. Daar zal ze wel bij zijn.'

'Lieverd,' zeg ik terwijl ik mijn hand op haar schouder leg. 'Waarom zet je die ruzie met Isabel en je gemiddelde eindcijfer vanavond niet gewoon uit je hoofd en ga je je lekker amuseren.'

'Dat is precies wat ik van plan ben, mevrouw Rosenthal,' zegt ze met een stralende glimlach. 'Ik ben van plan me kostelijk te amuseren als ik wraak neem op Isabel.'

Wanneer ik terugloop naar het huisje voel ik een koude rilling over mijn rug lopen omdat Chloe zich erop lijkt te verheugen om wraak te kunnen nemen. Ik heb genoeg naijver en vervelende dingen gezien die zich afspeelden tussen de meisjes van Sally's middelbare school. Vorig jaar had een stel meiden allerlei beledigingen en akelige foto's op internet gezet. Het Zijden Draadje, de naam waaronder het incident bekend werd, gaf aanleiding tot zeker een stuk of zes vergaderingen en brieven van de directeur aan de ouders. Maar ik had gehoopt dat op de Arcadia School, die op haar website zo hoog opgaf van 'het saamhorigheidsgevoel', dat soort gemene dingen niet zou voorkomen.

Maar in feite heeft Arcadia altijd al een historie van rivaliteit en bedrog gehad, vanaf het begin toen Vera Beecher in New York Virgil Nash leerde kennen. Hij was een arme maar veelbelovende kunstenaar, die lesgaf aan de Art Students League. Toen hij daar zijn baan kwijtraakte – naar aanleiding van een incident waarbij hij een van zijn studenten naakt liet poseren – nodigde Vera Beecher hem uit om naar haar ouderlijk huis in Arcadia te komen en daar samen met haar en een handjevol andere studenten, onder wie Lily Eberhardt voor wie Vera volgens geruchten meer dan gewone belangstelling had gehad, een kunstenaarscollectief te stichten. Er werd eveneens gemompeld dat Virgil Nash en Lily Eberhardt een verhouding hadden gehad. Nash verliet het collectief al na de eerste zomer op stel en sprong. Daarna had zijn carrière een onverwachte wending genomen. Hij werd een societyschilder, die voornamelijk portretten maakte van rijke cliënten. Hij verdiende veel geld en leidde een losbandig leven, een man die zijn talent had verkwanseld voor commercieel succes. Maar aan het eind van de jaren veertig keerde hij terug naar Arcadia, waar hij een reeks schilderijen van Lily Eberhardt maakte die in hoge mate afweken van zijn societyportretten. Hij begon net waardering te krijgen voor zijn nieuwe werk toen Lily overleed. Ze kwam om in een sneeuwstorm. In de omgeving ging het gerucht, dat door de pers gretig werd opgepikt, dat ze op weg was naar een afspraak met Nash om er samen met hem vandoor te gaan. Drie weken later werd haar lichaam onder de sneeuw teruggevonden. Een jaar daarna pleegde Nash zelfmoord, volgens velen uit verdriet om de dood van zijn muze.

Als ik het licht in het huisje aan het eind van het pad zie, stel ik me in gedachten voor hoe Lily Eberhardt daar midden in een sneeuwstorm de deur achter zich dichttrekt. Ik heb me altijd afgevraagd waarom ze zich in zulk slecht weer buiten waagde. Wilde ze zo wanhopig graag weg? Of was ze bang geweest dat Nash zonder haar zou vertrekken?

Ik loop zo diep over Lily Eberhardt te piekeren dat ik stokstijf blijf staan als ik voor me een in het wit geklede gestalte tussen de bomen door zie schieten. Het is net alsof ik haar geest heb opgeroepen. De verschijning – als het dat is – blijft ook staan en glipt dan van het pad om in het bos te verdwijnen. Ik loop haastig het pad af en kijk naar de bomen, maar ik zie alleen een slanke witte berk die een beetje scheef tussen de omringende naaldbomen staat. Heb ik die dan gezien? Waarschijnlijk wel, denk ik, terwijl ik het bos uit loop. Als het een persoon was geweest, waarom zou die zich dan voor mij verbergen? Maar ik kan het gevoel dat ik Lily's geest heb opgeroepen niet van me afzetten.

Als ik het huisje binnenkom, loop ik meteen door naar de open haard en bekijk de kapotte tegels. Vera had het huis voor Lily laten bouwen. De naam – Fleur-de-Lis, of Franse lelie – verwees ook naar de bloem waarnaar Lily was vernoemd. De beide vrouwen maakten allerlei spulletjes voor elkaar die verwezen naar hun naam: tegels met motieven van lelies en beuken, kasten met houtsnijwerk van soortgelijke beeltenissen en wandtapijten en dekens met ingeweven combinaties van die boom- en bloempatronen. Bij nadere bestudering blijken alleen de tegels met het leliemotief kapot te zijn. Zou Vera dat hebben gedaan, nadat ze te horen had gekregen dat haar beschermelinge – en naar sommigen meenden ook haar minnares – van plan was te vertrekken? Als dat zo is, kan dat geweldadige gedrag heel goed de reden zijn geweest waarom Lily ondanks de sneeuwstorm het huis uit vluchtte.

Ik huiver bij de gedachte aan de arme Lily die in een sneeuwstorm loopt rond te dwalen en eenzaam van de kou sterft. Wanneer ik maar blijf rillen, besef ik ineens waarom ik het zo koud heb. Ik heb de ramen opengezet en nu het tegen de avond loopt, is het behoorlijk kil geworden. Ik was vergeten dat zo ver naar het noorden zelfs een zomeravond behoorlijk fris kan zijn. De soep van Dymphna zal er des te beter om smaken.

Ik roep Sally terwijl ik in de keuken het eten uitpak. Ze geeft geen antwoord, maar dat kan net zo goed zijn omdat ze naar haar iPod zit te luisteren, ligt te slapen of me gewoon negeert. Als ik even stil blijf staan om te luisteren, hoor ik van boven het vage geluid van muziek. Volgens mij een nummer van The Decemberists. Dus ze is niet ingeplugd, maar zit naar muziek op haar laptop te luisteren. Hopelijk is ze ondertussen bezig met uitpakken. Ik loop naar de trap, maar blijf dan staan. De psychotherapeut die we in Great Neck consulteerden, zei dat het haar hulpeloosheid alleen maar zou onderstrepen wanneer ik Sally bleef roepen als ze me geen antwoord gaf. 'Zet het eten maar gewoon op tafel en laat het koud worden als ze niet beneden wil komen,' had ze tegen me gezegd. In het afgelopen jaar had ik een boel eten zien verpieteren terwijl Sally steeds magerder werd. Goed, ik kan net zo goed de dozen met het opschrift KEUKEN uitpakken en het eten klaarmaken voordat ik haar nog een keer roep.

Hoewel ik alle dure porselein op eBay heb verkocht en de keukenapparatuur in het huis heb achtergelaten, heb ik de dagelijkse borden, schalen en pannen wel gehouden. Ik ging ervan uit dat ik er toch niet veel voor zou krijgen. Wie wil nu de gebruikte potten en pannen van iemand anders hebben, waaraan nog steeds de geest van gebruikte maaltijden kleeft? Welke vreemde zou zijn of haar karbonaadjes willen bakken in de gehavende koekenpan met de koperen bodem en de verbrande rand van die keer dat Jude me vanachter besloop terwijl ik uien stond te bakken en me zo lang kuste dat ik alles liet aanbranden? Wanneer ik de pan uit de doos haal, kan ik nog steeds de verbrande uien ruiken – een geur die even intiem is als de herinnering aan seks. Het zou me het gevoel geven dat ik de lakens van onze bruidsnacht te koop aanbood. En hoe kon ik de blauwe emaillen pan van Le Creuset verkopen, waarvan een schilfertje van het deksel is gesprongen toen ik dat tijdens een ruzie liet vallen? Dat was nog in het appartement op Avenue B, twee weken nadat ik Jude had verteld dat ik zwanger was. Hij was thuisgekomen met de mededeling dat hij met zijn studie aan Pratt was gestopt en een baan als makelaar bij Morgan Stanley had aangenomen.

'Het is maar goed dat ik net zo goed ben in wiskunde als in kunst,' had hij gezegd op het moment dat ik het deksel van de schaal pakte. Ik had neergekeken op de in wijn gemarineerde kip naar een recept van Julia Child, waarmee ik een halve dag bezig was geweest, en voelde me een beetje misselijk. Zwangerschapsmisselijkheid, flitste het door mijn hoofd, hoewel het geen ochtend maar avond was. Toen ik de schaal oppakte om naar de tafel te brengen was de kracht ineens uit mijn armen gevloeid. Hij viel op het smerige linoleum en de tomatensaus en de kippenbotjes vlogen alle kanten op.

'Jezus, Meg,' had Jude gezegd terwijl hij naar de troep keek, 'als je al op deze manier reageert op mijn eerste echte baan, dan kan ik er maar beter voor zorgen dat ik niet met een kerstgratificatie thuiskom.'

Terwijl ik Dymphna's soep in de pan schenk, wrijf ik even over het plekje waar het metaal onder het email zichtbaar is. Iedere keer als ik ernaar kijk, vraag ik me weer af wat ik had kunnen zeggen om ervoor te zorgen dat alles anders was gelopen. Had ik moeten aanbieden om een abortus te laten doen? Had ik tegen hem moeten zeggen dat we best rond konden komen van het salaris van een tekenleraar? Of dat hij met zijn talent op een dag vast wel een beroemd kunstenaar zou worden? Had ik moeten voorstellen om dan maar geld van zijn ouders te lenen? Of dat we op het platteland konden gaan wonen om geiten te fokken? Had ik de verslagenheid in zijn ogen moeten zien en niet net moeten doen alsof het een goed idee was om zijn droom aan de wilgen te hangen, zodat hij voor mij en ons ongeboren kind zou kunnen zorgen?

Ik draai het gas onder de gehavende pan open, maar het sist zonder dat de vlam aan gaat. Pas als ik gas ruik, dringt het tot me door dat het fornuis zo oud is, dat je het met een lucifer aan moet steken. Er staat een doosje in de verroeste metalen houder die boven het fornuis vastgeschroefd zit aan de kast. Ik strijk er een aan en doe een stap achteruit als de vlam oplaait.

Mijn handen trillen nog steeds als ik het dagelijkse serviesgoed begin uit te pakken: het blauw met witte Marimekko dat Jude bij de Scandinavian Design Store heeft gekocht voor onze eerste Kerstmis als getrouwd stel. Wat een lieve man, had ik destijds gedacht. De doorsneevent zou zijn kerstgratificatie hebben uitgegeven aan stereoapparatuur of aan een grotere tv, niet aan borden en schalen voor zijn hoogzwangere vrouw die een week daarvoor nog in tranen was uitgebarsten omdat de papieren bordjes waarvan ze moest eten haar het idee gaven dat ze nog lang niet volwassen genoeg was om moeder te worden. Ik kan me nog goed herinneren hoe mooi en vrolijk de tafel er bij het kerstontbijt met dat serviesgoed uit had gezien. Het witte glazuur mag dan bekrast zijn en de blauwe randen verkleurd, het is nog steeds compleet: een servies voor acht personen. 'Voor ons groeiende gezin,' had Jude gezegd. Nu lijkt het wel erg veel voor alleen Sally en mij.

Ik zet borden en soepkommen op tafel, vislepels en messen uit het ratjetoe aan bestek (het dure zilver is afgelopen februari verkocht om de jaarafrekening van het gas te kunnen betalen) en val dan neer op een iele keukenstoel die kraakt onder mijn gewicht. Een golf van vermoeidheid welt in me op en blijft om me heen hangen. Nadat ik eerst om me heen heb gekeken om er zeker van te zijn dat Sally niet naar beneden is gekomen, laat ik mijn hoofd op de tafel zakken.

Het voelt verrassend koel aan. Ik dacht eigenlijk dat het blad – wit, met een rand groene bladeren en bruine dennenappels – van geverfd hout was, maar als mijn wang het gladde oppervlak raakt, besef ik dat het eigenlijk geëmailleerd staal is. Mijn grootmoeder had vroeger in Brooklyn net zo'n tafel in haar keuken. Die had aan weerszijden twee bladen die je, net als bij deze tafel, omlaag kon laten hangen en als je er dan onder zat, kreeg je het gevoel dat je in een huisje zat. De golvende randen van de bladeren lijken op de houten randen van sprookjeshuizen. Onder op de tafel stond een naam: Porceliron. Vroeger klonk me dat in de oren als de naam van een sprookjesrijk, maar mijn grootmoeder vertelde me dat het de merknaam van de tafel was, want het blad was gemaakt van ijzer met daarop een laagje geëmailleerd porselein. Daarom werd ik later ook zo dol op dat Le Creuset-serviesgoed dat was gemaakt uit diezelfde vreemde combinatie van fragiel porselein over hard staal. Op dit moment voelt het koele tafelblad aan als de hand die mijn grootmoeder op mijn voorhoofd legde als ik koorts had. Het aroma van een of ander kruid in Dymphna's soep stijgt op uit de pan op het fornuis en ik voel de vermoeidheid een beetje wegtrekken. Voldoende om op te staan. Ik ga Sally ophalen en ons eten opdienen op onze eigen oude, bekraste borden. Warme soep en zelfgebakken brood met koffie en appeltaart als dessert. We redden het wel, prent ik mezelf in, voor de duizendste keer sinds Judes dood. We komen er wel doorheen.

De smalle trap is zo steil dat ik bijna kramp in mijn kuiten heb wanneer ik op de bovenverdieping aankom. Wat is het toch een vreemd huisje. Niets ervan lijkt volgens de normale maatstaven gebouwd, de ramen niet, de deurposten niet. Het lijkt op een speelgoedhuisje dat is opgetrokken uit allerlei restantjes. De treden kraken en buigen in het midden door. De top van de balustrade boven aan de trap bestaat uit houtsnijwerk in de vorm van een uil. De gang op de eerste verdieping loopt omlaag naar een smalle erker met een vensterbank die vlak onder het puntdak nog een zitplaats biedt. Als ik door een van de openstaande deuren naar binnen kijk, zie ik een lege slaapkamer met allemaal hoeken en schuine wanden. Het is maar goed dat ik mijn oude slaapkamerameublement verkocht heb, dat zou hier nooit gepast hebben. En trouwens, het ziet ernaar uit dat in al die hoeken en gaten kasten ingebouwd zijn.

Het is in zekere zin best charmant en als ik op de deur van de tweede slaapkamer klop, voel ik een sprankje hoop opwellen dat Sally er ook zo over denkt. Het is waarschijnlijk een goed teken dat ze de deur van haar nieuwe kamer achter zich heeft dichtgetrokken. Dat zou kunnen betekenen dat ze zich thuisvoelt. Ik klop opnieuw, voor het geval ze de dopjes van haar iPod in heeft of in slaap is gevallen. Maar het enige geluid dat achter de deur te horen is, komt van The Clash met 'London Calling'. Ze is kennelijk in slaap gevallen. Ik draai de knop om – verkleurd koper met een patroon van druiventakken en bladeren – en doe de deur open.

Als ik al het idee had dat Sally zich thuis begint te voelen, dan is dat onmiddellijk verdwenen bij de aanblik van het kale matras en de ongeopende dozen op de vloer. Het enige licht in de kamer komt van Sally's opengeslagen laptop waarop haar screensaver allerlei buitenaardse beelden toont: sterrennevels bloeien op en vuurpijlen ontploffen in de tijd die het mij kost om tot de conclusie te komen dat de kamer leeg is. Sally is verdwenen.

VIJF

Het doorzoeken van het hele huisje neemt maar een paar minuten in beslag: twee slaapkamers op de bovenverdieping, weggepropt onder het schuine dak, een badkamer met een verkleurde badkuip op klauwpootjes (geen douche, hoe zal Sally dat hebben gevonden?) en vervolgens de keuken, de zitkamer en de provisiekast beneden. Ik kijk zelfs in de kasten. Ik ga niet naar de kelder, want Sally zou er niet over gepiekerd hebben om daar vrijwillig naartoe te gaan. En hetzelfde geldt voor de garage. Ik heb zelf nog niet eens de moed op kunnen brengen om daar een kijkje te nemen. De gedachte dat haar afwezigheid niet vrijwillig is, schiet even door mijn hoofd met dezelfde plotselinge heimelijkheid van de gasvlam, maar die zet ik meteen weer van me af.

Nee, dit is gewoon Sally die me straft omdat ik haar hiernaartoe heb gebracht. In gedachten hoor ik al hoe ze zich verdedigt: ik dacht juist dat je zou willen dat ik vertrouwd raak met onze nieuwe omgeving. Dan zal ik haar uitfoeteren omdat ze geen briefje heeft achtergelaten, waarop ze schouderophalend zal zeggen dat ze dat vergeten is. Het is zo'n bekend tafereel dat ik al bijna weer gerustgesteld ben, tot ik naar buiten stap en zie dat het hele schoolterrein in duister is gehuld.

Met uitzondering van het licht dat door de deur van het huisje naar buiten valt, is de avond net zo donker als de uithoeken van de ruimte op het scherm van Sally's laptop, boven in de lege slaapkamer. Donkerder. Hier is geen exploderend vuurwerk dat me bijlicht. Als ik de deur achter me dichttrek en van het bordes stap, kan ik de auto niet eens zien staan.

De auto. Stond die nog wel op de oprit, toen ik terugkwam van mijn bezoek aan de rectrix? Ik weet het niet meer. Heeft Sally een reservesleutel? Ik herinner me ineens dat Jude thuis wel ergens een reservesleutel had, maar die heb ik voor de verhuizing nergens kunnen vinden. Sally wel? Heeft ze die al die tijd stiekem bij zich gehouden omdat ze van plan was zich uit de voeten te maken?

Het is een ingewikkelde onderneming, waarvan ik een jaar geleden nooit had gedacht dat ze die zou kunnen uitvoeren, maar sindsdien heeft ze een heleboel dingen gedaan waartoe ik haar niet in staat achtte. Ze heeft het nummer van mijn creditcard uit haar hoofd geleerd en telefonisch concertkaartjes besteld om vervolgens met de trein naar de stad en naar het concert te gaan, terwijl ze tegen mij zei dat ze naar de plaatselijke bioscoop ging. Ze heeft haar schoolrapporten verborgen, telefoontjes van leraren onderschept, mijn handtekening vervalst, ingebroken in mijn AOL-account om voor een paar honderd dollar cd's en x-boxspelletjes te kopen bij Amazon.com en uit mijn naam opgebeld om onder een proefwerk biologie uit te komen. Ze is zo gehaaid geworden in het spel van list en bedrog, dat het me niets zal verbazen als autodiefstal de volgende stap is.

Ik strompel over het pad in de richting van de plek waar ik de Jag heb achtergelaten en struikel twee keer over de oneffen flagstones voordat ik recht tegen de scherpe rand van het kapotte rechterportier loop. De pijn is bijna geruststellend. Waar Sally ook mag zijn, ze zit in ieder geval niet opgesloten in een aan alle kanten verbogen metalen wrak.

Daar staat tegenover dat ik op z'n minst de politie had kunnen bellen om het kenteken door te geven als ze de auto wel had genomen.

De gedachte aan de politie doet me eraan denken dat er hier ergens op het schoolterrein een stadssheriff rondloopt: de blonde man met de groene ogen die ik in Dymphna's keuken tegen het lijf liep. Ik kan me zelfs zijn naam nog herinneren: Callum Reade. Ik pak mijn mobiel uit de auto voordat ik me herinner dat hier geen bereik is en ook dat ik Sally dus niet op háár mobiel kan bereiken. Ik kan naar binnen gaan om de politie te bellen, maar wat moet ik zeggen? Dat mijn zestienjarige dochter vermist wordt... maar sinds wanneer dan? Ik heb geen flauw idee hoe laat ze naar buiten is gegaan. In gedachten zie ik de geamuseerde en minachtende blik in de ogen van de sheriff al. Ik zal de indruk wekken dat ik niet goed wijs ben, terwijl Sally me waarschijnlijk alleen maar is gaan zoeken in Beech Hall... of naar de bibliotheek is gelopen om te zien of daar een internetverbinding is. Van die gedachte kikker ik heel even op, tot ik me realiseer dat ze dan haar laptop wel mee had genomen.

Maar goed, ik besluit dat ik toch beter eerst even in de bibliotheek kan gaan kijken voordat ik sheriff Reade bel en mezelf meteen ten overstaan van de hele stad en mijn nieuwe collega's te kijk zet als een zenuwachtige, neurotische moeder.

Ik herinner me dat Jude altijd een zaklantaarn bewaarde in het handschoenenkastje. Wanneer ik het ding pak en aanknip, zie ik tot mijn verbazing dat het nog werkt ook. Jude heeft kennelijk vlak voor zijn dood de batterijen nog vervangen. Hij dacht altijd aan dat soort details. Ik pak ook een oud Pratt-sweatshirt uit de kofferbak, niet zozeer om me warm te houden, maar omdat de geur van motorolie me aan Jude doet denken.

Ik kan me herinneren dat de bibliotheek verborgen is in het indrukwekkende gotische bouwwerk dat ik achter de rode beuk heb zien opdoemen. Ik overweeg om ernaartoe te rijden, maar als Sally al op de terugweg is via het pad loop ik haar mis. En aangezien het niet de eerste keer is dat ik het pad neem, zal het me niet al te veel moeite kosten om het te volgen. In ieder geval begin ik al aan het donker te wennen, ook dankzij een volle maan die net boven de toppen van de bomen is verschenen.

Maar het blijkt dat alleen het vinden van het begin van het pad in het donker al een hele opgave is. Tussen de twee eiken die schuin voor de deur van Fleur-de-Lis staan kun je nauwelijks een wegwijzer noemen. Zou het een doodzonde zijn om een bordje aan een van die kostbare bomen te spijkeren, voorzien van een pijl en een opschrift: HOOFDINGANG SCHOOL DEZE KANT OP? In het licht van mijn zaklantaarn lijkt de boomgrens nergens onderbroken te worden, de stammen staan als wachtposten in de houding. Hun met ruwe schors bedekte gezichten staren me onbewogen aan en tarten me een gat in hun gelederen te vinden waar ik doorheen kan glippen. Heel even heb ik het bespottelijke gevoel dat het pad dat ik eerder vandaag heb genomen op de een of andere manier 's avonds verdwijnt, waardoor het huis volkomen is afgesloten van de buitenwereld. Dan besef ik dat het idee afkomstig is uit *Het wisselkind*. Terwijl ze naar het huis van de heks liep, dacht ze dat ze achter zich de bomen hoorde bewegen en toen ze het bos uit kwam en zich omdraaide, zag ze dat het pad verdwenen was en ze niet meer naar huis kon. In gedachten zie ik nu hoe Sally op dat pad verzwolgen wordt door het bos.

Maar dan valt het licht van mijn zaklantaarn op een opening tussen twee brede stammen die gladder zijn dan die van de dennen – vast en zeker eiken – en ik duik het gat in alsof het zal verdwijnen als ik niet snel genoeg reageer.

Het lijkt alsof ik in een onverlichte gang stap. De dikke luifel van dennenbomen laat het maanlicht niet door. En er is nergens langs het pad een lichtje te bekennen. Belachelijk, denk ik terwijl ik de lichtstraal op het met dennennaalden bedekte pad richt en begin te lopen, welke kostschool zorgt nou niet voor verlichte wandelpaden? Ongetwijfeld zou Ivy St. Clare wel op de proppen komen met een of andere stompzinnige verklaring over hoe elektrisch licht de landelijke idylle zou verstoren, maar had ze dan nooit gehoord van uitspattingen op schoolterreinen en afspraakjes die op verkrachting uitliepen? Sally had gelijk, dit is écht een derderangs school.

En dan dat bespottelijke gedoe over die elfenhalve minuut! Het was absoluut onmogelijk dat iemand deze tocht in minder dan een kwartier aflegde, ook al was ze nog zo lichtvoetig en ook al was ze honderd keer iemands eigen musje!

Mijn boosheid jegens Ivy St. Clare en de Arcadia School in het algemeen geeft mijn voeten vleugels en houdt mijn angst een tijdje onder de duim, maar dan begin ik me allerlei dingen voor de geest te halen die Sally misschien overkomen zijn: ze kan aangevallen zijn door de plaatselijke psychopaat, of in een ravijn gevallen zijn en nu met een gebroken nek op de bodem liggen. Zo was Lily Eberhardt toch ook aan haar eind gekomen? En niet eens zo ver hiervandaan. Terwijl mijn hart bij de gedachte daaraan overuren begint te maken, moet ik ineens denken aan iets wat mijn moeder altijd tegen me zei als ik 's nachts huilend wakker werd omdat ik zeker wist dat er monsters onder mijn bed en in de kast verstopt zaten. 'Je hebt een grote fantasie. Die kun je net zo goed gebruiken om mooie als om nare verhalen te bedenken.' Ik weet zeker dat mijn moeder het idee over Sally die dood is onder de 'nare verhalen' zou rangschikken.

Maar wat ik me niet verbeeld, is dat het pad sinds ik het die middag ben afgelopen langer is geworden. Een tocht in het donker lijkt altijd langer dan een tocht bij daglicht. Als dat zinnetje bij me opkomt, duurt het even voordat ik me herinner dat het ook uit *Het wisselkind* is. Het staat in het gedeelte waaraan ik vandaag in de auto niet ben toe gekomen. Terwijl ik over het donkere pad loop, schiet de rest van het verhaal me weer te binnen.

Nadat de heks het gevangen meisje verteld heeft dat ze het wisselkind 'gevleugelde voeten' heeft gegeven door de wortel in stromend water af te spoelen in plaats van in bronwater, wacht het meisje iedere dag bij de rand van het bos tot het wisselkind terugkomt. Ze ziet hoe de bladeren van de bomen rood en goud kleuren en vervolgens op de grond vallen, ze kijkt toe hoe de sneeuw alle gaten in het bos vult en zwaar op de takken van de dennenbomen blijft liggen en daarna luistert ze naar het trage gedruppel van de smeltende sneeuw terwijl ze ondertussen ook voortdurend haar oren spitst op zoek naar het geluid van voetstappen in het bos. Ze blijft maar wachten op de terugkomst van het wisselkind. Zou haar familie haar echt hebben geaccepteerd als plaatsvervangster voor haar? Zouden ze niet doorhebben dat ze alleen maar iets was uit hout en toverkracht, niet van vlees en bloed? Op een dag flitste er iets kleurigs op in het bos en ze dacht dat ze het katoenen jurkje van het wisselkind zag, maar het was alleen maar een plek wilde bloemen die uit de bosgrond opbloeiden. De koele blauwe, witte en paarse bloemen uit het begin van de lente veranderden hartje zomer in felrood, geel en oranje, en nog steeds wees niets erop dat het wisselkind terug zou komen. Op de dag dat het eerste blad verkleurde, kwam de heks naar haar toe en vertelde haar dat haar familie het wisselkind inmiddels als hun eigen kind beschouwde. Het had geen zin meer om nog langer te wachten.

Maar dat kon het meisje niet geloven. Die avond stal ze een lantaarn uit de voorraadkamer van de heks en vulde die met hazelnootolie. Ze had de oude heks in zichzelf horen mompelen dat je alleen de weg door het bos kon vinden als je het pad verlichtte met een mengsel van hazelnootolie en een druppel van je eigen bloed. Vandaar dat het meisje zich in haar vinger prikte en een druppeltje bloed in de olie liet vallen. Het licht dat uit de lantaarn scheen, werd ineens afschuwelijk rood en daar schrok het meisje ontzettend van, maar toen ze het omhooghield naar de bomen weken ze voor haar opzij en toonden haar eindelijk het pad terug naar huis. Zodra ze op het pad stapte, hoorde ze achter zich een zwaar geschuifel. De bomen sloten de terugweg af. Maar dat kon haar niets schelen. Ze wilde toch nooit terug naar het huis van de heks. Ze hield de lantaarn voor zich en volgde het door bloed verlichte pad dat diep in de bossen verdween. Het was net alsof het een veel langere weg was dan toen ze de afstand voor het eerst aflegde, maar ze prentte zichzelf in dat een tocht bij nacht altijd veel langer lijkt dan een tocht bij daglicht. Ze bleef dapper doorlopen, tot het licht van haar lantaarn begon af te nemen. En toen ze erin keek, zag ze dat bijna alle olie opgebrand was. Pas toen drong het tot haar door dat als alle olie opgebrand was voordat ze bij haar huis kwam, ze voorgoed gevangen zou zitten in het bos.

Ik begin zo langzamerhand het gevoel te krijgen dat mij hetzelfde lot wacht. Ik ben al veel langer dan een kwartier onderweg en het pad is nog steeds niet uitgekomen bij het gazon voor Beech Hall. Zou dit het verkeerde pad zijn? Ik herinner me ineens dat het pad zich in twee richtingen splitst. Heb ik de verkeerde afslag genomen? Of hebben de bomen zich, net als in het sprookje, op bevel van de heks op een andere manier opgesteld om mij in verwarring te brengen? Die laatste gedachte, die natuurlijk volslagen belachelijk is, doet toch iets van angst oplaaien in mijn brein. Ik verbeeld me zelfs dat ik kan horen hoe de bomen achter me de rijen sluiten, waardoor ik voorgoed in het bos opgesloten dreig te worden, en dat het licht van mijn zaklantaarn een opzichtig rode gloed op het met dennennaalden bezaaide pad werpt. Ik weet dat ik eigenlijk rechtsomkeert moet maken als dit het verkeerde pad is, maar in plaats daarvan ga ik steeds sneller lopen en begin te rennen. Wanneer de weg ineens naar beneden loopt – waaruit blijkt dat dit inderdaad het verkeerde pad is, want dat wat ik eerder vandaag heb genomen was vlak – verlies ik mijn evenwicht en beland op handen en knieën op de grond. De zaklantaarn vliegt uit mijn hand, rolt het bos in en gaat uit, waardoor ik in het pikdonker achterblijf.

Maar niet alleen. Nu het geluid van mijn eigen voetstappen is weggestorven, dringt het ineens tot me door dat ik me niet verbeeld heb dat ik iemand hoorde lopen. Ergens achter me heb ik gekraak in de struiken gehoord. Sally, denk ik hoopvol. Maar als ik naar de zware voetstappen luister, herinner ik me weer dat Sally al maandenlang niets anders heeft gedragen dan slippers en deze voetstappen klinken alsof ze door zware werkschoenen worden gemaakt. Of, houdt mijn zenuwachtige fantasie plotseling vol, alsof het ontwortelde bomen zijn die zich moeizaam aaneensluiten om me in het bos gevangen te houden. En ik hoor nog iets anders dan die voetstappen, een zacht gegrom dat klinkt alsof het afkomstig is van een of ander wild beest.

Nog steeds op handen en voeten draai ik me om en staar naar het bos achter me, maar natuurlijk kan ik in het ondoordringbare duister niets zien. Maar ik kan de voetstappen die mijn richting uit komen wel horen en ik voel ook de grond onder mijn handen trillen. Ineens denk ik weer aan de tekening die Ivy St. Clare vandaag heeft gemaakt – de wortels van de beuk die veranderd waren in wezens die onder het slapende meisje rondzwermden.

Er trippelt iets over mijn hand en ik schreeuw. De voetstappen komen krakend tussen de bomen door hollen en dan word ik verblind door een lichtstraal. Erachter doemen de bomen op in torenhoge schaduwen die zich op me dreigen te storten. Schaduwen in de vorm van bomen en schaduwen in de vorm van een man. Ik sta op en wijk achteruit. Het manvormige ding staat abrupt stil en laat het verblindende licht zakken. Een gezicht dat eruitziet alsof het uit grenenhout is gesneden, met haar dat als gouden dennennaalden rechtovereind staat, duikt op uit het donker. De ogen lijken goudkleurig in het licht van de zaklantaarn.

'Blijf staan,' zegt de man tegen me. 'Loop geen centimeter verder.'

'Wat bedoelt u?' vraag ik terwijl mijn angst omslaat in woede vanwege de toon die hij aanslaat. 'Ik heb niets misdaan.' Ik zie dat op het jack van de man een tekst staat, ARCADIA FALLS SHERIFF, en het blonde haar en de lichtgroene ogen komen me ook bekend voor. 'Reade was het toch?' zeg ik. 'U bent de sheriff. En ik ben de nieuwe lerares Engels.'

'Ja, ik weet wel wie u bent, maar ik denk dat u niet weet wáár u bent. Als u heel even stil wilt blijven staan...' Hij steekt zijn handen op alsof hij naar een schichtig paard toe loopt en doet aarzelend een stap in mijn richting. Als ik niet beweeg, komt hij voorzichtig naar me toe. Ik voel me bespottelijk, maar de blik in zijn gespannen lichte ogen maakt dat ik als vastgenageld op mijn plek blijf staan. Als hij naast me staat, houdt hij zijn krachtige lantaarn boven mijn hoofd om het bos achter me te verlichten.

Alleen is er geen bos achter me, maar een lege ruimte. Op een kleine meter afstand splijt een diep ravijn de zwarte rotsen uiteen. Het gegrom dat ik eerder heb gehoord, blijkt afkomstig van stromend water dat ver beneden ons als een zilveren slang van rotsblok naar rotsblok springt en daar kletterend op terechtkomt.

'Witte Clove,' zegt de sheriff. 'Nog twee stappen en u had daar beneden gelegen met een gebroken nek. Waarom loopt u verduiveld in het donker over de richel rond te dwalen?'

'Ik ben op zoek naar mijn dochter, Sally,' zeg ik en probeer de woede vast te houden die ik een minuut geleden nog voelde, omdat anders mijn stem vast gaat trillen. 'Toen ik terugkwam in het huisje was ze daar niet. Ik dacht dat ze naar het schoolterrein was gegaan, maar ik heb kennelijk het verkeerde pad genomen... O god, als Sally via dit pad is gelopen...'

'Hoelang is ze al weg?' vraagt Reade. Hij laat de lantaarn zakken en legt zijn andere hand op zijn holster. Dat gebaar, dat misschien bedoeld is om me gerust te stellen en aan te geven dat hij in staat is om ons tegen roofdieren te beschermen, roept in plaats daarvan argwaan bij me op. Wat is er in deze bossen waartegen wij beschermd moeten worden? Ik vraag me ineens af wat die moeilijkheden waren waar Dymphna het eerder vandaag over had.

'Dus u weet echt niet hoelang ze weg is?' Hij slaat zijn armen over elkaar en leunt achterover. Dan buigt hij zich ineens naar voren en snuffelt. Mijn woede laait op wanneer ik besef dat hij controleert of ik gedronken heb.

'Wat maakt dat nou uit? Ze is hier ergens buiten en dwaalt rond over een onverlicht schoolterrein. Hebben jullie hier nog nooit gehoord van beveiligingsverlichting? Het is maar een kwestie van afwachten tot hier op dit schoolterrein een misdaad wordt gepleegd!'

Er speelt een glimlachje rond zijn mondhoeken, maar dan knijpt hij zijn lippen op elkaar om dat te onderdrukken en knikt. 'Ik heb dezelfde klacht al bij rectrix St. Clare gedeponeerd. U hebt volkomen gelijk. Lieve hemel, op dit moment maken de rivaliserende bendes van Arcadia Falls, New York, zich waarschijnlijk al op om een robbertje te komen vechten. Ik ben dit soort toestanden niet meer tegengekomen sinds de tijd dat ik straatdienst had in de South Bronx.'

'O, dus u bent een voormalige stadssmeris. Dat had ik kunnen weten. Wat hebt u uitgespookt om verbannen te worden naar deze uithoek?'

Hij deinst achteruit alsof ik hem een klap heb gegeven en zijn mond wordt strak. 'Dat zult u vast niet zo'n interessant verhaal vinden als de sprookjes die u hier komt onderwijzen. En trouwens, ik dacht dat u op zoek was naar uw dochter. Ik heb wel zo'n flauw idee waar ze uithangt.'

'Echt waar?' Ik ben zo blij dat te horen, dat ik me moet bedwingen hem niet om zijn nek te vliegen, ook al heeft hij zich nog zo vervelend gedragen. Maar hij heeft zich al omgedraaid en loopt weg over het pad. De helling is inmiddels behoorlijk steil en ik moet me haasten om zijn grote passen bij te kunnen houden. Het laatste wat ik wil, is opnieuw in mijn eentje in het donker achter blijven. Pas als ik hem ingehaald heb, schiet me iets te binnen.

'Hé, waarom volgde u me eigenlijk?'

Hij draait zich om en kijkt me met vuurspuwende kattenogen aan. 'Lieve hemel, jullie intellectuelen zijn allemaal hetzelfde. Jullie denken echt dat de hele wereld om jullie draait. Ik volgde u helemaal niet, ik nam gewoon de korte weg door het bos om dáár een oogje op te houden.' Hij priemt met zijn vinger door de lucht, in de richting van een opening tussen de bomen. Als ik die kant op kijk, zie ik waarom zijn ogen vuur spuwen. We zijn in de appelboomgaard beland, waar de knokige, misvormde bomen nog meer op dwergen lijken in de vreemde, gloeiende nevel die om ze heen hangt. Boven het gazon torent de enorme rode beuk als een reus die zijn troepen tot de orde roept. Ik zie het silhouet van de boom duidelijk afgetekend tegen de nachtelijke hemel door de vlammen die eromheen oplaaien.

ZES

'Wat in vredesnaam...'

'Dat is het vreugdevuur van de Openingsavond. Ik vertel de rectrix jaar in jaar uit dat het gevaarlijk is, maar zij zegt dat het om een tradítie gaat.' Hij spreekt het woord snuivend uit en schudt zijn hoofd. Zoals zijn hoge voorhoofd, zijn kromme neus en zijn sterke kaken afsteken tegen het vuur lijkt zijn gezicht op dat van een Romeinse generaal op een bronzen munt. In de ogen die in het licht van de vlammen goudkleurig lijken, staat een vastberaden blik als we naar de kring op de heuvel lopen waar donkere gestalten voor de felle oranje en rode vlammen heen en weer deinen, in hetzelfde ritme als dat van het vuur.

Als we dichterbij komen, speur ik in de menigte naar Sally, maar ik zie haar nergens. Ik hoor het geloei en het gekraak van het brandende hout en nog iets anders – een gefluister dat uit het vuur zelf lijkt te komen, alsof het water is dat sissend als stoom probeert te ontsnappen. Maar het is niet het vuur, het komt van de vuuraanbidders die zangerige teksten opdreunen terwijl ze eromheen dansen, de meisjes in de witte jurken die ik ze eerder heb zien aanpassen en de jongens in losse wijde hemden die over hun spijkerbroeken hangen. Hoewel ik weet dat het dezelfde tieners zijn die ik eerder vandaag op het gazon heb zien luieren, heeft de hele vertoning verontrustend heidense trekjes.

'Wat worden ze in vredesnaam verondersteld te vieren?'

'Al sla je me dood. Een van de leerlingen heeft vorig jaar een poging gedaan me dat uit te leggen. Het heeft iets te maken met de wisseling van de seizoenen en oeroude vruchtbaarheidsrituelen.'

'Vruchtbaarheidsrituelen?' piep ik en zie meteen in gedachten Sally al door het hooi rollebollen met een slungelachtig tienerknulletje. Ik kan nog steeds haar gezicht niet ontdekken in de kring van gestalten rond het vuur. Ze lijken allemaal op elkaar in de gloed van de vlammen terwijl ze met grote ogen en opengesperde monden een of ander lied zingen waar ik de tekst niet van versta.

'Nou ja, dit is lang niet zo erg als dat festival dat ze in mei houden,' zegt Reade. 'Het meifeest noemen ze dat. Dan voeren ze een of andere huwelijksceremonie op tussen de godin van de vruchtbaarheid en wat zij de korengod noemen. Nu vieren ze alleen het feit dat de godin van de zomer is vertrokken en de godin van de herfst de scepter overneemt... van die onzin.'

In het grillige licht van het vuur is het moeilijk te zien, maar het is net alsof de sheriff bloost. Ik vraag me af wat hij zo gênant vindt: de aard van deze middelbareschoolvertoning of het feit dat hij er zoveel van af weet. Ik wend mijn blik af en kijk weer naar de kring rond het vuur.

We zijn inmiddels zo dichtbij dat de anonieme personen rond het vuur herkenbare gezichten hebben gekregen. Ik zie dat er ook een paar leraren bij zijn, maar de enige die ik herken, is miss Drake. De meest opvallende figuren zijn de twee meisjes die op van stro gemaakte tronen aan weerszijden van het vuur zitten. De ene is de blonde Isabel in een lange witte jurk en met een bloemenkrans op haar hoofd. De ander is de kleine, donkere Chloe, in een soortgelijke jurk als die van Isabel, maar met een kroon van rossig gekleurde bladeren en eikels.

'Het lijkt alsof ze allebei geëerd worden,' zeg ik, terwijl ik denk aan de rivaliteit tussen de meisjes. En dan, als me weer te binnen schiet dat Chloe heeft gezworen wraak te nemen op Isabel, vraag ik: 'Ze hoeven toch niet met elkaar op de vuist te gaan om te bepalen wie hier godin wordt, hè?'

'Op de vúíst?' herhaalt sheriff Reade met opgetrokken wenkbrauwen. 'Nee, het is een puur symbolisch offer, hoewel het er af en toe ruw aan toe gaat. Vorig jaar heeft de Herfst de Zomer een handvol haar uit het hoofd getrokken. Ik had er geen idee van dat meisjes zo gemeen konden zijn.'

'Vertel mij wat. Vorig jaar heeft een van de meisjes uit Sally's klas na het overlijden van mijn man op Facebook het gerucht verspreid dat hij zelfmoord had gepleegd.'

'Verschrikkelijk. Wat naar van uw man. Heeft hij echt...'

'Het was een hartaanval,' zeg ik bruusk, half omdat ik geen zin heb in de onhandige sympathiebetuigingen van de sheriff en half omdat ik eindelijk Sally in het oog heb gekregen. 'Een moment alstublieft.'

Sally zit achter een slungelige knul met sluik donker haar dat in zijn ogen hangt. Ze zit verscholen achter zijn lange, onhandig over elkaar geslagen benen, alsof ze probeert op te gaan in de schaduwen achter de kring.

Als Reade zich tot de groep wendt – met een toespraakje waarin hij hen niet alleen vertelt hoe ze veilig met vuur om moeten gaan, maar ook welke straf er staat op alcoholgebruik door minderjarigen en de in de staat New York geldende regels voor het gebruik van verboden genotsmiddelen – loop ik buiten om de kring heen tot ik bij Sally ben en ga naast haar op mijn hurken zitten.

'Amuseer je je?' vraag ik.

Ze rolt met haar ogen, maar ik zie dat ze een gezond blosje op haar wangen heeft dat ik al een tijdje niet meer gezien heb. 'Ik dacht dat je zou willen dat ik hier nieuwe vrienden maak, dus toen Clyde kwam vragen of ik zin had om mee te gaan naar het vreugdevuur wist ik dat je dat vast wel goed zou vinden.'

'Ik hoop dat dat in orde is, mevrouw Rosenthal. Ik wilde niet dat Sally het eerste ritueel van het schooljaar zou mislopen, dus ben ik naar Fleur-de-Lis gelopen om jullie allebei uit te nodigen. Hebt u het briefje gevonden dat we op Sally's laptop hebben achtergelaten?'

Dus het briefje lag verscholen achter de Orion sterrennevel, waar iedereen het kon vinden. Laat het maar aan een tiener over om een briefje achter te laten op een plek die volgens hun redenatie volkomen logisch is, maar waar geen ouder het ooit zal zoeken.

'Nee, maar ik kwam sheriff Reade in het bos tegen en hij zei dat je hier wel zou zijn.'

Sally en haar nieuwe vriend Clyde wisselen een blik waarvan de betekenis me ontgaat. Ze kent deze jongen nog maar een paar uur en nu zitten ze al zwijgend tekens uit te wisselen alsof ze een oud getrouwd stel zijn.

'Hopelijk vindt u het goed dat Sally blijft, mevrouw Rosenthal. De Openingsavond is het traditionele begin van het schooljaar en een soort onofficiële kennismaking met Arcadia. Ze zal veel meer het gevoel krijgen dat ze erbij hoort als ze nu blijft. En natuurlijk bent u ook welkom.' Hij schenkt me tot slot zo'n charmante glimlach dat me bijna was ontgaan dat de uitnodiging niet echt van harte is. Maar ik kan niet om de geschrokken blik van Sally heen. Zij wil echt niet dat haar moeder bij haar en haar nieuwe vrienden blijft hangen.

'Nou ja, het enige is dat Sally de weg op het schoolterrein nog niet kent...'

'Ik breng haar wel weer thuis,' biedt Clyde aan. Er flitst een vaag glimlachje over Sally's gezicht, maar dan knijpt ze haar lippen op elkaar en werpt me een boze blik toe die me tegelijkertijd uitdaagt om het bijzonder beleefde en redelijke aanbod van Clyde af te slaan. We zijn hier nog niet eens een dag en nu is Sally er al achter dat het me niet mee zal vallen om haar hier op deze school in haar vrijheid te beknotten.

'Dat is erg aardig van je, Clyde,' zeg ik. En, tegen Sally: 'Zorg dat je om elf uur thuis bent. De lessen beginnen morgen al vroeg en je mag Clyde ook niet te laat op houden.'

Sally opent haar mond om te protesteren, maar Clyde geeft in haar plaats antwoord. 'Komt in orde. Dit duurt toch niet al te lang meer. Ik zal ervoor zorgen dat Sally om elf uur thuis is.'

'Fijn,' zeg ik, terwijl ik opsta. Ik heb mijn zegje gedaan, maar het is duidelijk dat ik nu moet maken dat ik wegkom. Ik stap uit de kring en voel onmiddellijk de kilte van de avond nu ik niet meer bij het vuur sta. Ik wil ervandoor gaan, maar als ik me omdraai, staat de politieman achter me.

'Ik zie dat u uw dochter hebt gevonden,' zegt hij met een knikje naar Sally die zit te lachen om iets dat Clyde heeft gezegd. 'Is alles in orde?'

'Ja, prima.' Ik loop weg van het vuur, want ik wil Sally absoluut niet het idee geven dat ik met een politieman over haar sta te praten. De ergste scène die we het afgelopen jaar hebben gehad, was nadat ik de politie had gebeld omdat ze een nacht niet thuis was gekomen. 'Het was een misverstand. Ik heb niet gezien dat ze een briefje voor me had achtergelaten. Ik ga maar terug naar huis. Ze is hier toch wel veilig, hè?'

Hij haalt zijn schouders op, wat ik nu niet direct een geruststellend gebaar vind. 'Waarschijnlijk wel. Het hele gedoe is vrij onschuldig... meestal. Ik blijf in ieder geval om er zeker van te zijn dat het vuur uit wordt gemaakt als ze klaar zijn. Als u me daarbij gezelschap wilt houden...'

Mijn blik dwaalt van hem naar het vreugdevuur om te zien of Sally naar me kijkt, maar ze is volledig gebiologeerd door Chloe die met een of ander simpel stropopje boven haar hoofd zit te schudden.

'Ze merkt toch niet dat u er nog steeds bent,' zegt Callum, die meteen begrijpt wat me dwarszit. 'Ik weet een ideaal plekje.' Hij wijst naar een bank die voor Beech Hall staat en gedeeltelijk schuilgaat in de schaduw van de beuk.

'Oké,' zeg ik en bedenk dat een koude bank aantrekkelijker lijkt dan het lege huis dat op me wacht.

Als we zitten, pakt hij een thermosfles uit de zak van zijn jack. 'De thee van Dymphna,' zegt hij en schenkt een beetje van de hete vloeistof in de dop van de thermoskan. Ik pak het dankbaar aan. Het is nauwelijks te geloven dat Sally en ik vanmorgen nog midden in de snikhete Long Island-zomer zaten, terwijl het hier niet meer dan tien graden is. Dat voorspelt niet veel goeds voor de komende winter. Ik huiver bij de gedachte en neem een flinke slok thee. Die heeft dezelfde kruidige smaak – kruidnagels? Kaneel? – die me vanmiddag ook al opviel bij de thee die ik in het kantoor van de rectrix heb gedronken.

'Ik ben toch wel nieuwsgierig naar dat ritueel. Ik had al eerder kennisgemaakt met de beide meisjes die de rol van de Zomer en de Herfst hebben gekregen. Ze deden niet echt vriendelijk tegen elkaar.'

Sheriff Reade lacht. 'Dat is het understatement van het jaar. Dymphna heeft me verteld dat ze elkaar al vanaf vorige week, toen ze terugkwamen naar de school, voortdurend aanvliegen. De meisjes die uitgekozen worden om de beide godinnen te spelen zijn altijd de twee die de beste gemiddelde cijfers hebben. Dus het zal wel geen wonder zijn dat ze zo prestatiegericht zijn.'

'Ik dacht dat het juist de bedoeling van Arcadia was dat iedereen hier samenwerkt en elkaar steunt, vooral de vrouwen.'

Hij werpt me een lange, nadenkende blik toe. 'Hebt u me net niet zelf verteld dat meisjes zo gemeen kunnen zijn?'

'Ja.' Ik zucht en blijf naar het vuur kijken, zodat de sheriff het verdriet in mijn ogen niet ziet. 'Ik had alleen gehoopt dat het hier anders zou zijn.' Zodra die woorden over mijn lippen zijn, besef ik hoe hard ik hoopte dat álles hier anders zou zijn. Dat Sally en ik door hier te komen echt weer van voren af aan konden beginnen. Pas nu besef ik hoe dwaas die hoop was. Ik kijk weer naar sheriff Reade en zie dat hij me aan zit te staren. Hij wendt zijn blik af, ongetwijfeld gegeneerd door de emotie in mijn stem, en wijst naar het vuur.

'Kijk, Isabel gaat een toespraak houden.'

Als ik opsta om het beter te kunnen zien, merk ik dat de leerlingen allemaal overeind zijn gekomen. Isabel Cheney gaat op haar uit stro gemaakte troon staan. Ze heeft zo'n stropopje in haar hand dat ze als een rammelaar heen en weer schudt. Als antwoord steken de anderen in de kring hun eigen stropopjes omhoog en schudden daarmee naar het vuur. 'Mijn onderdanen,' zegt Isabel met haar heldere stem die over de rumoerige menigte schalt. 'Ik heb sinds de eerste mei de eer genoten jullie leider te mogen zijn. Voordat ik naar Arcadia kwam, kon ik aan niets anders denken dan aan hoe ik beter zou kunnen worden dan de rest.' In de menigte wordt quasiverbaasd gereageerd. Isabel glimlacht. 'Maar sinds ik hier ben, heb ik geleerd dat het leven meer inhoudt dan de bovenliggende partij te zijn – en voordat jij je grote mond opendoet, Justin Clay –' Ze wijst naar een knappe roodharige jongen die net iets wil zeggen. '... nee, dat bedoel ik helemaal niet.'

De omstanders lachen, maar ik zie dat miss Drake, die aan de rand van de kring staat, haar mond afkeurend dichtknijpt. 'Als onderdeel van mijn taak als Zomergodin heb ik de historie van de Arcadia School bestudeerd. Zo ben ik erachter gekomen dat de vrouwen die de school gesticht hebben een plek wilden creëren waar vrouwen zich niet om huishoudelijke zaken hoefden te bekommeren, zodat ze genoeg tijd en energie over zouden hebben om hun creatieve doel na te streven. Maar ik ben er ook achter gekomen dat ze daardoor niet gevrijwaard bleven van de rivaliteit en de jaloezie waarmee wij dag in dag uit geconfronteerd worden.'

Het valt me op dat Isabels blik niet langer gericht is op de gezichten van de leerlingen om haar heen. Ze kijkt over hun hoofden heen naar Beech Hall. Ik volg haar blik tot aan het raam van rectrix St. Clare. Het duurt even voordat ik de gestalte kan onderscheiden die in het donkere kantoor naast een open raam staat.

'Het lijkt erop dat de rectrix ook een oogje op de festiviteiten houdt,' merk ik op tegen sheriff Reade.

'Ze houdt altijd alles in het oog,' antwoordt hij.

Ik huiver en draai me weer om naar Isabel. Inmiddels begrijp ik dat ze het niet alleen tegen de leerlingen maar ook tegen de rectrix heeft.

'Ik heb een heleboel dingen ontdekt over de vrouwen die deze school gesticht hebben, en hoewel niet alles even bewonderenswaardig was en er heel wat fouten zijn gemaakt, is de school blijven bestaan, waardoor in de toekomst vrouwen – en mannen, nu het goddank een gemengde school is geworden...' Isabel stopt heel even als er gelachen wordt en ik weet zeker dat ze bij het schrijven van haar toespraak rekening heeft gehouden met eventuele reacties van de omstanders. 'Waardoor wij allemaal de kans krijgen om niet alleen te ontdekken wat onze sterke punten en eventuele gaven zijn, maar ook onze beperkingen en onze zwakke punten. En dat is echt het allerbelangrijkste. Mijn komst naar Arcadia is echt het beste wat me ooit is overkomen. De vrienden die ik hier heb gemaakt voelen aan als familieleden. Ik begin aan mijn laatste jaar hier en daar was ik eerst een beetje verdrietig over, omdat ik af en toe het idee heb dat mijn jaren hier later de beste jaren van mijn leven zullen blijken te zijn. Soms ben ik bang dat er nooit meer zo'n fijne tijd zal komen.'

Ze houdt even op als haar stem van emotie overslaat en er daalt een stilte neer over de feestvierders. Het is net alsof iets melancholieks zich door hun uitbundigheid heeft geboord, alsof ze zich allemaal ineens bewust worden van de trieste waarheid van de jeugd: dat ze inderdaad hun leven lang niet meer zo gelukkig zullen zijn als bij dit soort gelegenheden als vanavond.

Callum Reade geeft me een zakdoek en ik besef tot mijn grote schrik dat mijn gezicht nat is van de tranen. Maar Isabel is er wel in geslaagd om dat melancholieke gevoel weg te poetsen.

'Daarom zeg ik ook: als dit de gelukkigste tijd van ons leven is, laten we er dan volop van profiteren en alle spijt en berouw van ons afzetten. En over afzetten gesproken: als jullie denken dat jullie mij kunnen offeren... nou, dan zullen jullie er snel bij moeten zijn!'

Isabel springt van de strooien troon en stuift langs de feestvierders die een kreet van verbazing slaken. Ze blijft op de top van de heuvel staan en kijkt om naar de menigte. Dan spreidt ze haar armen, waardoor de mouwen van haar witte jurk opbollen in de wind. Dat beeld doet me ineens denken aan die glimp van wit die ik in het bos heb gezien op weg naar mijn huisje. Een meisje in een witte jurk – even lang als Isabel. Is zij het geweest? Maar wat had ze in de buurt van mijn huisje te zoeken? Maar daar denk ik niet langer over na als Isabel zich achterover laat vallen en over de rand van de heuvel verdwijnt.

Ik spring op omdat ik ervan overtuigd ben dat het arme kind een doodsmak heeft gemaakt en een stuk of tien leerlingen stuiven de heuvel op. Wanneer ik op de top ben aanbeland, zie ik Isabel door de appelboomgaard rennen en achter een van de knoestige kromme bomen verdwijnen. De leerlingen stromen de heuvel af en verspreiden zich door de boomgaard, waar hun gestaltes al snel opgaan in de vervormde schaduwen van de bomen.

'Wat doen ze nu?' vraag ik aan Callum Reade als hij zich bij me voegt.

'Een aantal van hen wordt geacht Isabel tot aan de rand van het schoolterrein te escorteren, om er zeker van te zijn dat de geest van de Zomergodin niet boos is omdat ze is geofferd. Daar is Chloe, die als hun aanvoerster moet fungeren, maar het ziet eruit dat Isabel een flinke voorsprong heeft genomen, zodat er zich dit jaar hopelijk geen incidenten zullen voordoen waarbij ze elkaar het haar uit het hoofd trekken.' Hij draait zich weer om naar het vuur, waar nog een heleboel leerlingen omheen staan. Ze gooien de kleine stropopjes in de vlammen.

'Dat is ook onderdeel van de traditie,' zegt sheriff Reade. 'Er wordt van je verwacht dat je al je slechte gewoonten van het afgelopen jaar plus de dingen waar je spijt van hebt van je af gooit en je wensen voor dit jaar kenbaar maakt.'

Ik ben blij om te zien dat Sally hier is en niet bij de groep die Isabel door de boomgaard opjaagt. Ik kijk toe als ze haar hoofd in haar nek legt en haar ogen stijf dichtknijpt, precies zoals ze vroeger deed als ze de kaarsjes op haar verjaardagstaart uitblies of een muntje in een wensput gooide. Daarna buigt ze haar arm – precies zoals Jude haar bij softbal heeft geleerd – en gooit het stropopje precies midden in het vuur. Volgens mij weet ik wel wat ze gewenst heeft, maar dat is het enige verzoek waaraan niemand zal kunnen voldoen: dat de tijd teruggedraaid zal worden en zij haar oude leventje weer kan oppakken.

ZEVEN

Zodra het offer van de stropopjes voorbij is, loop ik weg bij het vuur omdat ik per se voor Sally en Clyde in het huisje wil zijn. Sheriff Reade biedt aan met me mee te lopen, omdat hij toch die kant op moet om een oogje op de achterblijvers van het vreugdevuur te houden. 'Hoewel ze zich meestal niet in het bos wagen.'

'Echt niet? Ik zou juist hebben gedacht dat het een populair plekje is voor clandestiene ondernemingen.'

Hij lacht, een geniepig grijnsje dat hem iets duivels geeft. 'Deze generatie geeft er de voorkeur aan om hun "clandestiene activiteiten" binnenshuis uit te voeren. En zeker niet in een bos vol spoken.'

'Spoken?'

'Volgens de plaatselijke overlevering,' zegt hij. 'Dit is een van de oudste ongerepte bosgebieden in de staat. De Hollanders wilden de bomen niet kappen omdat ze dachten dat het bos bewoond werd door boselven en mosmaagden. In mijn jeugd daagden de jongens elkaar uit om een nacht in deze bossen door te brengen. Ze zeiden dat de witte wieven je levend op zouden vreten.'

'De witte wieven?'

'De witte vrouwen. Dat is een oude Nederlandse mythe, afkomstig van de eerste immigranten die bij het doorzoeken van het ravijn meenden dat ze in de nevel van de waterval een spookachtige witte vrouw zagen. En die mythe is weer vermengd met een verhaal over een vrouw uit Kingston die in het ravijn om het leven is gekomen. Gewoon van die verhaaltjes waarmee kinderen elkaar de stuipen op het lijf jagen... maar goed, we zijn er. Durf je alleen verder te lopen of moet ik meelopen tot aan de deur?' Ik vind het helemaal geen prettig idee om alleen verder te gaan – ook al kan ik de lichten van mijn huisje zien – maar als ik het plagerige glimlachje van de sheriff zie, wil ik hem niet het genoegen doen om te denken dat hij me met zijn plaatselijke folklore bang heeft gemaakt.

'Ik red me wel. Ik denk niet dat de witte wieven me op dat korte stukje naar de deur te pakken zullen nemen.' Het is een grapje, maar dan herinner ik me ineens dat ik eerder vanavond een glimp heb opgevangen van een in het wit geklede vrouw. Dat dacht ik tenminste. Ik sta op het punt te vragen of hij mee wil lopen, maar dan steekt hij bij wijze van groet zijn zaklantaarn al omhoog en loopt het pad op naar de richel. Zodra hij weg is, dringt tot me door dat ik de zaklantaarn die ik eerder heb laten vallen niet heb opgeraapt en nu sta ik hier alleen in het donker. Ik richt mijn ogen op de verlichte ramen van het huisje en loop ernaartoe, waarbij ik het gekraak van de bomen achter me negeer en mijn best doe om niet te denken aan witte vrouwen, wisselkinderen en andere dingen die volgens de folklore tussen de bomen wonen. Pas wanneer ik bij mijn deur ben, durf ik me om te draaien... en houd mijn adem in als ik vage witte gestaltes in het bos heen en weer zie deinen. Maar dan besef ik dat het gewoon een groepje witte berken tussen de dennen is.

Om te voorkomen dat ik constant naar de klok ga zitten kijken tot Sally thuiskomt, loop ik naar boven om vast wat spullen uit te pakken. Ik neem de dozen met LAKENS EN DEKENS en maak onze bedden op. Dan open ik een van de koffers om nachtponnen en ondergoed in de ladekast te leggen en blouses en jurken in de hangkast op te bergen. Als ik klaar ben, til ik de koffer op om hem op de bovenste plank van de kast te leggen, maar dan merk ik dat er nog iets in zit. Een van de buitenste, met een rits gesloten vakjes puilt uit. Als ik erin kijk, vind ik Judes oude Rolex-horloge, een kwartliterfles Jack Daniels en een handvol ronde, gespikkelde steentjes.

Ik leg de steentjes en de fles op het nachtkastje en ga met het zware gouden horloge in mijn handen op de rand van het bed zitten. Ik heb er in de laatste tien maanden een paar keer naar gezocht, maar uiteindelijk kwam ik tot de conclusie dat Jude het waarschijnlijk om had toen hij naar het ziekenhuis werd gebracht en dat iemand het van hem gestolen had. Het had een soort laatste vernedering geleken – de gedachte dat iemand dat dure horloge van zijn nog warme pols had gejat – en ik ben absurd dankbaar dat daar dus geen sprake van is geweest. Hij had deze koffer gebruikt toen hij een paar weken voor zijn dood op reis moest en heeft het horloge in het ritsvak laten zitten. Maar het is wel vreemd dat hij het heeft vergeten, want hij had het horloge meestal om. Misschien blijkt daar wel uit dat hij geldzorgen had.

Ik doe de gouden band om mijn pols. Het horloge zit los, maar voelt verrassend warm aan tegen mijn huid, alsof het zijn lichaamswarmte heeft vastgehouden. Het loopt nog steeds. Het is al deze maanden rustig door blijven tikken, ook toen het hart van de eigenaar het opgaf.

Dat is zo'n verdrietige gedachte dat ik instinctief naar de bourbon grijp en een stevige, brandende slok neem. Ik pak een van de stenen op en sluit mijn ogen in een poging me voor te stellen waar Jude die heeft gevonden, op een exotisch strand misschien, of in een bergriviertje, maar ik voel alleen maar het koele, lege gewicht in mijn hand. Als ik mijn ogen opendoe, zie ik de wijzers van het horloge. Ze staan op tien voor halftwaalf.

Oké, denk ik, ze is iets te laat. Maar dat geeft niet. Ze was bij de beleefde, goedgemanierde Clyde. Ik sta op en ga op zoek naar een plek waar ik de bourbon kan verstoppen. Ik heb geen alcohol meer in huis gehaald na vorig jaar, toen een paar vrienden van Sally de bar opengebroken hebben en Lexy Rothstein de BMW van haar moeder onderkotste. Sally wil misschien een paar van haar nieuwe vrienden uitnodigen en ik heb geen zin in een herhaling van dat voorval, zeker niet met jongeren die ik ook bij mij in de klas zal krijgen. Het zal toch al een tikje lastig worden als Sally vriendschap sluit met mijn leerlingen. Hoe moet ik me bijvoorbeeld tegenover Clyde gedragen als hij eindelijk met Sally komt opdagen? Moet ik er dan over beginnen dat ze te laat zijn, ook al gaat het maar om twintig – ik werp een blik op het horloge – nou ja, om drieënveertig minuten?

Ik loop met de fles nog steeds in mijn hand naar het raam, om te kijken of ik ze al zie aankomen, maar ik zie niets. Ik doe het licht in de slaapkamer uit om beter te kunnen zien – en om te voorkomen dat Sally bij thuiskomst mijn silhouet bij het verlichte raam ziet – maar het enige wat ik zie, zijn die witte berken, wuivend in de wind. Ik doe het raam open om te luisteren of ik de stemmen van Clyde en Sally al hoor, maar het enige geluid is dat van de wind.

Ik kan me niet herinneren wanneer ik dat voor het laatst heb gehoord. Niet in ons appartement op Avenue B waar het stadsgeluid van verkeer en sirenes de natuur overstemde, en niet in ons hermetisch afgesloten, van airconditioning voorziene huis in Great Neck. Maar mijn nieuwe huis lijkt een duet uit te voeren met de wind. Windvlagen komen uit het dennenbos suizen en werpen zich tegen het huis dat zucht en kreunt alsof het geliefkoosd wordt en dan, als de wind weer terugzwiept naar het bos, jammert als een verlaten geliefde. De witte berken staan heen en weer te dansen als vrouwen die hun lange haar over hun schouders gooien.

Ik neem nog een flinke slok bourbon en zie in gedachten Sally buiten in dit weer, geteisterd door de elementen. Net als ik denk dat ik het niet meer uithoud, zie ik een lichtflits tussen de bomen en vang een fragment van gelach op. Dan duiken Sally en Clyde op uit het bos. Ik kijk op mijn horloge. Het is twaalf uur. Precies een uur te laat. Dat kan ik niet over mijn kant laten gaan. Terwijl ik het laatste slokje bourbon wegslik, loop ik de trap af. Ze komen net binnen als ik op de onderste tree stap en in de twee paar ogen die me aanstaren staat te lezen hoe ik eruitzie: als een gestoord mens dat naar hen staat te zwaaien. Clyde deinst achteruit alsof hij denkt dat ik hem een klap zal verkopen.

'Volgens mij hadden we elf uur afgesproken,' zeg ik en doe mijn best om mijn stem vlak te houden.

Sally kijkt van Clyde naar mij en tilt dan, met een zucht van afkeer, haar hand op zodat ik op haar horloge kan kijken. 'Het ís elf uur, mam.'

Ik wil net protesteren, maar als ik neerkijk op Judes horloge snap ik wat er aan de hand is. De laatste keer dat hij dit horloge droeg, was in Japan waar het nu ongetwijfeld twaalf uur 's middags is. Ik overweeg om bij wijze van grap te zeggen dat ze in Japan in ieder geval veel te laat zou zijn, maar ze loopt al stampvoetend de trap op en laat mij achter met een onbehaaglijk ogende Clyde.

'Het spijt me,' zeg ik. 'Dit is het horloge van mijn overleden man, dus dat geeft een andere tijd aan.' Pas als hij weg is, dringt het tot me door dat mijn opmerking net klonk alsof de doden er een andere tijd op na houden.

's Ochtends is Sally nog steeds boos. Om vrede te sluiten maak ik wentelteefjes, waar ze dol op is, maar ze zegt dat ze met Clyde en Chloe heeft afgesproken om in de cafetaria te ontbijten om – ze houdt haar horloge omhoog – 'acht uur standaardtijd geestelijk gezonde mensen.'

'Ik heb gezegd dat het me speet, Sally. Je hoeft niet zo gemeen te doen...'

'Het was gemeen van jou om me zo voor schut te zetten waar Clyde bij was,' snauwt ze. 'Als je niet wilt dat ik hier vrienden maak, hadden we net zo goed in Great Neck kunnen blijven.'

'Natuurlijk wil ik dat je nieuwe vrienden maakt...'

'Goed. Dan kan ik er maar beter vandoor gaan, tenzij je vindt dat ik niet in staat ben om in mijn eentje naar de school te lopen.'

Ik erken dat ze daar best toe in staat is.

En eerlijk is eerlijk, bij daglicht kun je je echt niet vergissen op het punt waar het pad zich splitst: links naar het schoolterrein en rechts naar de Witte Clove. Op het pad naar de school ga ik opzettelijk langzamer lopen om na het gedoe met Sally weer wat kalmer te worden en na te denken over de manier waarop ik de lessen wil beginnen.

Ik was eerst van plan om gewoon de grove lijnen van de cursus te schetsen, te beginnen met primitieve verhalen over dierlijke bruiden om via Griekse mythen en sagen en zeventiende-eeuwse Franse salons uit te komen bij de hedendaagse superhelden. Maar nu? Ik heb geen zin om met chronologieën en bibliografieën te beginnen, ik wil beginnen met de pure paniek die mij gisteren in het bos overviel. Ik wil dat mijn leerlingen horen hoe de bomen achter hen bewegen en zien hoe het boerenmeisje wegvlucht in de schaduw van de dennenbomen. Ze moeten haar hart horen bonzen als ze wegholt bij het huis van de heks, om haar verloren leven weer op te eisen. Ik wil dat ze het sprookje ondergaan als een levend, ademend organisme, niet als een of ander vreemd verhaal in een geïllustreerd kinderboek.

Wanneer ik Beecher Hall binnenloop en op weg ga naar mijn klaslokaal bedenk ik dat Vera Beecher en Lily Eberhardt dat doel wel hebben bereikt. Zij hebben hier in Arcadia Falls een leven gecreëerd dat was gestoeld op hun dromen en visioenen: een sprookjesrijk waar kunstenaars naartoe konden komen om omgeven door natuurschoon te schilderen, te tekenen, te schrijven en te componeren zonder maatschappelijke verplichtingen en zonder de druk van handel en industrie. Zij waren wisselkinderen, denk ik, terwijl ik de klas binnenloop, die zichzelf hebben herschapen tot de heldinnen van hun eigen verhalen. Ze waren hier gekomen om een ander mens te worden. Misschien was dat ook wel een van de redenen waarom ik naar deze baan heb gesolliciteerd. Ik kan me nog goed herinneren dat mijn moeder een keer heeft gezegd dat, als zij op deze school had gezeten, ze een heel ander leven zou hebben gehad. Dan was ze een ander mens geworden. Ik denk dat ik hoopte dat Sally en ik hier ook andere mensen zouden worden.

Ik sta voor de klas en kijk naar de jonge gezichten die gisteravond nog opgloeiden in het licht van het vreugdevuur. Ik herken Chloe en Clyde, maar constateer teleurgesteld dat Isabel er niet bij is. Dan schiet me te binnen wat ze gisteravond heeft gezegd: laten we volop van deze tijd profiteren en alle spijt en berouw van ons afzetten.

'Stel je eens voor,' zeg ik nu, 'dat jullie helemaal opnieuw kunnen beginnen, als een totaal ander mens...'

'Maakt het niet uit als wie?' De vraag is afkomstig van een tenger meisje op de achterste rij. Ik had haar al gezien toen ik binnenkwam, omdat ze op een ongebruikelijke manier opvallend is. Ze heeft het ovaalvormige gezicht, het hoge voorhoofd en de amandelvormige ogen van een madonna van Botticelli en is gekleed in een geborduurd boerenjurkje en paarse leggings. 'Nee, het mag echt iedereen zijn,' antwoord ik.

'Elke persoonlijkheid zou voor jou een verbetering zijn, Hannah,' zegt een meisje op de eerste rij.

Ik werp snel een blik op mijn rooster en vind de naam Hannah Weiss. Dan kijk ik naar het meisje dat die opmerking maakte. Ze draagt een verschoten spijkerbroek die strak om haar heupen sluit en de lengte van haar benen benadrukt. Ik herken het merk aan het stiksel op de zak. Het was heel populair bij de tieners in Great Neck. Een van schapenbont gemaakte slipper bungelt aan haar rechtervoet en ze tikt met de binnenzool tegen haar hiel. 'En met wie zou jij dan willen ruilen?' vraag ik.

'O, ik ben heel tevreden zoals ik ben,' zegt ze, terwijl ze haar heuplange, volslagen steile haar over haar schouder gooit. 'Hoewel... ik zou het niet erg vinden om met Angelina Jolie van plaats te verwisselen als dat betekent dat ik dan mevrouw Brad Pitt zou zijn.'

Een paar meisjes beginnen te giechelen, maar Clyde – Clyde Bollinger zie ik op het rooster – gaat rechtop zitten en strijkt het haar uit zijn ogen. 'Tori, waarom zou je zo'n stomme beroemdheid uitkiezen als je van plaats kunt verwisselen met iemand die echt heel bijzonder is? Zoals Stan Lee, of de gebroeders Coen, of Stephen Hawking.'

'Nou, als jij Stephen Hawking zou zijn had je eindelijk je eigen vervoermiddel, Clyde.' Dat is de roodharige jongen naast Tori – Victoria Pratt, vermoed ik aan de hand van het rooster – en die eenzelfde spijkerbroek en een poloshirt draagt waarvan de kraag rechtop staat. Het is de jongen tegen wie Isabel gisteren een grapje maakte: Justin Clay. Hij geeft Tori een high five, terwijl Clyde bloost en weer onderuitzakt op zijn stoel.

'Hé,' tjilpt Hannah met een hoog stemmetje, 'als Clyde ruilt met Stephen Hawking, zou dat dan ook betekenen dat Stephen Hawking Clydes plaats moet innemen? Ik bedoel, dat zou toch hartstikke gaaf voor hem zijn, want dan zou hij weer kunnen lopen en over een normaal lichaam kunnen beschik...' Hannah verschiet van kleur wanneer ze beseft dat ze openlijk zit te discussiëren over het lichaam van een van haar klasgenoten. Ondertussen slaan bij Clyde de vlammen uit en ik besluit in te grijpen voordat hij erin blijft.

'Precies. In feite zou het wel interessant zijn om te zien of Stephen Hawking nog terug zou willen. Misschien zou het leven hier op de Arcadia School hem veel te goed bevallen.'

Dat veroorzaakt een verhitte discussie over hoe de Britse natuurkundige het leven op Arcadia zou vinden: of het eten hem zou bevallen, met wie hij uit zou willen, aan welke sport hij de voorkeur zou geven en of iemand door zou hebben dat hij schuilging in het lichaam van Clyde Bollinger. Net als ze zo'n beetje alle mogelijkheden de revue hebben laten passeren, komt Hannah Weiss met een volgende identiteit op de proppen.

'J.K. Rowling,' zegt ze. 'Ik zou best eens een maandje J.K. Rowling willen zijn.'

'Omdat je dan in een Engels kasteel zou wonen?' vraagt Clyde.

'Nee! Nou ja, niet alléén daarom. Ik zou graag willen weten hoe het is om zoveel fantasie te hebben. En om haar aantekeningen door te kijken en te zien wat ze nu wil gaan schrijven.'

Een aantal leerlingen sluit zich aan bij Hannahs keuze en ik ben blij dat het gesar van de baan is. In plaats van beroemdheden uit Hollywood vliegen de namen van beroemde schrijvers in het rond. Naast J.K. Rowling staan Stephen King en Dan Brown hoog op de lijst, maar ook de namen van Alan Moore, de Britse schrijver van stripboeken, en van 'die vent die *Fight Club* heeft geschreven' vallen. Vervolgens komen de internettycoons aan de beurt. Steve Jobs, uiteraard, maar ook Mark Zuckerberg die, zo wordt me verteld als ik beken dat ik niet weet wie dat is, zoveel geld heeft verdiend met de uitvinding van Facebook, dat hij zijn studie aan Harvard heeft opgegeven. De laatste beroemde kandidaat is Bono, de leadzanger van U2, zowel vanwege zijn muzikale kwaliteiten als om zijn humanitaire werk. Ik wil net verdergaan als Chloe – die volgens het rooster voluit Chloe Lotus Dawson blijkt te heten – haar hand opsteekt. Ze is tot nu toe ongebruikelijk stil geweest. Ik neem aan dat ze nog moe is van het feestvieren. Ze ziet er bleek uit en haar lichtblauwe ogen zijn roodomrand. 'Ja, Chloe?'

'Moet het per se een beroemdheid zijn?'

'Helemaal niet,' antwoord ik, blij met haar vraag.

'Zou het ook...' Chloe's stem sterft weg en ze kijkt naar buiten, naar de enorme rode beuk. 'Zou je het ook zelf kunnen zijn, maar dan van gisteren? Een soort voorbije versie van jezelf?'

Chloe's vraag slaat niet alleen mij met stomheid, maar ook de rest van de klas. Ik bestudeer het fenomeen wisselkind in sprookjes en volksvertellingen nu al een paar jaar lang, maar ik ben nooit op een verhaal gestuit waarin het wisselkind van plaats wisselt met een andere uitvoering van zichzelf. Maar als ik erover nadenk, besef ik dat sommige verhalen als bijkomend element hebben dat het wisselkind zelf een kind is dat geen normale jeugd heeft gehad en dat het door zich de plaats van een ander kind toe te eigenen, de kans krijgt om zijn of haar eigen jeugd nog een keer over te doen, zonder alle ellende en verdriet.

'Bedoel je dat je op die manier je verleden nog eens over kunt doen... maar dan helemaal volmaakt?'

'Als een soort herkansing,' zegt Clyde, terwijl hij Chloe aankijkt. Chloe werpt hem een blik toe en verbleekt. Dan wendt ze haar ogen af en kijkt mij aan.

'Ja, als een soort herkansing.'

'Ik zou niet weten waarom niet. Per slot van rekening is dit jouw sprookje en in sprookjes is alles mogelijk. Kijk maar naar wat Vera Beecher en Lily Eberhardt, die deze school hebben gesticht, ermee hebben gedaan. Zij hebben het oude verhaal van het wisselkind opgepakt en herschreven om het verhaal te vertellen van de jonge vrouwen die in de jaren dertig en veertig naar Arcadia konden komen en in staat waren om een nieuw leven te beginnen. Hoeveel van jullie hebben dat gelezen?'

Ik verwacht op zijn minst een paar opgestoken handen – per slot van rekening is het verhaal geschreven door de vrouw die de school gesticht heeft – maar niemand reageert. Dan besef ik dat het ook niet in de collectie is opgenomen die Vera na de dood van Lily heeft gepubliceerd: *Sprookjes uit Arcadia*. Het is alleen in een beperkte oplage verschenen.

'Hm,' zeg ik, terwijl ik nadenk over de manier hoe ik dan verder moet gaan met de opdracht die ik de klas wil geven en waar dit gesprek logischerwijze naartoe had moeten voeren. Om mezelf even een denkpauze te gunnen, rommel ik in mijn boekentas en pak er mijn oude, gehavende exemplaar van *Het wisselkind* uit. Het is het boek dat ik voor het eerst in handen kreeg in het huis van mijn grootmoeder in Brooklyn en dat ik talloze keren heb herlezen terwijl ik onder haar keukentafel op het linoleum zat. Zodra ik het tevoorschijn heb gehaald, voel ik dat de leerlingen met grote ogen naar het omslag kijken. De illustratie erop toont het boerenmeisje dat op haar knieën onder de felkleurige rode beuk zit, met de wortel die ze net heeft opgegraven als een baby in haar armen.

'Dat is net onze rode beuk,' zegt Hannah.

'Ik ben ervan overtuigd dat Vera en Lily die ook als model hebben gebruikt. Willen jullie het verhaal horen?'

Ik verwacht eigenlijk weinig enthousiasme. De tieners die nog maar een paar minuten geleden zaten te debatteren over de betrekkelijke waarde van Angelina Jolie en Natalie Portman, hebben vast geen zin in een verhaaltje voor het slapengaan. Maar ik vergis me. Het getik op laptoptoetsen en het geschuifel van lichamen verstomt. Zelfs Tori Pratt houdt op met het gewiebel met haar badkamerslofje en gaat rechtop zitten.

Geleund tegen de rand van de lessenaar houd ik het boek in mijn linkerarm, zodat de hele klas de illustraties kan zien. Gelukkig kan ik me het verhaal zo goed herinneren, dat ik nauwelijks hoef te lezen. 'Er was eens een meisje dat het leuk vond om net te doen alsof ze verdwaald was,' begin ik. Als ik bij het gedeelte kom waar het boerenmeisje midden in de nacht door het bos rent, terwijl de bomen haar insluiten en er bijna geen olie meer in haar lamp zit, voel ik hoe mijn nekharen overeind gaan staan en als ik naar de klas kijk, stuit ik op de grote, bloeddoorlopen ogen van Chloe Dawson. Ze ziet eruit alsof ik net haar grootste nachtmerrie heb beschreven. Ik overweeg om te stoppen – het uur dat deze les zou mogen duren is allang voorbij – maar als ik aanstalten maak om het boek dicht te slaan slaakt Hannah Weiss een gilletje.

'U mag nou niet stoppen. Komt ze levend het bos uit?'

'Ja, op het nippertje. Maar dat laatste gedeelte is wel een beetje... kleffig,' zeg ik. Dat is een van Sally's favoriete woorden. Maar niemand schijnt bezwaar te hebben. Ze blijven gewoon ingespannen luisteren.

'Wanneer ze ziet dat het licht van haar lantaarn zwakker wordt, trekt het boerenmeisje haar mes uit haar riem en maakt een diepe snee in haar arm om meer van haar eigen bloed aan de olie toe te voegen. Het licht laait weer op, maar nu is het even rood als de rode beuk bij zonsondergang, even rood als de vlammen in het haardvuur, even rood als haar hartenbloed. De dennenbomen lopen stampend en ruisend achter haar aan, ze voelt hun harsachtige adem in haar nek en hun takken slaan haar in het gezicht. Haar benen voelen zwaar en stram aan en wanneer ze haar armen opheft, ziet ze dat haar huid al verruwd is tot schors. Een lok haar die over haar gezicht strijkt, voelt aan als vederlichte dennennaalden. En als een enkele traan over haar wang rolt, is die even kleverig als het sap van een boom. Ze begint in een boom te veranderen. De wind die door het bos blaast, klinkt zangerig en bezwerend: "Blijf bij ons. Deel samen met ons een eeuwenlang leven." Wanneer ze haar voeten optilt, zitten er wortels aan. Ze is zo moe. Zou het zo erg zijn om een boom te worden?

Maar dan vangt ze aan het eind van het pad een glimpje licht op. Boven de velden achter het bos komt de zon op. Ze hoort het zingen van de vogels op de palen van het hek en ruikt de rook van het fornuis in de boerderij. Ze ruikt brood en koffie en de hei die op het veld rondom haar oude huis groeit... en dan hoort ze de stem van haar moeder die haar naam roept. Ze begint te rennen, waarbij ze de wortels die aan haar voeten kleven losrukt en bloederige voetstappen achterlaat. Ze rent naar het gat tussen de bomen waarvan niet meer over is dan een spleetje en springt erdoor, waarbij de schors haar huid aan flarden rukt. Maar daar trekt ze zich niets van aan. Ze kan het huis uit haar jeugd zien, haar moeder die met open armen op de stoep staat... en dan ziet ze háár. Het wisselkind. Ze lijkt sprekend op haar, alleen is ze langer geworden en mooier. Het wisselkind stapt in de armen van haar moeder – háár moeder! – en buigt haar gouden hoofd om de verweerde wang van de oude vrouw te kussen en haar moeder kijkt naar haar op alsof ze de zon aan de hemel is.

Dan ziet ze dat haar moeder in het jaar dat voorbij is gegaan blind is geworden. Ze ziet ook dat de nederige boerderij die ze achter heeft gelaten een statige boerenhoeve is geworden. Haar zusjes die uit de schuur komen lopen met emmers melk en manden vol eieren hebben prachtige kleren aan. Alles wat de heks heeft beloofd is uitgekomen. Het jaar dat zij in het huis van de heks heeft doorgebracht, heeft haar familie rijkdom en weelde gebracht. Ze ziet nergens een teken dat ze gemist wordt. Haar zusjes begroeten het wisselkind met kussen en omhelzingen en dat doen ze met veel meer enthousiasme dan bij de tekens van genegenheid die zij wel eens van hen mocht ontvangen. Wanneer ze opstaat, beseft ze ineens dat ze de voorkeur geven aan het wisselkind. Ze kijkt neer op haar eigen gescheurde kleren, haar geschramde armen en haar bloedende voeten. Maar het zijn vooral haar handen die anders zijn geworden. Haar handen die hebben geleerd om te schilderen en hout te snijden, klei te boetseren en kleden te weven. Het zijn niet langer de handen van een melkmeisje. Wil ze echt haar dagen doorbrengen met het melken van koeien en het rapen van eieren?

Maar heeft ze wel een keus? Het pad terug naar het huis van de heks heeft zich achter haar gesloten. Ze draait zich om naar de muur van bomen, maar dan staat ineens de heks voor haar. Ze houdt een lantaarn omhoog en het licht dat daaruit stroomt is het rood en goud van de zonsopgang. Dan kijkt ze nog een keer om naar de boerderij, maar haar moeder en haar zusjes zijn al naar binnen gegaan. Alleen het wisselkind staat nog op de drempel, met grote ogen vol angst.

"Als je dat wilt, kun je haar weer veranderen," zegt de heks. "Je hoeft haar alleen maar te besprenkelen met aarde van de wortels van de beuk en dan wordt zij weer een wortel. Die aarde heb ik hier."

Het boerenmeisje kijkt weer naar de heks en ziet dat ze een handvol zwarte aarde bij zich heeft. En op die aarde is de blik van het wisselkind gevestigd. Ze weet dat die de kracht heeft om haar weer te veranderen. De heks biedt het boerenmeisje de vrijheid om te kiezen tussen haar oude en haar nieuwe leven.'

Voordat ik de laatste bladzijde opensla, kijk ik nog eens goed naar de tekening. Het boerenmeisje staat aan de rand van het bos tussen twee vrouwen: de heks en het wisselkind. Op alle andere tekeningen van de heks is haar gezicht in schaduwen gehuld, maar op deze valt het licht van de lantaarn op haar en de gelaatstrekken die daardoor worden onthuld hebben verrassend veel weg van de foto's die ik van Vera Beecher heb gezien.

Ik voel dat de klas wacht tot ik het verhaal uitlees, maar in plaats daarvan sla ik het boek dicht.

Na een moment van stilte barst Hannah Weiss los: 'Eindigt het écht op die manier? Wat doet het boerenmeisje? Gaat ze terug naar de heks of terug naar haar familie?'

'Wat denk jij?' vraag ik, terwijl ik het boek terugstop in mijn tas.

'Gaat u ons dat niet vertellen?' vraagt Clyde.

'Ik vond dat ik jullie dat zelf maar eens moet laten uitzoeken,' zeg ik. 'Natuurlijk zullen jullie waarschijnlijk wel ergens op internet een oude versie kunnen vinden, maar ik zou graag willen dat jullie ondertussen eens goed nadenken over wat jullie zelf zouden doen. Zouden jullie bij de heks blijven of gaan jullie terug naar je vroegere leven? Dat zal jullie helpen bij de twee opdrachten voor dit kwartaal en dat zijn...' Ik wacht even om hun de tijd te geven een pen te pakken of hun laptop open te klappen, 'ten eerste, een onderzoek naar het leven van Lily Eberhardt en Vera Beecher, waarin jullie me de reden vertellen waarom zij deze bewerking van het verhaal van het wisselkind hebben geschreven, en ten tweede...'

Maar voordat ik kan vertellen wat het tweede deel van de opdracht is, gaat de bel. Hoewel ze nog niet opstaan, beginnen de meeste leerlingen hun boeken en hun laptops al in hun rugzakken te proppen. Ik zie dat ze trappelen van verlangen om ervandoor te gaan. 'Dat kan wel tot morgen wachten,' zeg ik.

Wanneer ze weg zijn, kijk ik neer op mijn rooster. Aangezien ze elkaar allemaal bij naam hebben genoemd, kon ik ze op het rooster terugvinden en er een paar aantekeningen aan toevoegen om ze later gemakkelijker te herkennen. Aan het eind van de les heb ik alle leerlingen afgevinkt die zich voor deze cursus aangemeld hebben, met één uitzondering: Isabel Cheney. Ik vind het een beetje vreemd dat zo'n ambitieus meisje haar eerste schooldag laat lopen.

Ik stop het rooster ook in mijn boekentas en als ik opsta, valt mijn blik automatisch op de warme gloed van de rode beuk die voor het raam staat. Eronder staat een grauw en onwerkelijk figuurtje. Ik besef al snel dat het in de ruit weerspiegeld wordt, maar dat maakt het niet minder huiveringwekkend. Het is het spiegelbeeld van Ivy St. Clare die in de deuropening van mijn klaslokaal zwijgend naar me staat te kijken. Ik weet niet hoelang ze daar al staat, maar onwillekeurig denk ik terug aan wat sheriff Reade gisteravond heeft gezegd. Ze houdt altijd alles in het oog.

ACHT

Ik wacht tot de rectrix binnenkomt, maar even later verdwijnt de spookachtige gestalte van de ruit. Ik blijf achter met het onrustbarende gevoel dat ik in de gaten word gehouden. Dat is niet het gevoel waarmee ik op de eerste dag aan mijn nieuwe baan wil beginnen. Ik hang mijn tas over mijn schouder en besluit achter de rectrix aan te lopen naar haar kantoor. Als zij een oogje op mijn les heeft gehouden wil ik weten waarom.

Maar voordat ik erheen kan gaan kom ik Dymphna Byrnes tegen, die me met haar forse lijf de doorgang verspert. 'O, daar bent u!' roept ze uit alsof ik me voor haar verstopt heb. 'Rectrix St. Clare heeft gezegd dat ik dit aan u moest geven.' Ze overhandigt me een kartonnen doos met het opschrift VIOLET DU LAC, MODISTE in verschoten, goudkleurige letters op een donkerpaarse ondergrond.

'Wat is dat?' vraag ik. Als Dymphna een excentrieke hoed uit de doos zou vissen met de verklaring dat het in Arcadia traditie is dat ik die tijdens de les draag, zou ik daar niet eens van opkijken. Zulke vreemde trekjes beginnen inmiddels normaal te worden voor de Arcadia School. Maar in plaats daarvan komt ze met een volkomen rationele verklaring.

'Nou, de brieven en dagboeken van miss Vera, natuurlijk. Die wilde u toch graag zien? Hier zijn ze dan. Rectrix St. Clare heeft wel gezegd dat u er heel voorzichtig mee moet zijn. Ze zijn onvervangbaar. En ze heeft bovendien gezegd dat ik u eraan moest herinneren dat u uw lijst met lesboeken voor vier uur vanmiddag aan de bibliotheek door moet geven en dat u om halfvijf thee moet drinken met de faculteit.'

'Natuurlijk zal ik daaraan denken,' zeg ik en heb meteen spijt van mijn weerbarstige toon. Om eerlijk te zijn had ik geen moment meer gedacht aan de thee en de deadline van de bibliotheek. 'Ik zou de rectrix graag even willen spreken...'

'Dat gaat absoluut niet. Ze houdt zich de hele dag bezig met de inwijding van de eerstejaars.'

Ik sta op het punt te zeggen dat ze kennelijk tijd genoeg had om bij mijn les te spioneren, maar ik kan me nog net inhouden. Het heeft geen zin om zowel paranoïde als chagrijnig over te komen. 'Dan zal ik wel moeten wachten tot de bijeenkomst van de faculteit.'

'De thee,' tikt Dymphna me op de vingers. 'De rectrix stáát erop dat het als een gezellige bijeenkomst wordt beschouwd. En ze wil ook graag dat iedereen zich daarvoor kléédt,' voegt ze eraan toe met een nadenkende blik op mijn kleding. Ik heb voor mijn eerste dag een nauw zwart rokje en een blouse met een krijtstreepje uitgezocht. Dat had er professioneel genoeg uitgezien toen ik vanochtend van huis ging, maar als ik omlaag kijk zie ik dat de blouse uit de rok hangt, waarschijnlijk omdat die me twee maten te groot is. Ik heb de rok sinds de begrafenis van Jude niet meer aangehad en ik was vergeten dat ik zoveel afgevallen was tot ik het ding vanochtend aantrok. Toen was het te laat. Al mijn kleren zijn twee maten te groot.

'Ja, natuurlijk was ik van plan om me thuis te gaan omkleden,' jok ik. 'Eh... wat dragen de leraressen meestal tijdens de thee?'

Dymphna's norsheid verdwijnt als sneeuw voor de zon bij mijn verwarring. 'Hebt u geen middagjapon?'

Ik schud mijn hoofd. 'Thee' had niet bepaald hoog op de agenda gestaan bij de huisvrouwen in Great Neck, die zich meer bezighielden met voetbalwedstrijden, bar mitswa's, lunchafspraken in het winkelcentrum of een trip naar de pedicure. Dat betekende niet dat de vrouwen in Great Neck geen fortuin uitgaven aan kleren, maar als je niet werkte, kon je je prima redden met een goed gesneden katoenen broek, een paar dure instapschoenen, een gewatteerd jasje van Burberry en elke dure tas die op een bepaald moment in de mode was. Maar dan herinner ik me ineens dat ik afgelopen zomer voor het feestje ter gelegenheid van Lexy's zestiende verjaardag bij Anthropologie een schattig gebloemd jurkje voor Sally heb gekocht. Nadat ze het één keer had gedragen had Sally het 'stom' genoemd, maar ik had het niet over mijn hart kunnen verkrijgen om het weg te gooien. Het had haar zo snoezig gestaan. Inmiddels ben ik zoveel afgevallen dat het mij nu wel zal passen.

'Ik geloof dat ik wel iets heb,' zeg ik tegen Dymphna.

Ze ziet er opgelucht uit. 'Dat wil ik toch hopen, zo'n knappe meid als u. Breng de papieren van miss Vera voor alle zekerheid maar meteen naar uw huis, dan kunt u zich tegelijk omkleden. Niet vergeten, hoor. Rectrix St. Clare zal u met liefde kelen als er iets mee gebeurt.'

Maar het lukt me niet om meteen terug te gaan naar het huisje. Tegen de tijd dat ik klaar ben met het bespreken van mijn modieuze tekortkomingen met Dymphna heb ik nog maar tien minuten om naar mijn werkgroep literatuur voor oud-leerlingen te komen. Helaas vindt die plaats in een ander gebouw, Briar Lodge. Vandaar dat ik ernaartoe loop met de zware hoedendoos onder mijn arm.

De wandeling naar Briar Lodge duurt langer dan de kaart van het schoolterrein me had voorgespiegeld. Het gebouw ligt aan de westkant van de appelboomgaard, aan de rand van het bos en onder de richel waar ik gisteravond verdwaald ben. Toen Virgil Nash terugkeerde naar Arcadia had het als zijn onderkomen en studio gefunctioneerd. Wanneer ik bij het jachthuis aankom, zie ik dat er een pad is dat vanaf de zijkant van het gebouw omhoogloopt naar het bos. Dat leidt waarschijnlijk naar het voetpad over de richel dat ik gisteravond per ongeluk heb genomen. Ik vraag me af of Lily dat pad ook heeft genomen op de avond dat ze een afspraak had met Nash en de dood vond door een val in het ravijn, precies zoals mij bijna is overkomen. Als ik eraan denk dat ik maar op het nippertje aan hetzelfde lot ben ontkomen, word ik een beetje duizelig.

Wanneer ik de zitkamer op de begane grond binnenloop waar de les plaats zal vinden, wordt dat gevoel alleen maar sterker. Het vertrek profiteert van de ligging op het zuiden en wekt dankzij de brede eiken vloerplanken en het koepelvormige plafond de indruk geheel uit licht te zijn opgetrokken. Het meest opvallend zijn de schilderijen. Toen Dymphna Byrnes me vertelde dat Vera Beecher opdracht had gegeven om het schilderij van Nash uit de eetzaal te verwijderen, was ik ervan uitgegaan dat al zijn schilderijen uit Arcadia waren verbannen. Maar dat is niet zo.

Achter in de kamer hangen drie grote olieverfschilderijen boven de bank. Ze zijn in de 'late stijl' van Nash, toen hij inmiddels had gebroken met de traditionele portretten van hooggeplaatste personen waarmee hij eerder zijn geld had verdiend. In plaats van geposeerde, formele portretten zijn dit vrijmoedige en levendige afbeeldingen van een vrouw. Het middelste schilderij is een close-up van haar gezicht. Omringd door sluik blond haar staren lichtblauwe ogen de toeschouwer uitdagend aan. Het schilderij links toont dezelfde vrouw die naakt in de deuropening van een schuur staat. Strepen licht die door de kieren in de wand van de schuur vallen, spelen over haar lichaam maar haar gezicht is in schaduwen gehuld. Het laatste schilderij is van een naakte vrouw die onder een boom in het gras ligt, terwijl de late middagzon die tussen de bladeren door valt glanzende vlekjes op haar huid tekent.

Aan de kleur van haar haar en de hoekige lichaamsvormen te zien is het dezelfde vrouw als op de andere twee schilderijen, maar omdat ze de kijker de rug toe heeft gekeerd blijft dat gissen.

'Dat effect heeft Lily op iedereen,' zegt een donkerharige jongeman die op de bank zit. 'Daarom zit ik ook onder haar en niet met het gezicht naar haar toe. Anders zou ik me nooit kunnen concentreren op wat u vertelt... en dat is niet als belediging bedoeld.'

'Zo vatte ik het ook niet op,' zeg ik terwijl ik tegenover de bank op een stoel ga zitten en mijn boekentas en de paarse hoedendoos op een laag eiken tafeltje zet. 'Dat zijn echt verbazingwekkende schilderijen. Ik had wel gehoord dat de late portretten die Nash van Lily maakte heel bijzonder waren, maar deze heb ik nooit gezien. Ik geloof niet dat ze ooit gereproduceerd zijn.'

'Toen Vera Beecher nog leefde, wilde ze geen toestemming geven om ze te laten reproduceren.' Aan het woord is een jonge vrouw die rechts van me op een eetkamerstoel zit. Ze zet het zwarte montuur van haar bril recht op haar neus en vervolgt: 'En rectrix St. Clare heeft zich aan die wens gehouden. Als we ze wilden gebruiken voor ons eindexamenproject moesten we ze ter plekke bestuderen.'

'En daarom hebben we ook hier afgesproken,' zegt de donkerharige jogeman. Ik kijk van de jonge vrouw naar hem en zie dat ze echt sprekend op elkaar lijken: hetzelfde zwarte haar dat in een duidelijke punt op hun voorhoofd uitloopt, dezelfde bleke huid, en dezelfde wijd uit elkaar staande grijze ogen.

'Jullie zijn ongetwijfeld Rebecca en Peter Merling,' zeg ik, terwijl ik mijn rooster pak. 'En jullie zijn...'

'Een tweeling,' zeggen ze tegelijkertijd.

'Ik wilde eigenlijk zeggen dat jullie bezig zijn met een eindexamenproject over de schilderijen van Nash,' zeg ik met een flauw glimlachje. 'Ik vroeg me eigenlijk af wat jullie met deze werkgroep proberen te bereiken.'

Peter werpt een blik op zijn zusje. Ze kijkt hem even aan, trekt een van haar prachtig gewelfde wenkbrauwen op en hij knikt alsof ze het ergens over eens zijn. 'Becky en ik werken samen aan ons eindexamenproject: "De invloed van sprookjes op de schilderkunst en de literatuur van de twintigste eeuw." Miss Pernault, die ons begeleidt, gaf ons de raad om eens te kijken hoe het sprookje "Broer en zus" van Grimm wordt gebruikt in de roman *De heks van Exmoor* van Margaret Drabble.'

'Met name het gegeven van dierlijke bruiden,' voegt Rebecca eraan toe.

'Vanwege het beeld van de broer die verandert in een hert...'

'Wat weer terugkomt in de late schilderijen die Nash van Lily maakte.'

'Op wat voor manier komt dat gegeven van dierlijke bruiden dan terug in het schilderij van Nash?' vraag ik, voornamelijk om het bijna komisch aandoende duet van Rebecca en Peter af te breken.

De tweeling kijkt elkaar even aan en dan zegt Rebecca: 'Kijk nou eens naar haar. Naar de manier waarop het licht op haar huid valt. Ziet u niets ongewoons aan haar?'

Ik kijk weer naar de schilderijen. Op het doek waar Lily languit naakt onder de boom ligt, is haar huid gevlekt door het zonlicht dat door het bladerdek valt. De kleur van de bladeren geeft haar huid een rossig koperen tint, met uitzondering van de witte plekken waarop het licht rechtstreeks valt. Ik sta op en loop ernaartoe.

'Ze lijkt op een hert,' zeg ik ten slottte. 'Op een jong reekalf.'

'Precies,' zegt Rebecca. 'En op het doek waar ze staande poseert...'

Ik schiet in de lach voordat ze haar zin kan afmaken. 'Daar lijkt ze net een zebra.'

'Ja!' zeggen Rebecca en Peter tegelijkertijd. Ze klinken alsof ze heel tevreden over me zijn. Hoewel ik in feite de lerares ben, besef ik ineens dat ze me hebben bestudeerd vanaf het moment dat ik naar binnen stapte en dat ik net een soort proef heb doorstaan die ze samen hebben opgesteld. Maar dat neem ik ze niet kwalijk, want ze geven me het gevoel dat ik met open armen word opgenomen in hun kleine, tweepersoonskringetje.

'Dus u snapt wel waarom wij geïnteresseerd zijn in het bestuderen van verhalen over dierenbruiden,' zegt Peter. 'Ook al heeft Virgil Nash in zijn laatste schilderijen van Lily Eberhardt de voor de hand liggende referenties aan sprookjes vermeden, hij beeldde haar toch nog steeds af als een dierlijke bruid...'

Peter zwijgt even om zijn tweelingzus de kans te geven zijn zin af te maken. Ik krijg bijna het gevoel dat dit van tevoren gerepeteerd is. 'En daardoor wordt het feit dat hij haar vermoord heeft nog fascinerender.'

Tegen de tijd dat ik uit Briar Lodge vertrek, duizelt het me nog steeds. Ik had verwacht dat deze werkgroep, aangezien er maar twee leerlingen deel van uitmaakten, de gemakkelijkste en meest ontspannen les zou worden van allemaal, maar de Merling-tweeling is allesbehalve ontspannend. Ik word doodmoe van ze en ik heb pijn in mijn nek van het heen en weer kijken. Het lijkt wel een tenniswedstrijd. Volgende keer moet ik er op zijn minst voor zorgen dat ze naast elkaar zitten.

In vergelijking daarmee gaat mijn les over Britse literatuur een stuk beter. Een paar van de leerlingen zitten ook bij mijn cursus over folklore – Clyde Bollinger, Hannah Weiss, Fleming Sedgewood – dus heb ik vanaf het begin het gevoel dat ik medestanders heb. Ik ben ook blij om te horen dat veel van de leerlingen al in Jane Eyre begonnen zijn. We besteden de hele les aan het praten over de verhalen die de Brontës verzonnen tijdens de saaie winters in hun jeugd op de heidevelden van Yorkshire. Wanneer ik ze als huiswerk meegeef om de volgende tweehonderd pagina's van Jane Eyre te lezen, klinkt er geen spoor van protest. Ik maak tien minuten te vroeg een eind aan de les om de tijd te hebben bij de bibliotheek mijn boekenlijst in te dienen.

De granieten toren van de bibliotheek steekt duidelijk zichtbaar boven de rode beuk uit, maar blijkt zoals alles op dit schoolterrein net een stukje verder weg dan ik had gedacht. Het begint langzaam maar zeker tot me door te dringen dat de paden niet ontworpen zijn om je snel op de plek van bestemming te brengen, maar in plaats daarvan een toeristische route volgen. En trouwens, de bibliotheek maakte oorspronkelijk helemaal geen deel uit van het landgoed. De ouders van Vera Beecher hebben die tussen 1890 en 1900 laten bouwen als een geschenk aan de stad Arcadia Falls, maar toen Vera Beecher in de jaren veertig van de vorige eeuw besloot om een school te beginnen op het grondgebied van haar ouderlijk huis gebruikte ze een foutje in het huurcontract om beslag te leggen op het gebouw. Dat zal de gemeenteraad haar niet in dank hebben afgenomen, denk ik als ik een tikje buiten adem op de top van de heuvel aankom – in feite een onderdeel van dezelfde richel waarop ik gisteren stond, maar dan iets verder naar het zuiden – en dan werp ik mijn eerste blik op het plaatsje Arcadia Falls. Het ligt in een dal tussen twee heuvels en is onzichtbaar vanaf de snelweg en vanaf het merendeel van het schoolterrein. En het lijkt erop alsof ook de eenentwintigste eeuw eraan voorbij is gegaan. De witte kerktoren, het groene stadspark en de witte houten huizen lijken rechtstreeks afkomstig uit de zeventiende eeuw. Het ziet eruit als een dorp dat onaangetast is door de tijd, een plek waar Doornroosje ongestoord honderd jaar lang had kunnen slapen.

Ik wend me met tegenzin af en neem me voor om het dorp meteen te gaan verkennen als ik daar tijd voor heb, voordat ik de bibliotheek binnenloop... en met één stap vanuit Brigadoon in het dertiende-eeuwse Engeland beland. De ouders van Vera Beecher waren bewonderaars van de Middeleeuwen en aanhangers van William Morris, de geestelijk vader van de Arts and Crafts-beweging. Ze maakten van de bibliotheek een gebouw dat het midden houdt tussen een kasteel en een gotische kerk, compleet met een spitse klokkentoren. En zoals in de meeste gotische gebouwen glijdt mijn blik meteen bij binnenkomst in de centrale hal naar boven, via gebeeldhouwde stenen bogen en schitterende wandtapijten naar de dakkapel die is voorzien van glas-in-loodramen.

Ik sta in een plas van saffier- en robijnkleurig licht dat op het rustige grijze gesteente valt en bestudeer eerst het met houtsnijwerk versierde houten plafond – waarvan ieder paneel is voorzien van het familiewapen van de Beechers – en dan zakt mijn blik langzaam naar beneden en stopt halverwege de wand met de wandtapijten. Het zijn er vier, stuk voor stuk met de beeltenis van een statige beuk in verschillende seizoenen: tere groene knopjes in de lente, het volle, groene bladerdek van de zomer, een felrode boom in de herfst en kale, met sneeuw bedekte takken in de winter. Als de tapijten niet zo'n werelds motief hadden gehad, zou ik het gevoel hebben dat ik in een kerk was. Wat ik wél voel, is dat ik me op een gewijde plek bevind, alleen zijn de goden hier bomen en boeken.

'Ik hoop dat u hier bent om uw boekenlijst in te dienen.' De stem brengt me terug naar de begane grond, waar een vrouw met vaalbruin haar dat in een onflatteus pagekopje is geknipt onder het tapijt met de winterse boom aan een lange tafel zit. 'U bent namelijk de laatste, ziet u.'

'Helemaal niet,' roept een andere stem terwijl de voordeur met een klap open wordt gegooid. 'Dat hoor ik te zijn. Ik sta erop dat ik zoals gewoonlijk de allerlaatste ben die haar boekenlijst inlevert!' Miss Drake komt naar binnen waaien, terwijl haar mousselinen jurk en haar kroezende grijze haar om haar heen fladderen. Ze zwaait met een stuk papier als een maagd die bij een toernooi haar uitverkoren ridder zonder vrees en blaam aanmoedigt bij het steekspel.

'Maar die van u is al helemaal klaar,' zeg ik, wijzend naar het papier dat ze in haar hand heeft. 'En die van mij niet. Dus u ligt toch een stapje op me voor.'

'Aha! U bent hier vast nieuw. Vertel eens, Birdy,' zegt de vrouw tegen de bibliothecaresse, 'ga je akkoord met dit zielige vodje?'

'Nee, en dat weet u best, miss Drake. De boekenlijst moet worden ingediend op het daartoe bestemde formulier...'

'Uiteráárd! In drievoud, waarvan de witte kopie voor jou is, de roze aan de indiener wordt meegegeven en de gele naar de rectrix gaat. Klopt dat?'

'Zeker. En ik heb die formulieren vorige week al met de interne post verstuurd, miss Drake. U had ze allang ingevuld kunnen hebben.'

Miss Drake zucht en schudt haar hoofd, maar als de bibliothecaresse zich omdraait om de correcte formulieren te pakken, kijkt ze mij aan en loenst. Ik probeer mijn lach in te houden en begin van de weeromstuit te hoesten.

'Dat komt door al dat stof van die oude boeken,' zegt miss Drake terwijl ze me stevig op de rug slaat. 'Tussen twee haakjes, ik ben Sheldon Drake, maar iedereen noemt me Shelley... nou ja, behalve miss Bridewell hier. Birdy, hoe komt het toch dat ik jou Birdy noem terwijl jij nooit Shelley zegt?'

'Ik heb geen flauw idee, miss Drake. Misschien vanwege dezelfde reden waarom u altijd de laatste bent die haar boekenlijst indient. Het zit in onze aard.'

'Hm... Ik neem aan dat je bedoelt dat ik gewoon slonzig ben. Of een tikje uit het lood geslagen vanwege het inademen van al die giftige verfluchtjes.' Shelley steekt haar handen omhoog en wriemelt met veelkleurige vingers. Ze zitten onder de verf en ruiken naar terpentijn. 'Of misschien komt het wel omdat iemand met artistiek temperament altijd geneigd is de linkerhersenen meer te benutten... of bedoel ik nu de rechterhersenen? Ik bedoel in ieder geval de kant die zich niet kan herinneren wat het verschil tussen de twee is.'

'Dat is geen excuus,' zegt miss Bridewell terwijl ze ons allebei een stapeltje formulieren overhandigt. 'Zal ik u laten zien hoe ze ingevuld moeten worden?' vraagt ze aan mij.

'Dat doe ik wel,' biedt Shelley aan. 'Volgens mij heb zelfs ik nu wel door hoe dat moet.'

De bibliothecaresse lijkt niet overtuigd, maar Shelley Drake pakt me bij mijn elleboog en sleept me mee naar een kleine alkoof naast de ingang. Ze keert een boekentas om op de tafel en gaat zitten, terwijl ze gebaart dat ik hetzelfde moet doen. Ik gehoorzaam en stel me ondertussen voor.

'De nieuwe lerares Engels! Mijn tekenklas was helemaal opgewonden van je. En ik zag ook dat je gisteren bij de Openingsavond in het gezelschap was van sheriff Reade... O, en dan ben je natuurlijk ook Sally's moeder! Ze zit in mijn klas met beginnelingen. Ze heeft er echt kijk op. Ze moet aangemoedigd worden.'

'Ik heb haar altijd aangemoedigd...' begin ik.

'O, ik wilde helemaal niet suggereren dat je dat niet had gedaan. Maar ik kan gewoon uit haar werk opmaken dat ze zich inhoudt... alsof ze bang is voor wat eruit zou komen als ze zich echt laat gaan. Het is natuurlijk maar een eerste indruk, maar ik zou haar dit semester graag een beetje willen uitdagen, als jij dat goed vindt... O, wacht, zorg er wel voor dat je alles op alfabet zet. Daar staat Birdy op. Weet je de catalogusnummers? Anders krijg je de hele lijst in drievoud retour. Zoek ze maar op in de computer. Die zet ik zelf altijd op mijn eigen exemplaren, dan vergeet ik ze niet.'

Voor iemand die beweert dat ze zo slordig is, werkt Shelley Drake eigenlijk heel efficiënt. Ze heeft haar formulieren binnen drie minuten ingevuld en helpt me vervolgens met de mijne, terwijl ze ondertussen onafgebroken door blijft kletsen over alle klemmen en voetangels die je binnen de bureaucratie van de Arcadia School moet zien te vermijden. Ze zit zo te kwebbelen dat ik niet eens de kans krijg om te vragen hoe ze Sally nu precies wil uitdagen. Wanneer we allebei onze lijsten hebben ingeleverd staat ze op en kijkt met een bedenkelijke blik naar mijn kleren.

'Zo kun je niet bij de thee aankomen, hoor.' Ze werpt een blik op haar horloge. 'Heb je nog tijd om naar huis te gaan en iets anders aan te trekken?'

Ik kijk op mijn horloge, of liever op dat van Jude. Ik kon het niet over mijn hart verkrijgen om het af te doen en het geeft nog steeds de Japanse tijd aan. Als ik daar een uur van aftrek, zie ik dat het kwart voor vier is. 'Dan moet ik er nu wel als een haas vandoor. Ik moet in ieder geval deze doos naar mijn huisje breng...' Ik kijk op de tafel neer. Mijn canvas boekentas staat er wel, naast een stapel gekleurde kopietjes van de boekenlijst, maar de paarse hoedendoos ontbreekt.

'Wat is er aan de hand?' vraagt Shelley met een bezorgde blik op haar sproetige gezicht.

'Ik ben de dagboeken van Vera Beecher kwijt.'

NEGEN

'Doe je ogen dicht,' beveelt Shelley Drake.

'Hè?'

'Luister nou maar naar me. Doe je ogen dicht.'

Ik weet eigenlijk niet waarom, maar ik gehoorzaam. Shelley mag dan een tikje geschift zijn, maar ze straalt wel een zeker gezag uit.

'Goed. Probeer nu in gedachten de hoedendoos te zien. Lukt dat?'

Voor mijn geestesoog verschijnt de ronde paarse hoedendoos met de verschoten gouden reliëfletters. Ik kan me zelfs de naam van de hoedenmaakster herinneren: Violet du Lac. 'Ja,' zeg ik tegen haar.

'Goed. Waar staat die dan?'

In gedachten kijk ik op van de doos en recht in de blauwe ogen van Lily Eberhardt. Over haar gezicht vallen lichtstrepen.

'In de studio van Briar Lodge waar ik net een werkgroepbijeenkomst heb gehad met Rebecca en Peter Merling. Verdorie, dan heb ik hem daar per ongeluk laten staan.' Ik doe mijn ogen open en kijk tot mijn verrassing in een ander stel blauwe ogen, niet die van Lily Eberhardt maar die van Shelley Drake. 'Ik kan me niet herinneren dat ik de doos meegenomen heb, maar ik voelde me ook een beetje duizelig.'

'Die uitwerking heeft de Merling-tweeling op meer mensen. Maar het goeie daarvan is, dat er vrijwel nooit iemand naar Briar Lodge gaat. Je doos zal daar dus nog wel staan. Kom op.'

'Je hoeft echt niet met me mee te gaan...' begin ik als Shelley de twee stapels formulieren oppakt – de hare en de mijne – en op een holletje terugloopt naar de hal van de bibliotheek.

'Ik weet een kortere weg,' zegt ze, terwijl ze de formulieren op het bureau van de bibliothecaresse legt en bij de randen vasthoudt. Ze heeft de roze kopietjes er al afgescheurd voordat de bibliothecaresse er de hand op kan leggen, maar dat weerhoudt haar er niet van te klagen.

'Ik moet die ook nog afstempelen...'

'Maak je niet druk,' roept Shelley over haar schouder terwijl ze me de bibliotheek uit trekt. 'Ik heb een kopie van dat stempel van jou in mijn studio.'

We laten de verbijsterde miss Bridewell sputterend achter en schieten naar buiten waar we begroet worden door een laat middagzonnetje. Shelley ligt in een deuk tegen mijn schouder. 'O hemeltjelief,' zegt ze terwijl ze me van het pad duwt dat naar het schoolterrein loopt en door een gat duikt in de heg ernaast. 'Daar zal ik later voor moeten boeten, maar die uitdrukking op dat gezicht was het dubbel en dik waard.'

'Heb je echt een kopie van haar stempel?'

'Zeker weten. Van bijna alle stempels van de administratie van de school. Ik snij ze zelf uit rubber. Je wilt niet geloven hoeveel tijd dat scheelt... Deze kant op...'

Ze wijst me de weg door tegen mijn arm te leunen en me door het struikgewas te duwen. Eerst heb ik het gevoel dat ze zich vergist, want we worstelen ons door een dichte haag van doornstruiken, die schrammen achterlaten op mijn armen.

'Sorry,' zegt Shelley terwijl ze een doornige tak voor me opzij houdt. 'Ik heb dit pad al een tijdje niet meer gebruikt en het is een beetje dichtgegroeid. We hebben veel regen gehad... O, kijk nou, bramen! En bijna rijp ook... Aha, we zijn er. De rest van de weg is gemakkelijker.'

We komen vanuit de braamstruiken op een smal voetpad dat over dezelfde richel loopt waarop ik gisteren stond. Het schoolterrein ligt ten oosten van ons, onder aan een flauwe helling. Diep onder de veel steilere westkant van de richel ligt het dorpje Arcadia Falls, dat van de school gescheiden is door een diepe kloof in de bergen. Het Nederlandse woord 'kloof' is in het Engels verbasterd tot 'clove' en ik kan me herinneren dat Callum Reade dit ravijn gisteren Witte Clove noemde. Als we ernaartoe lopen, hoor ik het gebulder van de waterval waarnaar het dorp vernoemd is: Arcadia Falls. Ineens staan we er vlak boven en kijken neer op een duistere, schaduwrijke inkeping in de richel, gevuld met grote rotsblokken en omlaag stortend water. Ik word al duizelig als ik er alleen maar naar kijk.

Shelley wijst naar een oude verweerde schuur, die scheefgezakt midden op een overwoekerd veld achter de kloof staat.

'Dat is de schuur die Nash gebruikte voor die laatste schilderijen van Lily Eberhardt,' zegt ze. 'Daar had ze op de avond van haar dood met hem afgesproken. Haar lichaam werd midden in de kloof teruggevonden. Ik heb me altijd afgevraagd waarom ze die midden in een sneeuwstorm wilde oversteken.' Ze schudt haar hoofd en draait de schuur de rug toe om het pad richting Briar Lodge op te lopen.

Ik blijf nog even staan en kijk omlaag in de diepe kloof die tussen de richel en de schuur ligt. Bij daglicht ziet die er bijna even luguber uit als gisteravond in het licht van de maan. Ongeveer zes meter onder de richel is een uitspringende rand waar het water wordt opgevangen in een bassin, voordat het in een tweede, nog steilere waterval zeker dertig meter naar beneden stort. Links van de waterval kronkelt een pad omlaag dat eruitziet alsof het zelfs voor een berggeit nog een hele uitdaging zou zijn. Als je daarop uitgleed, zou je naar beneden kunnen vallen en je nek breken op een van die uitstekende rotsblokken. En 's avonds zou dat nog veel gevaarlijker zijn, laat staan in een sneeuwstorm. Shelley heeft gelijk. Het slaat nergens op dat Lily die avond heeft geprobeerd de kloof over te steken. Tenzij Vera zo boos is geworden toen ze haar vertelde dat ze van plan was met Nash weg te gaan, dat ze gewoon bang werd om de nacht samen met haar in het huisje door te brengen.

Ik loop weg bij de kloof en ga achter Shelley aan, waarbij ik haar witte jurk scherp in het oog houd, terwijl ze zich een weg baant door een dicht dennenbosje op de oostelijke helling langs de richel. In het zonlicht dat door de bomen valt, zweeft een wolkje dennennaalden omlaag. Gedurende een duizelingwekkend moment verdwijnt de zomerse omgeving en maakt plaats voor een winternacht waarin ik zie hoe een eenzaam figuurtje probeert om langs de besneeuwde helling omlaag te klauteren. Maar ik zet het beeld meteen weer uit mijn hoofd. Om te beginnen is Lily volgens de overlevering nooit vanuit de schuur via deze helling teruggekomen.

De hoedendoos staat nog steeds op dezelfde plek, op het tafeltje in de kamer onder het portret van Lily Eberhardt. 'O, goddank,' zeg ik terwijl ik me op de doos stort. 'Ik kan gewoon niet geloven dat ik zo stom ben geweest. Rectrix St. Clare had me vast mijn nek omgedraaid.'

'Ja, ze is inderdaad heel zuinig op de nalatenschap van Vera Beecher.' Shelley staat met haar rug naar me toe omhoog te staren naar de schilderijen van Lily Eberhardt, terwijl ik de doos opendoe om te kijken of de brieven en de dagboeken er nog steeds in zitten. Aangezien ik dat nog niet eerder had gedaan heb ik geen flauw idee of er iets ontbreekt, maar de doos zit propvol brieven en in linnen gebonden dagboeken. Zo op het oog lijkt er niets te ontbreken. Helemaal bovenop ligt een foto van drie vrouwen die met de armen om elkaars middel onder een bloeiende appelboom staan. Ik herken Lily in de slanke blondine die helemaal links staat, maar de andere twee ken ik niet. Ik wil net kijken of er iets achterop is geschreven, als ik opschrik van Shelleys volgende opmerking. 'Soms denk ik wel eens dat de school niet meer voor haar betekent dan dat: een schrijn om het rottende lijk van Sint-Vera voor het nageslacht te bewaren.'

Ik doe de doos weer dicht, verbijsterd door die wrange woorden. Maar als Shelley zich omdraait, lacht ze weer. 'Enfin, jij hebt de doos gevonden, dus je hoeft nergens meer over in te zitten... alleen dat je natuurlijk wel op tijd moet zijn voor de thee. We hebben nog twintig minuten en zo lang doe ik er zeker over om de verf van mijn vingers te poetsen. Ik zie je daar.'

Ze is al verdwenen voordat ik haar kan bedanken voor haar hulp bij het terugvinden van de doos. Wat een vreemd mens, denk ik, als ik op een holletje terugga naar mijn huisje. Ik weet eigenlijk niet of ze echt de 'slonzige kunstenares' is die ze uithangt en ook niet of ik haar mag. Maar van één ding ben ik overtuigd: ze is iemand die ik in Great Neck nooit zou tegenkomen.

Ik slaag erin om via het pad over de richel terug te komen in het huisje, zet de hoedendoos in de kast in mijn slaapkamer, trek Sally's jurk aan – die me precies past – en ben om klokslag half-vijf present in Beech Hall. Weliswaar hijgend en zwetend onder het dunne katoenen jurkje, maar wat maakt dat uit? De thee wordt geserveerd in de rozensalon, een naam die is ontleend aan de verschoten roze bekleding, de rozen op het behang en de vaag op rozen lijkende versiersels die in het glas van de openslaande deuren zijn geëtst.

De staf staat verspreid door het vertrek in groepjes die op stijve boeketjes lijken. Ik loop naar een groep vrouwen die allemaal uitgedost zijn in jurken met gerende rokken in beschaafde, gedempte kleuren. Ook hun geföhnde haren en parelkettinkjes lijken identiek. 'Wij zijn hier letterlijk kunstgeschíédenis,' krijg ik te horen van een vrouw die zich voorstelt als Pernault (in plaats van 'juffrouw' of 'mevrouw'). Na de beleefde introductie vergeet ik hun namen vrijwel onmiddellijk weer. En zij keren terug naar het onderwerp dat aan de orde was voordat ik ze stoorde: een verbitterde vergelijking tussen de salarissen op Arcadia en die op andere privéscholen.

Ik dwaal verder naar een gezelschap dat wat vrolijker gekleed, jonger en van beiderlei kunne is – onwillekeurig valt me wel op dat de staf duidelijk door vrouwen gedomineerd wordt – en ontdek dat zij allemaal lesgeven in beeldende kunst. Ze staan erover te klagen dat er gesneden is in het budget voor hun materialen. Ik begin een vermoeden te krijgen waarom het naar verhouding vrij gemakkelijk was om deze baan te krijgen. De Arcadia School is kennelijk de meest krenterige in het noordoosten.

Nadat ik een paar minuten heb staan luisteren naar een vrouw die klaagt over de hoge prijs van dekkende waterverf loop ik verder en ga naar de enige persoon toe die in zijn eentje staat: een lange, slungelige man van een jaar of dertig bij de ingang van de kamer. Hij ziet eruit alsof hij zich net zo haastig heeft omgekleed als ik. Ik kan de sporen van de kam nog in zijn vochtige haar zien en in zijn hals kleeft een stukje tissue aan de plek waar hij zich bij het scheren heeft gesneden.

'Ik ben Meg Rosenthal,' zeg ik terwijl ik mijn hand uitsteek.

'Colton Briggs, wiskunde,' zegt hij en pakt zijn theekopje snel over in zijn linkerhand voordat hij mijn hand met lange vochtige vingers omknelt.

'Ik geef Engels,' zeg ik, alsof hij dat heeft gevraagd.

'Juist,' zegt hij en blijft stug naar een plek ongeveer vijf centimeter boven mijn linkerschouder staren.

'Hoe ben je ertoe gekomen om wiskundeleraar te worden?' vraag ik, mijn toevlucht zoekend bij de strategie die ik uit tienerbladen heb opgepikt. Vraag de jongen wat hem interesseert.

'Ik geef alleen maar les tot ik mijn studie economie heb afgerond,' fluistert hij terwijl hij zich naar me over buigt. Dan richt hij zich weer op en kijkt nerveus om zich heen alsof hij net heeft onthuld dat hij eigenlijk een van de bekende superhelden is.

'O,' zeg ik met een bemoedigend glimlachje. 'Wat is je specialiteit?'

'Willekeur en onwaarschijnlijkheden,' zegt hij.

'O, zoals de Zwarte Zwanen-theorie. Mijn man, die vorig jaar is overleden, was manager van een hedgefonds en hij praatte graat over die theorie...'

'Nou nee,' zegt Colton Briggs zonder een spoor van de gebruikelijke sympathie die me wordt getoond als ik zeg dat ik onlangs weduwe ben geworden. 'Mijn werk heeft eigenlijk nauwelijks betrekking op het Zwarte Zwanen-principe, het is meer gericht op de "random walk"-theorie van Burton Malkiel...'

Vervolgens trakteert hij me op een verhaal over een Franse econoom die ontdekte dat een grafiek van beursnotities en de stappen die een dronken Fransman in het donker maakte bij het oversteken van een verlaten, besneeuwd veld grote gelijkenissen vertoonden, zonder zich ook maar een moment af te vragen of dat me wel interesseert en of ik hem kan volgen. Wanneer hij klaar is, verwacht ik half-en-half dat hij me gaat overhoren. Voordat hij daarmee kan beginnen, excuseer ik mezelf en ga een kopje thee halen.

'Arcadia-melange of kruidenthee?' vraagt het meisje achter de middelste pot als ik aan de beurt ben.

'Wat is de Arcadia-melange?'

'Een recept van Vera Beecher. Volgens mij is het half darjeeling en half assam, plus een of ander kruid. Erg lekker.'

Omdat ik toch bezig ben in te burgeren, besluit ik om de schoolthee te proberen. En die herken ik meteen als de thee die ik gisteren in het kantoor van de rectrix heb gedronken en die sheriff Reade in zijn thermosfles had. Ik kan het kruid nog steeds niet thuisbrengen, maar ik begin er echt aan te wennen. Dan loop ik naar de openslaande deuren en doe net alsof ik gebiologeerd word door het uitzicht. Na die preek van Colton Briggs kan ik het niet meteen opbrengen om weer met iemand te gaan praten. Ineens dringt tot me door dat dit een van de weinige gelegenheden is die ik de afgelopen zestien jaar heb bezocht die niet draait om Sally's opleiding of Judes zaak. Misschien weet ik niet meer hoe het is om mezelf te zijn.

Ik kijk rond of ik Shelley Drake ergens zie, maar ze schittert door afwezigheid. Meteen voel ik me een tikje schuldig omdat ze misschien door mijn toedoen te laat is.

Ik draai me weer om naar de openslaande deuren en vraag me af of iemand het in de gaten zou hebben als ik naar buiten glip. Meteen daarna zie ik Shelley op het gazon voor de rode beuk staan. Dat lichte aureool van grijze krullen zou al opvallend genoeg zijn, maar ze staat ook driftig met haar armen te zwaaien. Ze is in gesprek met twee leerlingen die ik eveneens herken: Chloe Dawson en Clyde Bollinger. Chloe ziet eruit alsof ze staat te huilen terwijl Clyde, met gebogen hoofd en zijn handen in de zakken, zich zo klein mogelijk lijkt te maken. Ik vraag me af wat dat stel heeft uitgespookt om Shelley Drake zo boos te maken. Ze had me niet de indruk gegeven dat ze een uitzonderlijk strenge lerares was.

'Iemand heeft kennelijk zitten rotzooien met Shelleys voorraad materiaal.'

Ik draai me om en zie een kleine man staan die ondanks de hitte is gehuld in een driedelig velours kostuum. Zelfs als het pak niet heldergroen was geweest had hij er met zijn puntige oren en scherpe jukbeenderen toch als een elf uitgezien.

'Ik heb al met haar kennisgemaakt en ze leek mij juist... heel laconiek.'

'Ha!' Het blaffende lachje klinkt veel luider dan ik bij zo'n ondermaats mannetje verwacht had. 'Shelley kent dat artistieke, vrije-geestgedoe en zo op haar duimpje, maar helaas heeft ze ook de vloek van de Sheldons geërfd. Vroeger, toen haar oudtante Honoraria de rustkuur bij S. Wei Mitchell volgde, noemden ze dat nog zenuwen. En toen haar moeder bij Anne Sexton op Maclean poëzie studeerde, heette het manisch-depressief, maar tegenwoordig noemen we het een bipolaire stoornis.' Hij komt iets dichterbij en gaat op zijn tenen staan om me in het oor te fluisteren: 'Rectrix St. Clare heeft geëist dat haar medicijngebruik onder toezicht komt van de medische staf voordat ze haar dit jaar weer in dienst nam.' Hoewel de man me eigenlijk tegenstaat, buk ik me toch als hij weer begint te fluisteren. 'Overigens is ze niet de enige.'

Ik besef dat ik eigenlijk net moet doen alsof ik totaal niet geïnteresseerd ben en me moet distantiëren van dat soort kwaadaardige roddels, maar in plaats daarvan trek ik mijn wenkbrauwen op en zeg: 'O nee?'

De kleine man grinnikt en gaat naast me staan, zodat hij kan aanwijzen over wie hij het heeft. 'Zie je die man in dat verkreukelde tweedpak die met St. Clare staat te praten? Dat is Malcolm Keith.'

'Is dát Malcolm Keith? Hij is toch de man die in het begin van de jaren tachtig dat beroemde verhaal in *The New Yorker* publiceerde, waarvan iedereen zei dat het briljant was?'

'Ja. Op basis van dat ene verhaal gaf Knopf hem een contract voor een bedrag van zes cijfers en hij heeft nooit meer een woord op papier gezet. Hij slikt medicijnen die moeten voorkomen dat hij weer aan de drank raakt en hij moet zich ook regelmatig melden om er zeker van te zijn dat hij zijn medicijnen slikt.'

'Goh, ik begin me gewoon een buitenbeentje te voelen. Het lijkt erop dat het echte feestje zich in de ziekenboeg afspeelt. Misschien moet ik me maar vitamine B-injecties laten voorschrijven. Ik heb een beetje last van bloedarmoede.'

'Je hebt het helemaal door,' zegt mijn nieuwe vriend met een klopje op mijn rug. 'Ik ga een keer per week een injectie halen omdat ik allergisch ben voor bijen, maar dat is eerder om de optocht van al die geestelijke kneusjes langs te zien komen dan uit angst voor een anafylactische shock. Tussen twee haakjes, ik ben Toby Potter. Ik geef kunstgeschiedenis en mijn specialisme is achttiende-eeuwse schilderkunst. Boucher, Fragonard, grote donzige naakten en meisjes in roze jurken, dat soort dingen.'

'Meg Rosenthal. Ik ben voornamelijk geïnteresseerd in sprookjes uit de negentiende en twintigste eeuw...' Ik begin een beetje te hakkelen, omdat ik er niet aan gewend ben om het onderwerp van mijn academische studie te presenteren als een vakgebied in plaats van een excentrieke bezigheid die een verveelde huisvrouw uit Great Neck tot vermaak dient, maar Toby Potter begint te stralen, waardoor zijn lelijke gezicht bijna mooi wordt.

'Geweldig! Je zult wel tot de ontdekking komen dat de negentiende-eeuwse kinderliteratuur een prima voorbereiding op deze plek is: het wemelt hier van gekke hoedenmakers en boze kobolden. O, en als je het over de duivel hebt... daar is Shelley en ze heeft net de rectrix in haar kraag gegrepen. Ik hoop dat ze geen scène gaat maken.'

Maar kennelijk is Shelley Drake dat juist wel van plan. Ze ziet er verwilderd uit: Cassandra die op de muren van Troje haar stadgenoten waarschuwt om dat monsterlijke houten paard buiten de poort te houden. Haar kroezende zilverkleurige haar zweeft als een onweerswolk om haar gezicht en op haar wangen zijn twee felrode plekjes verschenen. De vonken spatten bijna letterlijk van haar af. Ze loopt regelrecht naar de rectrix en overvalt haar midden in een gesprek met Colton Briggs. De rectrix lijkt in eerste instantie geërgerd, maar dan fluistert Shelley haar iets in het oor en de uitdrukking op haar gezicht verandert abrupt. Ze hollen samen de kamer uit, waardoor Colton Briggs in zijn eentje achterblijft en zenuwachtig van zijn ene been op het andere begint te wiebelen. Hij wil een slokje nemen van zijn thee, maar komt dan kennelijk tot de ontdekking dat het kopje leeg is, draait zich met een ruk om en loopt naar de theepot.

'Wat heeft dat volgens jou allemaal te betekenen?' vraag ik aan Toby Potter.

'Ik zou het niet weten. De laatste keer dat ik St. Clare zo van streek heb gezien was toen die biograaf uit Engeland hier is geweest om van alles over Vera Beecher te vragen. Kijk... nu lopen ze op het gazon. Het zal wel iets te maken hebben met die twee leerlingen.'

Ik kijk weer door de openslaande deuren naar buiten en zie Ivy St. Clare over het gazon lopen met een gesticulerende Shelley Drake op haar hielen. Halverwege, net voorbij de rode beuk en vlak bij de as van het vreugdevuur van gisteravond, blijven ze bij Chloe Dawson en Clyde Bollinger staan. Chloe doet het woord terwijl ze de tranen uit haar ogen poetst en Clyde staat er met opgetrokken schouders bij, terwijl zijn blik zenuwachtig heen en weer schiet tussen zijn vriendin en de rectrix. Inmiddels heeft zich een oploopje gevormd rond het drietal. Ik herken een paar van mijn leerlingen en zie ook het Merling-tweetal een eindje verderop met elkaar staan fluisteren. Dan zie ik Hannah Weiss die een stel nieuwe leerlingen een rondleiding over het schoolterrein geeft. Tussen hen ontdek ik ook Sally.

'Dat is mijn dochter,' zeg ik als ik me omdraai naar Toby Potter, maar de kleine man blijkt verdwenen. Nou, als hij zich van het feestje kan distantiëren, dan kan ik dat ook, denk ik terwijl ik door de open deuren naar buiten glip. Sally is een prima excuus.

Maar halverwege het gazon vraag ik me af of het echt wel zo'n goed idee is om Sally aan te spreken. Ze staat te praten met een Aziatisch meisje in een 'Invader Zim'-T-shirt en dat is toevallig een van de favoriete strips van Sally. Ze heeft er vaak over geklaagd dat niemand in Great Neck er zelfs maar van had gehoord. Maar wanneer ik dichterbij kom, zie ik dat ze doodsbleek is en op de punten van haar haar staat te sabbelen: twee tekens die erop wijzen dat ze overstuur is. Ik kan me niet inhouden en loop naar haar toe.

'Is alles in orde?' vraag ik als ik bij haar ben. 'Of is er iets gebeurd?'

'Jezus, mam! Wat kan er nou in vredesnaam mis met me zijn?' Ze schudt zo hard met haar hoofd dat de natte haarpunten in haar gezicht vliegen. 'Haruko en ik proberen er net achter te komen waar al die opwinding voor is.'

Ik ga ervan uit dat dit min of meer een poging is om me aan haar nieuwe vriendin voor te stellen, dus kijk ik het meisje in het 'Invader Zim'-T-shirt aan. 'Hallo, Haruko, ik ben Meg, de moeder van Sally...'

'Mevrouw Rosenthal, ja. Ik was van plan om me ook voor uw lessen in te schrijven toen ik zag dat u Neil Gaiman op de boekenlijst had staan, maar alles zat al vol. Misschien volgend jaar.'

Ik glimlach omdat ik het meisje meteen aardig vind. Ik werp

een blik op de menige die inmiddels rond de overblijfselen van het vreugdevuur staat. Het tafereel lijkt griezelig veel op dat van gisteravond, met Chloe die in het midden smekend naar de strenge gestalte van Ivy St. Clare staat te gebaren. De enige die ontbreekt, is Isabel Cheney.

'Heeft iemand vandaag Isabel Cheney gezien?' vraag ik Sally.

Ze schudt haar hoofd. 'Ik heb een paar meisjes horen zeggen dat ze niet bij het ontbijt was.'

'Ze is ook niet bij mijn les komen opdagen. Misschien kan ik maar beter even met de rectrix praten.'

Ik laat Sally en Haruko staan en loop naar het kringetje rond Chloe. 'Gaat het over Isabel Cheney?' vraag ik. 'Ze is vandaag niet voor mijn les komen opdagen.'

Ivy St. Clare draait zich naar me om en snauwt: 'Misschien had je iemand kunnen waarschuwen.'

Ik doe net mijn mond open om me te verdedigen, als Shelley Drake me voor is. 'Kennelijk heeft niemand voor de lunch gemerkt dat het meisje vermist werd. Ze is niet in haar kamer, ze is bij geen enkele les komen opdagen en niemand heeft haar meer gezien nadat ze gisteravond weg was gelopen bij het vreugdevuur... Dat klopt toch, Chloe?'

Chloe Dawson snuft en schudt haar hoofd. 'De laatste keer dat ik haar zag, was in de appelboomgaard toen we allemaal achter haar aan zaten. Ze liep in de richting van het bos... en... nou ja...' Chloe werpt een nerveuze blik op de rectrix.

'Het bos achter het jachthuis is streng verboden terrein,' zegt de rectrix.

'Dat klopt,' zegt Chloe terwijl ze haar ogen openspert op precies dezelfde manier als Sally wanneer ze liegt. 'Dus natuurlijk ben ik niet achter haar aan gegaan. Isabel denkt altijd dat regels niet voor haar gelden.' Ze ziet eruit alsof ze op het punt staat eens lekker door te gaan over de tekortkomingen van haar rivale, maar bedenkt zich dan. 'Gelooft u dat ze in het bos gevallen is en gewond is geraakt?'

Ik denk meteen aan het verraderlijke ravijn achter Briar Lodge, de Witte Clove. Als ik een blik wissel met Shelley Drake, zie ik dat zij precies hetzelfde denkt. 'Dat zou best kunnen,' zegt ze tegen de rectrix. 'Dan moeten we nu meteen het bos doorzoeken, voordat het donker wordt.'

'Moeten we de politie niet bellen?' vraag ik.

Mijn voorstel lijkt de rectrix te overvallen, maar meteen daarna knikt ze. 'Ja, natuurlijk. Ik loop meteen naar mijn kantoor. Maar ik zie niet in waarom we op hen zouden moeten wachten met de zoekactie. Het is afschuwelijk om werkloos toe te moeten zien. Ik weet zeker dat de leerlingen graag willen helpen bij het zoeken naar hun vriendin.'

'Echt waar?' zeg ik, verbaasd dat de rectrix de aan haar toevertrouwde tieners het bos in wil sturen. Maar dan zie ik dat ze echt overstuur is en ik besef dat ze waarschijnlijk terugdenkt aan de dagen nadat Lily Eberhardt vermist werd. Per slot van rekening was ze toen ook nog pas een tiener. 'Dat pad van de richel naar beneden is heel gevaarlijk,' zeg ik geduldig. 'Daar zou ook een van de andere leerlingen gewond kunnen raken.'

'Meg heeft gelijk,' zegt Shelley Drake die me opnieuw te hulp schiet. 'Als we toestaan dat de leerlingen ons helpen zoeken moet dat gebeuren onder leiding van een volwassene. Op zijn minst een per vijf studenten, denk ik. Ik ga wel naar het jachthuis om de zoekactie op touw te zetten terwijl u de politie belt.' Vervolgens draait ze zich om naar Chloe en vervolgt: 'Zou jij me daarbij willen helpen, Chloe? Dan kun je me de plek wijzen waar je Isabel voor het laatst hebt gezien.'

Ik begrijp onmiddellijk dat Shelley het ontdane meisje iets te doen geeft om weer een beetje op verhaal te komen. En het schijnt te werken. Chloe poetst de tranen van haar gezicht en haalt diep adem. En de rectrix lijkt ook iets kalmer en zelfverzekerder.

'En jij, Meg,' zegt Shelley voordat ze er met Chloe vandoor gaat, 'kunt beter eerst een lange broek gaan aantrekken, denk je ook niet?'

Ik wil net protesteren als ik aan de braamstruiken in het bos denk en besluit dat ze waarschijnlijk gelijk heeft. Ik zeg tegen

Sally dat ik binnen twintig minuten terug ben en dat ze niet zonder mij weg mag gaan. Ze mogen dan nog zoveel voorzorgsmaatregelen treffen, ik vind het geen prettig idee dat ze in dit bos zonder mij gaat ronddwalen. Daarna zet ik het op een lopen, vastbesloten om het record van elfenhalve minuut van rectrix St. Clare te evenaren. Of misschien zelfs te verbeteren.

TIEN

Het lukt me om in minder dan een halfuur naar het huisje te lopen, een spijkerbroek aan te trekken en weer terug te rennen naar Briar Lodge. Daar sta ik ervan te kijken hoeveel ze in dat halfuur voor elkaar hebben gekregen. Aan de rand van het bos drentelt Shelley Drake als een generaal die haar troepen inspecteert heen en weer voor een lange rij leerlingen en leraren. Voor iedere vijf leerlingen is een leraar of een lid van de huishoudelijke staf aangewezen en iedere 'groepsleider' is voorzien van een fluitje en een knalroze hoofddoek.

'Die hoofddoekjes zijn een overblijfsel van een sponsorloop tegen borstkanker,' zegt Shelley tegen me terwijl ze mij een doekje en een fluitje overhandigt. 'Zoek maar een stel studenten dat nog geen leider heeft en zorg dat je ze scherp in het oog houdt. We kunnen ons niet veroorloven er nog een kwijt te raken.'

Ik vraag me af of we ons dan wel konden veroorloven om de eerste kwijt te raken, maar ik houd mijn mond. Shelley is duidelijk bezorgd. Haar wangen zijn even roze als de hoofddoekjes en haar ogen schieten nerveus heen en weer, alsof ze het hele chaotische tafereel met één dwingende blik onder controle kan houden. Behalve de leerlingen staan er ook nog twee ambulances voor het jachthuis, met een stuk of zes bemanningsleden, plus een man in een camouflagepak die een Duitse herder aan de lijn heeft en met sheriff Reade staat te praten. Een stukje voorbij Reade zie ik Sally staan, met haar nieuwe vriendin Haruko, Clyde Bollinger, Hannah Weiss en Chloe Dawson. Ik kijk om me heen of ik een andere groep zie die nog geen leider heeft, want hoewel ik Sally dolgraag in het oog wil houden, wil ik haar ook weer niet op de lip zitten. Maar dan kijkt ze op en wenkt me.

'Waarom sluit u zich niet bij ons aan?' zegt Clyde als ik naar hen toe ben gelopen. 'Professor Drake vond het een goed idee om de oudere leerlingen te mengen met de nieuwe, omdat wij het gebied beter kennen.'

'Clyde en ik waren vorig jaar allebei lid van de wandelclub,' voegt Hannah daaraan toe. 'En Chloe heeft een werkstuk gemaakt over de geschiedenis van het bos...'

'Dat wil helemaal niet zeggen dat ik er precies de weg in weet,' snauwt Chloe. 'We mogen er helemaal niet in, tenzij bij een wandeltocht onder toezicht.'

'Dat heb ik ook helemaal niet gezegd...' begint Hannah, met een stem die vol ergernis overslaat. Ik besef dat ze allemaal een tikje oververmoeid zijn, als een stel kleuters dat zijn middagslaapje heeft gemist, en ze zullen binnen de kortste keren gaan kibbelen als ik niet ingrijp.

'O, kijk,' zeg ik. 'Sheriff Reade gaat iets zeggen.'

Callum Reade is op een oude stenen muur geklommen om de zoekers toe te spreken. Een van de mensen van de ambulances biedt hem een megafoon aan, maar die wijst hij af. Wanneer hij begint te spreken begrijp ik waarom. Hij heeft een diepe, gezaghebbende stem, die onmiddellijk een eind maakt aan al het gekwebbel. 'We hebben drie uur tot het donker wordt. Dat wil dus zeggen drie uur om het meisje te vinden. Bij het invallen van de avond roep ik alle burgerhulptroepen terug. In de tussentijd moeten we een zo groot mogelijk gebied afzoeken. Loop samen met jullie groepsleider recht naar het westen, in de richting van de richel. Om het kwartier blijven we allemaal staan en roepen een minuut lang Isabels naam. Daarna moet het vier minuten lang doodstil blijven.'

'Waarom?' vraagt iemand. 'Is het niet verstandiger om te blijven roepen?'

'Hoe denk je haar antwoord te kunnen horen als het hele bos vol roepende mensen zit?' vraagt Callum. 'De rest van de tijd moeten jullie op gedempte toon praten. Als je iets vindt – wat het ook is, een stuk kleding, een voorwerp dat wellicht van Isabel zou kunnen zijn – blaas dan meteen op het fluitje en wacht. Dan kom ik naar jullie toe. Wanneer jullie Isabel vinden, blaas dan drie keer op het fluitje. Vergeet niet om bij de groep te blijven en let goed op waar je loopt. Als jullie bij de richel aankomen, maak je rechtsomkeert. We zijn bezig met het samenstellen van een groep klimmers die dat gebied doorzoekt. Het is daar te gevaarlijk voor vrijwilligers.'

Reade tilt zijn linkerarm op en kijkt op zijn horloge. 'Ik heb het nu kwart over zes. Controleer jullie horloge en zorg dat het gelijkstaat.'

Ik werp een blik op Judes oude Rolex die nog steeds de Japanse tijd aangeeft – of liever, zoals ik dat in gedachten formuleer: Judes tijd. Maar Jude zou de eerste zijn om te zeggen dat het nu veel belangrijker is om me bij de rest van de hulptroepen aan te sluiten, dus zet ik het horloge gelijk. Als ik opkijk, zie ik dat Sally me met grote ogen aankijkt. 'Kom op,' zeg ik. 'Laten we haar gaan zoeken.'

Hoewel het nog drie uur duurt voordat het donker wordt, staat de zon in het westen zo laag aan de hemel dat we onze eigen schaduw zowel als de schaduwen van de bomen achter ons zien. Als we omhoogklimmen naar de richel heb ik het gevoel dat we dwars door de rangen van een zich terugtrekkend leger lopen. De geesten van de mensen die hier voor ons hebben gelopen. Het is een beeld dat me onwillekeurig doet denken aan het slot van *Het wisselkind.*

Het boerenmeisje kijkt van de heks, die aan de rand van het bos staat met de handvol aarde die haar het recht zou geven om terug te keren naar haar oude leven, naar het wisselkind dat in de deuropening van haar oude huis staat. Terwijl ze toekijkt, verschijnt er een tweede gestalte in de deuropening, die van een man. Ze herkent de jonge herder die haar het hof maakte, maar hij is in het jaar dat zij weg was veel steviger geworden. Hij is inmiddels een rijk man. Hij slaat zijn arm om het wisselkind en tuurt met samengeknepen ogen naar de schaduwen, maar hij ziet haar niet. Zijn ogen zijn verblind door het wisselkind. Ze heeft zich hem toegeëigend, precies zoals ze dat heeft gedaan met de rest van haar oude leven. Maar nu heeft ze de macht om dat allemaal terug te pakken.

Het boerenmeisje draait zich om naar de heks en maakt een kommetje van haar handen. De heks giet de aarde erin. Die voelt warm en leemachtig aan, als lentegrond die net is omgespit om te kunnen planten. Vol leven. Nu ze die macht in haar handen voelt, weet ze wat haar te doen staat.

Ze heft haar handen boven haar hoofd en draait dan snel om haar as terwijl ze de aarde in de lucht gooit. De korrels worden meteen opgepakt door de wind die ze meedraagt naar het bos, tot boven de toppen van de oudste bomen, om ze vervolgens weer los te laten zodat ze tussen de takken door omlaag vallen. De wind zucht en de bomen zwaaien krakend heen en weer, als oude botten die weer tot leven komen. De toppen van de dennenbomen wervelen en draaien rond als meisjes die hun haren drogen... en dan zijn het ineens meisjes die hun armen strekken, door hun haren woelen en de kramp uit hun benen schudden. Tientallen meisjes... honderden... komen weer tot leven. Alle wisselkinderen die sinds mensenheugenis gedwongen zijn om vreemde vormen aan te nemen kunnen zich nu weer vrijuit bewegen.

Het boerenmeisje kijkt naar de heks en ziet dat ze glimlacht. Alleen is ze nu geen heks meer, maar een mooie vrouw in een lange witte jurk. De koningin van de wisselkinderen. Ze opent haar armen om al haar kinderen weer te verwelkomen en het boerenmeisje draait zich om en begint tegen de heuvel op te lopen naar de hoge richel die als de grens van de vallei wordt beschouwd. De zon begint achter de richel te zakken en kleurt de hemel roze en violet. De meisjes die vroeger bomen waren, steken zwart af tegen dat licht, schaduwen die langs het boerenmeisje glijden als ze de heuvel beklimt. In het voorbijgaan steken ze hun handen uit om haar aan te raken, waarbij hun vingers vederlicht als dennennaalden over haar huid glijden en hun stemmen fluisteren op het ritme van de wind in haar oor en bedanken haar omdat ze hen bevrijd heeft. Wanneer ze boven op de heuvel bij de richel is aangekomen, is ze schoon en heeft alles meegekregen wat ze nodig heeft om de wereld in te trekken en een nieuw leven te beginnen. Op de richel draait ze zich om, maar als ze vaarwel wil wuiven heeft zich over de bossen onder haar een donkere nevel verspreid die alles onder de boomgrens verbergt. Ze draait zich om en richt haar blik op de ondergaande zon, de volgende vallei en haar toekomst.

De laatste tekening in het boek toont de donkere gestalte van het boerenmeisje, afgetekend tegen een lucht vol lila en roze tinten terwijl ze dapper op weg gaat naar het onbekende. Hoewel ze alleen is, wapperen haar haren en haar jurk in de onzichtbare briesjes waarvan ik me altijd heb voorgesteld dat ze de stemmen waren van de wisselkinderen die haar fluisterend het beste wensen. Hun adem voelt als de aanraking van dennennaalden...

Een hand op mijn arm maakt dat ik met een ruk opschrik uit het sprookje en terugkeer naar de realiteit van onze huidige speurtocht door het bos. 'Het is kwart over zeven,' helpt Clyde me herinneren. 'Tijd om te roepen.'

Ik wenk Sally en Haruko die links van me lopen terwijl Clyde hetzelfde doet met Chloe en Hannah aan de rechterkant en we blijven staan. Overal om ons heen in het stille bos klinken ontelbare stemmen op die Isabels naam roepen. Dan, om zestien over zeven, wordt het weer stil in het bos. Zelfs de vogels, die ongetwijfeld opgeschrikt zijn door onze stemmen, houden zich koest in de stilte die valt. Vier minuten lang is alleen het geluid van de wind te horen die door de toppen van de weymouthdennen suist. Er komt geen antwoord.

'Als ze hier echt zou zijn en bij bewustzijn is, zou ze vast wel antwoord hebben gegeven,' merkt Clyde op als we weer verder naar boven klauteren. Ik weet zeker dat we allemaal hetzelfde denken als we de top van de richel naderen: als we Isabel niet aan deze kant vinden, dan is de kans groot dat ze in de kloof is gevallen. En als dat inderdaad zo is, hoe groot is dan de kans dat ze nog steeds in leven is?

'Misschien is ze niet eens in het bos,' zegt Hannah. 'Isabel was een echte bangeschijter – ze durfde niet eens naar een enge film te kijken. Ik zie haar niet zomaar het bos in lopen.'

'Maar jij hebt toch gezien dat ze hierheen liep, Chloe?'

Chloe geeft niet meteen antwoord. In plaats daarvan kijkt ze omlaag naar Clydes voeten. 'Je veters hangen weer los,' zegt ze met een diepe zucht en een geërgerd gezicht.

Clyde wordt rood als hij zich bukt om zijn zwarte Converse-basketbalschoenen weer dicht te strikken. Zijn veters zijn nu zo vaak los gegaan dat ik de neiging krijg om ze zelf dicht te maken en er dan dubbele knopen in te leggen, precies zoals ik vroeger bij Sally deed. We staan op een plek waar het gouden avondlicht door een gat tussen de bomen valt, dat waarschijnlijk is ontstaan toen de boom waarop Clyde zijn voet heeft gezet is omgevallen. Dat moet al jaren geleden zijn gebeurd, want de onderkant met de blootliggende wortels is helemaal begroeid met mos, waardoor het net lijkt alsof er een enorme, harige spin ligt. En ik vermoed dat die indruk in het donker nog veel sterker is. Ik benijd Isabel helemaal niet als ze hier langs is gekomen.

'Kom op,' zeg ik tegen Clyde. 'Anders verspillen we de tien minuten die we nog over hebben. In dit tempo zijn we nooit voor het donker op de richel.'

Clyde trekt zijn voet van de wortel en iets wits fladdert door de lucht. Een mot, denk ik, maar wanneer het op de grond valt, zie ik dat het een stukje witte stof is. Chloe steekt haar hand uit en betast het voordat ik haar kan tegenhouden.

'Dat is dezelfde stof waarvan miss Drake onze jurken heeft gemaakt,' zegt ze met een trillend stemmetje.

'Het kan ook wel van een van de andere jurken zijn,' zeg ik, 'maar het lijkt me toch beter om maar op het fluitje te blazen. Sheriff Reade zal dit vast willen zien.'

Ik breng het fluitje aan mijn lippen, maar het duurt even voordat ik adem genoeg heb om erop te blazen. We zijn op nog geen honderd meter van de richel en ik ben plotseling ontzettend bang voor wat we te zien krijgen als we hier in het ravijn kijken. Als ik weer genoeg lucht heb, klinkt het fluitje als iemand die het uitgilt. Daarna is het onnatuurlijk stil in het bos. Niemand zegt iets terwijl we op sheriff Reade wachten. Gelukkig duurt dat niet lang.

'Daar is hij.' Clyde wijst naar boven. Ik kijk op en zie het silhouet van Callum Reade tegen de lucht in het westen afsteken. Natuurlijk, bedenk ik dan, hij heeft over de richel gepatrouilleerd. Hij zal de eerste willen zijn die Isabel vindt. Nou, dan heeft hij nu in ieder geval een kleiner gebied om te onderzoeken. Als Reade bij ons is, houd ik het afgescheurde stukje stof omhoog. Het fladdert in de wind, waardoor ik me mal genoeg weer zo'n middeleeuwse dame voel die haar ridder begroet. Sheriff Reade pakt het lapje aan met de ernst van een ridder die de gunst van zijn dame aanvaardt.

Ik beschrijf hoe we het hebben gevonden en laat het aan Chloe over om te bevestigen dat het dezelfde stof is die voor de jurken is gebruikt. Reade knikt en zegt: 'Goed. Dan wil ik nu dat alle jongeren teruggaan naar het jachthuis. Zeg tegen alle leraren die jullie onderweg zien dat ze naar de richel moeten komen – gebruik de omgewaaide boom maar als herkenningspunt – en stuur alle leerlingen naar de Lodge.'

'Maar waarom mogen we niet helpen?' roept Chloe uit.

'Omdat ik geen tijd heb om nog meer mensen uit de kloof te vissen. Als Isabel daar beneden ligt, kan ze zwaargewond zijn. Dan hebben we geen minuut te verspillen.'

Chloe ziet eruit alsof ze op het punt staat te protesteren, maar Clyde buigt zich naar haar over en zegt iets op zachte toon. Haar ogen worden groot en ik ben bang dat we een scène krijgen, maar ze staat op en loopt gewillig achter Hannah en Clyde aan de heuvel af. Haruko draait zich ook om, maar Sally aarzelt... alsof ze ineens geen zin heeft om bij me weg te gaan. Ik sta net op het punt om tegen de sheriff te zeggen dat ik samen met mijn dochter naar beneden loop, als Hannah weer terugkomt en een hand op haar arm legt.

'Er kan je niets overkomen,' zegt ze tegen Sally met een zangerige stem die haar veel volwassener laat klinken dan ze is. 'We blijven met ons allen in het jachthuis. Wacht maar, je zult vanzelf merken dat het fijne van deze school is dat we elkaar nooit in de steek laten.'

Sally knikt en loopt zonder mij aan te kijken achter Hannah aan de heuvel af.

'Het ziet ernaar uit dat je dochter al vrienden heeft gemaakt,' zegt Reade terwijl we naar boven lopen.

'Ja, dat hoop ik tenminste. Ze heeft een moeilijk jaar achter de rug en aan de vrienden die ze in Great Neck had uitgekozen had ze niet veel. Ze begon op te trekken met een groep die naar clubs in de stad trok en geld van hun ouders pikte om drank en hasj te kopen. Ik hoopte dat de jongeren hier iets minder... oppervlakkig zouden zijn.'

'Omdat het een kunstacademie is?' vraagt Reade met nauwelijks verhulde spot.

'Nou ja, de kans bestaat dat ze zich ook om andere dingen druk maken dan de laatste tas van Marc Jacobs of wie een iPhone heeft.'

'De huichelarij en de poses mogen hier dan anders zijn, maar het blijft huichelen. Ik zou maar goed opletten met wie je dochter optrekt.'

'O ja?' zeg ik. 'En waar haal jij die ervaring als ouder vandaan? Heb je kinderen?'

In plaats van antwoord te geven pakt hij me ineens bij mijn arm. Ik slaak een kreet van verontwaardiging en hij laat mijn arm meteen los en steekt verontschuldigend zijn handen op. 'Sorry! Dat was geen bemoeienis met je ouderlijk gezag, maar alleen een poging om te voorkomen dat je over de rand kiepert. Dit plekje schijnt een bepaalde aantrekkingskracht op je uit te oefenen.' Ik kijk langs hem heen en zie dat we bij de richel zijn aangekomen en dat ik alweer bijna over de rand ben gestapt. Op dit punt gaat de rotswand heel steil naar beneden en precies op de rand staat een braamstruik. Onder ons klettert de Wittekill van rotsblok naar bemost rotsblok en schittert in de goudkleurige stralen van de ondergaande zon. Tussen de rotsen bevinden zich grote stukken met varens en hangende mossoorten.

'Ze zou recht onder ons kunnen liggen en dan zouden we haar nog niet kunnen zien.'

Bij wijze van antwoord strijkt er een briesje over de oppervlakte van de kloof, waardoor het groen op de uitstekende rand boven de tweede waterval even wijkt en er iets wits tevoorschijn komt.

'Daar!' Ik wijs naar de rand ongeveer zes meter onder ons. 'Zag je dat ook? Ik heb iets wits gezien.'

Reade buigt zich verder over de rand en staart hoofdschuddend naar de plek die ik aanwijs. 'Ik zie niets, maar als je het zeker weet...'

'Nee, maar als dat Isabel is...' Ik hoef mijn zin niet af te maken. We denken precies hetzelfde. Als er ook maar een kleine kans bestaat dat Isabel nog in leven is, mogen we geen moment verliezen. De zon is al weggezakt achter de vervallen schuur in de vallei beneden, het zal nog hooguit een halfuur licht blijven. Sheriff Reade pakt zijn walkietalkie en vraagt aan iemand die Kyle heet hoe ver hij zich van de richel bevindt. Ik kan niets maken van de ruis die het apparaat uitbraakt, maar hij knikt en zegt: 'Over en uit.'

'Ze zijn hier over een minuut of tien,' zegt hij terwijl hij zijn jack uittrekt. 'Wijs jij dan maar waar ze naartoe moeten.'

'Zou je niet beter kunnen wachten...' begin ik, maar hij heeft zijn benen al over de rand van de rotswand gezwaaid. Echt een man om stapelgek van te worden, denk ik terwijl ik toekijk hoe hij langs de steile helling omlaagklautert met als enig houvast wortels en uitstekende stukken steen. Hij zal zichzelf wel als een soort held beschouwen. Maar toch verlies ik hem geen moment uit het oog. Ik lig plat op mijn buik op de grond, met mijn hoofd net over de rand, om zijn vorderingen gade te slaan, alsof ik hem op die manier kan dwingen om niet uit te glijden. Wanneer hij eindelijk op de uitstekende rand staat waar ik die witte vlek heb gezien, slaak ik een zucht van opluchting, hoewel ik niet eens heb gemerkt dat ik mijn adem inhield.

Reade kijkt omhoog en zwaait naar me voordat hij zich omdraait en zich een weg baant tussen de varens die tot aan zijn middel reiken en inmiddels helemaal in de schaduw liggen. Dan hoor ik voetstappen en stemmen. Ik sta op zodat de ambulancebroeders me kunnen zien, maar ik blijf strak naar Callum Reade kijken. Hij ziet eruit als een man die zich in een diepe poel water waagt en ik heb het onbehaaglijke gevoel dat hij ineens kopje onder kan gaan. Daarom mag ik hem geen moment uit het oog verliezen, zodat ik precies weet waar hij is om hem te kunnen redden. Het is een verbijsterende gedachte dat ik, ook al ken ik deze man nog geen vierentwintig uur (waarin ik me eigenlijk voornamelijk aan zijn bazige en prikkelbare houding heb geërgerd), me toch geen moment zou bedenken om hem na te duiken en te redden.

En dat is ook precies wat ik wil gaan doen als Reade struikelt en op zijn knieën valt. De braamstruiken sluiten hem in als een kudde hongerige wolven. Ik slaak een kreet en val op mijn knieën om ook naar beneden te klauteren, maar hij steekt een hand op en schreeuwt: 'Wacht!'

Ik vraag me af hoe hij in vredesnaam wist dat ik al op weg was naar beneden.

'Ik heb haar gevonden,' zegt hij en draait zich om. Hij is wit weggetrokken, de enige kleur in zijn gezicht is de groenige weerschijn van de bladeren, waardoor hij eruitziet als een verdronken man. 'Stuur de mensen van de ambulance maar naar beneden. Maar ze hoeven zich niet te haasten.'

ELF

Het laatste spoortje daglicht is uit de hemel verdwenen tegen de tijd dat het gemangelde lichaam van Isabel Cheney uit de kloof omhoog wordt gebracht. Het ambulancepersoneel en de politie hebben schijnwerpers op de rand van de richel gezet waarvan het licht naar beneden is gericht zodat de reddingsploeg kan zien wat ze doen. Een paar van de leraren zijn op de richel blijven staan, maar de meeste zijn teruggegaan naar het jachthuis, waar alle leerlingen zich hebben verzameld.

'Als we ze terug laten gaan naar hun kamers gaan ze toch in hun eentje zitten broeden,' zegt Ivy St. Clare tegen me. Ze kwam al snel opdagen nadat het nieuws bekend werd dat Isabels lichaam was gevonden. Nu staat ze op het hoogste punt van de richel, een beetje afgescheiden van de leraren met haar linkerarm tegen haar middel gedrukt en de hand om de elleboog van de rechterarm. In haar rechterhand heeft ze een sigaret. Ik ga naast haar staan terwijl we wachten tot de lijkschouwer toestemming geeft om het lichaam weg te halen en we blijven wachten terwijl Isabel op een brancard wordt vastgegespt en heel voorzichtig langs de steile helling omhoog wordt gebracht. Ik blijf de hele tijd naast haar staan, ook al ben ik ijskoud en doen mijn voeten pijn. Als een vrouw van in de tachtig niet hoeft te zitten, dan vind ik dat ik ook best kan blijven staan. Maar ik pak wel het jack aan dat een van de ambulancebroeders me aanbiedt nadat de rectrix het heeft afgeslagen en sla het om mijn schouders. 'Ik ben blij dat u ze allemaal bij elkaar houdt,' zeg ik tegen haar. 'Op die manier hoef ik me geen zorgen te maken over Sally.'

'Ja,' zegt ze, terwijl ze me met samengeknepen ogen door haar sigarettenrook aankijkt, 'natuurlijk maak je je nu zorgen over de veiligheid van je dochter. Ik neem aan dat veel van de ouders soortgelijke gevoelens zullen hebben. Ik zal morgen meteen een brief moeten versturen waarin ik ze verzeker dat dit een ongebruikelijk ongeval was en aangeef welke maatregelen we zullen nemen om dit deel van het schoolterrein tot verboden gebied te maken. Ik ben altijd van mening geweest dat er een omheining op de richel moest komen. Dat heb ik al na de dood van Lily tegen Vera gezegd, maar zij zei dat dit bos te oud en te mooi was om het te ontsieren met hekken en omheiningen.'

Terwijl we toekijken hoe de mannen Isabels lichaam uit het ravijn omhooghijsen, begrijp ik ineens waarom Ivy er zo gekweld uitziet. 'Is dit ook de plek waar Lily naar beneden is gevallen?'

'Ja, precies dezelfde plek. We hebben haar lichaam daarginds gevonden...' Ze wijst naar de uitstekende rand waarop Isabels lichaam lag. Ik snap niet hoe ze daar zo zeker van kan zijn, want er zijn geen opvallende kenmerken in de kloof, afgezien van opeenhopingen van met mos bedekte rotsblokken en grote plekken vol varens en hangend mos. '... Alleen heeft het weken geduurd voordat we haar vonden, omdat er een sneeuwstorm was op de avond dat ze naar Virgil Nash toe ging. Ze heeft mij haar afscheidsbriefje voor Vera gegeven. Toen ik haar dat gaf en vertelde dat Lily weg was, stortte ze in. We dachten dat ze vanuit de Lodge met hem was vertrokken. Het kwam nooit bij ons op dat ze de kloof was overgestoken om hem in de schuur te ontmoeten. Het had wel tot de lente kunnen duren voordat we haar gevonden hadden, als Nash zijn schilderijen van haar niet teruggestuurd had naar Fleur-de-Lis en het tot ons doordrong dat ze niet bij hem was.'

'Bedoelt u dat hij nooit aan iemand heeft verteld dat ze niet in de schuur was komen opdagen?'

'Nee. Hij ging ervan uit dat ze van gedachten veranderd was. Zijn mannelijk ego was zo diep gekwetst dat hij nukkig afdroop naar de stad. Zodra de tentoonstelling voorbij was, stuurde hij zijn schilderijen van haar terug en vertrok naar Europa.'

'Zijn dat de schilderijen die nu in de Lodge hangen?'

'Ja. Vera kon het niet langer verdragen om ernaar te kijken. Ik denk dat hetzelfde voor Nash gold en dat hij ze daarom terugstuurde. Ik weet nog hoe bleek Vera werd toen we die brief van Nash kregen. "Deze horen toe aan de vrouw die er de inspiratie voor heeft gegeven," schreef hij. "Ze is niet bij hem," zei Vera meteen. "Ze is kennelijk van gedachten veranderd." Daar was Vera ontzettend blij om.' Ivy nam nog een lange, laatste teug van haar sigaret, liet de peuk op de grond vallen en zette haar voet erop. Het valt me op dat het Franse sigaretten zijn. Gauloises. Ik neem aan dat ze die alleen rookt als er niemand bij is, en niet in aanwezigheid van de leerlingen. 'Maar toen besefte Vera ineens wat er was gebeurd. Ze rende hiernaartoe, door hopen opgewaaide sneeuw die tot aan haar middel reikten en ik holde achter haar aan. Ik was bang dat ze zichzelf van de richel zou gooien. Ik haalde haar over om te wachten tot ik vanuit het jachthuis had gebeld en mannen uit de stad liet komen om op zoek te gaan naar Lily, maar ze stond erop om samen met hen te zoeken. Het duurde een hele dag voordat ze werd gevonden en de halve nacht voordat haar lichaam naar boven was gebracht. We gebruikten de slee die Vera uit Zwitserland had meegebracht als cadeautje voor Lily... omdat ze zich dat model nog herinnerde uit haar jeugd op het platteland. De mannen wilden niet dat ze meehielp om haar te vervoeren, dus rende ze terug naar het jachthuis om kaarsen te halen. Ze maakte een pad van het jachthuis naar de richel met aan weerszijden brandende kaarsen om hun bij te lichten toen ze haar lichaam naar beneden brachten.'

Ze kijkt om alsof ze verwacht dat met kaarsen verlichte pad nu ook te zien... en we snakken allebei naar adem als we lichtjes door het bos zien fladderen.

'Vuurvliegjes,' zeg ik, als ik als eerste mijn evenwicht hervind. 'Het zijn gewoon vuurvliegjes.'

Ivy kijkt me aan. In het licht van de schijnwerpers lijkt haar gezicht doodsbleek en haar ogen zijn rond en glanzend als die van een uil. 'Ja, natuurlijk zijn het gewoon vuurvliegjes,' zegt ze alsof ik een kind ben. 'Maar toen Vera hier in de zomer naartoe kwam, zei ze dat het de geesten waren van de lichtjes die Lily die nacht begeleid hadden tijdens haar tocht naar het jachthuis. Dat was de echte reden waarom ze geen hekken wilde in dit bos. Ze geloofde dat Lily's geest verdwaald was en hier rondzwierf tot ze op een dag de weg terug naar huis weer zou vinden. Ik heb meer dan eens op het punt gestaan om tegen haar te zeggen dat áls Lily's geest ergens naar op zoek was, dat ongetwijfeld het pad was dat naar de schuur en Virgil Nash leidde. Daar ging ze naartoe toen ze de dood vond, niet terug naar Fleur-de-Lis.'

Haar stem klinkt ronduit verbitterd. Als ik niet beter wist, zou ik denken dat het lichaam dat nu naar boven wordt gebracht dat van Lily Eberhardt is. Maar dat is niet zo. Het is het lichaam van Isabel Cheney. Wanneer de mannen eindelijk met de brancard de richel bereiken, pak ik een van de schijnwerpers op en loop naar hen toe. Andere leraren volgen mijn voorbeeld. We vormen een beschermende kring om hen heen om hen op weg naar het jachthuis in het bos bij te lichten. Het is geen met kaarsen verlicht pad, maar het lijkt er voldoende op om me het gevoel te geven dat we een oude rite vervullen – iets wat nog veel ouder is dan de processie rond het lichaam van Lily Eberhardt. De begrafenisstoet van de Zomergodin, die is opgeofferd zodat de Herfstgodin kan gaan regeren.

Soortgelijke gevoelens hebben kennelijk ook degenen die in het jachthuis wachten bewogen. Voor de ramen zijn kaarsen aangestoken en een groep leraren en leerlingen, onder wie Sally, staat buiten met brandende kaarsen in de hand. Kennelijk heeft het bericht hen bereikt dat Isabel dood is, want er hangt een sombere stemming. De omstanders zwijgen als we langs hen lopen. Als ik de gezichten van Isabels klasgenoten zie, denk ik terug aan hoe die er in de gloed van het vreugdevuur uitzagen. Nu lijkt het net alsof ze in een nacht tijd van onschuldige kinderen zijn veranderd in door zorgen getekende volwassenen. Ik herinner me ook het toespraakje van Isabel. 'Af en toe heb ik het idee dat mijn jaren hier later de beste jaren van mijn leven zullen blijken te zijn,' had ze gezegd. Zou ze ook een voorgevoel hebben gehad dat het de láátste jaren van haar leven zouden blijken te zijn?

Het idee dat iemand al zo jong is overleden, maakt dat ik eigenlijk bij Sally wil zijn, maar als ik haar vraag of ze al mee naar huis wil, zegt ze nee. 'De anderen blijven allemaal hier in het jachthuis om te praten. Als een soort eerbetoon aan Isabel. Ik weet wel dat ik haar niet gekend heb, maar ik zou toch graag willen blijven.'

'Blijven jullie allemaal in het jachthuis?' vraag ik terwijl ik hen een voor een aankijk om te zien of ze misschien iets anders van plan zijn.

'O ja, hoor,' verzekert Hannah Weiss me. 'Miss Drake en de rectrix blijven ook.'

'En Sally kan daarna wel bij mij op mijn kamer slapen,' zegt Haruko. 'Mijn kamergenoot is nooit komen opdagen.'

'Oké,' zeg ik. 'Maar kom dan morgenochtend wel even naar huis om je om te kleden, goed?'

Ik vertrek voordat ik me kan bedenken. Er zijn nog twee politieauto's bij gekomen, een van de gemeentepolitie van Arcadia Falls, de ander met het insigne van de State Troopers, de staatspolitie. Een agent zet de bosrand af en vertelt de leerlingen dat het nu verboden terrein voor hen is. Ik kan rustig naar huis gaan om te proberen wat te slapen.

Maar wanneer ik eindelijk in mijn slaapkamer in het huisje

ben, besef ik dat het niet zo gemakkelijk zal zijn om in slaap te vallen. Zodra ik mijn ogen dichtdoe, zie ik weer hoe Isabels lichaam uit het ravijn omhooggebracht wordt. Als ik mijn ogen opendoe, wordt de badjas die aan de kastdeur hangt ineens een van die spookachtige witte gestalten die door het bos zweven. De witte wieven.

Ik doe de lamp op mijn nachtkastje aan en jaag de schaduwen terug in hun hoeken, maar ik voel gewoon dat ze daar blijven rondhangen. Als ik dit soort neigingen kreeg toen ik nog klein was, ging mijn moeder me voorlezen. Alleen een verhaaltje kon me tot rust brengen. En het mocht best een eng verhaaltje zijn. Ik hield juist van sprookjes waarin kinderen in een bos verdwaalden. Zolang ze de weg naar huis maar terugvonden, deed ik er geen oog minder om dicht. Nu ligt mijn oude exemplaar van 'Het wisselkind' op mijn nachtkastje, het boekje dat van mijn grootmoeder is geweest, maar voor de verandering heb ik niet het gevoel dat ik daarmee iets opschiet. Nu ik op de plek ben waar het is geschreven wordt het verhaal een tikje te echt.

In plaats daarvan haal ik de paarse hoedendoos met de brieven en de dagboeken van Vera Beecher tevoorschijn. Ik doe de doos open en pak de bovenste foto eruit, de foto met de drie vrouwen. Nu draai ik hem wel om en zie, in inkt die verkleurd is tot een bleke lavendeltint, de woorden: De eerste mei, 1928. Lily Eberhardt, Gertrude Sheldon en Mimi Green.

Ik draai de foto weer om en bestudeer de drie vrouwen wat nauwkeuriger. Ik heb foto's van Lily Eberhardt gezien uit de jaren dertig en veertig, maar nooit op zo'n jonge leeftijd. 1928 was het eerste jaar van het collectief geweest. Toen was Lily pas negentien. Ze ziet er stralend uit in een lange witte jurk, met een krans van madeliefjes om het loshangende haar dat tot aan haar middel reikt en een gezicht dat overgoten wordt door het zachte ochtendlicht. Ze heeft haar rechterarm uitgestrekt, alsof ze iemand net buiten het kader van de foto uitnodigt om zich bij het drietal aan te sluiten. Ze ziet eruit alsof ze de hele wereld in haar armen wil sluiten, alsof de vreugde die ze vanbinnen voelt ieder moment kan overkoken. Het doet bijna pijn om naar zo'n jong en blij gezichtje te kijken in de wetenschap dat ze twintig jaar later alleen in een bevroren ravijn de dood zou vinden. Haar gezichtsuitdrukking doet me denken aan Isabels gezicht van gisteravond. Alleen heeft Lily wél nog twintig jaar extra gekregen.

Ik ken de vrouw in het midden, Gertrude Sheldon, van verhalen uit die tijd. Ze was een rijke beschermvrouwe van de kunst die later het Sheldon Museum in New York zou stichten en invloed heeft uitgeoefend op de carrières van veel toonaangevende schilders uit het midden van de twintigste eeuw. Ik herken de keurige societymatrone nauwelijks in deze uitgelaten tante met haar wilde haren die een op de Middeleeuwen geïnspireerde jurk draagt, maar ik zie wel gelijkenis met iemand anders. Shelley Drake. Zou dat haar kleindochter zijn?

De derde vrouw valt bijna in het niet bij de statueske gestalte van Gertrude Sheldon. Haar gezicht gaat half schuil achter het vierkante boblijnkapsel dat door actrice Louise Brooks en een heel stel andere vrijgevochten dames uit de jaren twintig van de vorige eeuw populair is geraakt. Ik kan me vaag herinneren dat ik iets gelezen heb over een kunstenares die Mimi Green heette en samen met Lily Eberhardt aan een muurschildering heeft gewerkt, maar ze komt niet meer voor in de latere gegevens van Arcadia. Misschien vind ik meer over haar in de papieren van Vera.

Ik zet de foto tegen de lamp op mijn nachtkastje en richt mijn aandacht weer op de doos. Ik pak het eerste boek op dat is ingebonden in bruine stof met het stempel van een flinke beuk en meteen valt er iets in mijn schoot.

Aanvankelijk denk ik dat het een blaadje is. Het ziet er even broos uit als een gedroogd blad en het is lichtgroen. Het knispert als ik het aanraak en er komt een geur vrij die ik onmiddellijk herken. Lelietjes-van-dalen. De geur die mijn grootmoeder altijd gebruikte en die in de jaren twintig heel populair was.

Ik vouw het papiertje heel voorzichtig open en het voelt alsof ik een bloemknopje openpeuter. Ik ben gewoon bang dat het papier onder mijn vingers zal verkruimelen. Maar dat gebeurt niet. De dunne, ragfijne, met de hand geschreven regels zijn zo verbleekt dat ze op de nerven van een blad lijken. De inkt zal oorspronkelijk wel blauw zijn geweest, maar heeft nu een bleke lavendelkleur, dezelfde kleur als de handtekening op het schutblad. Ik moet het vel onder de lamp houden om het te kunnen lezen.

Mijn liefste,
Terwijl ik dit schrijf, ben ik bang dat het al te laat is en dat ik je liefde kwijt ben. Mijn lelie-tussen-de-doornen heb je me een keer genoemd. Ik vrees dat ik nauwelijks meer voor je ben geweest dan een doorn, maar ik wil niet dat je je alleen de doornen herinnert. De enige manier die ik kan bedenken om je te vertellen hoeveel je voor me hebt betekend, is door je het hele verhaal te vertellen. Ik heb het de laatste paar maanden op papier gezet omdat ik, na al die verhalen die we elkaar gedurende al die jaren verteld hebben, wist dat de tijd was aangebroken om eindelijk míjn verhaal te vertellen. Ik hoop dat je daaruit zult begrijpen waarom ik heb gedaan wat ik heb gedaan, maar als dat niet zo is, dan moet je er in ieder geval uit kunnen opmaken hoeveel je voor mij hebt betekend. Je bent mijn hart. Ik heb mijn verhaal voor je achtergelaten bij het hart en de haard van ons leven samen.
Mijn liefde voor jou zal nooit vergaan.
Lily
26 december 1947

Ik staar naar de datum. Het is de avond waarop Lily uit Arcadia vertrok om weg te lopen met Virgil Nash, alleen is ze nooit aangekomen op de plek waar ze hadden afgesproken. Ze stierf in een koud ravijn op nog geen vierhonderd meter van het huisje dat ze deelde met haar liefste Vera. Je bent mijn hart. Vreemd om zoiets te zeggen tegen iemand als je haar gaat verlaten. En de volgende regel is nog vreemder. Ik heb mijn verhaal voor je achtergelaten bij het hart en de haard van ons leven samen. Wat zou ze daarmee bedoelen?

Ik pak een van de bruine dagboeken op en blader het door. Het staat vol lijsten: lijsten van kunstenaars die de kolonie iedere zomer bezochten, lijsten van kunstbenodigdheden die aangeschaft en workshops die georganiseerd moesten worden en zelfs lijsten van etenstijden die bij de keuken gemeld moesten worden. Een stortvloed van gegevens over het reilen en zeilen van een kunstenaarscollectief. Ik weet zeker dat Vera's dagboeken van onschatbare waarde zullen zijn voor mijn proefschrift, maar nu ben ik daar absoluut niet voor in de stemming. Wat ik wél wil lezen is het verhaal dat Lily in haar afscheidsbrief aan Vera beloofde.

Ik keer de hoedendoos om op mijn bed en maak aparte stapeltjes van Vera's dagboeken, haar voorraadboeken, haar brieven en foto's. Er zit geen dagboek van Lily bij. Misschien heeft Vera het verbrand. In gedachten zie ik al hoe ze dat doet, hoe ze de tegels van de schoorsteenmantel kapotslaat en vervolgens het dagboek in de haard gooit... in het hart bij de haard van ons leven samen. Is dat wat Lily bedoelde in haar brief? Dat ze het dagboek in de haard heeft verstopt? En zijn de tegels van de schoorsteenmantel daarom vernield, omdat Vera ernaar op zoek was?

Hoewel ik nauwelijks verwacht dat ik iets zal vinden, stap ik toch uit bed en loop op blote voeten naar beneden. Ik bestudeer de tegels boven de haard en kijk achter alle kapotte tegels. Er is genoeg ruimte voor een boek, maar er ligt niets. Natuurlijk niet... als er iets lag, is dat door Vera op die avond in 1947 weggehaald. En daarna moet ze de tegels in haar woede over het verraad kapot hebben geslagen... of was dat uit frustratie gebeurd? Als ze nou eens op zoek was geweest naar het dagboek, maar het niet had kunnen vinden?

Ik laat mijn hand over het houten paneel boven de tegels glijden, langs de beuk die in het midden is uitgesneden. De wortels kronkelen onder de boom de grond in en tussen die wirwar van wortels is iets begraven. Ik kijk wat beter en deins achteruit als ik zie dat het een piepklein baby'tje is, opgerold als een bal. Het wisselkind uit het verhaal. Het is een verontrustend beeld, maar op de een of andere manier voel ik me er ook door aangetrokken. Ik leg mijn vinger op de volmaakte ronding van het slapende kind... en het paneel springt open. Ik schrik zo dat ik achteruitspring en bijna over het kleed struikel. Maar ik blijf op de been en tuur in de smalle ruimte achter het paneel... en trek er een dun groen leren boekje uit waarop in reliëf een gouden Franse lelie staat. Lily's dagboek. Op de een of andere manier staat het hier nog steeds, na al die jaren. Elke gedachte aan slapen is nu verdwenen. Ik val neer in de stoffige oude stoel naast de haard, sla het boek open en begin te lezen.

TWAALF

De eerste keer dat ik Vera Beecher aan de kunstacademie in New York – de Art Students League – ontmoette, dacht ik: 'maar die ken ik toch, dat is het meisje in de verhaaltjes die ik altijd vertel: de maagd in de toren, de koningin van het bos, de betoverde jonkvrouw.

Toch zou niet iedereen haar meteen als een sprookjesprinses beschouwen. Ze had een vierkant gezicht met sterke kaken, in plaats van een hartvormig snoetje met kuiltjes in haar wangen zoals de heldinnen in de geïllustreerde Sprookjes van Grimm *die mijn oma mee had gebracht uit het oude land. Haar haar was bruin – nootbruin noemde ik dat altijd bij mezelf – niet het goudglanzende gesponnen vlasblond van Repelsteeltje. En ze was lang, waardoor ze meer leek op een Walkure of een Amazone dan op Assepoester of Rozerood. Maar in het licht dat door de ramen van de studio viel, herkende ik haar wel als de heldin van mijn verhalen, de verhaaltjes die ik al zolang ik me kon herinneren had verteld en getekend. Ik weet nog goed dat ik in plaats van verrast te zijn het volkomen logisch vond dat ik haar daar tegenkwam. Per slot van rekening was ik dankzij mijn verhaaltjes en mijn tekeningen in de herfst van 1927 terechtgekomen op de kunstacademie in New York City.*

Ik ben opgegroeid op een melkveehouderij in Delaware County, New York, in de stad Roxbury, als oudste van vijf meisjes. Omdat mijn moeder altijd bij het melken hielp, moest ik tijdens mijn huishoudelijke karweitjes ook op de jongere meisjes letten. En het viel me op dat die veel beter naar me luisterden als ik een verhaaltje vertelde. Iedere ochtend begon ik tijdens het opstoken van de kachel en het koken van een pan havermoutpap al met een van de sprookjes van Grimm die ik in oma's boek had gelezen en in de loop van de dag vertelde ik het hele verhaal stukje bij beetje, zodat de kleintjes precies deden wat ik zei en me overal achternaliepen om de rest van het verhaal te horen. En het duurde niet lang voordat ik mijn eigen verhalen begon te verzinnen en die opsierde met dingen uit ons dagelijks leven. De koe Posey werd een betoverde petemoei en de boerenzoon uit het volgende dal veranderde in de prins van een groot koninkrijk. Mijn zusjes Rose, Marguerite, Iris en Violet (mijn moeder had een zwak voor bloemennamen) werden om de beurt de heldin van het verhaal. 's Avonds, wanneer we rond de kachel zaten te naaien, vroegen de meisjes altijd of ik tekeningen voor die verhalen wilde maken en dat deed ik met veel plezier.

Maar er was iets vreemds aan de hand toen ik de personages uit mijn verhalen begon te tekenen. De heldinnen leken totaal niet op mijn zusjes of op mij. Wij waren allemaal blond en klein en zouden na een wasbeurtje en met wat mooiere kleren prima model hebben kunnen staan voor sprookjesprinsessen, maar de vrouwen die ik tekende, waren lang en koninklijk, slank maar toch stevig. Ik vond dat ze eruitzagen alsof ze niet op hun gemak in een toren zouden gaan zitten wachten tot een prins ze kwam redden, of honderd jaar in een kasteel gaan liggen slapen tot een of andere jager zich een weg door de doornstruiken had gehakt. Ze... of liever zij, want ik zag al snel dat het in ieder verhaal steeds dezelfde vrouw was, zag eruit alsof ze zelf prima met een zwaard om kon gaan. En dat was ook zo. Mijn heldin stapte zelf op haar strijdros en reed de wijde wereld in, op zoek naar avontuur. En nadat mijn zusjes in slaap waren gevallen, bleef ik nog laat op om de tekeningen te maken bij de verhalen die ik overdag had verzonnen. Ieder verhaal eindigde op dezelfde manier: mijn heldin die staande op een richel naar de volgende vallei staarde, een donker silhouet tegen de roze en lila tinten van een zonsondergang.

Op de dag dat de boerenzoon uit het volgende dal me vroeg om met hem te trouwen pakte ik al mijn tekeningen en mijn mooiste jurk in en stapte op de trein die onze melk naar de stad bracht. Ik liet een briefje achter waarin ik mijn ouders beloofde dat ik hun, zodra ik werk had gevonden, geld zou sturen omdat ik hun niet langer op de boerderij kon helpen. En ik beloofde mijn zusjes dat ik hun meer verhalen zou sturen. Ik vertelde ze allemaal dat het me ontzettend speet, maar dat ik nu eerst op zoek moest naar het meisje uit mijn verhalen. En toen ik Vera Beecher voor het eerst ontmoette, wist ik dat zij het was.

Maar ik kwam er al snel achter dat ze voor veel studenten aan de kunstacademie een heldin was. Mimi Green, die bij het tijdschrift werkte waarvoor ik af en toe wat modetekeningen mocht maken, vertelde me dat Vera Beecher in Parijs had gestudeerd en met haar werk al prijzen had gewonnen. Virgil Nash, de beroemdste leraar van de academie – en de knapste, de meisjes waren allemaal idolaat van hem en zeiden dat hij op Rudy Valentino leek – bedolf Vera altijd onder lof en gebruikte haar werk als voorbeeld voor ons. Daarom hadden bepaalde studenten, voornamelijk mannen, geen goed woord voor haar over. Want de academie mocht dan prat gaan op gelijkheid, de heren beschouwden zichzelf nog steeds als de enige ware kunstenaars. Iedereen wist wat Eugene Speicher tegen de jonge Georgia O'Keefe had gezegd toen zij geen zin had om voor hem te poseren: 'Wat je ook doet, ik word toch een beroemd schilder en jij zult het waarschijnlijk niet verder schoppen dan tekenlerares aan een of andere meisjesschool.'

Ook al was inmiddels bewezen dat Eugene Speicher de plank mis had geslagen, er waren nog steeds veel leraren die vrouwelijke studenten als inferieur behandelden. Ze stoorden zich aan de debutantes en de societydames die naar de academie kwamen om hun tijd te verdoen en vriendschap te sluiten met 'al die bohemiens'. Zoals Gertrude Sheldon, die getrouwd was met een van de rijkste mannen in New York, Bennett Sheldon, maar die haar dagen doorbracht met lessen aan de academie en flirten met de leraren. En ze kon niet eens goed tekenen. De andere meisjes staken de draak met Gertrude. Ze zeiden dat ze haar tijd alleen maar aan kunst verspilde omdat ze niet zwanger kon worden en haar man genoeg van haar begon te krijgen. Maar niemand stak de draak met Vera. Zij was ook van rijke komaf, maar ze was getalenteerd en ze gebruikte haar geld of haar positie nooit op een oneerlijke manier ten nadele van andere studenten. Mimi vertelde me dat toen Vera de William Randolph Hearst Prize van het Art Institute of Chicago had gekregen, ze erop stond dat het geld dat daarbij hoorde aan de kunstenaar werd uitgekeerd die als tweede was geëindigd, omdat hij daar meer behoefte aan had dan zij. Ze gaf tekenlessen aan arme kinderen van de Lower East Side en werkte als vrijwilligster in een weeshuis in de Bronx.

Sint-Vera noemde Mimi haar op een avond toen we in de ondergrondse naar het centrum zaten, op weg naar een feestje in de Village. Ik wist dat Mimi het als een sneer bedoelde, maar ineens zag ik Vera in gedachten voor me als Jeanne d'Arc. Die avond bleef ik op om een schets van haar in die rol te maken. De volgende dag zette ik mijn ezel tijdens Modeltekenen zo, dat ik stiekem Vera Beecher kon tekenen in plaats van het model. (In die tijd was het gebruikelijk op de academie dat ouderejaarsstudenten op de eerste rij plaatsnamen, vlak bij het model, terwijl beginnelingen zoals ik helemaal achteraan stonden.) Ik tekende haar als de jonge martelares op het moment dat ze voor het eerst de stem van God hoort. Ze stond in een baan zonlicht die precies op haar mooie, brede voorhoofd viel. Toen meneer Nash langskwam om naar mijn werk te kijken, zag ik hoe zijn ogen van mijn tekening naar Vera dwaalden en weer terug. Ik was bang dat hij iets zou zeggen om me te plagen of boos zou zijn omdat ik niet het model had getekend – een of andere voluptueuze revuedanseres die Suzie heette. In plaats daarvan maakte hij een opmerking over mijn gevoel voor lijn. Het was het eerste compliment dat ik ooit van de grote meneer Nash had gekregen en ik barstte bijna in lachen uit toen ik zag dat Mimi me scheef aankeek.

Maar als ik dacht dat ik niet in verlegenheid zou worden gebracht, vergiste ik me toch. Ik zag vol schrik hoe Nash rechtstreeks naar miss Beecher liep en iets in haar oor fluisterde, waardoor ze meteen naar mij keek. Hij had het haar verteld! Ik werd vuurrood van schaamte en was waarschijnlijk meteen de zaal uit gelopen als haar grijze ogen me niet hadden aangekeken. Daardoor bleef ik als aan de grond genageld staan. Ik voelde me als een veldmuisje dat gebiologeerd is door de blik van een kerkuil. Maar terwijl ik stond te beven bedacht ik met een ander deel van mijn brein hoe heerlijk het moest zijn om Vera Beecher als de grijsogige Athene te tekenen! Hoe mooi zou die uilenhelm bij dat nobele voorhoofd passen! Zelfs toen ze haar potlood neerlegde en naar me toe kwam, verroerde ik geen vin.

Ze kwam naar me toe en ging achter me staan. Het was onnatuurlijk stil in de zaal geworden. Het gebruikelijke geroezemoes was verstild, zelfs het gefluister van potloden op papier was weggestorven. Ik hoorde alleen mijn eigen hartslag en haar ademhaling.

'Zie ik er echt zo uit?' vroeg ze.

Ik dacht dat ze er kritiek op had, maar toen ik omkeek, zag ik dat haar ogen glansden. 'Ja,' zei ik met het vertrouwen dat die ogen me hadden gegeven, de blik waarmee ze naar mijn werk keek. 'Zo zie ik je.'

Ze glimlachte en stelde zich voor – alsof ik niet wist wie ze was! – en liep na een paar minuten terug naar haar ezel. Maar toen de les voorbij was, kwam ze naar me toe en vroeg waar ik heen ging. Omdat ik me een beetje schaamde voor mijn adres – ik had een kamer in het Martha Washington Hotel op East 29th Street – zei ik dat ik naar Central Park ging om te schetsen.

'Wat een geweldig idee!' zei ze. 'Mag ik met je meelopen?'
Het was helemaal geen geweldig idee, want het was ontzettend koud. Maar natuurlijk zei ik dat ik dat een hele eer zou vinden. We namen de ingang van het park in 59th Street, de Merchant's Gate, en liepen over het pad langs de melkschuur – die zo schoon en mooi was dat die helemaal niet leek op de melkschuren die ik kende – en verder over de Promenade. Het had eerder op de dag geregend en daarna was het een stuk kouder geworden, waardoor de waterdruppels aan de kale takken van de hoge olmen aan weerszijden van de Promenade bevroren waren. Toen we eronderdoor liepen, kwam de zon ineens tevoorschijn en Vera slaakte een kreet en pakte mijn hand.

'Kijk eens wat mooi! Het lijkt alsof de bomen van kristal zijn! Ze doen me denken aan de Notenbomenlaan van Arcadia.'

Toen ik haar vroeg welk Arcadia ze bedoelde, begon ze over haar ouderlijk huis, dat ze geërfd had toen haar ouders allebei een paar jaar geleden tijdens de griepepidemie waren overleden. Ze klonk alsof ze het over een betoverd land had waaruit ze verbannen was en ik vroeg me hardop af waarom ze daar dan niet vast ging wonen.

'Het enige wat daar ontbreekt,' zei ze tegen me, 'is het juiste soort gezelschap. Af en toe overweeg ik wel eens om een paar gelijkgestemde kunstenaars uit te nodigen de zomer daar door te brengen en een docent in te huren die les kan geven in tekenen en schilderen en plein air.' Ze keek me aan met die rustige grijze ogen, die níéts leek te ontgaan. 'Misschien zou jij dan ook willen komen, omdat je het zo fijn vindt om in de buitenlucht te tekenen.' Ze tikte op het schetsboek dat ik tegen mijn borst geklemd hield en ik bloosde bij de gedachte aan het excuus dat ik had gegeven voor onze huidige wandeling – terwijl we nog niet eens waren gaan zitten om te tekenen!

'Ja, ik vind het echt heerlijk om de natuur te tekenen…' stamelde ik. En toen, terwijl ik om me heen keek op zoek naar iets geschikts, zag ik ineens het volmaakte onderwerp. 'Maar vandaag wilde ik háár tekenen.' We waren aan het eind van de Promenade gekomen, bij het bovenste terras met uitzicht op het meer en de Angel of the

Waters-fontein. Ik wees naar de engel. 'Ik zag haar de eerste week dat ik in de stad was en daarna ben ik nog vaak hier geweest, iedere keer als ik me alleen voelde.'

'Ach,' mompelde Vera terwijl we de trap af liepen naar het onderste terras, 'in Jeruzalem bij de schapenmarkt is een poel die Bethesda wordt genoemd... En de eerste die daarin stapte nadat het water in beroering werd gebracht, genas van elke kwaal waaraan hij leed. Je hebt de juiste plek uitgezocht om troost te vinden.' We gingen op de rand van het lege bassin zitten en keken op naar het strenge, bronzen gezicht. Ik pakte mijn schetsboek en begon te tekenen. 'Ken je haar verhaal?' vroeg Vera.

'Bedoel je het verhaal van de engel?' vroeg ik.

'Nee, van de beeldhouwster.'

Toen ik mijn hoofd schudde, ging ze verder. Terwijl ze zat te praten bleef ik naar het bronzen gezicht boven mijn hoofd kijken, maar ik kon de blik van de vrouw van vlees en bloed naast me voelen. 'De beeldhouwster was Emma Stebbins, die in Rome bij John Gibson heeft gestudeerd. Daar leerde ze de actrice Charlotte Saunders Cushman kennen, met wie ze een innige band kreeg. Ze woonden heel gelukkig samen tot Charlotte ziek werd en borstkanker kreeg...' Uit mijn ooghoeken zag ik dat Vera haar hand op haar eigen borst legde toen ze het over Charlottes ziekte had en ik voelde op hetzelfde moment iets samenkrimpen in mijn eigen borst, alsof ze me daar had aangeraakt. 'Emma zorgde vol genegenheid voor haar en nam haar mee naar geneeskundige bronnen voor allerlei waterkuren. Ik weet zeker dat ze daaraan heeft gedacht toen ze aan dit standbeeld werkte... dat ze het heeft gemaakt uit dank voor Charlottes genezing.'

'Dus ze is beter geworden?'

'Ja, maar helaas stierf Charlotte drie jaar nadat Emma dit standbeeld had gemaakt aan longontsteking.'

Toen keek ik haar wel aan en mijn eigen hand vloog naar mijn hart. Ik had het gevoel alsof ik daar rechtstreeks was geraakt en dat alle lucht uit mijn longen was verdwenen. 'Hoe is het met Emma afgelopen?' vroeg ik.

'Ze heeft nog zes jaar geleefd,' antwoordde Vera. 'Maar ze heeft nooit meer een beeld gemaakt.'

Ik richtte mijn aandacht weer op mijn tekening, omdat ik niet wist hoe ik moest reageren op zoveel liefde en verdriet. Ik vroeg me af hoe het zou voelen om zo bemind te worden. Hoewel de boerenzoon mij ten huwelijk had gevraagd, had hij na mijn vertrek al snel zijn blik op mijn zusje Marguerite laten vallen. Ik had een brief van mijn moeder gekregen waarin ze schreef dat ze in de lente zouden gaan trouwen. Het had me niets gedaan, ik kon me nauwelijks herinneren hoe hij eruitzag. Ik keek neer op mijn tekening en zag dat ik in plaats van het gezicht van het standbeeld weer dat van Vera had getekend.

'Ik kan wel begrijpen waarom je je tot haar aangetrokken voelt,' zei Vera.

Ik drukte mijn schetsboek tegen mijn borst, bang dat ze zou zien wat ik had gedaan, maar ze wees naar de linkerhand van de engel. Ik keek omhoog en zag voor het eerst wat ze vasthield. 'Een lelie,' zei Vera. 'Het symbool van reinheid.' Ze legde haar hand over de mijne en ik voelde haar aanraking dwars door me heen gaan tot in het diepst van mijn ziel. 'Laten we maar gaan,' zei ze. 'Je handen zijn zo koud als ijs.'

Vanaf die tijd gingen we na elke les naar het park, ook al was het nog zo koud. Als het regende of sneeuwde, gingen we onder de Arcade zitten en maakten schetsen van de patronen in de plafondtegels. Vera zei dat ze dat soort tegels graag zou willen maken voor een huisje op het grondgebied van Arcadia.

Ze praatte vaak over Arcadia en tekende het voor me, zodat ik het gevoel begon te krijgen dat ik het huis kende. Ze vertelde me alles over de Notenboomlaan en over het oude bos langs de westelijke richel, dat daar al was geweest toen de eerste Europese immigranten naar de bergen waren gekomen. De bijgelovige ideeën die de dorpsbewoners hadden over het bos maakten Vera aan het lachen, maar het viel me wel op dat Vera iedere boom kende die op Arcadia groeide en dat ze erover praatte alsof het oude vrienden waren. Ze mag dan gelachen hebben om het idee van boomgeesten, maar ze leek ze net zo te vereren als de eerste de beste druïde. Maar de boom waar ze het meest van hield, was een enorme rode beuk die op het grote gazon stond. Ik maakte er een tekening van met Vera's eigen gelaatstrekken in de schors en noemde die 'Vera, druïdepriesteres der beuken'. En ze tekende mij als een lelie, met mijn hoofd knikkebollend voor mijn ezel, en mijn ogen halfgeloken van de slaap.

We stuurden elkaar onder de les voortdurend dat soort tekeningetjes en het duurde niet lang tot de anderen het in de gaten kregen. Ik hoorde hun gefluister wel, maar daar trok ik me niets van aan. Het maakte mij niet uit dat de meisjes begonnen te giechelen als Vera cadeautjes voor me meebracht: parfum van de apotheek Privet and Sloe, in dikke groene glazen flesjes waar fleur-de-lis op gestempeld waren, boeketjes met viooltjes en een hoed met een toef lelietjes-van-dalen in een paarse hoedendoos. Een van de meisjes die op een damescollege had gezeten, zei dat Vera mijn 'stuk' was. Het viel zelfs Virgil Nash op, die er grapjes over maakte dat we onze ezels altijd zo dicht bij elkaar zetten en omdat we alleen maar portretten van elkaar maakten.

'Miss Eberhardt,' zei hij op een dag met een overdreven, langgerekte zucht, 'u kunt net zo goed hier komen zitten om te poseren, aangezien miss Beecher toch niets anders wil tekenen dan u.'

Gertrude Sheldon grinnikte onderdrukt en zei iets tegen een ander meisje dat daarvan moest blozen. Ik zag dat Vera boos werd en was bang dat ze een scène zou maken. Dat was de enige tekortkoming van mijn arme lieve schat, haar opvliegendheid. En ik wist dat ze zich met name aan Gertrude Sheldon ergerde. Volgens mij kwam dat omdat Vera zonder enige reden bang was dat wat erover Gertrude werd gezegd ook voor haar gold: dat ze een rijke vrouw was, met niets omhanden, die alleen maar een beetje met kunst stoeide.

'Prima,' zei ik en legde mijn potlood neer. 'Dan doe ik dat toch.'

Het was doodstil in de zaal toen ik naar voren liep. Het model was al gearriveerd, maar ze had zich nog niet uitgekleed. Ik stapte op het verhoogde podium, waar een oude, muffe, met mottige sjaals bedekte bank als achtergrond en voetstuk voor onze modellen diende. Toen ik me omdraaide en de studenten aankeek, was ik verbaasd om te zien hoe anders de zaal er vanaf dit punt uitzag. Het was alsof ik een hoge bergtop had beklommen en neerkeek in een vallei. Dat deed me denken aan de manier waarop ik het slot van mijn meeste sprookjes had uitgebeeld, met de heldin afgetekend tegen de ondergaande zon. In plaats van een zonsondergang hing er een geborduurde Chinese sjaal achter me, maar in mijn verbeelding was ik plotseling de heldin van mijn oude verhalen geworden. Het meisje dat nergens bang voor was.

Ik deed mijn mousselinen schort af en begon mijn jurk los te knopen.

'Miss Eberhardt...' begon Virgil Nash terwijl hij naar het podium toe kwam. 'Volgens de regels...'

'Moet er bij de les Modeltekenen altijd een model aanwezig zijn. Staat er ook bij wie dat model moet zijn?' vroeg ik terwijl ik nog steeds bezig was met de knoopjes op het lijfje van mijn jurk. 'Ben ik dan anders dan Suzie? Is iemand van ons anders?' Mijn handen trilden, maar mijn stem klonk effen. Ik dankte Onze-Lieve-Heer dat ik sinds kort geen corset meer droeg... en moest toen lachen omdat het zo'n malle reden was om God te danken! Die glimlach was mijn redding, want die werd weerspiegeld op Vera's gezicht. Haar ogen hielden de mijne vast terwijl ik mijn jurk en mijn hemdje in één beweging omlaag trok. Ik liet ze los om mijn middel hangen toen ik op de bank ging zitten, met mijn gezicht naar de studenten. Vera was de eerste die haar potlood oppakte en begon te tekenen. Ik hield mijn blik gedurende de hele les op haar gericht en beeldde me in dat zij en ik alleen waren. Op die manier was ik in staat om een uur lang mijn rug recht en mijn kin omhoog te houden. Zij gaf me de kracht daarvoor. Niemand deed zijn mond open. Zelfs Virgil Nash had een potlood gepakt en was gaan tekenen in plaats van rond te lopen en commentaar te leveren. Het zachte geschraap van potloden over papier was het enige wat in het vertrek hoorbaar was. Het klonk als sneeuw die door dennenbomen naar beneden viel. Ik had het gevoel

dat ik ook echt een boom was geworden, een grote weymouthden die midden in het bos staat, terwijl de sneeuw door de takken met de lange dennennaalden dwarrelde...

Ik had daar voor eeuwig kunnen blijven zitten. Het uur was veel sneller voorbij dan ik verwacht had. Pas toen ik probeerde op te staan drong het tot me door dat ik geen gevoel meer in mijn benen had. Vera schoot me te hulp en hield mijn mousselinen schort voor me omhoog terwijl ik onhandig mijn jurk dichtknoopte. Ze droeg mijn schetsboek voor me en fluisterde in mijn oor dat ik met haar mee naar huis moest om thee te drinken. Ze was bang dat ik anders kou zou vatten. Ik nam de uitnodiging meteen aan, maar toen we op het punt stonden om weg te gaan vroeg meneer Nash of ik nog even wilde blijven omdat hij nog 'iets te zeggen had'. Ik knikte tegen Vera dat het in orde was en dat ze beneden even op me moest wachten.

Ik verwachtte een preek en maakte me op om tegen hem te zeggen dat ik het nooit weer zou doen, maar in plaats daarvan draaide hij zijn ezel om zodat ik zijn onafgemaakte tekening kon zien. Wat ik zag, benam me de adem. Terwijl Vera me als haar treurende lelietje had getekend, had Virgil Nash vastgelegd hoe ik me daar op dat podium had gevoeld. Hij had me als het meisje uit mijn verhaaltjes getekend, de heldin die ik had verzonnen en die ik hier in de stad was komen zoeken.

'Ik zou dit graag willen afmaken,' zei hij. 'Zou je bereid zijn om privé voor me te poseren?'

Het kwam niet eens bij me op om nee te zeggen.

Naar later zou blijken was dat wel het minste wat ik voor meneer Nash kon doen. Toen bekend werd (ik heb altijd het vermoeden gehad dat het Gertrude Sheldon was die een klacht bij het bestuur indiende), dat hij had toegestaan dat een van de studenten zich uitkleedde om model te staan tijdens de les, werd hij ontslagen. Vera was daar zo boos over dat ze meteen haar lidmaatschap van de academie opzegde en meneer Nash voorstelde om zelf een kunstacademie te beginnen. Haar ouderlijk huis in Arcadia Falls zou daarvoor de ideale plek zijn. Hij stemde onmiddellijk in.

Ik heb me altijd afgevraagd of zijn beslissing erdoor beïnvloed werd omdat ik daar ook zou zijn. Inmiddels had Vera mij ook gevraagd om naar Arcadia te komen, niet alleen als medestudent, maar als haar metgezel. Had ik kunnen weten dat de belangstelling die Nash voor me had niet puur esthetisch was? Had ik tegen Vera moeten zeggen dat ze hem niet moest betrekken bij onze 'landelijke idylle'? Zou alles anders zijn gelopen als Vera en ik zonder hem naar Arcadia waren vertrokken? Misschien wel. Maar het kwaad was al geschied op de dag dat ik bij de les Modeltekenen mijn buitenste laag afpelde. Wat Vera zag, was haar lelie – een symbool van reinheid in de hand van een engel. Ik weet niet zeker of Virgil Nash een duidelijker beeld van me had, maar hij zag me zoals ik mezelf het liefst zag en ik was niet bereid om dat op te geven. Zelfs niet voor Vera. Toen we in ons paradijs aankwamen, droegen we het zaad van de ondergang ervan al bij ons, maar dat is, vrees ik, het lot van elk paradijs.

Onder die regel heeft Lily een kleine Franse lelie getekend, om aan te geven dat dit het einde van het eerste deel was. Het lijkt een goede plek om op te houden met lezen. Ik ga naar boven met het dagboek tegen mijn borst gedrukt, leg het op mijn nachtkastje en doe het licht uit. Dan luister ik naar het geluid van de wind in de dennen die rond het huisje staan. Het klinkt vriendelijker dan het gejammer van gisternacht. Vanavond klinkt het als potloden op papier en ik val in slaap met het vreemde gevoel dat heel Arcadia een potloodtekening is, die zichzelf iedere nacht opnieuw op papier zet.

DERTIEN

Wanneer ik de volgende ochtend wakker word, lijkt mijn droom waarin Arcadia een tekening is, uitgekomen. Het bos rond mijn huisje is gehuld in nevel, waardoor het uitzicht uit mijn slaapkamerraam een licht bezoedelde houtskooltekening is geworden. Lily's dagboek ligt op mijn nachtkastje, met een lila lintje op de plek waar ik gisteravond ophield met lezen. Ik raak even het leren omslag aan en denk aan de laatste zin die ik heb gelezen: 'Toen we in ons paradijs aankwamen, droegen we het zaad van de ondergang ervan al bij ons.' En toch hebben zij en Vera hier negentien gelukkige jaren doorgebracht tot uiteindelijk het noodlot toesloeg. Hoe kan een driehoeksverhouding zo lang doorsmeulen voordat de vlammen hoog oplaaien? Ik pak het boek op. In het stille, door mist omgeven huis, heb ik het gevoel dat ik het alleen maar hoef open te slaan om dit huisje – plus het omliggende bos en het schoolterrein – te bevolken. Niet alleen met de drie hoofdrolspelers in het drama, maar ook met alle sprookjesprinsessen en monsters die Vera en Lily samen tot leven hebben gewekt.

En zodra ik het boek heb geopend op de plek waar ik ben gebleven, hoor ik inderdaad beneden het gekraak van een opengaande deur en een roepende stem... Alleen is het niet een van de personages uit de verhalen van Vera en Lily. Het is Sally.

Ze is al in haar slaapkamer tegen de tijd dat ik de gang in loop en rukt spijkerbroeken en T-shirtjes uit haar koffers. 'Ben je nog niet eens aangekleed?' zegt ze als ze me in de deuropening ziet staan. 'Je komt nog te laat voor je les.'

Dat is letterlijk wat ik het afgelopen jaar iedere morgen tegen haar heb gezegd. Zijn de rollen van de ene op de andere dag omgekeerd? 'Eh, ik wist niet zeker of de lessen wel door zouden gaan,' zeg ik.

'Bij het ontbijt hebben we te horen gekregen dat de lessen gewoon doorgaan,' zegt Sally, die eindelijk haar keus heeft laten vallen op een T-shirt met de afbeeldingen van een stel kleine meisjes in korte jurkjes, lakschoentjes en enkelsokjes. Op de rug staat de naam van de band: Vivian Girls.

'Ben jij dan gaan ontbijten?' vraag ik, omdat ik meer opkijk van dat nieuws dan van het besluit van de rectrix om de dag na de dood van een leerling de lessen gewoon te laten doorgaan. Sally wilde het afgelopen jaar niet meer ontbijten en beweerde dat ze al misselijk werd als ze voor twaalf uur 's middags zelfs maar aan eten dacht.

'Tuurlijk, iedereen was er,' antwoordt Sally afwezig terwijl ze een spijkerbroek opzij gooit ten gunste van een broek die er op het oog precies hetzelfde uitziet. 'Ze hadden wafels en bosbessenpannenkoeken met echte esdoornstroop. Hannah zegt dat ze die stroop in de lente zelf maken en dat iedereen dan helpt. Maar goed, ik moet er weer vandoor. Ik heb met Haruko afgesproken dat ik haar voor de tekenles mijn stripboeken laat zien.'

Ze is al weer weg voordat ik kan vragen of de dood van Isabel

Cheney haar niet dwarszit, maar eigenlijk is dat ook overbodig. Het is zo klaar als een klontje dat er met haar niets mis is. Ik kan alleen hopen dat het met de rest van mijn studenten ook zo goed gaat.

Voor aanvang van de cursus folklore vraag ik of iemand misschien iets over Isabel kwijt wil voordat we met de les beginnen. Na een korte stilte steekt Hannah Weiss bedeesd haar hand op. 'Ik vind het naar dat ik haar niet beter heb leren kennen. Ze werkte altijd zo hard...'

'Waar je echt over inzit, is dat je haar niet een beetje aardiger vond,' zegt Tori Pratt.

'Dat is niet eerlijk!' roept Hannah blozend uit. 'Ik had helemaal geen hekel aan haar. Het viel alleen niet mee om haar beter te leren kennen.'

'Dat klopt,' zegt Clyde die weer schuilgaat achter zijn haar. Hij zit zo diep voorovergebogen dat ik zijn ogen niet eens kan onderscheiden. Maar dan strijkt hij het haar uit zijn gezicht en ik zie dat hij donkere kringen onder zijn bloeddoorlopen ogen heeft. Kennelijk heeft hij wel erg veel moeite met de dood van Isabel. 'Wanneer je met haar praatte, had je altijd het gevoel dat ze al bezig was met haar toekomst. En dat jij daar geen deel van uitmaakte. Eigenlijk raar dat ze geschiedenis wilde gaan studeren.'

Er valt een drukkende stilte over de klas. Misschien denken ze allemaal hetzelfde als ik: wat jammer dat zo'n intelligent, getalenteerd meisje dat haar hele toekomst nog voor zich had door pure onoplettendheid is overleden. Of misschien hebben ze gewoon alles al gezegd wat er te zeggen valt. Ik wil net verder gaan met de les als Chloe, die tot dan nog geen woord heeft gezegd, haar hand opsteekt. Ze ziet er zelfs nog erger uit dan Clyde, met het vettige, ongekamde haar dat sluik om haar gezicht hangt en haar roodomrande ogen.

'Ja Chloe?' zeg ik.

'Ik heb een gedicht geschreven,' zegt Chloe met een klein stemmetje. 'Ik heb het "De dood van de zomer" genoemd.'

'Wil je het voorlezen?' vraag ik.

Chloe knikt en slaat haar laptop open. Het apparaat tinkelt terwijl het oplaadt alsof het de doodsklok voor Isabel luidt.
'De dood van de zomer,' leest ze voor.

Nalatigheid heeft doden tot gevolg; een roos
Door regen niet geraakt sterft in de lente snel
En zelfs des zomers kwijnt het liefdesspel
Dat niet gevoed wordt weg en sterft altoos.

Is liefde slechts een blik, een aai een lief gezicht
Dan is haar lot beschoren zonder oogst
Toch leeft de liefde in wat werd beoogd
In wat in ons geheugen staat gegrift.

Zij blijft daar, heel ons leven en voorgoed
Als op het water blinkt de zonneschijn
En fris de wind waait zonder vrees of pijn
Nadat een plotse storm is uitgewoed.

In ons schuilt woede, kilheid, duisternis
Maar tevens kunst en liefde, voor wie dapper is.

De klas blijft stil wanneer ze klaar is. 'Dat is prachtig, Chloe,' zeg ik ten slotte, hoewel het gedicht me eigenlijk een beetje tegen de borst stuit. Misschien komt het door het idee dat de band tussen de twee meisjes tot in lengte van dagen zal blijven bestaan. Per slot van rekening had ik de indruk gekregen dat ze elkaar niet eens mochten.
'We zouden eigenlijk een soort herdenkingsdienst moeten houden,' zegt een van de meisjes, van wie ik niet meer weet hoe ze heet. 'Met gedichten en liederen en kunstuitingen over Isabel. Per slot van rekening zitten we hier op een kunstacademie.'
Anderen doen ook een duit in het zakje en komen vrijwillig met suggesties voor projecten ter herdenking van Isabel: een diapresentatie van foto's van haar, een compilatie van haar favoriete liedjes, gedichten die ter ere van haar zijn geschreven.

'Die kunnen we dan op de avond van de herfstnachtevening houden,' zegt Chloe. 'Op de equinox.'

Als ik mijn mond nu niet opendoe, zal de rest van het lesuur een soort vergadering van de Equinox Club worden.

'Ik ben blij dat jullie samen een manier hebben gevonden om uiting te geven aan het verlies van Isabel,' zeg ik luid genoeg om hun aandacht te trekken. 'Het schijnt in Arcadia een traditie te zijn om het leven van alledag met behulp van woord en beeld een ander aanzien te geven. Gisteren heb ik tegen jullie gezegd dat jullie er bij wijze van eerste opgave voor dit semester achter moesten zien te komen wat zich in het leven van Vera Beecher en Lily Eberhardt heeft afgespeeld om het verhaal van het wisselkind op deze manier te vertellen. Jullie tweede opgave is om zelf een verhaal over een wisselkind te schrijven. Als jullie je leven konden ruilen met iemand anders, zouden jullie dat dan doen? Het leven van wie zouden jullie dan kiezen? En zou je daarna wel naar je oude leven willen terugkeren? Misschien moeten jullie daarbij in gedachten houden dat in het verhaal beschreven wordt hoe een oud leven de dood vindt in ruil voor de geboorte van iets nieuws.'

'Zoals de Zomergodin sterft en weer herboren wordt als de Wintergodin?' vraagt Chloe.

'Iets in die trant,' zeg ik. Hoewel ik geen zin heb om een bijdrage te leveren aan de heidense theologie die hier in Arcadia zo populair schijnt te zijn, begrijp ik wel dat ze in het verlengde daarvan de dood van Isabel gemakkelijker kunnen aanvaarden. Zou het Sally ook geholpen hebben de dood van haar vader te aanvaarden, vraag ik me af. Misschien niet, maar misschien helpt het haar wel om te aanvaarden dat ons oude leven samen met Jude voorbij is. 'Het is in ieder geval een idee om eens nader te bekijken,' besluit ik.

Ik besteed de rest van de les aan het bespreken van het wisselkindthema binnen de Europese folklore. Ik begin door ze een sprookje van Grimm voor te lezen, waarin een kind uit zijn wiegje wordt gehaald. In plaats daarvan wordt een wisselkind achtergelaten met een dik hoofd en bolle ogen, dat niets anders doet dan eten en drinken. Als de moeder een buurvrouw om raad vraagt, krijgt ze te horen dat ze onder de neus van de baby in twee eierschalen water moet koken. Als de baby begint te lachen, kan ze er zeker van zijn dat het een wisselkind is. Zodra de moeder de beide met water gevulde eierschalen boven het vuur hangt, zegt het wisselkind:

Ik ben al zo oud
als het Westerbos
Maar ik heb nog nooit iemand in eierschalen zien koken!

Vervolgens moet de baby zo hard lachen dat hij uit zijn kinderstoel valt. Uiteindelijk verschijnt er een groep elfen met het echte kind van de moeder. Ze geven het terug en nemen het wisselkind mee.

Het verhaal maakt de klas aan het lachen, precies zoals ik had gehoopt. Daarna ga ik verder met andere verhalen die erg veel op het eerste lijken, maar waarin op andere manieren wordt geprobeerd het wisselkind te ontmaskeren. Meestal worden pogingen ondernomen om het wezen aan het praten te krijgen, maar af en toe zijn de maatregelen wat rigoureuzer en moet het wisselkind in een vuur worden gelegd.

'Maar als het nou een echte baby bleek te zijn?' vraagt Hannah met grote ogen.

'Dan zou het om zijn moeder roepen om gered te worden. Maar in al die verhalen gaat het wezen op in rook en verdwijnt door een gat in het plafond of het neemt zijn normale gestalte weer aan en rent de deur uit. Overigens is het wel een goede vraag. Als het nou een echte baby bleek te zijn? Waarom zouden mensen volgens jullie dat soort verhalen vertellen?'

'Om te verklaren waarom een baby ineens kan veranderen?' Het is opnieuw Hannah die de vraag beantwoordt, ook al is het in de vorm van een wedervraag. 'Ik bedoel, soms kunnen baby's toch helemaal veranderen? Met mijn jongste stiefbroertje leek ook niets aan de hand tot hij twee werd en we er ineens achter kwamen dat hij autistisch was.'

'Zeker weten,' zeg ik en vraag me af of dat de reden is waarom Hannah zich zo persoonlijk betrokken schijnt te voelen bij het onderwerp. 'Autisme is maar één van een aantal ontwikkelingsstoornissen die misschien een verklaring vormen voor de gebeurtenissen in dit soort verhalen. Het syndroom van Asperger, spastische verlammingen, hersenbeschadigingen als gevolg van een val of koorts. Een ogenschijnlijk gezonde baby wordt ineens lusteloos. Misschien krijgt het kind niet genoeg te eten. In een aantal van de verhalen is het wisselkind onverzadigbaar. Het blijft maar dooreten, zonder te groeien. Stel je dan eens een arm gezin voor, een moeder die niet genoeg te eten krijgt om de melktoevoer voor het kind op peil te houden en een baby die alleen maar huilt en niet stil te krijgen is. Wat moeten ze dan doen?'

'Bedoelt u dat ze de baby misschien verstoten?' vraagt Hannah vol afschuw.

'In veel culturen kwam kinderdoding voor. Natuurlijk is het een vreselijk idee, dus hoe kun je dat beter maskeren dan met behulp van een mythe over wisselkinderen? Het verhaal verzekert de moeder ervan dat het helemaal niet om een echte baby gaat, het is een bedrieger, een demon. En om haar echte baby terug te krijgen zal ze dit kind moeten opofferen.'

'Maar in het echte leven zou dat nooit gebeuren. Er was geen échte baby die de plaats van hem in kon nemen,' merkt Chloe Dawson op.

'Natuurlijk niet,' zeg ik. 'Maar door een baby die niet gezond was op te offeren konden oudere kinden misschien in leven blijven. Of het gaf de moeder de kans om weer een baby, en ditmaal een gezond kind, te krijgen. Het verhaal maskeert een wrede werkelijkheid, zoals voor zoveel van dit soort verhalen geldt. Voor de volgende les wil ik graag dat jullie "Assepoester" lezen en nadenken over de sociale omstandigheden die achter dat verhaal schuilgaan.' Ze krabbelen de opdracht in hun agenda's als de bel van elf uur gaat. Wanneer ze de klas uit lopen, hoor ik een aantal van hen over de les praten en over andere sprookjes. Ik was bang dat het onderwerp wisselkindverhalen een beetje te luguber zou zijn voor vandaag, maar ik merk dat ik er niet alleen in ben geslaagd om ze op een andere manier over die verhalen te laten nadenken, maar ook om hun gedachten af te leiden van de dood van Isabel Cheney. De enige die haar mond houdt, is Chloe Dawson.

'Chloe,' zeg ik als ze langs me heen naar buiten probeert te glippen. 'Zou ik je even kunnen spreken?'

Ze krimpt in elkaar alsof ik haar een klap in het gezicht heb gegeven. Clyde Bollinger die al bijna de deur uit is, blijft staan en komt terug. 'U gaat haar toch niet nog meer vragen over Isabel stellen, hè? Ze heeft al aan de sheriff verteld dat ze Isabel niet meer gezien heeft, nadat ze het bos in liep. Kunnen jullie haar niet gewoon met rust laten?' Tot slot kijkt hij Chloe met een blik vol aanbidding aan. En sinds wanneer, vraag ik me af, voelt Clyde Bollinger zich geroepen om voor Chloe Dawson in de bres te springen? Ze lijken niet echt bij elkaar te passen. 'Ik ben helemaal niet van plan om Chloe te ondervragen. Ik wil alleen even met haar praten. Alléén.'

Clyde zet zijn stekels op als ik de nadruk leg op het laatste woord. 'Ik hou bij de lunch wel een plaatsje voor je vrij,' zegt hij en beent weg. Maar niet nadat hij zo'n verlangende blik op Chloe heeft geworpen, dat ik onmiddellijk terug moet denken aan de eerste keer dat ik Jude zag: op Pratt bij de tekenles. Ik weet nog goed dat ik het gevoel had dat ik hem al eerder had ontmoet, hoewel ik best wist dat het niet zo was. Het was alsof ik hem had ontworpen door alle ontluikende gevoelens van mijn tienerjaren samen te voegen. Hoe had Lily dat ook alweer gezegd? Dat Vera Beecher het meisje was uit de verhalen die ze haar hele leven al had verteld.

'Wilde u met me praten?' vraagt Chloe. Ik schaam me een beetje, omdat Chloe eerder uit haar dagdromen is ontwaakt dan ik.

'Ik wilde alleen maar vragen hoe het met je gaat. Je ziet eruit alsof je gehuild hebt. Ik weet dat het met name voor jou hard is aangekomen, aangezien jij en Isabel samen aan dat project hebben gewerkt...'

'Maar dat was niet echt zo,' valt ze me in de rede. 'Isabel werkte het liefst alleen. We hadden niet echt een hechte band of zo. Dus u hoeft zich geen zorgen om me te maken. Eigenlijk zou ik het liefst willen dat iedereen daar meteen mee ophield.' Het klinkt zo nadrukkelijk dat ik niet weet wat ik daarop moet zeggen, behalve dan het zinnetje waarop elke stomme volwassene altijd weer terugvalt: 'Nou ja, als je bij nader inzien toch ergens over wilt praten...'

Ze heeft zich al uit de voeten gemaakt voordat ik uitgesproken ben, waardoor ik me voel als het meisje in 'Repelsteeltje', dat met de verkeerde naam op de proppen is gekomen.

Ik ga op een holletje naar Briar Lodge voor mijn volgende les, maar als ik daar aankom, vind ik een briefje van de Merling-tweeling dat ze wegens 'dringende familieomstandigheden' het schoolterrein moesten verlaten. Ik erger me een beetje, want ze hadden me best een e-mail kunnen sturen om me die wandeling te besparen, maar dan herinner ik me dat Sheldon Drake heeft gezegd dat haar atelier in het jachthuis was. Sinds ik gisteren die foto van de eerste mei met Gertrude Sheldon heb gezien vraag ik me al af of Shelley Drake familie van haar is, en of ze misschien iets weet van de begintijd van het collectief waar ik iets aan heb.

Het atelier blijkt aan de achterkant van het huis te zijn, in een zonovergoten ruimte met een hoog plafond. Hoewel ik eigenlijk had verwacht dat de studio vol studenten zou zitten, is er niemand aanwezig. De wand aan de westkant is één groot raam met uitzicht op het bos. Op dit moment ziet het er kalm en onschuldig uit, maar later op de dag zal het zich weer vullen met de lange schaduwen die me gisteren ook al opgevallen zijn. Die vormen kennelijk het onderwerp waar Shelley momenteel mee bezig is, want het grote doek op de ezel is een schilderij van het bos op dat tijdstip. Terwijl ik ervoor sta, vliegen mijn gedachten terug naar gisteren, toen we aan de zoektocht naar Isabel begonnen. De grond van het bos is bedekt met droge dennennaalden die voor een griezelige, goudkleurige glans zorgen en wordt in lange taankleurige stroken verdeeld door de lange schaduwen van de bomen die tot aan de kijker reiken. Misschien word je daarom een beetje zenuwachtig van dit schilderij. De schaduwen lijken zich vanaf het doek naar je uit te strekken, als lange vingers die zich om je nek kunnen wikkelen om je mee te trekken naar iets wat achter de bomen klaarstaat om je te bespringen.

'Het is nog niet af.' De stem klinkt zo dichtbij dat ik een sprongetje van schrik maak. Als ik me met een ruk omdraai, zie ik Shelley Drake in een mousselinen jurk. Ze staat hooguit een halve meter achter me, met een penseel in haar hand.

'Ik hoorde je niet binnenkomen,' zeg ik bij wijze van verklaring voor mijn schrik. Om de een of andere reden wil ik niet dat ze beseft dat het haar schilderij is, dat me zo'n onbehaaglijk gevoel heeft bezorgd.

'Ik draag nooit schoenen als ik schilder,' antwoordt ze, met een gebaar naar haar blote voeten. 'Dan weet ik dat ik vaste grond onder de voeten heb.'

'O,' zeg ik. Ik weet eerlijk gezegd niet hoe ik op die vreemde bekentenis moet reageren, dus draai ik me maar weer om naar het schilderij. Omdat ik onuitgenodigd haar studio ben binnengevallen, kan ik waarschijnlijk maar beter iets over haar werk zeggen. Maar het kunstwerk bezorgt me zelfs een nog onbehaaglijker gevoel, alsof de schaduwen erop de korte tijd dat ik ze de rug had toegekeerd hebben benut om nog iets dichterbij te kruipen. 'Ik vind het angstaanjagend,' zeg ik, omdat ik liever voor de waarheid uitkom. 'Ben je hieraan begonnen nadat we Isabel hadden gevonden?'

'Eerlijk gezegd was ik er gisterochtend al aan begonnen. Toen haar lichaam daarginds werd gevonden...' Ze knikt in de richting van het bos, maar omdat de ezel tussen haar en het raam staat kan ze het net zo goed hebben over het bos op het schilderij als over het echte bos achter het raam. 'Nou ja, toen had ik het gevoel dat ik dit geschilderd had, omdat haar lichaam daar lag.'

'Vermoedde je dan iets?'

'Ik had een voorgevoel. Dat overkomt me wel vaker en dan is dat altijd aan mijn schilderijen te zien. Af en toe komen de dingen die ik schilder ook echt uit.' Ze ziet kennelijk aan mijn gezicht hoe sceptisch ik daarop reageer, want ze haalt haar schouders op en lacht. 'Ik weet zeker dat het iets onbewusts is. Of wat Jung het "collectieve onderbewustzijn" noemde. Als ik over dat soort macht beschikte, zou ik mijn geluk wel op de beurs proberen.'

Dat laatste herinnert me aan de vraag die ik haar wilde stellen. 'Ik vroeg me af of je familie was van Gertrude Sheldon, de beschermvrouw van de kunst. Ik kreeg gisteravond een foto van haar in handen en ik dacht dat ik een zekere gelijkenis zag.'

'Ze was mijn grootmoeder, maar volgens mij lijk ik geen spat op haar!'

Ik reageer een beetje onthutst op haar felle reactie. Kennelijk vindt ze een familiegelijkenis geen compliment. 'Het kan ook best zijn dat je naam zoveel op die van haar leek, dat ik het gevoel kreeg dat ze familie van je was. En jullie zijn allebei kunstenares...'

'Je vindt toch niet dat mijn schilderijen op die van háár lijken?'

Ik herinner me dat volgens Lily iedereen op de kunstacademie de draak stak met Gertrude Sheldon. 'Ik heb nooit werk van haar gezien,' antwoord ik.

'Nou, dat is een hele opluchting. Ik zou het vreselijk vinden als mijn werk ook maar iets op het hare leek.' Ze loopt naar de boekenkast, pakt een groot in linnen gebonden boek met verbleekte letters op de rug en overhandigt me dat opengeslagen bij een kleurenplaat. 'Dit is Gerties "Priesteres uit de Oudheid in aanbidding aan de voeten van Artemis".' Het schilderij toont een schaars geklede jongedame die bloemen strooit rond de voeten van een corpulente dame in wijdvallend gewaad. De godin kijkt omhoog met een abstracte blik op haar gezicht, die volgens mij iets bovenaards moet verbeelden, maar in plaats daarvan een slechtgeluimde indruk wekt. De kleuren zijn modderig, de anatomie klopt niet helemaal en de compositie is beneden peil. Ik doe toch mijn best om er iets aardigs over te zeggen. 'De bloemen zijn heel goed,' zeg ik.

Shelley lacht. 'Ja, Gertie was goed in bloemen! Ze had zich bij stillevens van bloemen moeten houden. En dat deed ze uiteindelijk ook, nadat een van de kunstenaars van de academie in 1921 een spotprent van dit schilderij had gemaakt voor de tentoonstelling van de Fakirs.'

Ik kan me herinneren dat 'de Fakirs' de naam was die de aan de academie verbonden kunstenaars aan de jaarlijkse tentoonstelling gaven waarmee ze geld probeerden in te zamelen. Daarbij hekelden ze het werk van meer gevestigde kunstenaars of zelfs dat van elkaar om zo veel mogelijk belangstelling te wekken en misschien ook wel om hun eigen artistieke voorkeuren kenbaar te maken.

Ze slaat de pagina om en toont me een vrijwel identieke tekening van een jong meisje dat geknield ligt aan de voeten van een matrone. Alleen draagt dit meisje het uniform van een dienstbode en ze heeft een nagelvijl en een schaartje in haar handen. In een tekstballonnetje dat uit het verveelde hoofd van de matrone opstijgt, staat de tekst: 'Ik denk dat ik de kok maar gelei laat maken voor het dessert.' Ik kan m'n lachen nauwelijks inhouden. De karikaturist heeft de slechtste aspecten van het origineel genomen en lachwekkend uitvergroot.

'Ik heb gelezen dat het als een eer werd beschouwd als je werk door de Fakirs gehekeld werd,' zeg ik.

'Gertie vond het helemaal geen eer. Ze probeerde haar man, Bennett Sheldon, zover te krijgen dat hij het schilderij kocht – ongetwijfeld om het aan flarden te scheuren – maar in plaats daarvan kocht Vera Beecher het. Mijn grootmoeder raakte zo overstuur door dat voorval dat ze instortte en zich een paar maanden moest terugtrekken in een rustoord – en dat zou niet de laatste keer zijn. Daarna kon ze Vera en Lily niet meer uitstaan en hetzelfde gold voor Virgil Nash, want hij koos hun kant. Ze dacht dat Vera Arcadia had gesticht om te concurreren met haar voornemen om een museum in de stad te stichten.'

'Volgens iets dat ik gisteravond heb gelezen werd Arcadia gesticht omdat Virgil Nash ontslagen werd door de kunstacademie vanwege een voorval waarbij Lily model had gestaan tijdens een les Modeltekenen.'

'Ja, nou ja, dat zal wel afkomstig zijn van Lily Eberhardt, omdat op die manier haar geliefde Vera in een beter daglicht zou worden gesteld. Dat de uiterst principiële miss Beecher dit oord heeft opgericht uit het oogpunt van artistieke vrijheid. Je moet niet vergeten dat Lily altijd waakte over Vera's reputatie.'

'Goed, ik...'

'En als je het niet erg vindt... Ik heb mijn klas in de openlucht aan het schetsen gezet in de appelboomgaard om op die manier wat tijd te krijgen om dit af te maken.'

'O natuurlijk,' zeg ik. Het lijkt mij een tikje oneerlijk tegenover haar leerlingen, maar misschien is dat de enige manier waarop een echte kunstenares haar werk kan afmaken. 'Het moet wel een heel zelfstandige klas zijn,' zeg ik.

'Ik ben erachter gekomen dat je ze alleen maar een duwtje in de juiste richting hoeft te geven, dan zijn ze prima in staat om zelfstandig te werken. Ik heb hun vandaag verteld waar het uiteindelijk om gaat – een speciale opdracht die ik ieder jaar geef. Het leek Sally bijzonder aan te spreken. Volgens mij zul je vanzelf ontdekken dat ze zich gedurende dit semester op een onverwachte manier zal ontwikkelen.'

'Ik ben blij dat jij daarbij een oogje in het zeil zult houden,' zeg ik glimlachend en probeer de steek van jaloezie te negeren die ik voel bij het idee dat iemand anders die rol in Sally's leven zal vervullen. Als ik op het punt sta te vertrekken, schiet me ineens nog iets anders te binnen. 'Vinden je familieleden het niet vervelend dat je hier een baan als lerares hebt? Ik bedoel, gezien de vijandige betrekkingen tussen jouw familie en de Beechers.'

Shelley lacht. 'Ze vinden het verschrikkelijk. En dat is dan ook een van de belangrijkste redenen waarom ik het doe.'

Als ik wegga, staat ze voor haar schilderij en bekijkt het nadenkend, met haar hoofd een tikje schuin. Haar armen bungelen langs haar zij. Het is net alsof ze staat te wachten tot de schaduwen haar vertellen wat ze moet doen.

Ik loop terug naar Beech Hall en zie onderweg de leerlingen van Shelleys tekenles her en der in de appelboomgaard zitten, allemaal met een schetsboek op schoot. De grond is nog steeds nat, dus ze zitten op regenjassen onder een bewolkte hemel. De contouren van de appelbomen zijn wazig en niet goed te onderscheiden, niet bepaald de beste modellen om te tekenen. De lucht is in ieder geval niet echt open. Ik vraag me af of Shelley haar klas ook opdracht had gegeven om buiten te gaan tekenen als ze haar eigen werk niet had willen afmaken.

Als ik Haruko zie, blijf ik staan om naar haar tekening te kijken. Ze heeft een vermenselijkte boom getekend die de vruchten van haar eigen takken plukt en in haar mond stopt. 'Dat vind ik geweldig,' zeg ik oprecht. 'Wat was jullie opdracht?'

Haruko grinnikt. 'We mochten alles tekenen wat we in de mist zien. En ik zie dit. Maar,' bekent ze, 'dat kan ook best komen omdat ik honger heb.'

Ik lach en loop verder de heuvel op. Als ik langs Hannah kom, drukt ze haar schetsboek tegen haar borst zodat ik niet kan zien waar ze mee bezig is, maar ze groet me opgewekt.

'Ik hoop dat het onderwerp van vandaag je niet overstuur heeft gemaakt,' zeg ik als ik aangemoedigd door haar groet blijf staan. 'Het moet heel moeilijk zijn geweest voor jullie gezin toen jullie erachter kwamen dat je broertje autistisch is.'

Ze knikt. 'Ja, mijn moeder en stiefvader hebben nog drie andere kinderen, dus kost het mijn moeder veel moeite om extra tijd aan hem te besteden. Daarom leek het haar en mijn stiefvader beter dat ik hiernaartoe zou gaan.'

'O,' zeg ik, omdat ik eigenlijk niet weet wat ik daarop moet zeggen. Het komt op mij ontzettend egoïstisch over om het ene kind ten gunste van het andere kind weg te sturen, maar ja, wat weet ik nou van het zorgen voor een gehandicapt kind? Hannah kon kennelijk aan mijn gezicht zien dat ik medelijden met haar had, want ze glimlacht een beetje triest. 'Het geeft niet, hoor,' zegt ze tegen me. 'Ik vind het hier veel fijner.'

Wat een moedig, hartelijk meisje, denk ik wanneer ik naar de top van de heuvel loop waar ik Sally naast Chloe Dawson zie zitten. Ik vraag me af waarom ze bij het oudere meisje is gaan zitten in plaats van bij haar nieuwe vriendin Haruko, maar ik besef tegelijkertijd dat het niet veel uitmaakt. Sally zit zo furieus en met overgave in haar schetsboek te tekenen, dat ze waarschijnlijk niet eens merkt naast wie ze zit. Ze zit met haar rug naar me toe als ik naar haar toe ga. Eigenlijk mag ik niet spieken, maar ik vraag me onwillekeurig af welk onderwerp haar zo boeit en werp over haar schouder een blik op haar schetsboek. Wat ik daar zie, beneemt me de adem. Ze heeft een portret van haar vader getekend – Jude, zoals ik bijna niet meer aan hem kan denken, met een gezicht dat straalt van liefde, maar dat ook een beetje vaag en onscherp is, alsof het langzaam maar zeker verdwijnt in de mist.

VEERTIEN

In de weken daarna valt me op dat Sally steeds meer optrekt met Chloe Dawson en het kringetje om haar heen: Clyde, Hannah, Tori Pratt en Justin Clay. Het komt mij voor als een vreemde verzameling persoonlijkheden. Tori en Justin lijken nogal oppervlakkig en conventioneel, terwijl Hannah Weiss ongrijpbaar en onzelfzuchtig is. Clyde is intelligent en geestig, maar in de nabijheid van Chloe kan hij geen woord uitbrengen en is hij vol adoratie. Ik kan alleen maar vermoeden dat ze zich tot elkaar aangetrokken voelen door het gezamenlijke trauma van Isabels dood. Hoewel ik er de voorkeur aan zou geven dat ze meer tijd met leerlingen van haar eigen leeftijd doorbracht – Haruko bijvoorbeeld – is er niets bezwaarlijks te vinden waar ik mijn vinger op kan leggen. Anders dan het stel met wie ze vorig jaar omging, is het groepje rond Chloe ijverig en beleefd en gebruikt, voor zover ik kan nagaan, geen drugs of alcohol. In feite is Sally de laatste paar weken zelfs minder opstandig geworden en valt niet meer meteen tegen me uit als ik zeg dat ze met haar huiswerk moet beginnen of haar kamer moet opruimen. In plaats daarvan geeft ze me kalm gelijk en blijft vervolgens precies doen waarmee ze bezig was, voornamelijk tekenen.

Ze zit bijna constant te tekenen. Het is net alsof het stille verdriet dat ze het afgelopen jaar heeft opgekropt door de dood van Isabel ineens is losgekomen en nu naar buiten komt in een onafgebroken reeks potlood- en pentekeningen en schilderijen. En het blijft niet bij portretten van Jude. Ze maakt zelfportretten en landschappen, stillevens en abstracte kunst. In de derde week van het semester begint ze aan een olieverfschilderij van de rode beuk zoals we die te zien kregen op de dag dat we in Arcadia arriveerden: verlicht door de late middagzon tegen een grijsblauwe lucht vol regenwolken. De boom leek van binnenuit te gloeien, alsof hij over het geheim van het leven beschikte.

'Je dochter is echt niet te houden,' zegt Shelley op een ochtend tegen me in de eetzaal. 'Ik heb haar portfolio van vorig jaar bekeken, maar daarin zit niets wat in de verste verte zelfs maar lijkt op wat ze nu doet.'

'Dank je,' zeg ik zoals altijd wanneer iemand Sally een complimentje geeft – alsof ík daar iets mee te maken heb. 'Dat zal vast wel door jouw lessen komen.'

'Dat heeft er niets mee te maken,' spreekt ze me tegen. 'De dingen die zij doet, kun je niet leren, maar ik maak mezelf graag wijs dat ik er goed in ben om bij een jonge kunstenaar verborgen krachten op te wekken. Sally begint zich te ontplooien, zoals dat heet. Ik probeer alleen maar om haar daarbij niet voor de voeten te lopen.'

Dat geldt ook voor mij. 's Avonds na het eten gaat ze naar de studio in het jachthuis om te werken. Eerst vind ik het niet prettig dat ze daar in de avond naartoe gaat, maar dan kom ik erachter dat ze niet alleen is. Meestal zitten daar tot 's avonds laat een stuk of tien leerlingen te werken. Dat schijnt hier in Arcadia een traditie te zijn. Ze lopen gezamenlijk terug naar hun kamers en meestal belt Sally me dan om te vragen of ze bij Haruko mag blijven, aangezien haar kamergenoot nooit is komen opdagen. De enige keer dat we ruzie krijgen, is als ze vraagt of ze daar zelf geen kamer mag nemen. Er is nog een eenpersoons beschikbaar in de suite van Chloe en Tori Pratt.

'Maar dat zijn ouderejaars,' zeg ik tegen Sally. 'Ik geloof niet dat het juist zou zijn als jij bij oudere meisjes op kamers gaat.'

'Ze zijn maar één jaartje ouder! Als jij niet wilt dat ik op kamers ga, waarom heb je me dan meegenomen naar een kostschool?'

'Kun je niet bij Haruko gaan wonen?' vraag ik in plaats daarvan.

Sally moet kennelijk even fronsend nadenken over dit gloednieuwe idee en verklaart een paar minuten later: 'Goed, dan trek ik wel bij Haruko in.'

Pas later, als ik tot de ontdekking kom dat Haruko's kamer tussen de suite van Chloe en Tori en de eenpersoonskamer van Hannah ligt, dringt het tot me door dat dit vanaf het begin haar bedoeling is geweest. Maar dan is het te laat om op mijn besluit terug te komen.

En dus zit ik 's avonds alleen in het huisje proefwerken na te kijken, lessen voor te bereiden... en Lily Eberhardts dagboek te lezen. Wat ik daarin ontdek, is dat Sally niet de eerste jeugdige persoon is van wie de verbeeldingskracht op Arcadia plotseling tot bloei komt.

De appelbomen begonnen net te bloeien toen we in de laatste week van april op Arcadia aankwamen en algauw was de lucht vervuld van hun bloemblaadjes, die als een soort warm, geurend feeënpoeder alles betoverden. Die eerste zomer woonden we in het grote huis, samen met de andere vrouwen. Mimi Green had haar baan bij het tijdschrift opgezegd om mee te gaan (ze zei dat ze wel rond kon komen van haar freelancewerk) en zij bracht nog twee andere vrouwen mee die ze in de Village had ontmoet en die graag een pottenbakkerij wilden beginnen: Ada Rhodes en Dora Martin. Vera zei dat ze hoopte dat de pottenbakkersoven een plek zou worden waar de kunstenaars 's avonds bij elkaar zouden komen of, in haar woorden: 'het hart en de haard van het collectief.'

Het was oorspronkelijk niet de bedoeling om er ook mannen bij te halen – behalve Virgil Nash natuurlijk. Vera en Mimi waren het erover eens dat als een vrouw als kunstenares werkelijk iets wil bereiken ze zich verre moet houden van huishoudelijke verplichtingen. Vrouwen kregen met de paplepel ingegoten dat ze hun behoeften ondergeschikt moesten maken aan die van mannen. 'Voor mannen is het een stuk gemakkelijker,' zei ze een keer tegen me. 'Zij kunnen gewoon gaan trouwen en krijgen dan automatisch een hulpje voor het werk: een vrouw die hun penselen uitwast en hun eten kookt als zij zitten te schilderen. Maar voor een vrouw is het huwelijk de genadeklap voor haar kunst. Een man kan best zeggen dat hij zijn vrouw de ruimte geeft om te schilderen – en zelfs beweren dat hij haar zal aanmoedigen – maar de eerste keer dat zijn eten niet op tijd op tafel staat, of het huis verslonst, of zijn kostbare wonderkind van de trap valt, zal hij meteen eisen dat ze haar kunst opgeeft ten bate van het gezin. Nee, wij vrouwen moeten de handen ineenslaan om elkaar als kunstenaars te steunen.'

Maar Nash nodigde een paar van zijn maatjes uit, dus besloot Vera dat hele stel onder te brengen in het oude jachthuis. De jachttrofeeën van haar grootvader die daar aan de muur hingen, gaven het huis naar haar idee een mannelijk tintje. Virgil Nash richtte er ook zijn studio in en zei dat hij daar graag vlakbij wilde slapen voor het geval hij midden in de nacht ineens inspiratie kreeg.

'En je wilt mij vast niet tegenkomen als ik halfnaakt door het huis strompel,' had hij vanaf het begin tegen Vera gezegd. Waarop die antwoordde: 'Als ik slaap, ligt er onder mijn bed een geladen jachtgeweer, dus ik denk dat je míj in dat geval ook niet wilt tegenkomen.'

Nash nodigde ook de schilder Mike Walsh uit om mee te gaan. Walsh was een grote, grofgebouwde kerel uit Kansas City die in de trant van de expressionisten verf op enorme doeken slingerde en die er ook de voorkeur aan gaf om midden in de nacht en halfnaakt aan het werk te gaan. Verder logeerden ook de beide Russische broers, Sascha en Ivan Zarchov, in het jachthuis.

Die zomer kwamen nog meer mensen. Studenten van de academie kwamen en gingen om de paar weken. Zelfs Gertrude Sheldon zette haar jaloezie en afkeer van zich af en bleef twee weken logeren. En dan was er natuurlijk nog mevrouw Byrnes, de huishoudster van de familie Beecher. Zij deed het huishouden voor ons, samen met een paar Ierse meisjes uit het dorp. Dat was volgens Vera ook een reden om de onderkomens gescheiden te houden: anders zouden de dorpelingen alleen maar over ons gaan roddelen.

Hoe dan ook, de afscheiding bracht die zomer geen ongemak mee. In plaats daarvan maakte dat het verblijf juist nog iets pikanter. Het was een komen en gaan. Ada en Dora vonden het jachthuis ook een ideale plek voor hun studio en bovendien werden daar de tekenlessen gegeven. Dus iedere ochtend na het ontbijt liepen wij meisjes met een heel stel door de appelboomgaard naar het jachthuis, in lange jurken die door de dauw sleepten terwijl de appelbloesem op ons haar viel. Om onze komst aan te kondigen pakte een van de broers Zarchov zijn balalaika en begon te spelen terwijl zijn broer een Russisch lied zong dat volgens hem altijd op de eerste mei door de dorpelingen werd gezongen. Dat ging over maagden die hun gezicht met dauw wasten om hun ware liefde bij zonsopgang te ontmoeten.

Misschien kwamen we daardoor wel op het idee voor de viering van de eerste mei, ons eerste ritueel. Iemand begon er op een avond tijdens het eten over en toen mevrouw Byrnes tijdens het opdienen van de soep hoorde waar we over zaten te praten, zei ze dat we niet de eersten zouden zijn die in deze omgeving de oude rituelen vierden, zoals zij het noemde. Niet alleen de eerste mei, die ze aan de vooravond van 1 mei vierden en Beltane noemden, maar ook Lammas, het oogstfeest op 1 oktober – dat in haar dorp in Ierland Lughnasadh werd genoemd – en Samhain, het Keltische Nieuwjaar op Allerheiligen en de Winterzonnekeer in plaats van Kerstmis. Vera haalde haar neus op bij het idee van het vieren van bijgeloof uit de oude wereld en zei dat het helemaal niets met kunst van doen had, maar Mimi en Dora werden opgewonden van het idee.

'Dat komt alleen maar omdat je denkt dat je er op de eerste mei zo leuk uit zult zien in een lange witte jurk,' zei Ada Rhodes met een plagerig glimlachje tegen Dora, die meteen begon te blozen. Ik had sinds de aankomst van dat duo al begrepen dat er tussen hen meer was dan alleen maar vriendschap. Ik had ze 's nachts in hun slaapkamer horen koeren als een stel duiven.

'O, laten we het nou doen!' zei Mimi. 'We kunnen toch best pret maken zolang we hier zijn? In de winter moeten we weer allemaal terug naar de stad en naar onze vervelende baantjes, en zitten we ons weer zorgen te maken over geld.'

'Ach,' zei Virgil, 'het domein van het vuige gewin! Wat zouden we zonder dat moeten beginnen?'

'Natuurlijk zouden we allemaal van de honger omkomen!' zei Mimi. 'Nou ja, misschien Vera niet en het is dankzij haar steun... haar grootmoedigheid om ons gedurende de zomer een toevluchtsoord te bieden dat wij de mogelijkheid hebben om ons te concentreren op onze kunst zonder ons zorgen te maken over de huur of te moeten bedelen om gratis voedsel...'

'Applaus!' Virgil Nash tikte met zijn botermes tegen zijn bord en hief zijn wijnglas op om een dronk uit te brengen op Vera. 'Op Vera Beecher. Maar ik stel toch voor om onze beeldschone Lily tot meikoningin uit te roepen.'

'En dan wilt u zeker wel de meikoning zijn, meneer Nash,' zei Vera droog.

'Alleen als het goed betaalt,' antwoordde hij met een knipoogje naar mij. 'God weet dat ik het geld kan gebruiken.'

Daar moesten we allemaal om lachen. Het was algemeen bekend dat Nash tot over zijn oren in de schulden zat en dat hij geen schilderij verkocht, hoe briljant ze ook waren. In ieder geval niet tot de winter daarna, toen alles ineens veranderde en zijn portretten plotseling veel gevraagd werden. Het is moeilijk om niet terug te kijken naar dat moment zonder te beseffen dat het de aanzet was tot de ondergang van de arme Virgil Nash. Tijdens die eerste zomer in

Arcadia wist Gertrude Sheldon Nash namelijk na lang zeuren over te halen haar portret te schilderen. Hij zei dat hij het alleen maar gedaan had om een paar dollar te verdienen, maar het was zo goed gelukt dat daarna alle societyvriendinnen van Gertrude zich door hem wilden laten schilderen. Dat was het werk dat hem uiteindelijk zowel geld als roem zou opleveren, maar hij zou voor altijd gekweld worden door de wetenschap dat hij zijn ware roeping als artiest had opgegeven om een societyportretschilder te worden. Hij schilderde nooit meer zoals hij die zomer schilderde… in ieder geval niet tot zeventien jaar later.

Maar ik loop op de dingen vooruit. Ik had die avond absoluut geen last van akelige voorgevoelens. Integendeel, ik beschouwde de viering van de eerste mei als een manier om Vera te bedanken dat ze me mee had genomen naar dit huis. Ik had behoefte aan een manier om uiting te geven aan mijn dankbaarheid. Sinds onze aankomst had ik het gevoel gehad dat ze zich afstandelijk gedroeg… alsof ze een beetje bang voor me was. Ze leek zich zelfs te generen als haar vrijgevigheid ter sprake kwam en volgens mij vond ze het helemaal niet leuk om aan haar rijkdom en haar positie herinnerd te worden. Toen we bijvoorbeeld in het huis aankwamen, ontdekte ik tot mijn verbazing dat ze nog steeds een klein kamertje naast de oude kamer van haar inmiddels al jaren geleden overleden moeder als slaapkamer gebruikte. Ze vertelde me dat ze daar was gaan slapen in de tijd dat haar moeder ziek was, zodat ze haar 's nachts kon verzorgen. Ik dacht dat ze misschien haar moeders kamer in de oude staat wilde houden, maar die had ze juist voor mij helemaal laten opknappen! Iedere avond wenste ze me vanuit de deuropening tussen de beide kamers welterusten, maar ze zette nooit een voet over de drempel.

Maar toen ze die avond naar de deur kwam, zag ze dat ik in bed zat te schetsen. Ze vroeg wat ik tekende en ik zei dat ze maar even moest komen kijken. Ze kwam naast mijn bed staan, maar toen ik haar mijn tekening liet zien snakte ze naar adem en ging naast me op het bed zitten. Ik had een meiviering getekend, waarbij we allemaal op het grote gazon voor Beech Hall dansten, maar in plaats van om een meiboom dansten we rond de rode beuk, die tot leven was gekomen als een Amazone met vlammend koperrood haar dat achter haar aan wapperde. Ik had haar Vera's gezicht gegeven.

'Dat is echt heel bijzonder... je bent ongelooflijk vooruitgegaan sinds we hier zijn...'

'Dat komt door dit huis,' zei ik tegen haar. 'Het is gewoon magisch. Ik ben je zoveel verschuldigd omdat je me hier hebt gebracht.'

Toen ik begon over de dank die ik haar verschuldigd was, voelde ik dat ze meteen haar stekels opzette. Ze kwam stram overeind. 'Je bent me helemaal niets verschuldigd,' zei ze kil. Maar toen ze weer naar mijn tekening keek, ontspande ze iets en zei: 'Een fantasie zoals die van jou verdient een plek om tot volle bloei te komen. Ik ben alleen maar de tuinman... de bodem...'

Daarna werd ze ineens vuurrood, draaide zich snel om en liep weg zonder zelfs maar welterusten te zeggen. Maar toen ze terugging naar haar eigen kamer, deed ze de tussendeur niet dicht en eenmaal in bed wenste ze me toch welterusten.

Die avond besefte ik dat Vera bang was om een bepaalde intimiteit van me te vragen omdat ik me misschien verplicht zou voelen om daaraan te voldoen. Ik zeg dit alleen maar omdat ik weet dat veel mensen naar onze vriendschap zullen kijken met het idee dat Vera, omdat zij rijker en ouder was, als eerste toenadering zocht. Maar zo is het helemaal niet gegaan. Die avond besefte ik dat Vera zich vanwege bepaalde gewetensbezwaren tegenover mij altijd afstandelijk zou opstellen. Er zou heel wat moeten gebeuren om haar terughoudendheid te doorbreken... en ik begon te hopen dat de meiviering een uitbarsting zou opleveren.

En dus stortte ik me met volle opgave op de planning ervan. Dat gold voor ons allemaal. Mimi en Dora maakten de kostuums die ik had ontworpen. Nash en Walsh gingen het bos in om een jong boompje om te hakken dat we als meiboom konden gebruiken. Mevrouw Byrnes zorgde voor het eten en haar hulpjes maakten bloemenkransen die wij konden dragen. Het nieuws bereikte ook andere kunstenaars aan de academie en een stuk of dertig kwamen nog voor de laatste dag van april naar ons toe. Er hing een gevoel in de lucht dat we hier in Arcadia met iets belangrijks waren begonnen.

In plaats van een jurk ontwierp ik aan de hand van de tekening van Robin Hood van N.C. Wyeth een pak voor Vera. Ik maakte een groene fluwelen tuniek met een bijpassende groene mantel afgezet met paars en koperrood. Ik naaide goud met paarse franjes aan hoge leren laarzen en lange leren handschoenen, zodat ze eruitzag als een es die trilde in de wind als ze zich bewoog. En ik maakte een zwierige groene muts, versierd met een lange fazantenveer. Het groen legde de nadruk op haar lichtbruine ogen en op de rode highlights in haar kastanjebruine haar.

We hielden het ritueel op de laatste dag van april, aan de vooravond van de eerste mei, precies zoals volgens mevrouw Byrnes de heidense Kelten dat hadden gedaan. We dansten rond de meiboom en gebruikten daarna het feestmaal dat mevrouw Byrnes en de meisjes uit het dorp voor ons hadden bereid. Ik zat naast Vera, maar ik voelde dat Nash naar me zat te kijken. Toen het donker werd, staken we op de top van de heuvel bij de appelboomgaard een vreugdevuur aan. Toen de volle maan opkwam, veranderde die de boomgaard in poel vol zilver. We dronken wijn en zongen liedjes bij het vreugdevuur en het echtpaar Phipps-Landrews, dat nog maar net terug was uit Marokko, liet een zoet geurende pijp rondgaan die was gevuld met iets dat volgens Vera hasjiesj was. Ik nam maar een heel klein teugje, maar de rook bleef in de lucht hangen en vermengde zich met de geuren van het vuur en de appelbloesems. Toen ik rondkeek, zag ik achter de kring verlichte gezichten gestalten door de schaduwen sluipen. Ik dacht dat het mijn verbeelding was, maar de figuren kwamen dichterbij en kregen ineens hoorns. Een van die gehoornde figuren wierp zich op Dora Martin die het uitgilde.

'Het zijn die Russische knullen maar,' zei Vera tegen mij, terwijl ze haar groene mantel om me heen sloeg omdat ik zat te rillen. 'Ze hebben de geweien uit de kamer met de jachttrofeeën van mijn grootvader van de muur gehaald en zichzelf verkleed als een soort heidense wezens.'

Maar ze waren met meer dan twee. Een voor een sprongen de gehoornde wezens de kring binnen om zich op een meisje te werpen dat vervolgens opsprong en de heuvel af rende naar de appelboomgaard. Ik vroeg me af of Vera dit deel van het spel wel zou accepteren en ik wist dat het alleen maar een kwestie van tijd was, tot een van de gehoornde figuren mij zou opeisen. Er klonk al een soort ritmisch gezang waarin werd geëist dat de 'meikoningin' ook mee zou doen aan de jacht.

'Hoe hard kun je lopen, Lily?' vroeg Vera terwijl ze in mijn hand kneep. Toen ik haar lachende gezicht en sprankelende ogen zag, zei ik tegen haar dat ik op de boerderij vaak genoeg hardloopwedstrijden met mijn zusjes had gehouden.'

'Ik ben in ieder geval een stuk sneller dan die stadsjongens,' zei ik.

'Mooi. Laten we dan maar in het bos achter het jachthuis afspreken. Dan lopen we van daaruit samen terug naar het grote huis.'

Ik had net genoeg tijd om te knikken, toen viel de schaduw van een groot gewei op mijn schoot. Ik sprong op en vervolgens zo over het vuur. Achter me hoorde ik mensen snakken naar adem, maar ik gunde me de tijd niet om te genieten van mijn prestatie en rende zo snel als ik kon de heuvel af naar de boomgaard. Op de grond tussen de bomen lag zo'n dikke laag bloemblaadjes dat het leek alsof de boomgaard bedekt was met sneeuw. Alleen voelde deze sneeuw zijdezacht aan onder mijn blote voeten en er steeg een zoet parfum uit omhoog. Daarnaast was de lucht vervuld van het onbezonnen geschreeuw en gelach van de jagers en hun prooi. Om even op adem te komen verstopte ik me achter een boom en keek toe. De schaduwen van de gehoornde achtervolgers en de bomen versmolten tot het leek alsof de bomen zelf tot leven waren gekomen en de jacht hadden geopend op de meisjes in hun witte jurken, die als vuurvliegjes van boom tot boom fladderden. Maar omdat ik Vera's donkergroene mantel droeg, was ik beter in staat om me in het donker te verbergen. Ik sloop van de ene boom naar de andere, tot ik de rand van het bos bereikte en de nog diepere schaduwen in liep.

Het maanlicht slaagde er zelfs in om door te dringen in het dichte bos en in die stralen leken de stammen van de slanke berken op watervallen van licht. Achter me klonken voetstappen en ik vermoedde dat het Vera was, die zich aan onze afspraak hield, maar iets dwong me om door te lopen. Het maanlicht gleed omhoog langs de heuvel en ik liep erachteraan, gevolgd door het geluid van Vera's voetstappen. Ik had het gevoel dat de maan ons allebei naar boven lokte en dat we langs deze zilveren ladder omhoog konden klimmen naar de lucht. Maar toen ik boven op de richel aankwam, zag ik dat het maanlicht water was dat over de heuvel vloeide en vervolgens op de richel sloeg, waar het veranderde in de waterval die omlaag kletterde in de kloof en het ravijn en de vallei met een zilveren gloed vulde.

Beneden in de vallei stond een oude schuur, waarvan de planken van zilver leken. Daar wilde ik Vera naartoe lokken. Ik wist dat dit de plek was waar ik altijd al naar op weg was geweest, vanaf mijn jeugdige dromen over een sprookjesprinses en vanaf het moment dat ik Vera Beecher had leren kennen. Dit was de plek waarvan het lot had bepaald dat we ons huwelijk zouden bezegelen. Ik was op zoek geweest naar iets om haar terughoudendheid te doorbreken en dit zou me daarbij helpen: de schok van het maanlicht op dit zilveren landschap.

Het maanlicht tekende een pad voor me door de kloof naar de schuur en dat volgde ik. Pas later zou het tot me doordringen hoe gevaarlijk het was geweest om me in het donker, op blote voeten en na al die wijn en de hasjiesj, op dat steile pad te wagen. Maar destijds had ik het gevoel alsof ik werd voortgedreven door het maanlicht, als een stroming in een rivier, en dat me niets kon overkomen. En trouwens, ik kon Vera's voetstappen achter me horen. Als zij het te gevaarlijk vond, dan zou ze me toch wel terugroepen?

De deur van de schuur stond open. De ruimte was leeg, met uitzondering van het kaf dat van het hooi van vorig jaar was overgebleven, en donker, met uitzondering van een kring maanlicht in het midden. Toen ik omhoogkeek, zag ik dat het maanlicht door een rond raam in de koepel boven me viel, waardoor de stralen een soort poel vormden. Ik moest ineens denken aan het verhaal dat Vera me had verteld over de poel van Bethesda, waar de engel naar de eerste persoon toe kwam die het water in beroering bracht en haar genas van elke kwaal waaraan ze leed. Ik wilde genezen worden, gezuiverd van de gevoelens die ik voor Virgil Nash koesterde, zodat ik me rein en ongeschonden aan Vera zou kunnen geven. Ik liep naar de kring, omdat ik het maanlicht op mijn huid wilde voelen. Toen ik bij de rand was, hoorde ik iemand over de drempel stappen. Ik gooide mijn mantel af en stapte in de kring alsof het een betoverde poel was, waarin mijn ledematen van het ene op het andere moment in puur marmerwit veranderden. Ik draaide me om en stak mijn armen uit om haar in de kring te trekken.

Alleen was het niet Vera die op de drempel stond. Het was Virgil Nash.

VIJFTIEN

Nadat ik het gedeelte had gelezen waarin Lily en Nash minnaars werden, legde ik Lily's dagboek opzij. Ik was teleurgesteld in haar. Het was duidelijk dat ze van Vera hield, maar ze voelde zich ook aangetrokken tot Virgil Nash en uiteindelijk zou ze Vera voor hem verlaten. Beschouwde ze hem als de garantie dat ze geen kinderloze oude vrijster zou worden? Was ze bang om aan een onconventionele relatie te beginnen? Misschien zou ik het antwoord op die vragen in de rest van haar dagboek vinden, maar voorlopig was ik meer geïnteresseerd in Vera's kant van het verhaal. Vandaar dat ik me over haar brieven en opschrijfboeken boog.

In Vera's papieren trof ik geen persoonlijke ontboezemingen aan zoals in Lily's dagboek (ze noemde Lily haar lieve vriendin en metgezel, zonder de geringste suggestie van een intiemere of lichamelijke relatie), maar in plaats daarvan leerde ik een vastberaden, idealistische vrouw kennen die zich vol overgave wijdde aan het creëren van een toevluchtsoord voor kunstenaars – met name vrouwelijke kunstenaars. Vera's dagboeken uit de zomer van 1928 stonden vol plannen hoe het collectief op Arcadia zichzelf zou kunnen bedruipen. 'Iedere kunstenaar zou moeten weten dat ze in staat is om zichzelf te onderhouden, in plaats van het gevoel te hebben dat ze van liefdadigheid leeft,' schreef ze. 'Want niets maakt een vrouw onmondiger dan het gevoel dat ze afhankelijk is.'

Geen wonder dat Vera steeds onaangenaam getroffen was als Lily haar bedankte voor haar goedgeefsheid.

Om haar doel te bereiken wilde Vera allerlei ateliers voor kunstnijverheid beginnen, waarin mooie, met de hand gemaakte spullen werden geproduceerd die met winst verkocht konden worden: meubels, textiel en weefstoffen, handgebonden en gedrukte boeken en pottenbakkersartikelen. Ze was het meest enthousiast over de pottenbakkersstudio en hoopte daarmee te beginnen. Daarom had ze Ada Rhodes uitgenodigd, een begaafde pottenbakster die bij Clarice Cliff had gestudeerd en haar werk al had tentoongesteld bij de National Arts Club in New York. Haar aantekenboeken liepen over van lof voor het vakmanschap van miss Rhodes en stonden vol ontwerpschetsen voor de potten en de vazen die in de Arcadia Pottenbakkerij zouden worden gemaakt. Als Vera tegelijkertijd hoopte dat Ada en Dora, die in 1928 inmiddels al tien jaar samenwoonden, het voorbeeld zouden geven voor het soort romantische vriendschap die ze graag met Lily zou willen delen, dan heeft ze dat nooit op papier gezet.

En als Vera wist wat zich op de avond voor de eerste mei tussen Lily en Nash had afgespeeld, dan heeft ze dat evenmin aan haar aantekenboeken toevertrouwd en ze heeft ook nooit toegestaan dat het als een domper werkte op haar enthousiasme voor de pottenbakkerij. In ieder geval niet meteen.

Volgens de kasboeken was de pottenbakkerij het succesvolst van alle commerciële ondernemingen die het Arcadia-collectief op touw zette. Het leverde hun een klein maar vast inkomen op van de crisisjaren tot 1947, het jaar waarin Lily stierf. Toen de zomer van 1948 aanbrak, werd de pottenbakkerij niet heropend. In haar aantekenboek noteerde Vera: 'De dames Rhodes en Martin hebben elders een geschikt onderkomen gevonden.'

Ik vroeg me af waar.

En wat was er gebeurd met de pottenbakkerij waar ze zoveel werk in hadden gestoken? Het viel me ineens op dat pottenbakken vreemd genoeg niet meer aan de Arcadia School onderwezen werd, evenmin als andere vormen van kunstnijverheid die bij het begin van het collectief wel aanwezig waren geweest. Op een avond probeerde ik rectrix St. Clare tijdens het avondeten aan de tand te voelen over het ontbreken van een cursus keramiek. Ze snoof en zei dat Vera, toen de kolonie in een school was veranderd, het gevoel had gehad dat ze zich moesten richten op kunst met een grote K in plaats van op kunstnijverheid. Het leek een eigenaardig vooroordeel, gezien het proletarische begin van Arcadia, maar uit de houding van St. Clare was duidelijk op te maken dat ze niet verder op het onderwerp in wenste te gaan. Dymphna Byrnes keek me veelbetekenend aan en zei dat ik later maar even bij haar langs moest komen om wat overgebleven broodjes op te pikken.

Het kwam wel vaker voor dat de huishoudster me stiekem wat restjes meegaf. Ze leek altijd meer klaar te maken dan nodig was en het overschot te verdelen onder de leraren en de leden van het huispersoneel die dat volgens haar waard waren en het ook het hardst nodig hadden. Als weduwe en alleenstaande moeder viel ik waarschijnlijk in de categorie 'het hardst nodig'. Maar ik wist bijna zeker dat Dymphna me op die avond meer te bieden had dan etenswaren. Er stond een kop thee op me te wachten, naast mijn pakketje met broodjes die nog steeds warm aanvoelden.

'Ik hoorde dat je naar de pottenbakkerij vroeg,' zei ze toen ik ging zitten om mijn thee op te drinken. 'Er is namelijk na de dood van Lily onmin ontstaan tussen Ada Rhodes en Vera Beecher, zie je, maar Ada Rhodes en Dora Martin zijn niet ver weg gegaan. Ze hebben in het dorp een studio geopend. Die heet Dorada Pottery en bestaat nog steeds.'

'Nog steeds? Maar Ada Rhodes en Dora Martin waren de dertig

al gepasseerd toen ze hier in 1928 kwamen. Ze moeten allang dood zijn.'

'Dood, ja, maar nog niet zo lang. Ze zijn allebei over de negentig geworden en stierven binnen twee maanden na elkaar. Eerst Ada en daarna Dora, ergens rond 1982.'

'En hebben ze al die tijd samengewoond?'

'O ja, in een schattig bungalowtje vlak bij het dorpspark. De studio staat erachter. Ze hebben een nicht van Ada geadopteerd, die daar nu nog steeds woont en de leiding heeft over de pottenbakkerij. Beatrice Rhodes. Ze is drieënzeventig maar ze steekt iedere dag de oven aan en geeft op zaterdag in het Ambachtshuis een cursus keramiek. Je moet maar eens bij haar langsgaan, het is net voorbij de dorpsweide...' Ze houdt ineens op als ze de verwezen blik op mijn gezicht ziet. 'Je wilt me toch niet vertellen dat je nog steeds niet in het dorp bent geweest?'

'Nou nee, daar heb ik nog geen kans voor gehad. En omdat jij zo lekker kookt en altijd zoveel dingen voor me bewaart...' Ik wijs naar de verpakte broodjes, '... hoefde dat ook niet echt.'

Hoewel ze straalt om het complimentje geeft ze me toch een tik met de theedoek. 'Dat is geen excuus. Je bent hier al een hele maand!'

Tot mijn verbijstering heeft ze gelijk. Het is al de derde week van september en ik ben nog niet één keer het schoolterrein af geweest. Op de een of andere manier doet Arcadia je de hele buitenwereld vergeten. Zelfs de manier waarop de school in haar eigen kleine vallei tegen de berg aan genesteld ligt, aan drie kanten omringd door bossen en met een weids uitzicht op de bergen, geeft je het gevoel dat de rest van de wereld verdwenen is. Maar ik besef wel dat het op iemand als Dymphna, die hiervandaan komt, een heel snobistische indruk moet maken als je het dorp compleet negeert.

'Misschien ga ik er dit weekend wel naartoe,' zeg ik tegen haar.

Ze snuift en neemt een slokje thee. 'Als je dan in het Rip van Winkle Restaurant komt, moet je maar tegen mijn nichtje Doris zeggen dat ik je heb gestuurd en de appeltaart bestellen.'

Gewapend met die opdracht voel ik me verplicht om te gaan, maar ik vraag eerst aan Sally of ze zin heeft om mee te gaan. Sinds ze in het hoofdgebouw woont, zie ik haar nauwelijks en als dat wel het geval is, zit ze altijd gebogen over een schetsboek koortsachtig te tekenen. Als ik naar haar toe loop, drukt ze het schetsboek tegen haar borst of ze slaat het dicht, zodat ik niet kan zien wat ze tekent. Dat is frustrerend, omdat Shelley me keer op keer vertelt dat ze zo vooruitgaat en – dat moet ik eerlijk bekennen – ik ben gewoon jaloers op de tekenlerares dat zij dit deel van Sally's ontwikkeling van dichtbij mag meemaken, terwijl ik buitenspel sta. Een middagje samen op stap lijkt de volmaakte manier om de band te herstellen.

Maar als ik het vraag en haar zelfs probeer te verleiden door haar een uitstapje naar de winkelcentra in Kingston en een bezoek aan McDonald's voor te spiegelen, zegt ze tegen me dat Clyde en Chloe haar hebben gevraagd om mee te werken aan de voorbereidingen van het feest ter ere van de herfstequinox. Ik veronderstel dat ik blij moet zijn dat ze zo in beslag wordt genomen door schoolactiviteiten en dat ze nieuwe vrienden heeft gemaakt, maar toch schrik ik er een beetje van dat ze bereid is een middagje winkelen op te geven om kransen van koren te vlechten en uit vilt geknipte kostuums in elkaar te zetten.

Op zaterdag ga ik na het ontbijt alleen op pad. Wanneer ik de berg af rijd, kom ik langs een stalletje waar tomaten, maïs en pompoenen worden verkocht en prent mezelf in dat ik daar op de terugweg even moet stoppen. Een stukje verder van de weg staat – of liever hangt – de scheefgezakte schuur waar Lily en Nash elkaar in 1928 op de avond voor de eerste mei ontmoetten en waar hij haar jaren later geschilderd heeft. De schuur valt van ellende bijna in elkaar en de grijs uitgeslagen planken leunen als dronken vrienden in een veld tegen elkaar. De koepel die Lily beschreef, hangt volkomen scheef en ziet eruit alsof hij ieder moment door het dak naar binnen kan komen. Ik vraag me af welke patronen het maanlicht tegenwoordig 's nachts in de schuur maakt en of er nog steeds betoverde poelen en stroomversnellingen bij zijn.

Een minuut of vijf later ben ik in het dorp. Ik kijk ervan op dat het zo dichtbij ligt en zie ook tot mijn verbazing dat het er erg leuk uitziet zoals het daar in een inkeping tussen de bergen genesteld ligt, echt zo'n pittoresk plaatsje dat ze zo graag op het omslag van reisgidsen zetten. Achter de kerktoren ligt een dorpsweide voorzien van een prieeltje en een bronzen standbeeld van een in een mantel gehulde persoon. Het geheel wordt omringd door witte houten huizen die dromerig achter met rozen bedekte hekwerkjes en brede veranda's liggen te sluimeren. Maar zodra ik mijn auto op de hoek van Main en Elm Street parkeer en uitstap, vervaagt die indruk. De kerktoren en de houten huizen moeten nodig geschilderd worden, de houten omheiningen blijven alleen maar staan dankzij hun van onkruid vergeven rozenstruiken en de veranda's zijn allemaal verzakt. De dorpswei is meer geel dan groen en bedekt met opdringerige zwammen waar het gras niet verstikt wordt door onkruid. Het standbeeld is zo verweerd dat ik niet eens kan zien of de in een mantel gehulde persoon een man of een vrouw is en de plaquette eronder is onleesbaar geworden. Kennelijk maakt het vroeger zo aantrekkelijke plaatsje moeilijke tijden door. Bij mijn wandeling door Main Street kom ik langs twee met hout dichtgetimmerde etalages en één waarvan de ruit zo smerig is dat ik er niet eens doorheen kan kijken. Als ik bij een geopende winkel kom met schone ruiten betreur ik het dat ik naar binnen kan kijken. Het is een zaak met opgezette dieren die zich specialiseert in plaatselijk wild en onder de naam Fatz Tatz een dubbelrol vervult als tatoeagewinkel. Een ouderwetse tandartsstoel die zo afkomstig lijkt uit een Frankenstein-film staat onder een opgezette elandkop en een opgezette wilde gans aan een touwtje. Ik huiver bij het idee dat hier in zo'n onhygiënische omgeving naalden in je vel worden geprikt en loop door, langs de plaatselijke kroeg (De Pleisterplaats!) en een cadeauwinkel die De Jaargetijden heet en waar kristallen, wierook en Tibetaanse bidvlaggen worden verkocht. Maar er is ook een winkel in kunstmaterialen die een redelijke voorraad lijkt te hebben en uit het Rip Van Winkle Restaurant stijgen heerlijke bakluchtjes op. Door de keurig gelapte ramen van het restaurant zie ik een serveerster, die qua omvang als twee druppels water op Dymphna lijkt, de koffiekopjes bijvullen van een stel oude kerels die in geruite jacks om een tafel zitten.

Ik kijk op de routebeschrijving die ik van Dymphna heb gekregen en zie dat de Dorada Pottenbakkerij nog maar twee straten verder is, dus ik besluit daar eerst naartoe te gaan, voordat ik bij het Rip Van Winkle ga lunchen. Ik loop Maple Street in (kennelijk waren de stichters van de stad zo onder de indruk van de omliggende bossen dat ze alle straten naar bomen hebben vernoemd) en ga op zoek naar het huis en de studio van Beatrice Rhodes.

Op enige afstand van het trieste verval van Main Street heeft de plaats nog iets van haar oorspronkelijke charme bewaard. De meeste huizen zien er nog steeds uit alsof ze wel een likje verf kunnen gebruiken, maar de tuinen zijn hier een stuk netter, vol bloemen en de bouwstijl van vroeger is nog steeds waarneembaar. Ik herken een paar huizen in Hollandse stijl die moeten zijn gebouwd toen het dorp hier in het begin van de achttiende eeuw werd gesticht, een statig renaissancepand dat Grieks aandoet en, verderop in de straat, een paar snoezige Queen Anne-huizen uit de victoriaanse tijd die de laatste bloeiperiode van het dorp in het begin van de twintigste eeuw vertegenwoordigen. Van een van de victoriaanse huizen is de oude verflaag verwijderd en het krijgt nu een nieuw hemelsblauw jasje. Er staat een ladder tegen een spitse puntgevel boven de veranda aan de voorkant. In het hout van de gevel is in reliëf een vrouwengezicht aangebracht, omringd door vruchten, bloemen en de wuivende bladeren van de berenklauw. Jammer genoeg is de helft van het vrouwengezicht door de elementen vernield. Onder een kroon van zonnebloemen staart haar enige overgebleven oog me onheilspellend aan. Ze is kennelijk een of andere natuurgodin, Persephone misschien, of Pomona. Vanuit de openstaande deur komen me flarden Ierse volksmuziek tegemoet, samen met de geur van vers gezaagd hout en nieuwe verf. Iemand is bezig het te renoveren, denk ik, misschien wel een stel hier uit de stad.

Ik weet nog goed dat Jude en ik vroeger vaak zeiden dat we dat op een dag ook zouden gaan doen. Toen we nog in de stad woonden, brachten we het weekend vaak door met tochtjes door het noorden van de staat, om oude boerderijen en vervallen victoriaanse huizen in vergeten stadjes in de Catskill Mountains te bekijken en te dromen van de tijd dat we ons konden veroorloven zoiets te kopen en te renoveren. Maar toen ik in verwachting raakte van Sally en Jude een baan op Wall Street aannam, leek het verstandiger om een nieuw huis te kopen in Great Neck waar goede scholen waren en van waaruit je binnen een uur in Manhattan kon zijn. Op een dag, als Sally de middelbare school heeft doorlopen, zei Jude vaak, en als ik meer vanuit huis kan werken, kopen we ergens in een stadje in het noorden van de staat een oud huis dat we helemaal kunnen opknappen.

Ik blijf voor het huis staan en snuif de geur van vers geschuurd hout en nieuwe verf op. Een paar late zomerrozen bloeien nog langs het hek en aan een boom voor de veranda hangen zware trossen viburnum die al de tint van vergeeld papier hebben gekregen. Door een van de ramen in een prieeltje kan ik nog net een lange, schaduwrijke achtertuin zien, die omlaag glooit naar een stroompje. Ik zie mezelf al in een ligstoel in die tuin zitten, kijkend naar de lucht die van blauw in lila verandert om vervolgens dieppaars te worden als de vuurvliegjes hun opwachting maken...

Ik schud die dagdroom van me af als het tot me doordringt dat ik niet weet wie er in de tuinstoel naast de mijne zou zitten. Sally zal het vast niet zijn. Zij zou zichzelf in haar kamer op de eerste verdieping hebben opgesloten met haar computer en haar iPod... of ze zou op school zijn en met Shelley Drake aan haar kunstlessen werken. En bovendien zou ze al binnen twee jaar naar college gaan. Wat moet ik dan beginnen met zo'n groot oud huis als dit, vraag ik mezelf af als ik verder de straat in loop. Zelfs dat soort dagdromen heeft tegenwoordig geen zin meer.

Twee huizen verder ligt een kleine bungalow, botergeel geschilderd en bedekt met laatbloeiende rozen. Op een bordje bij het hek worden bezoekers voor de Dorada Pottenbakkerij naar een kronkelend stenen pad verwezen, dat via de zijkant van het huis en een stenen trapje naar een kleine studio leidt, die half boven de oever van het riviertje lijkt te hangen. De voordeur wordt opengehouden door een grote, geglazuurde pot vol geurende kruidenplantjes. Er staat een stel kleinere potten en bakken omheen, sommige met kruiden of bloemen, andere met gladde stenen of schelpen. Een windklokje dat naast de open deur hangt, beweegt langzaam in het zachte briesje en de tinkelende geluidjes vermengen zich met het gekabbel van het stromende water.

Ik stap het winkeltje binnen. Overal langs de muren zijn planken aangebracht waarop allerlei aardewerken producten staan in diverse tinten groen en blauw, sommige effen, andere beschilderd met vloeiende abstracte patronen. De vormen zijn elegant en eenvoudig, met rondingen die uitnodigen om ze op te pakken. Ik loop naar een vaas met een soort reliëf onder het matte groene glazuur. Ik kan onmogelijk zien of het golvende patroon een bloem is, of de heup van een vrouw, of een andere vorm. Ik steek mijn hand uit, maar aarzel dan, omdat ik niet weet of ik wel dingen kan oppakken wanneer er niemand in de winkel is.

'Ga je gang,' roept een stem uit de ruimte achter de winkel. 'Ze zijn gemaakt om aan te raken.'

Ik leg mijn hand op het koele, gladde glazuur en draai de vaas om. Het golfpatroon blijkt zowel vrouw als bloem te zijn: een naakte gestalte die uit bolle bloemblaadjes oprijst.

'Dat is Dorada.' Een vrouw in een donkerblauwe linnen jasschort en omhooggeborsteld haar komt uit de achterkamer tevoorschijn. Ze veegt haar handen af aan een blauw met wit gestreepte theedoek, maar er zitten nog steeds kleivlekken op haar onderarmen en haar schort, en zelfs een lange grijsgroene veeg op haar jukbeen, die haar ogen een diep kobaltblauwe glans geeft.

'Dorada?' herhaal ik terwijl ik mijn vinger over de welving laat glijden tot waar de vrouwenheup in de bloemblaadjes verdwijnt. Ik vraag me af of het de naam van de vrouw is, tot me plotseling iets te binnen schiet. 'O, Dorada, de naam van het soort aardewerk, niet die van een vrouw.'

'Nou ja, eigenlijk is het allebei. In feite zelfs van twee vrouwen: mijn tante Ada en haar partner Dora: Dor-Ada.'

'Ik begrijp het. Dan moet u Beatrice Rhodes zijn,' zeg ik terwijl ik mijn hand uitsteek. 'Ik ben Meg Rosenthal. Ik geef les aan de school en ben bezig met een proefschrift over de sprookjes van Lily Eberhardt en Vera Beecher. Ik kwam de naam van uw tante tegen in een dagboek en dacht dat u misschien bereid zou zijn om een paar vragen te beantwoorden.'

De handdruk van Beatrice Rhodes is verrassend stevig voor een vrouw van in de zeventig. Maar haar huid is zo zacht als fluweel. Dat zal wel komen omdat ze voortdurend met klei in de weer is, denk ik.

'Ik zal u graag alles vertellen wat ik weet, maar ik kwam hier in het jaar dat Ada en Dora het collectief vaarwel hebben gezegd en daarna hadden ze vrijwel geen contact meer met Vera Beecher. Lily stierf rond de tijd dat ik hier aankwam.'

'Hebben uw tante en...' Ik weet even niet wat ik aan moet met de relatie tussen Dora en Beatrice. De oude vrouw lacht.

'Ik noemde ze allebei tante. En zij hebben me altijd allebei behandeld alsof ik familie was. Maar nu ik inmiddels bijna even oud ben als zij zijn geworden, noem ik ze in gedachten Ada en Dora.'

'Hebben Ada en Dora ooit verteld waarom ze uit Arcadia zijn vertrokken?'

'U bedoelt toch waarom ze uit de kolonie van Vera Beecher zijn vertrokken, hè? Want ze zijn gewoon hier in Arcadia Falls gebleven.' Ze wijst om zich heen in de kleine studio die vol staat met hun aardewerk en ik besef dat ze niet alleen bedoelt dat ze de rest van hun leven in Arcadia zijn blijven wonen, maar dat hun geest hier nog altijd rondwaart. 'Ik gebruik nog steeds hun mallen en hun formules voor klei en glazuur. Natuurlijk maak ik ook mijn eigen ontwerpen, maar als ik achter het wiel ga zitten kan ik nog steeds de handen van tante Ada voelen toen ze me voor het eerst leerde hoe ik een pot moest maken.' Ze lacht en er verschijnt een sombere blik in haar blauwe ogen. 'Het was een regelrechte ramp! Een lomp misbaksel. Maar Dora zei dat de vorm van mijn handen erin zat en stond erop het ding meteen te bakken. Het heeft tot de dag van haar dood op haar toilettafel gestaan met haar haarspeldjes erin.' Ze bukt zich om een in leer gebonden album te pakken dat onder de toonbank ligt. 'Kijk, ik heb foto's van alle ontwerpen die we in de loop der jaren gemaakt hebben.'

Ik blader het beleefd door, ook al heb ik eigenlijk alleen maar belangstelling voor de vrouwen zelf en niet voor de dingen die ze gemaakt hebben. Maar ze zijn wel erg mooi om te zien, vazen met lange halzen die uitlopen in een bloem, volmaakt ronde schalen met vormen die aan vogelnestjes of aan ronde rivierkiezels doen denken. Ik zie dat in een aantal ontwerpen lelies zijn verwerkt.

'Uw tantes moeten erg gehecht zijn geweest aan Lily Eberhardt,' zeg ik. 'Denkt u dat ze uit de kolonie zijn vertrokken omdat ze niet aan haar herinnerd wilden worden?'

Beatrice kijkt me aan, met ogen die zo helder zijn als oplaaiende vlammen. 'Nee,' zegt ze. 'Ze zijn vertrokken omdat ze vonden dat Vera Beecher verantwoordelijk was voor haar dood.'

ZESTIEN

'Ik dacht dat Lily op het punt stond om er met Virgil Nash vandoor te gaan toen ze de dood vond. Hadden ze hem dan niet de schuld moeten geven?' vraag ik, terwijl ik me weer herinner dat de Merling-tweeling dat ook vond.

'Ze waren van mening dat Vera Lily de deur uit had gejaagd en dat als ze geen ruzie hadden gemaakt ze nooit zou hebben geprobeerd om midden in een sneeuwstorm de kloof over te steken. Na de dood van Lily wilden ze niets meer met Vera en het collectief te maken hebben. Ik heb ze wel eens horen praten over hoe intolerant en veeleisend Vera kon zijn. Ze heerste als een dictator over de kolonie. En na de oprichting van de school werd nooit aan mijn beide tantes gevraagd om een lezing te houden of een cursus te geven.'

'Wat vervelend,' zeg ik terwijl ik het album dichtsla. 'In de aantekenboeken van Vera staat dat ze hoopt dat de pottenbakkershaard het middelpunt van het collectief zal worden en Lily spreekt in haar dagboek vol genegenheid over hen.'

'Lily's dagboek? Heb jij Lily's dagboek gelezen?' vraagt ze met grote ogen van verbazing.

'Alleen maar de eerste twintig bladzijden of zo. Ik ben ermee opgehouden om eerst wat van Vera's notitieboeken door te nemen...'

'Maar waar heb je dat dan gevonden?'

Ik besef dat ik niet over het dagboek had moeten beginnen, maar nu is het te laat. 'In het huisje... Fleur-de-Lis. Daar woon ik nu...' Ik hou op omdat ik zie hoe opgewonden de oude vrouw ineens is. Er zijn twee vuurrode plekjes op haar wangen verschenen en ze heeft een koortsachtige blik in de ogen, terwijl ze aan de theedoek in haar handen staat te rukken. 'Waarom is dat zo vreemd?'

'Omdat Lily's dagboek na haar dood verdwenen was. Ik kan me nog goed herinneren dat Ivy St. Clare hier kwam om aan Ada en Dora te vragen of zij misschien wisten wat ermee gebeurd was. Dat weet ik nog omdat Dora, die veertig jaar lang niet één keer met stemverheffing tegen mij heeft gesproken, tegen Ivy schreeuwde dat ze "moest maken dat ze wegkwam en nooit meer terug hoefde te komen". Later ontdekten de tantes dat ik van schrik in een kast was gekropen en Dora zei tegen me dat het haar speet dat ze zo geschreeuwd had, maar als iemand een persoon van wie je hield ervan beschuldigde dat ze gestolen had, dan moest je wel voor haar opkomen.'

'Dus u denkt dat Ivy St. Clare Ada ervan beschuldigd heeft dat zij Lily's dagboek had gestolen?'

'Dat kan niet anders. En dan te bedenken dat het al die tijd gewoon in het huisje lag. Onder Ivy's neus.' Er klinkt een scheurend geluid en we kijken allebei naar de theedoek die Beatrice in de handen heeft. Ze heeft hem compleet doormidden gerukt.

'Maar dat wist ze niet, omdat het verstopt was.'

'Dan had ze wat beter moeten zoeken, voordat ze mijn tantes van diefstal beschuldigde.' Beatrice vouwt de kapotte theedoek keurig op tot een vierkantje. Haar handen trillen. 'Mijn tantes zouden maar wat graag een blik hebben geworpen in dat dagboek. Ik heb ze wel eens horen zeggen dat ze, als ze Lily's dagboek maar hadden, voor eens en altijd zouden weten wat er echt is gebeurd op die avond dat ze stierf...' Haar stem ebt weg en er komt een afwezige blik in de blauwe ogen die net nog vlijmscherp waren. Dan vermant ze zich. 'Heb je al uit het dagboek kunnen opmaken waarom Lily eigenlijk wegging?'

'Nog niet. Zover ben ik nog niet gekomen. Maar ik beloof u dat ik het meteen kom vertellen zo gauw ik iets weet.' Ik leg mijn hand op de zachte verweerde hand van Beatrice. Het lijkt me het minste wat je kunt doen als je een oude vrouw zo overstuur hebt gemaakt.

Als ik terugloop naar Main Street valt me op dat het houtsnijwerk uit de puntgevel van het victoriaanse huis is verdwenen. Zonder het onbewogen gezicht van de godin ziet het huis er vreemd verlaten uit, ook al zit er inmiddels een paar meter meer hemelsblauwe verf op. De schilder is nog steeds nergens te bekennen, waardoor het net lijkt alsof er een handjevol behulpzame elfen aan de slag is geweest. Maar als ik het Rip van Winkle Restaurant binnenloop, zie ik de schilder zitten. Helemaal geen elf, maar sheriff Reade in een T-shirt dat onder de hemelsblauwe verfspatten zit en een verschoten spijkerbroek. Ik aarzel of ik wel of niet bij hem zal gaan zitten. Hij zit op zijn gemak een boek te lezen en we waren bij die twee eerdere ontmoetingen ook niet bepaald twee handen op één buik.

Maar als hij opkijkt van zijn boek en me ziet, begint hij zo spontaan te glimlachen dat het gewoon onbeleefd zou zijn om niet bij hem te gaan zitten.

'Heb je er bezwaar tegen als ik je gezelschap hou?' vraag ik.

'Helemaal niet,' zegt hij terwijl hij het boek opengeslagen neerlegt. Ik werp er een blik op, maar het omslag is kapot en de rug is zo verweerd dat ik de titel niet kan lezen, dus dat onderwerp van gesprek kan ik vergeten. 'Ik zie dat je aan het schilderen bent geslagen,' zeg ik niet bepaald origineel. 'Ben je bezig met dat Queen Anne-huis in Maple Street?'

'Dat klopt. Hoe weet jij dat het een Queen Anne-huis is?'

'Door de spijlen, de halfbetimmerde voorgevel, de decoratieve dakspanen... en bovendien is dat het meest voorkomende type van alle victoriaanse huizen, dus die gok durfde ik wel te nemen.'

Hij lacht. 'Nou, je hebt gelijk. Het is in 1885 gebouwd door Eliphalet Nott, de eigenaar van de stadskrant toen die er nog was. Helaas heeft de familie Nott al hun geld verloren tijdens de crisis van de jaren dertig en het huis heeft sindsdien geen likje verf meer gehad, er is geen raam meer waterdicht gemaakt en geen vloer meer gevernist. De dakbedekking moet vernieuwd worden en de kelder heeft waterschade.'

'Maar de constructie is schitterend,' zeg ik. 'Ben je van plan om er zelf in te gaan wonen?'

'Ik? Daar zou ik gewoon in verdwalen. Het is een beleggingsproject. Ik knap het op om het aan een of ander aardig stel uit de stad te verkopen. Sinds de elfde september komen er steeds meer New Yorkers hiernaartoe.'

'Ik sta ervan te kijken dat een stadssheriff de tijd heeft om al dat werk zelf op te knappen. Er is hier kennelijk niet veel misdaad...'

Ik word onderbroken doordat er een serveerster komt opdraven die het glas met ijsthee van de sheriff zonder te vragen bijvult en vervolgens bij mij informeert wat ik zou willen gebruiken. Ik bestel een broodje gezond, ijsthee en een stuk appeltaart.

'Ben jij Doris?' vraag ik. 'Je nicht Dymphna heeft gezegd dat ik de appeltaart moest proberen.

'Dat zal best,' zegt de vrouw en schudt haar hoofd zodat haar roze wangen beginnen te wiebelen. 'Ze bakt ze zelf.'

'Dus Dymphna heeft een bijbaantje,' zeg ik tegen sheriff Reade als Doris wegloopt.

'De meeste mensen hier hebben meer dan één baan,' zegt hij. 'Het valt niet mee om de eindjes aan elkaar te knopen en ik betwijfel of de school Dymphna betaalt wat ze waard is. Misschien is het salaris voor de leraren beter.'

'Nee... nou ja, ik was gewoon blij dat ik iets kon krijgen, omdat ik al niet meer gewerkt had sinds ik van college kwam. Bovendien heb ik geen diploma en ben ik ook nog niet afgestudeerd. Maar de salarissen zijn wel laag vergeleken bij andere scholen. Ik dacht dat dat kwam omdat Arcadia een vrij nieuwe school is. Ze hebben nog niet de tijd gehad om veel donateurs te werven.'

'Vera Beecher heeft de school een aanzienlijk kapitaal nagelaten, maar Ivy St. Clare is gewoon gierig. Aangezien ze de grootste werkgever in de omgeving is – eigenlijk de enige werkgever – kan ze zich veroorloven om de plaatselijke bevolking lage lonen te betalen. Af en toe denk ik wel eens dat St. Clare het middeleeuwse karakter van de school tot het hare heeft gemaakt en denkt dat we allemaal haar vazallen zijn. Ik heb haar er al een paar keer op moeten wijzen dat de politie van Arcadia Falls geen onderdeel is van de Arcadia School en dat ik niet bij haar in dienst ben.'

'Dan zal ze het vast niet leuk vinden dat je de leerlingen ondervraagt.'

'Nee,' zegt Reade met een brede grijns. Hij buigt zich naar voren en dempt zijn stem. 'Ze heeft erop aangedrongen dat ik de dood als een ongeluk behandel, maar daar ben ik niet van overtuigd. Tot dat wel zo is, ga ik gewoon door met het ondervragen van leerlingen of andere personen die volgens mij over informatie beschikken.'

'Zoals Chloe, bedoel je. Ze was ontzettend overstuur nadat je haar had ondervraagd.'

Hij kreunt en schudt zijn hoofd. 'Je doet net alsof ik dat arme kind het vuur na aan de schenen heb gelegd.'

Hij wordt onderbroken door Doris Byrnes die mijn bestelling komt brengen. Ze kijkt me even argwanend aan, duidelijk niet blij dat ik de plaatselijke sheriff lastigval en zet de borden met mijn broodje en de appeltaart met veel gekletter op de met zeil bedekte tafel. Wanneer ze weg is, buigt Reade zich weer over de tafel.

'Ik kende Isabel Cheney een beetje,' zegt hij. 'Ze kwam vorig jaar naar het bureau om mij te interviewen voor een artikel dat ze moest schrijven voor de schoolkrant.' Als hij bij de herinnering daaraan plotseling in de lach schiet, wordt zijn strenge gezicht ineens aantrekkelijk. 'Ik had het gevoel dat ik ondervraagd werd door de CIA! Ze was heel grondig en bijzonder verstandig. Ik zie haar gewoon niet tegen wil en dank het bos in rennen en in een ravijn kukelen.'

'Denk je dan dat Chloe Dawson haar over de rand heeft geduwd?' vraag ik, ontzet dat een meisje met wie mijn dochter zoveel tijd doorbrengt verdacht wordt van een misdrijf. 'Isabel Cheney was bijna twee keer zo groot als Chloe.'

Hij vloekt binnensmonds en haalt zijn hand door zijn haar. Ik heb gemerkt dat hij dat vaak doet als hij nadenkt. Als gevolg daarvan blijft zijn haar rechtop staan als droge dennennaalden, knetterend van statische elektriciteit. 'Dat heeft niets te betekenen als ze haar verrast heeft. Ik weet dat Chloe me niet alles heeft verteld...' Hij stopt ineens en houdt zijn hoofd scheef. 'Precies zoals ik nu ook weet dat jij me iets niet hebt verteld.'

'Ik?' Mijn stem klinkt hoog en schril. De waarheid is dat ik me net ineens iets herinner. 'Maar dat heeft niets te betekenen,' draai ik eromheen. 'Het is gewoon iets dat Chloe zei op de avond van het vreugdevuur. Maar kinderen zeggen dat soort dingen altijd...'

'Wat voor soort dingen?'

Ik zucht. 'Ze was boos omdat Isabel aan rectrix St. Clare had verteld dat zij hun werkstuk helemaal alleen had gemaakt. Ze zei dat ze een plan had om Isabel dat betaald te zetten.'

'En je vond het niet nodig om me dit te vertellen toen Isabel een dag later dood werd aangetroffen.'

'Het spijt me,' zeg ik. 'Ik was het echt helemaal vergeten, ik dacht er nu pas aan.'

Hij bromt afkeurend en staat op. 'Doe me een lol,' zegt hij, terwijl hij een paar bankbiljetten uit zijn portefeuille trekt en op tafel legt. 'Als je weer eens informatie hebt over een moordzaak, kom dan meteen naar me toe. Oké?'

Ik knik verlamd wanneer hij het restaurant uit loopt. Ik had geen flauw idee dat de dood van Isabel als moord werd beschouwd.

Ik schuif de half opgegeten appeltaart opzij. Mijn eetlust is bedorven. Ik kan Sally toch niet op een school laten zitten waar een meisje is vermoord? Moet ik niet vertrekken? Maar waarheen?

Ik loop verdwaasd het restaurant uit en ga op weg naar mijn auto, maar ik heb geen zin om alweer terug te gaan naar het schoolterrein. In plaats daarvan loop ik de eerste de beste winkel in, het new-ageachtige cadeauwinkeltje dat De Jaargetijden heet. Ik word ontvangen met het geluid van kletterende bamboe, stromend water en vogelgezang, alsof ik een boeddhistische meditatietuin ben binnengestapt. De winkel lijkt donker na de zonnige straat, het zonlicht wordt gefilterd door kleurige madrasgordijnen. Als mijn ogen gewend zijn aan de duisternis besef ik ook dat de geluiden afkomstig zijn van een bandje. Er is geen bamboebosje, ook al hangt er wel een bamboegordijn voor een alkoof vol kristallen, kaarsen en boeken. Eerst zie ik de verkoopster achter de toonbank niet eens. Het Indiase hemd dat ze draagt, heeft dezelfde kleur als het wandkleed achter haar en hetzelfde geldt voor het kortgeknipte zandkleurige haar, dat haar iets ondeugends geeft, en haar met sproeten bezaaide huid. Ze zit onbeweeglijk, als een reekalf dat beschutting zoekt. Wanneer ik haar aankijk, zet ze voor haar borst haar handen tegen elkaar en nijgt haar hoofd, maar ze blijft zwijgen. Ik glimlach en loop door het bamboegordijn de schemerige alkoof vol boeken in. *Celtic Wisdom,* lees ik op een van de ruggen. *Making Magic with Gaia* staat op een andere. Terwijl ik er met mijn rug naartoe sta, hoor ik de deur opengaan, een lachuitbarsting en harde tienerstemmen die de rust in het bamboebos verstoren.

'Chloe zei dat we de kaarsen hier moesten kopen,' zegt een van de meisjes. Ze klinkt bekend, maar ik kan haar stem even niet thuisbrengen.

'Als je 't mij vraagt, begint Chloe verdraaid bazig te worden. Vanaf het moment dat ze werd uitgekozen voor de rol van godin gedraagt ze zich ook zo. Volgens mij moeten we bij de equinox iemand anders de rol van godin laten spelen.'

De tweede stem komt me ook bekend voor. Ik draai me half om

en verberg mijn gezicht achter een exemplaar van *Seasons of the Witch* om een blik op de beide meisjes te werpen. Het zijn Hannah Weiss en Tori Pratt, een eigenaardig duo. Tori is een type dat ik goed ken uit mijn jaren in Great Neck: een opgetut stuk, verzorgd van de puntjes van haar steil gemaakte haren tot haar gepedicuurde tenen in de strandslippers die ze draagt. Zij klaagt ook dat ze niet aan de beurt komt om voor godin te spelen.

'Ik geloof gewoon niet in die bewering van Chloe dat het gedurende de hele cyclus dezelfde godin moet zijn.'

'Daar zit wel iets in,' zegt Hannah, die een geblokte flanellen trui, oranje legging en corduroy schoenen draagt. 'Het is een cyclus. Dat wil dus zeggen dat er geen begin en geen eind aan zit.'

'Nou, vertel dat maar eens aan Chloe. Volgens haar was Isabel, omdat ze dood is, een echt heidens offer en dus is de cyclus nu echt geladen of zo.'

'Ze is niet goed wijs, Tori.'

'Dat kan best, maar ik pieker er niet over om dat tegen Chloe te zeggen. Straks ben ik de volgende die van de richel wordt geduwd.'

'Dat moet je niet zeggen! Chloe heeft Isabel niet van de rotsen gegooid.'

'Hoe weet je dat? Was je erbij?'

'Nee, maar jij ook niet.'

'Maar je weet best hoe boos ze op Isabel was omdat die haar in de problemen had gebracht tegenover de rectrix. En ze krijgt altijd haar zin. Kijk maar hoe ze Clyde om haar vinger heeft gewonden en dat nieuwe meisje eet inmiddels ook uit haar hand. Maar ik heb wel een idee hoe we haar op haar nummer kunnen zetten.' Tori bukt zich naar Hannah en laat haar stem zakken. Ik buig me in mijn alkoof naar voren om haar te verstaan boven het getinkel van windklokjes en de opgenomen watermuziek, maar ik kan niet horen wat ze zegt.

'Geen denken aan!' antwoordt Hannah. 'Ik ben bang dat ze dan een vloek over me uitspreekt. Laten we nou maar opschieten, oké?'

De meisjes lopen naar de toonbank waar de eigenares onbewogen naar hen opkijkt, ogenschijnlijk zonder zich bewust te zijn van het gesprek van de meisjes en het feit dat ik dat sta af te luisteren. 'Eh, hebt u even een momentje?' zegt Tori. 'We hebben een lijst van dingen die we nodig hebben. Kunt u ons helpen?'

'We verkopen geen vloeken,' antwoordt de verkoopster. Kennelijk heeft ze toch geluisterd.

'Mooi, want die hebben we toch niet nodig,' zegt Tori snibbig. 'We moesten twaalf kaarsen meebrengen, zes bruine en zes witte, allemaal gezegend voor het...' Ze kijkt op een gevouwen spiekbriefje. '... gezegend voor het ritueel van de herfstnachtevening. Hebt u die in voorraad?'

De verkoopster draait zich zonder iets te zeggen om en verdwijnt achter de Indiase wandkleden. Er klinkt gebons, gekraak en gekletter. Ik blijf in de alkoof staan en hoop dat de meisjes hun gesprek zullen voortzetten. Ze wachten zwijgend tot de verkoopster terugkomt met een arm vol kaarsen en glazen potjes. 'Deze kruiden horen bij de kaarsen,' zegt ze.

'Die willen we helemaal niet,' verkondigt Tori. 'Kijk maar op ons lijstje.' Ze drukt de verkoopster het velletje papier onder de neus. 'Kijk maar, daar staan twaalf kaarsen. We hebben niets anders nodig.'

'De kruiden kosten niets,' zegt de verkoopster. 'Je krijgt ze gratis bij de kaarsen.'

'O, dat is wat anders. Goed, dan nemen we die erbij.'

De verkoopster schept wat gedroogde gele bloemen in een bruine papieren zak. 'Goudsbloemblaadjes,' zegt ze, 'die staan voor de stervende zon. Strooi die rond de witte kaarsen.' Dan schept ze wat gedroogde zaadjes in een ander zakje. 'En deze moeten rond de bruine kaarsen gestrooid worden.' Hannah werpt een blik in de pot waar ze uit komen.

'Wat zijn dat?' vraagt ze.

'Papaverzaaddoosjes. Voor de duisternis die je wilt begroeten.'

'Papavers? Daar maken ze toch opium van?'

'Ja,' zegt de verkoopster met een zuinig lachje. 'Je moet ze ook niet opeten.'

'Heb je ook salamanderogen?' vraagt Tori die in de lach schiet. Maar als de verkoopster haar even aankijkt, houdt ze meteen op. Hannah betaalt voor de kaarsen, pakt Tori bij haar arm en trekt haar de winkel uit. Ik hoor duidelijk dat Tori buiten op straat schril begint te lachen en duidelijk hoorbaar uitroept: 'Jezus, dacht jij ook dat ze ons in een stel padden zou veranderen?'

Ik loop naar de toonbank toe met een exemplaar van *The Meaning of Witchcraft* van Gerald Gardner. 'Kunt u me dit boek aanbevelen?' vraag ik aan de verkoopster terwijl ze de glazen potten dichtdoet en wat droog kaf van de toonbank veegt. Een bittere geur dringt door in mijn neus en laat me niezen.

'De godin zegene u,' zegt ze terwijl ze me een papieren zakdoekje geeft. 'En ja, ik kan u dat boek absoluut aanraden. Gerald Gardner is de vader van de moderne wicca.' Ze kijkt me met samengeknepen ogen aan. 'U bent lerares,' zegt ze. Het is een constatering, geen vraag.

Ik knik.

'Dus u wilt het onderwerp vast op een rationele, wetenschappelijke manier benaderen.' Ze glimlacht naar me, alsof ze net bij een oude vriendin een vertederend maar excentriek karaktertrekje heeft ontdekt. 'Kom maar mee.'

Als ze achter de toonbank vandaan komt, zie ik waar al dat lawaai in de achterkamer vandaan kwam. Om haar linkerbeen zit een metalen beugel en ze leunt zwaar op een met houtsnijwerk versierde houten wandelstok. 'Dan moet je *De heksencultus in West-Europa* van Margaret Murray en *Wicca: De oude religie in een nieuw tijdperk* van Vivianne Crowley lezen. Vivianne is doctor in de psychologie en heeft aan de universiteit van Londen gestudeerd. Dat zal ook voor jou wel voldoende academisch geschoold zijn.'

'Denkt u dan dat ik een of andere academische snob ben, die niet wil luisteren naar mensen die niet afgestudeerd zijn?'

De vrouw lacht, waardoor er ineens rimpeltjes om haar ogen verschijnen. Ze is ouder dan ik dacht. In de dertig en niet in de twintig. In plaats van antwoord te geven pakt ze haar stok in haar rechterhand. Het valt me op dat het handvat de vorm van een springend hert heeft. Ze steekt haar hand uit. 'Tussen twee haakjes, ik heet Fawn.'

'Meg Rosenthal,' zeg ik terwijl ik haar hand schud. Ik merk ineens dat ik sta te grinniken alsof we elkaar stiekem grapjes hebben verteld. 'Hoe wist je dat ik lerares was?'

'Door de manier waarop je je verstopte voor die meisjes,' zegt ze, terwijl ze terughinkt naar de toonbank met de boeken die ze me heeft aangeraden. 'Je wilde niet dat ze je zouden zien en volgens mij was je geïnteresseerd in wat ze tegen elkaar zeiden.' Ze trekt vragend haar lichtbruine wenkbrauwen op.

'Dat klopt,' geef ik toe. Ik heb het gevoel dat het totaal geen zin heeft om tegen deze vrouw te liegen. 'Vorige maand hebben we op school een sterfgeval gehad.'

'Ik weet het. Dat arme meisje. Ze is hier ook een paar keer geweest.'

'Echt waar? Ik zou nooit hebben verwacht dat Isabel Cheney geïnteresseerd was in hekserij.'

'Ik denk dat er evenmin iemand is die dat van jou verwacht,' zegt ze, terwijl ze mijn boeken aanslaat en het geld aanpakt. Ik sta op het punt om haar te vertellen dat mijn interesse puur wetenschappelijk is, maar dat zou haar eerste indruk van mij als een snob alleen maar bevestigen.

'Waar was ze dan in geïnteresseerd?' vraag ik.

'Ze begon vorig jaar regelmatig langs te komen op zoek naar amuletten die haar op school konden helpen. Ze was ontzettend ambitieus, maar onder die zelfbewuste pose toch erg onzeker. Maar toen ze dit jaar terugkwam op school vroeg ze me het hemd van het lijf over plaatselijke tradities. Ze zei dat ze bezig was met een bepaald werkstuk.'

'Wat voor tradities?'

'Ze wilde alles weten over de legendes met betrekking tot de Clove en de bossen erboven, met name over de witte wieven die daar zogenaamd rondspoken.'

De eerste avond dat ik Callum Reade ontmoette, had hij me het verhaal over de witte wieven al verteld. Ik vraag me af of hij dat van Fawn heeft gehoord... misschien hebben Fawn en hij wel... Ik onderdruk de volgende gedachte en vraag aan Fawn wat ze Isabel precies verteld heeft.

'Ik heb haar verteld dat het een heel oude legende was, die al stamt uit de tijd dat Kingston niet meer dan een nederzetting was. Een vrouw, een zekere Martha Drury, werd ervan beschuldigd dat ze een heks was. Om te voorkomen dat ze opgehangen werd, vluchtte ze vanuit Kingston de bergen in. Ze vond onderdak in de kloof, waar ze zich een reputatie als genezer verwierf, hoewel sommigen haar nog steeds een heks noemden. Na haar dood beweerden sommige mensen dat ze een witte gedaante boven de waterval hadden zien zweven en volgens hen was dat de geest van Martha Drury. Daarop gingen ze het de Witte Clove noemen. Witte wieven betekent niet alleen "witte vrouwen", maar – zoals ik ook aan Isabel heb verteld – de term slaat eveneens op "wijze vrouwen", genezeressen, kruidenkenners, en veel mensen in deze contreien geloven nog steeds dat als je de kloof betreedt en rein van hart bent je beschermd en genezen zult worden. Ik denk dat ze daarnaartoe is gehold omdat ik haar dat heb verteld.'

Ik blijf even stil en zeg dan: 'Het ziet er niet naar uit dat de geest van de witte wieven haar heeft kunnen beschermen.'

'Nee,' zegt Fawn terwijl ze me mijn tas overhandigt. 'En daarom blijf ik me maar afvragen waarvoor ze eigenlijk is weggerend.'

ZEVENTIEN

Fawns vraag blijft me de hele week door het hoofd spelen. Voor wie – of voor wat – was Isabel weggerend? Was ze misschien op de vlucht geslagen voor Chloe? En hoe kon zo'n klein ding als Chloe een grote meid als Isabel in een ravijn duwen? Het klinkt misschien belachelijk, maar ik besloot toch Callum Reade te bezoeken om het gesprek te herhalen dat ik afgeluisterd had.

'Je hebt me gevraagd of ik je op de hoogte wilde houden van allerlei buitenissige ontwikkelingen,' zeg ik formeel als ik hem op het politiebureau aantref. Ik herhaal het gesprek zo goed en zo kwaad als ik me dat kan herinneren.

'En waar was jij toen het plaatsvond?' vraagt hij op soortgelijke toon.

'Eh... achter een bamboegordijn in een alkoof,' zeg ik. Ik besef meteen hoe mal dat klinkt.

Hij produceert een geluid dat het midden houdt tussen blaffen en hoesten.

'Als je de dingen die ik doorgeef niet serieus neemt, zal ik je verder niet lastigvallen...'

'Nee, nee, ik had gewoon de kriebel in mijn keel. Hier heb ik wel degelijk iets aan. Je bezoekje is volkomen terecht. Ik zal Chloe opnieuw ondervragen. Ondertussen maak ik me toch wel zorgen over die ceremonie die de leerlingen van plan zijn te houden. Misschien moet je het daar maar eens met de rectrix over hebben.'

Rectrix St. Clare is de laatste persoon met wie ik wil praten, maar ik besef dat hij gelijk heeft. Ik maak voor de volgende dag een afspraak met haar.

'Ik waardeer je bezorgdheid,' zegt ze tegen me, terwijl ze met gevouwen handen over haar bureau naar voren leunt. 'Ik had zelf ook mijn twijfels toen de leerlingen mij om toestemming vroegen, maar toen drong het ineens tot me door dat zoiets ze alleen maar zal helpen om die zinloze tragedie te verwerken.'

'Maar kunnen ze dat verwerken dan niet op een wat veiliger plekje gaan doen?' vraag ik. 'Ergens op een stuk vlakke grond in plaats van op de rand van een steile rotswand?'

Ivy St. Clare houdt haar vogelkopje een tikje schuin terwijl ze me peinzend aankijkt, alsof ik een worm ben waar ze wel trek in zou hebben. 'Waarschijnlijk reageer je alleen maar zo... paranoïde omdat je moeder bent. Misschien kan ik jou maar beter benoemen tot toezichthouder van het evenement. Dat is een constructieve manier om je energie aan te wenden. Volgens mij is de club momenteel boven in de leeskamer bijeen. Waarom loop je niet even binnen om de veiligheidsaspecten met hen te bespreken?'

Ik loop de trap op naar de leeskamer, waarbij ik me afvraag of de rectrix altijd op kritiek reageert met het geven van extra taken. Dat zou een uitstekende manier zijn om mensen ervan te weerhouden kritiek te leveren.

Wanneer ik naar de bibliotheek loop, hoor ik een meisjesstem die boos uitroept: 'Volgens mij deugt er geen spát van dat hele gedoe. Ik wil er niets mee te maken hebben!' Ik sta net op het punt om naar binnen te gaan als Haruko met zo'n vaart de deur uit stormt, dat ze tegen me op loopt. Ze verontschuldigt zich een tikje kortaf – ze heeft zich tegenover mij altijd vrolijk en beleefd gedragen – en holt de trap af. Ik overweeg even om achter haar aan te gaan, maar dan kijk ik naar de kring met schuldige gezichten in de bibliotheek en besluit dat dit de mensen zijn met wie ik moet praten.

'Wat is er in vredesnaam aan de hand?' vraag ik aan Sally die met opgetrokken benen in een van de erkers zit te schetsen. Ze haalt haar schouders op, maar zegt niets. In plaats daarvan geeft Chloe antwoord, vanuit een diepe, met fluweel beklede oorfauteuil die midden in de kring staat. 'Ik vrees dat ze gewoon een van die meisjes is, die nooit mee willen spelen als ze niet in alle opzichten hun zin krijgen.'

Justin Clay, die verstrengeld met Tori Pratt op een love seat hangt, gaat rechtop zitten en trekt zijn benen onder die van Tori uit. 'Ja, ze is een theatrale tante.'

'Ze is inderdaad nogal overgevoelig,' beaamt Hannah Weiss die op een poef naast Chloe's stoel zit. Ik schiet bijna in de lach om die uitspraak van Hannah, die zo'n beetje het gevoeligste kind is dat ik ooit heb ontmoet.

Ik kijk van de een naar de ander als de leerlingen stuk voor stuk Haruko's uitbarsting van tafel vegen. 'Dat klinkt helemaal niet als Haruko,' zeg ik tegen Sally.

'Hoe weet jij dat nou?' zegt Sally zonder van haar schetsboek op te kijken. 'Ze zit niet eens bij je in de klas.'

Als ik mijn blik langs hun gezichten laat glijden heb ik het gevoel dat ik naar een zorgvuldig georkestreerd stuk kamermuziek kijk: een arrangement voor vijf stemmen. Maar het vijfde lid van de kring, dat met de benen over elkaar geslagen op de grond zit, houdt zijn mond. Ik kijk hem aan.

'Clyde? Waarom was Haruko zo overstuur? Waar deugde volgens haar geen spat van?'

Clyde verbleekt en schuift onbehaaglijk heen en weer over de grond, alsof hij een holletje wil graven om erin weg te kruipen. 'Het ritueel van de herfstnachtevening gaat alleen maar over het onder ogen zien van de duisternis,' zegt hij ten slotte. 'Het gaat over het accepteren van de dood als een natuurlijk onderdeel van de levenscyclus...'

Iemand in de kamer – wie weet ik niet – begint het thema van *The Lion King* te neuriën: 'The Circle of Life'. Tori en Chloe giechelen. Clyde bloost.

'Maar goed. Ik neem aan dat Haruko vond dat daar niets van deugde.'

'En hoe waren jullie precies van plan om tijdens die equinoxviering "de duisternis onder ogen te zien"?' vraag ik. In gedachten zie ik de kloof bij zonsondergang, de donkere spleet in de aarde die schaduwen opslorpt. Als hun idee van 'de duisternis onder ogen zien' inhoudt dat ze in de kloof afdalen, dan maak ik hier ter plekke een eind aan die hele ceremonie.

'Het gaat er gewoon alleen maar om dat we een stel kaarsen aansteken,' zegt Chloe met een lief, zangerig stemmetje. 'Wacht maar af, het wordt vast erg mooi.'

'De rectrix heeft mij opgedragen een oogje op de veiligheid te houden,' zeg ik tegen Chloe. 'Dus mooi of niet mooi, ik wil dat jullie me nu toezeggen dat niemand zich binnen twee... nee, laten we zeggen vijf meter van de richel waagt.'

'Geen probleem. Het grootste gedeelte van de ceremonie vindt toch plaats op de open plek voor de richel.'

'U weet nog wel, mevrouw Rosenthal,' voegt Hannah eraan toe, 'direct naast de omgevallen boom waar we dat stukje van Isabels jurk vonden.'

'Ja, volgens mij is dat wel ver genoeg van de rand,' zeg ik. 'Maar je had het over "het grootste gedeelte" van de ceremonie. Is er soms sprake van een extra vertoning?'

Mijn woordkeus doet Chloe achteruitdeinzen, alsof ik net haar heilige ritueel in een kermisattractie heb veranderd. 'Op het hoogtepunt van het ritueel moet de godin – dat ben ik dus – met een kaars naar de richel toe lopen. Maar ik kan u verzekeren dat ik absoluut niet van plan ben om achter Isabel aan de kloof in te duiken, mevrouw Rosenthal.'

'Ik geloof je onmiddellijk, maar voor alle zekerheid zal ik toch met je meelopen.'

Chloe nijgt haar hoofd, alsof ze een of andere welwillende godheid is die zich verwaardigt een offer van een aanhanger aan te nemen. Tori had gelijk, denk ik. Chloe begint te geloven dat ze écht de godin is die ze speelt. 'Dat is prima,' zegt Chloe. 'Zolang u maar stil en eerbiedig blijft.'

'En daarna wil ik dat jullie netjes achter elkaar de heuvel af lopen,' voeg ik eraan toe.

'Dat is allemaal al geregeld, mevrouw Rosenthal. Dat maakt deel uit van de ceremonie. Daarna komen we allemaal bij elkaar in het jachthuis waar cider en donuts klaar zullen staan en u kunt controleren of iedereen er is. Ik beloof u dat niemand in het bos gaat lopen dwalen aan de vooravond van de herfstnachtevening. Niet als het donker wordt.'

Chloe's woorden blijven me de rest van de week achtervolgen. Op Long Island betekende het aanbreken van de herfst nieuwe schoolkleren voor Sally, de uittocht van bejaarden richting Florida en het jaarlijkse debat van de oudercommissie of Halloween op school wel of niet gevierd zou worden. Hier in de bergen en op het boerenland brengt het daglicht eind september al de dreiging van kou en duisternis mee. De blaadjes van de notenbomen hebben de groengouden tint van ongepoetst koper gekregen. 's Morgens is het behoorlijk fris en ruikt het buiten naar houtvuur. Als ik 's nachts in bed lig, hoor ik de ganzen overvliegen en giert de wind door de dennenbomen alsof hij zich bij hen aan wil sluiten. Op weg naar het dorp zie ik dat iemand een heksenpuntmuts op het metalen bordje met de verwijzing 'Witte Heks' heeft gezet. Bij de huizen die ik in de stad passeer, worden de houtstapels steeds hoger, alsof de inwoners zich voorbereiden op een nieuwe ijstijd. Het is gemakkelijk te begrijpen waarom de kunstkolonie in eerste instantie alleen in de zomer geopend zou zijn. Volgens

Lily maakten de kunstenaars zich bij het eerste teken van kou uit de voeten.

Mimi vertelde vanavond tijdens het eten dat ze een opdracht heeft om een paar muurschilderingen te maken in een klooster dat Saint-Lucy's heet, in het westelijk deel van de Catskills. 'Ik weet eigenlijk niet precies waar het is. Bij het stadje Easton.'

'Maar je bent toch Joods?' vroeg Gertrude wantrouwig.

'Ja, maar dat moeten jullie niet aan die nonnetjes vertellen. Ik heb tegen ze gezegd dat ik alles wist van het leven van de heiligen. Ik zal flink moeten blokken.'

'Volgens mij is Sint-Lucia degene die haar eigen ogen uitstak,' zei Vera. 'Ik heb heel wat afbeeldingen van haar gezien toen ik door Italië reisde.'

'Jasses,' zei Mimi terwijl ze een gezicht trok. 'Dat wil ik echt niet schilderen! Maar volgens mij gaat het toch om een andere Saint-Lucy. Deze is Iers en de beschermheilige van ongetrouwde moeders. Saint-Lucy is een weeshuis en een huis voor ongetrouwde moeders.'

Mimi's bekentenis maakte een stortvloed van winterverplichtingen los. Dora en Ada waren bang dat de huur van hun appartement in Manhattan opgezegd zou worden als ze niet snel teruggingen. Mike Walsh ging naar het westen om indianen te schilderen. De broertjes Zarchov waren door een neef uitgenodigd om de winter door te brengen in Palm Beach. Virgil verklaarde dat hij een aanbieding had om les te gaan geven aan de American Academy in Rome. En tot slot deelde Gertrude mee dat ze samen met haar echtgenoot naar Europa zou gaan. 'Natuurlijk is hij een sukkel, maar in ruil voor het feit dat ik me bereid heb verklaard om in Baden-Baden een of andere belachelijke vruchtbaarheidskuur te ondergaan, heeft hij me toestemming gegeven om in de stad een klein kunstmuseum te openen. En ik kan de reis gebruiken om kunst te kopen.'

'Nou, dan ziet het ernaar uit dat Lily en ik met ons tweetjes de kachels brandend moeten houden,' zei Vera terwijl ze me glimlachend aankeek alsof ik haar eigendom was. Misschien zouden sommige mensen zich verzet hebben tegen dat soort bezitterigheid,

maar ik wist wat de oorzaak was en mijn hart begon te bonzen toen ze naar me keek alsof ik de hare was.

Het had de halve zomer gekost om een bres te slaan in Vera's overdreven gevoel voor decorum. Na de vooravond van de eerste mei hadden we de deur tussen onze kamers steeds open laten staan. We wensten elkaar over de drempel welterusten en daarna lagen we nog tot diep in de nacht te kletsen. Ik ben bang dat ik niet altijd aandacht schonk aan wat ze zei – ze had het vaak over praktische problemen bij het beheren van het landgoed en haar plannen om het collectief uit te breiden – maar ik vond het heerlijk om daar in het donker te liggen en naar het geluid van haar stem te luisteren. Maar toen ze zei dat ze van plan was om een drukpers aan te schaffen hoorde ik dat wel.

'Ik zou graag wat verhalen uit de omgeving verzamelen om ze samen met die mooie houtsneden van jou uit te brengen in een speciale editie,' zei ze.

Toen vertelde ik haar dat ik op de boerderij altijd sprookjes had verzonnen die ik aan mijn zusjes vertelde. Ze vroeg of ik die alsjeblieft ook aan haar wilde vertellen. Daarna was het mijn stem die de duisternis tussen de twee kamers doorbrak. Ik begon met de Nederlandse verhaaltjes die ik van mijn moeder en mijn grootmoeder had gehoord en daarna ging ik verder met de verhalen die ik zelf had verzonnen. Eerst durfde ik niet over de brug te komen met de verhalen over de dappere heldin die ik had verzonnen, omdat ik haar tegenwoordig in gedachten altijd Vera noemde. Het was ook Vera's gezicht dat ik voor me zag als ik aan die verhalen dacht, ook al stamden ze uit de tijd voordat ik haar kende. Maar algauw begon mijn zelfvertrouwen dankzij het donker te groeien en vertelde ik haar ook die verhalen. Zoals ik mijn heldin beschreef, was ze gedeeltelijk een Walkure en gedeeltelijk een sprookjesfee. Ze doodde draken en redde hele dorpen van boze tovenaars. Ze zeilde op piratenschepen en ontdekte vergeten koninkrijken.

Toen ik door mijn oude verhalen heen was, begon ik nieuwe te verzinnen. Op een avond begon ik aan een nieuw verhaal met de woorden: 'Er was eens een meisje dat het leuk vond om net te doen alsof ze verdwaald was, tot de dag waarop ze werkelijk de weg kwijt raakte.' Terwijl ik het meisje beschreef dat alleen door het bos liep te dwalen, zag ik in gedachten mezelf weer aan de vooravond van de eerste mei door het bos rennen. Hoe kon het toch dat ik niet had geweten dat het Virgil Nash was die achter me aan kwam? Waarom was ik niet voor hem weggerend toen dat tot me doordrong? Hoe had ik zo verdwaald kunnen raken? Terwijl ik beschreef hoe eenzaam en vermoeid het meisje werd, begon ik te huilen, zo stilletjes dat Vera er niets van merkte.

'Uiteindelijk was het meisje zo moe dat ze de geesten van het bos smeekte om haar in een boom te veranderen. Ze werd een slanke witte berk die tegen een sterke beuk leunde en daarna voelde ze zich nooit meer eenzaam.'

Toen ik klaar was, zei Vera niets. Ik was bang dat ik op de een of andere manier te veel had gezegd – dat ze nu alles wist van mijn afspraakjes met Nash in de schuur en begreep waarom ik me zo eenzaam voelde – maar toen hoorde ik de vloer kraken en ik keek om naar de deur. Zoals ze daar in haar witte nachtpon op de drempel stond, leek ze op het inmiddels betoverde meisje uit mijn verhaal: een slanke berk die heen en weer deinde in de wind terwijl ze niet wist wat ze moest doen, doorlopen of zich uit de voeten maken.

Ik stak mijn armen naar haar uit en ze kwam naar voren alsof ze door een onzichtbare rugwind werd opgejaagd. Ze beefde toen ik haar in mijn armen nam, trillend als een esp in de wind. Ik drukte me in mijn volle lengte tegen haar aan en hield haar zo stijf vast dat er geen vloeipapiertje meer tussen ons paste. Als twee bomen die uit één stam groeiden, deinden we in dezelfde wind, trilden van dezelfde hartstocht en werden doorkliefd door dezelfde bliksemschicht.

'Je moet altijd bij me blijven,' fluisterde ze tegen het aanbreken van de dag.

Mijn bevestiging streek in mijn adem over haar huid, van de holte onder haar sleutelbeen tot het kuiltje boven haar enkel, zodat mijn 'ja' in alle lagunes en valleien van haar lichaam drupte en ze overspoeld werd door mijn liefde.

Vanaf die nacht bleef ik bij Nash uit de buurt, maar op de avond dat Vera aankondigde dat we van plan waren om de winter samen door te brengen, sprak ik opnieuw met hem af in de schuur. Ik bleef tot de kleine uurtjes bij Vera, omdat ik in de loop van de zomer gemerkt had dat ze dan pas echt vast sliep. Terwijl ik naast haar lag en naar haar adem luisterde, bestudeerde ik haar gezicht. In het maanlicht deed haar nobele profiel me aan een uit marmer gehouwen Griekse godin denken. Misschien wel de wijze, grijsogige Athene, de oorlogsgodin. Ik kon me heel goed voorstellen hoe ze ten strijde zou trekken, met haar dappere hart dat bonsde onder haar metalen borstpantser en haar ogen die glansden alsof ze van brons waren. Mijn lieve, dappere Vera, vernoemd naar de waarheid. Ze zou me tot de dood verdedigen. Maar als ze nu eens ontdekte dat ik haar had bedrogen? Voor de honderdste keer die zomer overwoog ik om het haar te vertellen. De eerste keer was een vergissing, zou ik dan tegen haar zeggen. Ik was op zoek naar háár in de schuur beland. Maar hoe moest ik dan die andere keren verklaren? Kon ik zeggen dat ik het voor het welzijn van de kolonie had gedaan? Per slot van rekening had ze zelf gezegd dat we Nash en zijn reputatie nodig hadden om er een succes van te maken. Of moest ik gewoon zeggen dat ik zwak was geweest? Dat hij me had gevleid, gedreigd had me te verraden en me voor de gek had gehouden? Dat ik getergd en betoverd in de val was gelopen? Als zij me nu alleen maar zou steunen en me iets van haar kracht mee zou geven, kon ik hem opgeven. Dat was het enige wat ik wilde.

Voor de honderdste keer die zomer stelde ik me voor hoe er een schaduw in haar ogen zou komen terwijl ik mijn verhaal deed. Haar duidelijke opvatting over mij – haar reine Lily! – geschonden. En in gedachten zag ik hoe ze haar gezicht van me afwendde. Ik wist dat ik dat niet zou kunnen verdragen.

Ik stond op. Ik kon niet naast haar blijven liggen terwijl ik me dat soort dingen voor de geest haalde. Ik sloop als een dief in de nacht onze kamer – zo noemde ze die zelf en zo dacht ik er stiekem ook altijd over – uit en trok een donkere mantel aan over mijn nachtpon, om mezelf voor het maanlicht te verbergen. Maar toch voelde ik de blik van de maan op mijn rug vallen toen ik het gazon overstak. Zelfs toen ik onder de rode beuk liep, slaagde het felle witte licht er nog in me te vinden en tekende zwart-witte bladpatroontjes op mijn armen en benen. Ik liet de mantel van me af glijden en draaide me om in het licht waarbij ik mijn armen omhoogstak om te zien hoe de patronen van de bladeren in mijn huid schroeiden. Het licht viel over de ronde buik onder mijn gladde nachtjapon. Ik draaide langzaam om mijn as in het maanlicht en liet me brandmerken door de uit licht en schaduw bestaande bladeren. Ik wilde dat ze hun stempel op me achterlieten. Waarom zou de duisternis die ik voelde niet op mijn huid zichtbaar mogen zijn?

Misschien hoopte ik dat Vera wakker zou worden en als ze merkte dat ik verdwenen was naar het raam zou lopen en me daar op het gazon zien staan. Dan zou ze zien wat ik was geworden: een boom, ontsproten uit maanlicht en schaduw, een beeldhouwwerk van licht en donker. Ze zou zien wat ik had gedaan en wat ik was geworden, maar ze zou begrijpen dat ik van haar hield en niet van Nash. Ze zou me ervan weerhouden naar hem toe te gaan en hem te vertellen dat ik zwanger was. Ik had namelijk besloten dat te doen. Ik zou me aan zijn genade overleveren en hem vragen me mee te nemen. Niet omdat ik van hem hield, maar omdat ik het niet verdiende om bij Vera te blijven.

Maar toen schoof er een wolk voor de maan en het zwart-witpatroon viel als herfstbladeren van mijn huid. Ik trok mijn jas weer aan en rende de heuvel af, door de boomgaard naar het bos achter het jachthuis en van daaruit de heuvel op, tussen de oude bomen door. De wind blies door de dennennaalden op de grond en maakte er kleine draaikolkjes van. Er zat regen in de lucht. Ik begon sneller te lopen en klauterde via de scherpe rotsen van de kloof naar beneden. Er viel die avond geen maanlicht op het pad – de maan hield haar gezicht voor me verborgen – maar intussen kende ik de weg goed genoeg om op de tast naar beneden te lopen. Ik wenste bijna dat ik uit zou glijden. Ik begon ook steeds sneller te lopen en daagde de rotsen van de kloof, die nu nat waren van de regen, uit om me tegen de grond te smijten, maar iedere keer als mijn voet of mijn hand uitgleed, leken de met mos bedekte rotsen me vast te houden. Alsof het een stel reuzen was dat me van hand tot hand doorgaf en me naar hem toe droeg – steeds verder weg van Vera.

Tegen de tijd dat ik in de schuur aankwam, was ik van top tot teen doorweekt. Ik was mijn mantel kwijtgeraakt en mijn nachtpon kleefde aan mijn huid. Hij stond in de deuropening een sigaar te roken en zijn gezicht, dat door het gloeiende puntje verlicht werd, werd somber en wellustig op het moment dat hij mij in het oog kreeg. Wat zou hij zien? Zag hij mijn opzwellende borsten en de bolle lijn van mijn buik? Hoe kan hij dat niet zien? Hij die me altijd zo scherp zag.

'Eindelijk! Ik wist dat je niet voor eeuwig zonder me zou kunnen!' Hij gooide de sigaar weg, zonder rekening te houden met het ene vonkje dat de schuur in vuur en vlam zou kunnen zetten, precies zoals hij onbekommerd puur voor zijn eigen plezier ons leven in vuur en vlam had gezet... Maar nee, berispte ik mezelf, ik mocht hem niet alleen de schuld geven. Ik had net zo goed een lucifer aangestreken en die bij de aanmaakhoutjes gehouden.

'Ik moet je iets vertellen,' zei ik, terwijl ik naar hem toe liep.

'Maar je bent ijskoud!' Hij trok zijn jas uit en wikkelde die om mijn schouders. 'Kom binnen, dan kan ik je warmen.' Hij pakte de revers van de jas die hij om me heen had geslagen en trok me de warme schuur binnen. Die lag tot aan het plafond volgestapeld met hooi, als een soort opeenhoping van een zomer vol zon die beschutting moest bieden tegen de komende winter. De ruwe wol van zijn jas schuurde tegen mijn huid en ik voelde het bloed door mijn aderen tintelen. De lucht tussen ons zinderde. Het was een verrassing voor mij dat die hartstocht tussen ons er nog steeds was, omdat ik wist dat het geen liefde was die we deelden. Toch kon ik hem best vertellen dat ik zijn kind droeg en hem vragen om me mee te nemen naar Rome. Ik hoefde niet tegen hem te zeggen dat ik van hem hield, dat beschouwde hij als iets vanzelfsprekends. Ik hoefde niet te jokken, en zelfs als ik dat wel deed, zou hem dat nooit opvallen.

'Ik moet je iets vertellen,' begon ik opnieuw.

'En ik heb jou ook iets te vertellen! Ik was verrast toen ik Vera hoorde zeggen dat je deze winter hier zult blijven...'

'Ik hoef niet...'

'En eerlijk gezegd voelde ik me wel een beetje gekwetst omdat je alles al had geregeld zonder mij daarin te kennen.'

'Maar dat heb jij toch ook gedaan!' riep ik uit. 'Je hebt me niet verteld dat je een aanbod had gekregen om als docent aan de Academy te gaan werken.'

'Lieve kind, die brief heb ik pas gisteren gekregen. Je ontloopt me de halve zomer al. Maar goed, ik was van plan om je dat vanavond te vertellen en te vragen of je geen zin had om met me mee te gaan. Ik begon zelfs al een beetje te dagdromen over hoe we samen op de Palatine zouden zitten te tekenen en over de Campagna zouden rijden.'

Ik haalde diep adem. 'Dat kan toch nog steeds. Ik kan best met je meegaan...'

Toen zag ik iets in zijn gezicht veranderen. Hij kneep zijn ogen samen en er verscheen een strakke trek om zijn mond. 'Tja, dat is nou precies het probleem, bij nader inzien vind ik het toch niet zo'n goed plan meer. Toen ik van jullie voornemen hoorde, besefte ik dat het veel verstandiger was als je hier bleef. Als ik daar ben, zal ik de vrijheid moeten hebben om te reizen en afspraken te maken met kunsthandelaren en verzamelaars. Ik ben niet zo rijk als Vera. Ik moet een reputatie opbouwen nu ik nog jong ben, anders is het te laat. Misschien kunnen we later, als ik wat meer zekerheid heb, samen op reis gaan, maar voorlopig lijkt het me echt beter dat jij hier bij Vera blijft.'

Hij kwam een stapje dichterbij en trok zijn jas strakker om mijn schouders. Ik had het gevoel dat ik gevangenzat in een dwangbuis, maar ik duwde hem niet weg. Ik huiverde. Hij dacht kennelijk dat het van de kou was, want hij kwam dichterbij en duwde me tegen de wand van de schuur. Maar het kwam door de kilte die ik bij hem vanbinnen voelde. Zelfs op het moment dat ik verschroeid werd door zijn verlangen wist ik gewoon dat zijn hart koud was. Nee. Ik kon niet met hem meegaan, zelfs niet als ik hem nu vertelde dat ik zwanger was en smekend en krijsend zou eisen dat hij met me trouwde. Als ik bij hem zou moeten blijven, zou dat mijn dood zijn. En toch duwde ik hem niet weg. Als reactie op de kilte in zijn hart werd mijn eigen hart even koud. Hij en ik, we waren precies hetzelfde. Ik had de persoon van wie ik hield bedrogen en het zou niet lang duren tot ik dat weer zou doen.

De ruwe planken hielden nog steeds de warmte vast van een dag vol zonneschijn en van al die opgestapelde balen hooi. Zijn lichaam dat tegen het mijne drukte, straalde diezelfde hitte uit. Een zomer vol passie. Ik stond toe dat hij zijn handen onder mijn nachtpon liet glijden en me optilde. Ik hoorde de regen tegen de schuur kletteren, alsof een reus probeerde de wanden om te kegelen, en ik sloeg mijn benen om zijn middel en liet hem in me glijden op hetzelfde moment dat de bliksem door het dakraam flitste, waardoor we als een stel toortsen oplichtten. Ik snakte naar adem omdat ik verwachtte en bijna wenste dat we erdoor getroffen zouden worden. In mijn verbeelding zag ik de vorm van onze lichamen geëtst in de wand van de schuur, ons vlees tot as verpulverd, maar het licht verdween weer zonder schade te doen en liet ons achter in het donker.

Toen het voorbij was, wilde hij me via de weg terugbrengen, omdat hij vond dat het veel te gevaarlijk was om in de regen de kloof over te steken, maar ik weigerde.

'Mij overkomt heus niets,' zei ik tegen hem. Wat zou er nog met me kunnen gebeuren? Ik was niet door de bliksem getroffen toen ik mijn geliefde bedroog, dus waarom zouden de schikgodinnen me nu te pletter laten vallen op de rotsen van de kloof?

'Ik zie je de komende zomer weer,' zei hij toen ik wegging, maar ik wist allang dat hij niet terug zou komen.

Ik holde de regen in, zonder hem te vertellen dat ik hier de winter ook niet zou doorbrengen. Terwijl ik via het glibberige pad over de rotsen omhoogliep in de kloof trok ik zelf mijn plan. Ik zou Mimi overhalen om me te helpen. Zij kon me werk bezorgen door me mee te laten helpen aan de muurschilderingen in Saint-Lucy's. Beter kon het niet. Nadat de baby geboren was, kon ik het kind aan de nonnen geven.

Heel even overwoog ik nog of ik geen manier kon vinden om de baby mee terug te nemen. Ik kon best zeggen dat het een kind van een van mijn zusjes was. Waarom zouden Vera en ik dat dan niet groot kunnen brengen alsof het ons eigen kind was? Maar toen herinnerde ik me wat Vera altijd gezegd had: dat zodra een vrouw een kind had haar kans om een kunstenares te worden was verkeken. Nee, het was voor iedereen beter als het op deze manier zou gaan.

Terwijl ik van de heuvel omlaag liep naar het jachthuis, zag ik dat een van de oudste en hoogste bomen in het bos door de bliksem in tweeën was gekliefd. De eerste stralen van de ochtendzon vielen door de verse breuk in het bladerdak op de nog steeds rokende stronk. Ik legde mijn hand op het verschroeide hout waar de bliksem zijn naam in het hart van de boom had gekerfd – een grote, gekartelde ziggoerat die sprekend leek op de barst die mijn hart in twee stukken had gescheurd.

ACHTTIEN

Op de ochtend van de herfstnachtevening besluit ik om naar de richel te wandelen en een kijkje te nemen op de plek waar de leerlingen van plan zijn hun ceremonie te houden. Ik maak mezelf wijs dat ik gewoon de omgeving even goed wil bestuderen om er zeker van te zijn dat ze op veilige afstand blijven van de richel, maar in werkelijkheid speelt wat ik in Lily's dagboek heb gelezen ook mee. Ik blijf me de nacht maar voor de geest halen en zie in gedachten hoe Lily de gladde rotsen van de kloof trotseert. Het lijkt er echt bijna op dat ze liever wilde sterven dan te leven met de wetenschap dat ze Vera had teleurgesteld. De wanhopige manier waarop ze weer met Nash had gevrijd gaf me het idee dat ze zichzelf wilde straffen.

Het was een warme, heldere dag – eerder nazomer dan herfst – en Sally werkte aan een kunstproject in het jachthuis. Ik trok een spijkerbroek, een T-shirt en gympen aan en knoopte op het laatste moment nog een windjack om mijn middel, voor het geval het boven op de richel killer zou zijn. Ik had het er eerder winderig en koud gevonden, maar misschien kwam dat omdat ik de laatste keer dat ik er was, had staan kijken hoe het lichaam van de arme Isabel Cheney vanuit de kloof naar boven werd gebracht. De aanblik daarvan zou iedereen koude rillingen bezorgen.

De wandeling naar de richel neemt veel minder tijd in beslag dan ik verwacht. Logisch, denk ik, de vorige keer moest ik elk kwartier blijven staan om Isabels naam te roepen. Wanneer ik bij de omgevallen boom kom, waar we het stukje stof van haar jurk hebben gevonden, vind ik het een verdrietig idee dat Isabel zo dicht bij haar vrienden beneden in de appelboomgaard was geweest. Ze had zich niet zo bang hoeven te voelen, niet zo alleen. Maar als ik om mijn as draai, begrijp ik wel waaróm ze zich zo voelde. Het bos rond de kleine open plek is dicht en de bomen lijken op wachtposten die beletten dat je wegloopt. Het enige geluid is het gebulder van de waterval. Zelfs als ze had gegild of om hulp had geroepen zou niemand haar hebben gehoord.

Ik blijf even met gesloten ogen op de omgevallen boom zitten rouwen om Isabel. Volgens mij ben ik in de weken na haar dood te bang geweest om mezelf toe te staan echt iets te voelen. De dood van een meisje van Sally's leeftijd is zo onverdraaglijk dat ik er niet eens over na wilde denken. Maar nu dringt ineens tot me door hoe laf – en egoïstisch – het is om de waarheid te vermijden. Het is ontzettend jammer dat een dergelijk begaafd meisje zo jong moest sterven.

Als ik mijn ogen opendoe, biggelt er een traan over mijn gezicht. Het lijkt een onbetekenend eerbetoon voor zo'n tragedie. Maar als ik opsta, zie ik dat iemand me voor is geweest en iets tastbaarders heeft achtergelaten. Een klein boeketje bloemen dat ik eerst voor een polletje wilde bloemen aanzie, ligt in een gat in de stam. Maar het is veel te laat in het jaar voor lelietjes-van-dalen en het boeketje is bijeengebonden met een lavendelkleurig lint. Ik pak het op en zie dat de inkeping waarin ze stonden Z-vormig is. Zou dit dan de boom zijn die is omgevallen in de nacht dat Lily afscheid nam van Nash? Ik laat mijn vingers erover glijden en herinner me dat Lily het rafelige litteken vergeleek met de barst waardoor haar hart in tweeën was gespleten. De jaren – plus mos en regenwater – hebben ervoor gezorgd dat de scherpe randen zijn afgesleten. Ik vraag me af of de tijd ook zo vriendelijk is geweest voor de breuk in Lily's hart.

Ik sta op en loop naar de top van de richel. Aan een boom in de buurt van de waterval is zonder pardon een bord aan een boom getimmerd: GEVAAR! STEILE HELLING! VERBODEN TOEGANG VOOR ONBEVOEGDEN.

Maar het schijnt niet echt effectief te zijn. In feite zie ik zelfs vrij verse sporen door het gras op het pad dat omlaag de kloof in loopt. Ik hoop alleen maar dat het geen leerlingen zijn die hier nog steeds rondlopen. Ik prent mezelf in dat ik tegen Sally moet zeggen dat ze hier uit de buurt moet blijven.

Ik had verwacht dat de kloof er op klaarlichte dag wat minder dreigend uit zou zien, maar vergeleken bij de blauwe lucht erboven lijkt het zwarte, in schaduwen gehulde ravijn nog donkerder. Als ik opkijk van de kloof zie ik de oude schuur in de vallei beneden. Vanaf dit punt ziet het bouwsel er nog gehavender uit dan vanaf de weg. De koepel hangt scheef en in de wanden zitten grote gaten die op ontbrekende tanden lijken. Het is maar de vraag hoelang het nog overeind zal staan. Ik kan me voorstellen dat een of andere ondernemende bouwer – iemand als sheriff Reade – zich uiteindelijk over het oude sloophout zal ontfermen. Dan zal er nooit meer iemand zijn om naar de patronen te kijken die door het licht van de zon of de maan op de vloer en de wanden worden geschilderd.

In het begin lijkt het pad wel mee te vallen, maar dan wordt het zo steil dat ik me moet vasthouden aan de takken van de bomen ernaast om te voorkomen dat ik val. De steile rotswanden aan weerszijden van de waterval houden al het zonlicht tegen, met uitzondering van een paar straaltjes die hun best doen om de lange weg naar beneden te verlichten. In de smalle spleet is het geluid van het vallende water oorverdovend en lijkt het op het gebrul van een wild beest dat ineengedoken achter een van de enorme rotsblokken onder aan de waterval verstopt zit. De rotsblokken zien eruit alsof ze door een reus van de helling zijn gegooid om het onmogelijk te maken naar beneden – of misschien wel juist naar boven – te klauteren. Ik heb het gevoel dat ik afdaal in een valkuil. Op een gegeven moment, nadat ik op het nippertje kan voorkomen dat ik omlaag stort, kijk ik omhoog... en wens onmiddellijk dat ik dat niet had gedaan. De steile hellingen aan weerszijden lijken zich boven mijn hoofd te sluiten, als een stel gigantische kaken dat op het punt staat dicht te klappen.

Als ik eindelijk op de bodem ben aanbeland zijn mijn dunne canvas gympen en mijn sokken doorweekt van het vochtige mos en de varens en soppen bij iedere stap die ik neem. Maar ondanks dat ongemak kan ik alleen maar bewondering opbrengen voor de schoonheid van de omgeving. Op de bodem van de kloof wordt het water opgevangen in een reeks door varens omringde bekkens en glanst afwisselend zilverkleurig en zwart in het licht en de schaduwen tussen de beide stenen wanden. Om de onderste waterplas staat een aantal treurwilgen in een kring. Het enige geluid in dit volmaakt ronde bosje is het gespetter van water op met mos bedekte rotsen terwijl de wind door de lange wilgentakken ruist. Het bandje dat Fawn in haar winkel op had staan, zou hier opgenomen kunnen zijn. Geen wonder dat deze plek in de plaatselijke overlevering als heilig wordt beschouwd, ik heb het gevoel dat ik bij toeval in de apsis van een kathedraal terecht ben gekomen.

Ik blijf een halfuur uitrusten en ga pas weg als het tot me doordringt dat ik moet opschieten als ik voor de ceremonie bij zonsondergang nog heen en weer wil lopen naar de schuur.

Als ik uit de kloof kom, word ik tot mijn verrassing begroet door een heldere, zonnige dag. Het is hier boven op het veld zeker tien graden warmer dan in de kloof. Het vochtige gras op het veld komt tot aan mijn middel en de grond is drassig en oneffen. Algauw zijn mijn broekspijpen even nat als mijn schoenen en zitten mijn benen onder de graszaadjes. Ik loop snel door en probeer niet aan slangen te denken. Als ik bij de schuur aankom, zie ik tot mijn verrassing dat de deur nog heel is. Ik had verwacht dat ik gewoon door een van de gaten in de wanden naar binnen zou kunnen stappen, maar nu zie ik dat ze bedekt zijn met lappen helder plastic. Misschien is de schuur niet zo verlaten als je vanaf een afstandje zou denken.

Het oude hout knarst tegen de verroeste scharnieren en de houten wanden staan te trillen als ik de zware deur openschuif. Bij wijze van antwoord op het gekreun van de deur slaakt iets in de schuur een zacht, griezelig gekerm waardoor ik als aan de grond genageld blijf staan. Gedachten aan boze geesten – Die van Lily? Of Nash? De witte wieven? – schieten door mijn hoofd... en dan duikt er ineens iets wits op uit de schaduwen en stort zich op me.

Ik slaak een kreet en duik weg, maar het witte spook scheert alweer omhoog voordat het bij me is. Ik sta op het punt om weg te rennen – ik kan alleen nog maar aan witte wieven denken – maar dan kijk ik omhoog naar de in schaduwen gehulde dakbalken waar een wit, hartvormig snoetje in het duister naar beneden zit te staren.

Een kerkuil. Niets aan de hand, zegt een inwendige stem.

Maar als ik verder de schuur in stap, ben ik er niet meer zo zeker van dat ik aan de witte wieven ben ontsnapt. In het midden van de schuur, in de kring van licht die door de kapotte koepel naar binnen valt, staat een in witte lakens gehulde gestalte. Ik loop gebiologeerd naar haar toe. Zij – aan de welvingen onder de stof kan ik zien dat het een vrouw is – staat precies op dezelfde plek waar Lily aan de vooravond van de eerste mei stond. Ze kan zich elk moment omdraaien en haar mantel afgooien.

'Kan ik u ergens mee van dienst zijn, mevrouw Rosenthal?'

Midden in het zonlicht draai ik me om en zie het silhouet van Callum Reade in de deuropening staan. 'Wat doe *jíj* hier?' wil ik weten.

'Hoezo ik?' vraagt hij terwijl hij uit het felle daglicht stapt. Ik zie dat hij gekleed is in een spijkerbroek en een zachtblauw shirt dat tot boven zijn ellebogen is opgerold. Er valt een straaltje zonlicht op zijn arm, waardoor de roodgouden haartjes in brand lijken te staan. 'Dat kan ik jou beter vragen. Je staat in mijn atelier.'

'Atelier?' Ik kijk om me heen in de schuur en nu mijn ogen aan het duister gewend zijn, zie ik tegen een van de wanden een werkbank staan. De rand van een cirkelzaag en andere metalen gereedschappen blinken als de zon er toevallig op valt. Aan een kant van de werkbank liggen stukken hout opgestapeld en in de hoek zit een andere met lakens omhulde gestalte weggekropen. 'Ben je timmerman?' vraag ik. Dat lijkt me logisch, omdat hij ook huizen renoveert.

'Nee, zo nuttig ben ik niet,' zegt hij. Hij komt naar me toe lopen, met zijn handen op zijn heupen en blijft ondertussen doorpraten alsof hij een schichtig paard probeert te kalmeren. Kennelijk zie ik er even gespannen uit als ik me voel. Dat komt gewoon omdat ik eerst verrast werd door die uil en toen door het onverwachte opduiken van Reade, denk ik bij mezelf. Maar het komt ook omdat dit tafereel – een vrouw die in een kring van licht staat en een man die naar haar toe loopt – me zo sterk doet denken aan de ontmoeting van Lily en Nash aan de vooravond van de eerste mei. 'Mijn vader maakte houten lokeenden die bij de eendenjacht gebruikt worden. Ik begon al met zijn gereedschap te hannesen toen ik nog klein was. Toen ik hier terugkwam, moest ik echt iets omhanden hebben.' Hij tilt zijn hand op. Heel even denk ik dat hij mijn gezicht wil aanraken, maar in plaats daarvan geeft hij een ruk aan het kleed dat om de figuur naast me hangt. Het valt omlaag als water dat de plas licht binnenvloeit.

Ik hoor zelf hoe ik in de stille schuur ineens met een schok mijn adem inhoudt. In het licht staat een naakte vrouw die zich net om wil draaien, met één arm voor haar borst. Haar gezicht dat zedig omlaag kijkt, is nog niet af. Ik voel Callums ogen in mijn rug prikken, even strak als de blik van de uil. Voordat ik zelfs maar besef welke indruk dat maakt, heb ik mijn hand al uitgestoken en streel de heup van de vrouw. Maar de zachte welving is dan ook onweerstaanbaar. Het hout voelt glad en warm aan. Terwijl mijn hand over de gepolijste ronding glijdt, is het moeilijk om niet aan Callum Reades handen te denken die dit beeld hebben uitgesneden, geschuurd en vervolgens geolied tot het in deze lichtval even levend lijkt als vlees.

Ik probeer te slikken en merk dat ik een droge keel heb. 'Ze is...' Ik draai me om en zie dat Callum vlak achter me staat. Mijn schouder strijkt langs zijn arm en ik voel de warmte die hij uitstraalt, samen met de geur van hout. 'Ze is mooi,' zeg ik, terwijl ik mijn best moet doen om te voorkomen dat mijn stem gaat trillen. 'Dat hout lijkt op huid...'

'Kersenhout,' zegt hij. 'Dat heeft een prachtige nerf. Ik heb een paar jaar geleden een omgewaaide kersenboom in het bos gevonden en ik heb een paar stukken daarvan in bewerking.'

Ik haal diep adem en dan ruik ik het opnieuw... Het standbeeld heeft dezelfde geur die me bij Callum opviel. Tussen de haartjes op zijn arm zitten sporen van zaagsel en er kleven ook wat restjes op een vochtig plekje op zijn keel. 'Eh... het doet me een beetje denken aan dat bronzen standbeeld in de alkoof in Beech Hall,' zeg ik.

'Dat heeft me ook geïnspireerd,' zegt hij, terwijl hij naar mij blijft kijken in plaats van naar het standbeeld. Als ik knik, zegt hij: 'Maar het gezicht van dat standbeeld is niet af en het is me ook niet gelukt dit standbeeld een gezicht te geven...' Hij kijkt me met samengeknepen ogen aan en begint dan abrupt over iets anders. 'Goed, ik heb je laten zien wat ik hier uitspook. Zou je me nu willen vertellen wat jij hier komt doen?'

'Ik wilde de schuur zien. Ik ben bezig in een dagboek dat Lily Eberhardt bijhield en daar stond in dat ze hier altijd met Nash afsprak...' Ik begin te hakkelen, omdat ik me een beetje geneer voor de details van die eerste afspraak, maar Callum Reade schiet me te hulp.

'Hij heeft haar hier geschilderd,' zegt hij. 'Aan die schilderijen kun je zien dat hij van haar hield.'

'Heb je de schilderijen in het jachthuis gezien?' Zodra die woorden over mijn lippen zijn, besef ik dat ik klink alsof ik het eigenlijk voor onmogelijk hield dat hij in staat was om naar kunst te kijken. Ik verwacht een afwerend antwoord, maar in plaats daarvan komt er een zachte blik in zijn ogen als hij naar het beeld kijkt.

'Weet je nog dat ik je vertelde hoe jongetjes elkaar vroeger uitdaagden om een hele nacht in het bos boven de kloof door te brengen en de woede van de witte wieven te riskeren? Nou, toen ik vijftien was, heb ik dat ook een keer gedaan. Ik ben de hele nacht boven aan de waterval blijven zitten wachten tot een van hen uit de nevel zou komen opdagen.

Eerst was ik best bang, maar toen de nacht bijna voorbij was en ik nog niets had gezien was ik teleurgesteld en liep naar het jachthuis. Volgens mij was ik van plan om iets te vernielen, om toch nog iets van de nacht te maken ook al had zich niets bovennatuurlijks voorgedaan.'

'Sheriff Reade!' roep ik quasiontzet uit. 'Vandalisme?'

Hij grinnikt. 'Ik ben niet altijd zo'n brave burger geweest.' Hij haalt zijn hand door zijn haar en ineens zie ik hem voor me als het joch dat hij vroeger was en met die oplettende groene ogen in het donkere bos zat te wachten tot de witte wieven zouden verschijnen. Als ik een van die witte wieven was geweest, had ik de verleiding om me aan die ogen te tonen niet kunnen weerstaan. 'Ik heb een ruit ingeslagen om binnen te komen – dat kon gemakkelijk, de school heeft zich nooit echt om beveiliging bekommerd – en van alles meegepikt uit een kast vol verf en penselen. Ik liep de zitkamer in op zoek naar iets dat meer waarde had toen ik haar zag. Een levensgrote naakte vrouw, die me vanaf de muur met een boze blik aankeek. Het was de manier waarop ze daar stond – zonder een spoor van schaamte, zo brutaal als een beest – die me boeide. Dat en de manier waarop ze me aankeek. Alsof ze dwars door me heen tot in mijn ziel keek en al mijn geheimen kende. Ik legde alles wat ik had gejat weer terug en bleef de rest van de nacht alleen maar naar haar kijken en vroeg me af wie ze was. Toen ik erachter kwam dat ze in de kloof was gestorven, vroeg ik me af of ik bij nader inzien toch niet een van de witte wieven had ontmoet.'

'Ben je daarom hier gaan werken?' vraag ik.

'Gedeeltelijk. Ik ben voor het eerst naar de schuur gegaan, toen ik ontdekte dat de schilderijen hier gemaakt waren. Dymphna betrapte me hier een keer... je weet toch wel dat de schuur en het fruitstalletje van haar en haar nicht Doris zijn...'

'Nee, dat wist ik niet.'

'Ja.' Hij glimlacht opnieuw. Hij lijkt hier een totaal ander mens, niet zo gespannen. Zijn hand dwaalt naar het standbeeld en veegt wat stof van de ronding van haar heup. Er gaat een rilling door me heen, alsof hij mij heeft aangeraakt in plaats van het beeld. Wil ik dat dan? Het is al zo lang geleden dat een man me op die manier heeft aangeraakt, langer dan het jaar dat Jude dood is. In de weken voordat hij stierf, zaten we net midden in een van die 'luwtes', zoals ik de seksloze tussenpozen in ons huwelijk was gaan noemen. Misschien was het zelfs wel een hele maand geweest, maar dat hield ik liever niet bij. Jude was hard aan het werk, de markt was bijzonder onstabiel en hij begon zelfs 's avonds te handelen. Intussen werd ik wel een beetje rusteloos en bezorgd, maar ik had mezelf ingeprent dat we na dit soort periodes altijd met hernieuwde hartstocht verder waren gegaan. Zo gaat dat nu eenmaal in een huwelijk, had ik gedacht, je moest leren leven met de ups en downs. Ik had er alleen niet op gerekend dat deze luwte tot in de eeuwigheid voort zou duren.

'Is er iets aan de hand?' vraagt Callum Reade. Hij komt iets dichter bij me staan.

'Er liep ineens een rilling over mijn rug,' zeg ik. Volgens mij door de gedachte aan een eeuwigheid waarin ik nooit meer aangeraakt zou worden.

Ik kijk op en zie dat Callums lichtgroene ogen me strak aankijken, heel aandachtig, alsof hij mijn gedachten kan lezen. Opnieuw voel ik de hitte die hij uitstraalt, de hitte van de zon op zijn huid... Of misschien komt het van de hartstocht tussen Lily en Virgil die hier al die jaren geleden zoveel hitte heeft opgewekt dat het is blijven hangen. Waar het ook vandaan komt, ik merk dat ik er open voor sta, dat ik er zelfs naar hunker. Ik sluit mijn ogen en zie in gedachten hoe zijn handen het ruwe houtblok omvormen tot de gestalte van een vrouw. Ik voel hoe zijn handen zich om mijn gezicht sluiten, alsof hij de omtrek meet om er een mal van te maken en voordat ik de kans heb om me te bedenken til ik mijn gezicht op en zoek zijn lippen. Ze zijn zacht maar stevig, even glad als het gepolijste kersenhout. Ze smaken zelfs naar kersen. Hij komt een stap naar me toe en zijn armen sluiten zich om me heen als een paar gigantische vleugels, die ik zelfs bijna kan horen...

En dan hoor ik ze inderdaad. En ik voel ze. In de lucht recht boven ons. Als ik mijn ogen opendoe, zie ik nog net hoe de uil over ons heen scheert, op weg naar buiten. Ik stap achteruit, weg van de omhelzing en wend mijn ogen af van de verwarde en gekwetste blik in zijn ogen om naar het standbeeld te kijken. Zoals ze daar staat in die kring van licht ziet ze eruit als een bosnimf die verrast wordt als ze op het punt staat een bad te nemen – Diana die in haar heilige bos wordt ontdekt door Actaeon. Maar in plaats van de indringer te bestraffen wordt ze zelf bestraft en voor altijd in hout veranderd.

Ik keer haar en Callum Reade de rug toe. Terwijl ik naar buiten loop, bedenk ik dat ik precies weet hoe ze zich voelt.

Callum loopt achter me aan het veld over. 'Waar ga je naartoe?' roept hij achter me.

'Terug naar de richel,' roep ik terug zonder om te kijken. 'Ik ben aangewezen om een oogje te houden op de viering van de equinox. Ik mag niet te laat komen.'

'Daar moet ik ook naartoe,' zegt hij.

'Prima,' zeg ik, terwijl ik nog sneller ga lopen. 'Laten we dan maar opschieten.'

De weg omhoog door de kloof is langer en zwaarder dan ik had verwacht. Het is zo steil dat we onze vingers in rotsspleten moeten duwen om onszelf omhoog te hijsen. Het gebeurt in stilte, zodat we al onze adem en onze aandacht kunnen gebruiken voor de klim. Ik ben blij dat we niet over koetjes en kalfjes hoeven te praten, of over die afgebroken kus. Dit is niet de juiste tijd, prent ik mezelf in terwijl ik me op de steile rotswand stort alsof ik verlangen even gemakkelijk kan verbranden als een paar extra calorieën. Maar in mijn hoofd blijft een inwendig stemmetje hardnekkig weergalmen. Zal het ooit de juiste tijd zijn? Of zal ik me altijd zo blijven voelen als nu, een levenloos, houten standbeeld van een vrouw?

Tegen de tijd dat we bij de bovenrand van de kloof zijn, zit de modder onder mijn vingernagels en vermoedelijk ook op mijn gezicht, want ik heb regelmatig het zweet van mijn voorhoofd geveegd. Mijn benen trillen van inspanning. Callum helpt me over het laatste rotsblok heen en blijft mijn hand vasthouden wanneer we op de richel staan.

'Ben je nu lang genoeg voor me weggelopen?' vraagt hij. 'Of ben je van plan nog een berg te zoeken die je kunt beklimmen om bij me uit de buurt te blijven?'

'Het spijt me,' zeg ik als ik zijn gekwetste blik zie. 'Het was een vergissing...'

'O, dat begrijp ik best!'

'Ik bedoel dat het van mijn kant een vergissing was... ik ben gewoon nog niet zover. Het is nog niet eens een jaar geleden.'

'Nou goed dan, maar ik was helemaal niet van plan je te overvallen. Trouwens, volgens mij was jij het die mij kuste.'

Ik ben blij dat mijn gezicht al rood is van vermoeidheid, omdat ik voel hoe het bloed me naar het hoofd stijgt. 'Ik zei toch al dat het een vergissing was. Het spijt me. Het zal niet meer gebeuren. Maar als je het niet erg vindt, moet ik nu naar huis om te gaan douchen...'

'Ik vrees dat je daar geen tijd meer voor hebt.' Hij knikt even terwijl hij over mijn schouder kijkt. Ik draai me om en werp een blik op het donker wordende bos. Het lijkt net alsof een zwerm vuurvliegjes de heuvel op komt.

Het zijn op zijn minst een stuk of veertig leerlingen in ganzenpas, allemaal met een brandende kaars in de hand. Het lijkt op een rivier van licht die tegen de helling op stroomt.

Aan het hoofd van de processie loopt Chloe, in een lange donkergroene jurk die strak om haar heupen en borsten sluit. Om haar heupen is een lang, gouden koord gebonden, waarvan de kwast heen en weer slingert terwijl ze naar boven klimt. Haar hoofd is bedekt met een krans van rode en goudkleurige bladeren en op haar voorhoofd is een of ander symbool getekend: een cirkel met daarboven een maansikkel. Als ze bij de open plek is, blijft ze naast de stronk van de door de bliksem gevelde boom staan en zet haar kaars tussen de kronkelige wortels. Als de andere leerlingen de open plek bereiken, gaan ze in een kring om haar heen staan. Ik zie Clyde Bollinger in een wit overhemd dat los om zijn magere heupen en knokige polsen fladdert, Hannah Weiss in een wijde roze jurk afgezet met lila lint en Justin Clay in een roze overhemd en een kakibroek die meer geschikt lijken voor een barbecue op Cape Cod dan voor een heidens ritueel in het bos. Tori Pratt, eveneens in een nauwsluitende lange jurk, komt naar de boomstronk toe met een brede koperen schaal die ze naast Chloe's kaars zet.

Ik span me in om Sally tussen de omstanders te ontdekken en kom in de verleiding om naar de open plek te lopen. Maar ik wil tussen de leerlingen en de richel blijven staan. Callum schijnt hetzelfde idee te hebben. Met zijn armen over elkaar geslagen en zijn benen iets uit elkaar lijkt hij klaar om iedere leerling die naar de rand van het klif loopt de weg te versperren. Eindelijk ontdek ik Sally en Haruko tussen de laatsten die op de open plek aankomen. Sally staat op het punt in de kring dat het verst van mij – en de richel – verwijderd is en dat komt me prima uit. Ik wil haar niet in de buurt van de rand zien. Het laatste deel van de processie komt de open plek op en ik zie dat de achterhoede bestaat uit leraren en huispersoneel: Shelley Drake in een wijdvallende doorzichtige kaftan, Ivy St. Clare in haar gebruikelijke zwarte tuniek en strakke broek, Colton Briggs die volkomen uit de toon valt met zijn pak en zijn stropdas, een vrouw met loshangende haren in een soort Griekse robe die ik aanvankelijk niet herken maar die bij nader inzien de koninklijke miss Pernault blijkt te zijn, Toby Potter in een hem op het lijf geschreven monnikspij uit zelfgeweven stof en de moederlijke Dymphna Byrnes in een gebloemde jasschort en een donkeroranje vest. De bibliothecaresse, miss Bridewell, sluit de rij in een soort gebloemde muumuu. Iedereen heeft een kaars in de hand, met uitzondering van Ivy St. Clare.

Achter me werpt de zon, die de bergrug in het westen heeft bereikt, ineens haar gouden stralen in de open plek. Alsof ze op dat signaal heeft gewacht, pakt Chloe haar kaars weer van de stronk en houdt die hoog boven haar hoofd.

'We zijn hier gekomen om afscheid te nemen van de zon,' zegt ze met haar meisjesachtige stem die helder en lief klinkt in het stille bos. 'En om afscheid te nemen van hen die voor ons uit naar het land der schaduwen zijn gereisd. Isabel Cheney, we doen je uitgeleide voor je reis en vragen je ons vergiffenis te schenken voor al het onrecht dat je hier is aangedaan. We vragen al degenen die we verloren hebben om over ons te waken in de tijd die voor ons ligt, als de nachten en de schaduwen langer worden en het duister toeneemt. We beloven jullie te eren, de duisternis in ons eigen hart te doorgronden en te bidden dat we de donkere reis zullen doorstaan tot het licht wederkeert.'

Chloe pakt een zwarte kaars uit de zak van haar jurk. Die steekt ze aan met het vlammetje van de witte kaars voordat ze zich omdraait en omhoog komt lopen naar de richel.

'Wat doet ze nu?' vraagt Callum met zachte stem.

'Ze zei dat de ceremonie vereist dat zij naar de richel loopt. De anderen zouden op de open plek moeten blijven staan.' Maar als er beweging ontstaat in de kring met kaarsendragers word ik plotseling onrustig. Stel je voor dat ze allemaal tegelijk naar de richel toe lopen? In gedachten zie ik ze al allemaal de heuvel op lopen en als een stel lemmings over de rand duiken, waarbij ze Callum Reade en mij meesleuren.

Kennelijk heeft Callum hetzelfde idee. Als Chloe met beide kaarsen naar ons toe loopt, gaat hij tussen haar en de richel staan. Ze stopt en kijkt naar hem op. Haar bleke gezicht glanst in het flakkerende licht van de kaarsen. Ze fronst haar voorhoofd, waardoor het getekende maantje rimpelt alsof er een wolk voor langsdrijft. Het doet me denken aan de manier waarop Lily de wolken beschreef die op de vooravond van de eerste mei de maan bedekten. Ineens valt me op dat precies zoals Lily's leven onherroepelijk veranderde door een ongewenste zwangerschap, de duistere schaduw van Isabels dood over Chloe's leven is gevallen.

'Ik moet naar de kop van de waterval,' zegt ze met een zacht maar vastberaden stemmetje. 'Om mijn kaarsen in het water te gooien.'

'Waarom geef je ze niet aan mij?' zegt Callum en steekt zijn hand uit. Zijn stem klinkt zacht en vriendelijk, zo zacht dat alleen Chloe en ik hem kunnen verstaan. De leerlingen onder ons staan te fluisteren in een poging uit te vissen wat er precies gebeurt.

'Nee!' sist Chloe, met een gezicht dat plotseling vertrokken is van woede en vervormd door het flakkerende licht van de kaarsen. 'Dat moet ik doen!'

Callum houdt zijn hoofd scheef. 'Waarom?' vraagt hij.

Dat ene woordje blijkt voldoende om Chloe in woede te laten ontsteken. Ze werpt zich als een ondermaatse raket op Callum. Ze mag dan nog zo klein en licht zijn, de woede geeft haar genoeg kracht om hem een stap achteruit te laten wankelen, naar de rand van de richel. Zonder na te denken werp ik mezelf op Chloe en grijp een handvol haar om haar achteruit te trekken. Ik heb geen flauw idee of ik haar wil redden of Callum Reade, maar het lukt allebei. Chloe draait zich met een ruk naar mij toe, waardoor de was van de kaarsen in een grote boog door de lucht vliegt en op mijn handen en armen terechtkomt, terwijl Callum zijn evenwicht hervindt en weer naar voren kan stappen om haar in bedwang te houden. Hij brengt haar weg van de richel en beveelt de rest van de leerlingen om achteruit te gaan. Maar een van hen slaagt erin langs hem heen te glippen tot op de richel. Het is Sally. Ik steek mijn armen uit, die nu pas pijn beginnen te doen van de gloeiende was, overtuigd als ik ben dat ze zeker wil weten dat met mij alles in orde is. Haar gezicht is nat van de tranen.

'Wat bezielt je in vredesnaam, mam?' roept ze, terwijl ze in snikken uitbarst. 'Waarom heb je die man hierheen gebracht? Je hebt alles verpest!'

Ze draait zich om en holt met de rest van de losgeslagen meute de heuvel af en laat mij achter met de vraag wat het meest pijn doet: haar boze woorden of de brandwonden die nu al in blaren beginnen te veranderen.

NEGENTIEN

In de weken na de rampzalige herfstnachtevening lijkt het schoolterrein in rouw gehuld vanwege de dood van de zomer. Het goudgetinte licht dat door de ramen in mijn klaslokaal valt, probeert mijn leerlingen in amber te vatten alsof ze voor altijd in dit bepaalde moment bewaard moeten blijven. De loom omlaag dwarrelende blaadjes van de notenbomen zouden tranen kunnen zijn voor het sterven van de zon. Maar het kan best zijn dat mijn melancholie gewoon het logische gevolg is van de zelfbespiegeling die zich altijd bij het wisselen van de seizoenen voordoet. In ieder geval kan ik niet klagen dat mijn leerlingen niet ijverig zijn. Zelfs Sally, die het vorig jaar op school zo slecht deed dat ik bang was dat ze zou blijven zitten, is hard aan het werk. Als ik haar tegenkom op het gazon onder het diep donkerrode bladerdak van de rode beuk, of haar in een van de zitkamers van Beech Hall voor de open haard zie zitten, buigt ze zich meteen over haar boek of haar schetsboek. Ze neemt het me nog steeds kwalijk dat ik Callum Reade heb meegenomen naar de viering van de equinox. Daar heb ik niet veel tegen in te brengen. Ik neem het mezelf ook kwalijk.

Als ik hem in de schuur niet had gekust, was hij misschien niet achter me aan gelopen en had hij ook niet die scène op de richel veroorzaakt. En gênant genoeg moet ik ook toegeven dat ik degene was die begon te kussen. Maar het zal ongetwijfeld een rare bijwerking van verdriet zijn geweest die me daartoe aanzette. Hij is helemaal niet het soort man dat ik aantrekkelijk vind, veel te ruw en te bitter. Bovendien heeft hij kennelijk iets tegen kunstenaars, intellectuelen en mensen uit New York. Hij lijkt in ieder geval totaal niet op Jude. Nee... het is maar goed dat hij sinds de dag van de equinox geen contact meer met me heeft gezocht.

Om mezelf daarvan nog eens extra te overtuigen, besluit ik om uit te zoeken waarom hij weg is gegaan bij de politie in New York. Terwijl mijn klas in de bibliotheek bezig is met research voer ik op internet zijn naam in en vind meteen het hele verhaal. Er staat ook een foto bij van een veel jongere Callum, in uniform. AGENT VRIJGESPROKEN NA SCHIETPARTIJ IN DE BRONX staat eronder. De jongen die hij heeft neergeschoten had een strafblad en een pistool en drie getuigen hebben verklaard dat ze zagen hoe hij dat trok en richtte toen hij door de politie werd aangehouden. Er schijnt weinig twijfel over te bestaan dat Callum terecht geschoten heeft, maar vlak onder de foto van Callum staat ook een foto van de jongen. Hoewel hij veertien was toen hij werd neergeschoten lijkt hij op de foto hooguit een jaar of elf. Hij heeft een brede glimlach waarbij de spleet tussen zijn voortanden duidelijk te zien is en een ondeugende blik in zijn ogen. Je kunt je nauwelijks voorstellen dat hij met iets gevaarlijkers dan een mp3-speler loopt te stoeien. Onwillekeurig vraag ik me af of dit het gezicht is dat Callum Reade ziet als hij 's avonds zijn ogen sluit. Bij mij zou dat zeker het geval zijn. Nu vraag ik me af of hij zo vastbesloten was om Chloe bij die richel weg te houden, omdat hij niet bereid was om opnieuw verantwoordelijk te zijn voor het voortijdige einde van een jong leven.

Dat kan ik hem niet kwalijk nemen. Ik merk zelf ook dat ik, sinds haar uitbarsting op de richel, scherp oplet of Chloe nog meer tekenen vertoont van labiel gedrag. Maar het enige vreemde is dat ze, ondanks de mislukking van de equinoxviering, geobsedeerd blijft door heidense rituelen. Hooguit een paar dagen later komt me al ter ore dat ze plannen maakt voor een ceremonie ter ere van Samhain, de heidense voorloper van Halloween. Dit keer besluit ik echter dat ik net zo goed mijn voordeel kan doen met het feit dat ze zo geboeid zijn door het Keltische jaarwiel. Ik zoek Samhain op in het boek van Vivienne Crowley dat ik in De Jaargetijden heb gekocht en lees: 'Samhain is in de heidense cultuur het feest van de doden.' Hoewel de rillingen me bij die beschrijving over de rug lopen vind ik op de volgende bladzijde deze opwekkende suggestie: 'Samhain kan ook gevierd worden door een altaar voor onze voorouders te bouwen en oude foto's, herinneringen en medailles op te zoeken en die voor het feest een ereplaatsje te geven.'

Als ik dat lees, moet ik meteen terugdenken aan de werkstukken die ik vroeger, toen Sally nog klein was, samen met haar maakte bij het begin van het nieuwe schooljaar: de herfstbladeren die we tussen velletjes waspapier met een strijkijzer platpersten, de Thanksgiving-kalkoenen die we van vilt en pijpenstokers maakten. Mijn handen kriebelen om iets tastbaarders te maken dan woorden op papier. En dus ga ik begin oktober op een dag bij Shelley op bezoek in haar studio en vraag of ze zin heeft om samen te werken aan een project.

'Omdat ik toch al een onderzoek doe naar hun leven en werken zou ik er een soort eerbetoon aan Vera Beecher en Lily Eberhardt van kunnen maken. Daarna kunnen de leerlingen er een eerbetoon van maken aan hun eigen voorouders. Vervolgens laat ik ze een stuk schrijven over de folklore van hun eigen familie en de verhalen die van generatie op generatie zijn verteld.' De ideeën komen bij me op terwijl ik praat, want ik ben bang dat Shelley het project af zal wimpelen omdat het niet voldoende doordacht is voor de kunstopleiding van Arcadia. Ik besef dat het een beetje doet denken aan de kijkdozen die Sally in de derde groep van schoenendozen moest maken. Maar Shelley laat het schilderij waaraan ze stond te werken toen ik binnenkwam – weer een uitzicht op een spookachtig bos – rusten en drukt het puntje van haar penseel tegen haar lippen. Ze ziet eruit als een allegorische figuur die de kunstenaar moet voorstellen. Haar grootmoeder had het geschilderd kunnen hebben.

'Wat een fantastisch idee! Ze zouden een portret van een van hun voorouders kunnen maken of een tekening van iets dat zich in hun jeugd heeft afgespeeld. En ik kan ze kennis laten maken met de autobiografische collages van Frida Kahlo.'

Shelley steekt het penseel in haar los opgestoken haar en duikt naar een boekenkast waaruit ze snel achter elkaar drie boeken plukt. 'En we kunnen ook kijken naar foto's van de altaars tijdens de Mexicaanse *Día de las Muertes*... Ik geloof dat die in deze oude tijdschriften staan.'

Binnen een paar minuten zit Shelley midden tussen een stel glanzende *National Geographic*'s die om haar heen liggen als het aureool om het hoofd van een heilige. Ze is het schilderij waaraan ze werkte compleet vergeten. Maar als ik weg wil lopen, zie ik Sally's naam staan op een memokaartje dat met een paperclip vastzit aan een ezel waarop een afgedekt schilderij staat.

Ik steek mijn hand ernaar uit, maar Shelleys stem voorkomt dat ik de doek eroverheen optil.

'Ik heb Sally beloofd dat ik haar werk aan niemand zou laten zien... daarom staat het ook hier. Ik weet wel dat het moeilijk moet zijn dat ze het niet met je wil delen, maar ik vind toch dat we haar wens moeten respecteren. Vind je ook niet?'

Het medelijden in haar stem jaagt het bloed naar mijn wangen. 'Natuurlijk,' zeg ik zonder me om te draaien. 'Ik besefte niet dat het zo'n punt voor haar was. Ze heeft me altijd haar werk laten zien...' Ik kan niets bedenken dat me niet nog wanhopiger en pathetischer zal laten klinken. Maar als ik me omdraai, zie ik dat

Shelley totaal geen aandacht aan me schenkt. Ze is verdiept in een artikel over Romeinse dodenmaskers. Ik loop rustig de deur uit, blij dat ze zo snel afgeleid is.

En ik ben ook blij met de koele herfstlucht als ik snel de heuvel op loop naar Beech Hall. Zo worden mijn gloeiende wangen weer iets koeler. Waarom zou ik me er druk over maken dat Sally haar schilderijen wel aan Shelley Drake laat zien en niet aan mij? Het belangrijkste is dat ze een uitlaatklep heeft gevonden voor haar verdriet en dat ze productief is. Ik ben blij dat ze iemand heeft die haar raad kan geven. En ik veronderstel dat ik ook blij moet zijn dat Shelley zo enthousiast reageerde op mijn voorstel, maar daardoor voel ik me wel moe en trillerig, alsof ik te veel koffie heb gedronken of mijn vingers in een stopcontact heb gestoken. Ik denk aan wat Shelley me vertelde over haar grootmoeder Gertrude die een zenuwinstorting kreeg toen haar schilderij bespottelijk werd gemaakt door de Fakirs van de kunstacademie en dat haar moeder haar leven lang van de ene psychiatrische instelling naar de andere ging. Is die psychische instabiliteit die kennelijk in haar familie voorkwam, de reden dat Shelley absoluut niet geassocieerd wenst te worden met haar grootmoeder? In ieder geval lijkt Shelleys gedrag een tikje maniakaal. Ik zal stevig moeten aanpakken om haar tempo bij te houden.

Ik breng de avond in mijn eentje door aan de keukentafel, waar ik de inhoud van de hoedendoos met spullen van Vera Beecher doorspit op zoek naar foto's en andere spulletjes die geschikt zijn voor een altaar. En ik haal de foto van Lily Eberhardt, Gertrude Sheldon en Mimi Green op de eerste mei eruit. Sinds ik heb gelezen wat Lily in haar dagboek over de drie vrouwen – en de viering van de eerste mei – heeft geschreven heb ik het gevoel dat ik ze wat beter heb leren kennen. Nu zie ik ook dat Gertrude Sheldon precies dezelfde gejaagde blik in haar ogen heeft die ik net bij haar kleindochter Shelley heb gezien. En Lily's gezicht is ook niet zo onbekommerd blij als ik eerst. Er staat absoluut vreugde en opwinding op te lezen, maar haar ogen glanzen verdacht, alsof ze ieder moment in tranen kan uitbarsten. Alleen de kleine Mimi

Green – die in Lily's dagboek iets wereldser en verstandiger overkomt – is niet te peilen omdat haar ogen onzichtbaar zijn door die lange pony en haar gebogen hoofd.

Ik vind nog een paar foto's van die eerste mei – een van Virgil Nash die met een kartonnen zwaard loopt te zwaaien en een van de gebroeders Zarchov die gekleed in een Russisch kostuum balalaika zitten te spelen – maar er is niets dat de vergane dagen van Arcadia zo treffend in beeld brengt als de eerste foto van de drie vrouwelijke feestgangers. Ik zet het kiekje rechtop tegen de hoedendoos die is versierd met een ouderwets toefje viooltjes. Als ik opsta en een stap achteruit doe, zie ik dat de hoedendoos de volmaakte achtergrond is. Eromheen ligt een krans van oude brieven en aantekenboekjes die op hun beurt weer omringd worden door het klimopmotief van het tafelblad.

Het is een haast volmaakt stilleven... er moet alleen iets verticaals bij. Ik kijk om me heen in de keuken en probeer stuk voor stuk de halflege wijnfles, een koekblikje en een keramische vaas, die ik meteen weer weghaal. Nee, dat bloemenmotief moet erin terugkomen en het moet iets te maken hebben met het leven van Lily en Vera. Ik loop naar de woonkamer en mijn oog valt onmiddellijk op het Franse-leliemotief van de tegels bij de haard. Ja, dat komt in de buurt, maar daar schiet ik niets mee op, tenzij ik alles meesleep naar de woonkamer. Maar er was nog iets met een Franse lelie. De herinnering zit ergens in mijn achterhoofd, glanzend als oud glas...

Ach, natuurlijk! Het parfumflesje met de Franse lelie dat Vera aan Lily gaf tijdens hun eerste winter in New York. Het beeld staat me zo duidelijk voor ogen dat ik er al naar op zoek ga, voordat het tot me doordringt dat ik het flesje nooit echt gezien heb, maar er alleen in Lily's dagboek over heb gelezen.

Toch heb ik er wel degelijk een onder ogen gehad. Ik herkende de beschrijving van de parfumflesjes die mijn oma had. Daar had ik als kind mee gespeeld, door ze met gekleurd water te vullen en vervolgens op een rijtje te zetten op de vensterbank van mijn grootmoeder in Brooklyn. Toen ze was overleden en mijn moeder informeerde of ik een aandenken aan haar wilde hebben, vroeg ik om een van haar parfumflesjes. Ik weet zeker dat ik dat niet heb weggegooid. Het moet in een van de tientallen nog niet uitgepakte verhuisdozen zitten.

Ik vind het in de derde doos die ik openmaak, in vloeipapier gewikkeld tussen de porseleinen paarden die Sally spaarde toen ze nog stapelgek was op paarden. Het glas is dik en verweerd, met een groenige glans en het patroon van de Franse lelie in de hals. Aan een kant zit nog een klein stukje papier, goud met lavendelkleur. In de bodem is de naam gegraveerd van de drogisterij die het parfum maakte: PRIVET AND SLOE, APOTHECARIES, NY, NY. Ik houd het flesje bij mijn neus, in de hoop dat ik nog iets van die bekende geur van mijn grootmoeder kan opvangen, maar het ruikt naar oud papier en stof. Al dat gekleurde water dat ik erin heb gegoten moet de laatste spoortjes van het parfum al lang geleden uitgewist hebben.

Ik pak een van Sally's schetsboeken en loop terug naar de keuken, waar ik de fles voor de hoedendoos zet, zodat de foto er gedeeltelijk achter schuilgaat en Lily's gestrekte arm in het verweerde glas weerspiegeld wordt. Het zal niet meevallen om dat effect vast te leggen, maar ik heb meteen het gevoel dat het hele beeld daarom draait. Ik blijf nog even naar het tafereeltje kijken, dan pak ik mijn oude, beduimelde exemplaar van *Het wisselkind* uit mijn boekentas.

Ik blader het door zonder te weten wat ik zoek... tot ik het ineens zie. Ik leg het opengeslagen boek voor de andere voorwerpen. Dan ga ik zitten en doe iets wat ik al jarenlang niet meer heb gedaan. Ik teken.

Als ik de volgende ochtend wakker word, zitten mijn handen en het beddengoed onder het pastelkrijt. Het is net alsof in de nacht een regen van lentebloemen op mijn bed is neergedaald. Lavendel, vuurrood, bleekgroen en botergeel zijn de overheersende kleuren. Ik kan me vaag herinneren dat ik gisteravond laat nog Sally's oude pastelkrijtjes tevoorschijn heb gehaald, maar alles is wazig, alsof ik dronken ben geweest. Maar ik kan me niet herinneren dat ik een druppel alcohol heb aangeraakt en wanneer ik opsta, is mijn hoofd helder.

Het stilleven (eigenlijk een raar woord voor dit eerbetoon aan de doden) ligt nog steeds op de keukentafel als ik beneden kom. Ik kijk er vluchtig naar, omdat ik geen zin heb het goed te bestuderen. Voor het eerst in jaren heb ik weer het gevoel gehad dat ik me tijdens het tekenen in een andere wereld bevond en ik ben bang dat ik in het kille daglicht teleurgesteld zal zijn in het resultaat. Ik maak koffie in een reismok die ik twee jaar geleden op moederdag van Sally en Jude heb gekregen, prop een van de overgebleven zoete broodjes van Dymphna in mijn zak en stop de tekening tussen de bladen van het schetsboek dat ik gisteravond uit Sally's kamer heb meegepikt. Daarna ga ik op weg naar school, voordat ik van gedachten kan veranderen.

Het maakt helemaal niets uit als de schets niet deugt, hou ik mezelf onderweg naar Beech Hall voor. Het is maar een voorbeeld, om de klas te laten zien waar het mij bij dit project om gaat. Als het erg amateuristisch is – en dat kan bijna niet anders – dan is dat voor hen een teken dat ik bereid ben om eerlijk tegen hen te zijn. Dan kunnen we gewoon lachen om mijn pogingen om na al die jaren weer eens iets te tekenen.

Maar als ik het schetsboek tegen mijn borst druk, weet ik best dat ik niet wil dat ze me om deze eerste poging uitlachen. Dat weet ik, omdat ik er even teder mee omspring alsof het een kind is. Gedurende een griezelig moment heb ik het gevoel dat ik op die tekening uit *Het wisselkind* lijk, van het boerenmeisje met de in een katoenen lap gewikkelde wortel van de beuk in haar armen die dat dode ding van hout en sap in vlees en bloed veranderen.

Er wordt wat gekreund als ik over een nieuw werkstuk begin, maar als ik vertel dat het voor twee vakken zal meetellen en dat ze er niets voor hoeven te schrijven houden ze hun mond. Ik vertel ze in grote lijnen wat mijn bedoeling is en hang vervolgens, voordat ik de moed verlies, mijn eigen schets met plakband op het bord.

'Zoals jullie wel kunnen zien heb ik al een tijdlang geen potlood meer op papier gezet, maar ik wilde jullie een idee geven van...'

'Hebt u dat gemaakt?' Het is Chloe die de vraag stelt en hoewel ik eerst nog even denk dat ze de spot drijft met mijn dappere poging dringt het al snel tot me door dat ik me vergis.

'Sjonge, mevrouw Rosenthal!' zegt Hannah Weiss. 'We wisten helemaal niet dat u ook nog kon tekenen! Het is echt goed... op een soort van klefferige manier.'

Ik draai me om en kijk naar wat ik heb getekend. Gisteravond heb ik *Het wisselkind* opengeslagen bij de tekening van het boerenmeisje dat onder de rode beuk knielt, met de wortel in haar armen. Ineens vraag ik me af waarom ik in vredesnaam dat tafereel heb uitgekozen. Het is in ieder geval het vreemdste in het hele verhaal. De tekening loopt letterlijk uit over de tafel. Bladeren van de beuk liggen als bloedspatten verspreid over het tafelblad. De bloedrode wortels van de beuk kronkelen van het papier af en kruipen tussen de achteloos neergegooide brieven. Hun lange tentakels lijken griezelig veel op vingers die tussen de papieren naar iets op zoek zijn.

'Ik snap het,' roept Hannah Weiss uit. 'De wortels tonen het verband tussen het sprookje dat Lily Eberhardt en Vera Beecher schreven en hun leven samen dat wordt gesymboliseerd door hun brieven.'

Tori Pratt mompelt binnensmonds iets wat op 'wijsneus' lijkt.

Ik kijk wat aandachtiger naar de tekening. Zou Hannah het met die ingewikkelde analyse bij het rechte eind hebben?

'En de beuk, die natuurlijk Vera moet verbeelden, bloedt omdat Lily is overleden,' voegt Clyde Bollinger eraantoe.

'Maar wat is dan de betekenis van die bebloede baby?' vraagt Chloe.

Bij die vraag krijg ik het gevoel dat mijn eigen bloed wegtrekt uit mijn gezicht. Heb ik echt een bebloede baby getekend? Als ik naar het bundeltje kijk dat het boerenmeisje in haar armen heeft, zie ik dat de wortel inderdaad rood is, net als de andere boomwortels. En ja, de wortel heeft wel iets weg van een baby. Heb ik daarmee de baby willen weergeven die Lily ter wereld bracht en die ze heeft opgeofferd aan Vera's ideaal met betrekking tot het kunstenaarsbestaan? En als dat zo is, hoe moet ik dat dan aan mijn leerlingen uitleggen?

Gelukkig schiet Hannah Weiss me te hulp. 'De baby staat voor de school, hè mevrouw Rosenthal? En die zit vol met bloed omdat hij geboren werd uit het verdriet dat Vera na Lily's dood voelde.'

Ik draai me om en kijk de klas aan. Voor de verandering zijn ze meer geïnteresseerd in mijn antwoord dan in het controleren van hun e-mail en berichtjes op hun laptops. 'Dat is één verklaring,' zeg ik behoedzaam. Ik had ze erop kunnen wijzen dat de school al voor Lily's dood is gesticht, maar Hannahs opmerking doet me denken aan iets dat Shelley Drake heeft gezegd: dat Ivy St. Clare de school heeft veranderd in een schrijn ter nagedachtenis aan 'het rottende lijk van Sint-Vera'. 'Waar het eigenlijk om gaat, is dat jullie begrijpen hoeveel je kunt suggereren met het tekenen van levenloze voorwerpen. Denken jullie dat je hetzelfde kunt klaarspelen met jullie eigen aandenkens? Welke voorwerpen zouden julie uitkiezen om het verhaal van jullie eigen familie te vertellen?'

'Ik heb het zakhorloge van mijn grootvader.' Clyde trekt een dikke gouden schijf uit de zak van zijn spijkerbroek. 'Dat heeft hij van mijn grootmoeder gekregen toen hij in het leger ging, opdat hij haar dan nooit zou vergeten.'

'Wat gaaf,' zegt Hannah terwijl ze over Clydes schouder naar zijn horloge kijkt. 'Ik heb de Vassar-ring van mijn moeder. Ze heeft het er altijd over dat ik me daar ook moet laten inschrijven.'

Een paar andere leerlingen doen ook een duit in het zakje met aandenkens die ze geërfd of in bruikleen hebben van ouders, grootouders, tantes en ooms. Een van de jongens vertelt dat hij bij het overlijden van zijn grootvader al zijn schoenen kreeg, omdat ze dezelfde maat hadden. Een meisje zegt dat ze de spijkerbroek heeft die haar moeder aan had toen ze naar Woodstock ging. Ik ben dolblij dat de klas zo enthousiast is. Misschien is dit precies wat we nodig hebben om de sombere stemming te doorbreken die al sinds de dood van Isabel over het schoolterrein hangt en kan ik zo het vertrouwen van mijn leerlingen herwinnen dat ik kwijtraakte toen ik met sheriff Reade bij de viering van de equinox kwam opdagen. Ik vind het ook ontroerend dat dit clubje met iPod uitgeruste en door mobiele telefoons geobsedeerde tieners zoveel voorwerpen met sentimentele waarde blijken te bezitten, maar dan komt Chloe eindelijk met de vraag waarop ik heb gewacht.

'En als je nou helemaal geen familieaandenkens hebt?'

'Dan kun je van foto's tekenen of uit je geheugen: momenten uit het verleden die je je kunt herinneren, die teddybeer die je moeder heeft weggegooid, of een huis waarin je hebt gewoond toen je nog klein was en dat je niet meer gezien hebt sinds...' Ineens flitst er een herinnering aan de keuken van mijn grootmoeder in Brooklyn door mijn hoofd, het patroon van het keukentafelblad, de zon die door de ramen schijnt en de parfumflesjes die ik met gekleurd water heb gevuld doet schitteren. Ik kijk weer naar mijn eigen tekening, nieuwsgierig naar – en ook wel een beetje bang voor – voor wat ik gisteravond in de opwinding van mijn tijdelijke creatieve schemertoestand met het parfumflesje heb gedaan.

Maar het flesje is onaangetast door de vloedgolf van rood in de rest van de tekening. Het staat ongeschonden en vol helder water in het volle licht, als vaasje voor één enkele witte lelie. Ik zie ineens dat het flesje en die witte bloem tegenwicht bieden voor de rest van de tekening, maar het is ook dat pure wit van de lelie dat het rood van de beuk zo verrassend... bloederig maakt.

Ik draai mijn rug weer naar de tekening om nog meer vragen te beantwoorden. Zal het cijfer meetellen voor beide vakken? En in welke mate? Moet het per se in pastelkrijt worden gemaakt? Of mag het ook met een pen? Een potlood? Markers? Houtskool? Waterverf? Mogen ze gebruikmaken van photoshop? Tegen de tijd dat ik al die vragen beantwoord heb, is er nauwelijks genoeg tijd over om de leesopdracht van de avond ervoor te behandelen, een hoofdstuk uit *From the Beast to the Blonde*. Het uur is om voordat ik de kans krijg om hen te herinneren aan de leesopdracht van vanavond (een hoofdstuk uit *Het nut van sprookjes* van Bruno Bettelheim), en dan hol ik het lokaal uit, op de voet gevolgd door Clyde en Hannah die nog meer vragen hebben over wat ze inmiddels al het Dodenproject hebben genoemd.

Ik ben halverwege het jachthuis als ineens tot me doordringt dat mijn tekening nog steeds op het bord vastgeplakt zit. Hoewel ik daardoor te laat zal komen voor mijn werkgroep met de Merlingtweeling keer ik toch om. Ik maak mezelf wijs dat ik die tekening absoluut aan Shelley moet geven om als voorbeeld te dienen als zij dit project in haar eigen les introduceert, maar ik weet best dat ik in werkelijkheid gewoon niet wil dat iedereen ernaar kan kijken.

Maar wanneer ik in mijn klaslokaal aankom, zie ik dat de laatste persoon van wie ik wil dat ze de tekening onder ogen krijgt ervoor staat: Ivy St. Clare.

'Wie heeft die gemaakt?' vraagt ze zonder zich om te draaien als ik de klas binnenstap.

'Ik. Het is alleen maar een voorbeeld voor een project dat ik aan mijn leerlingen heb...'

'Je geeft ze toch niet de beschikking over het archiefmateriaal dat ik je geleend heb?'

'Nee, natuurlijk niet. Ze gebruiken gewoon de aandenkens van hun eigen familie.' Ik vertel de rectrix wat de opdracht inhoudt, maar ze lijkt haar ogen niet van mijn tekening af te kunnen wenden. Zodra ik klaar ben, wijst ze naar een van de voorwerpen op de tekening.

'Wat is dit?'

Ik kijk iets beter en zie dat ze naar het groene boek wijst. Ik wil net zeggen dat het om Lily's dagboek gaat, maar besef dan dat ik dat niet kan maken. Ik kan toch niet tegen haar zeggen dat ik het dagboek heb gevonden, maar heb verzuimd dat aan haar te vertellen? Gelukkig wordt de gouden Franse lelie half verborgen door een brief die op het omslag ligt. 'Gewoon een oud boek dat ik ergens had liggen,' zeg ik. 'Ik vond dat de kleur een mooi contrast vormde.'

St. Clare draait zich naar me om en werpt me vanuit de halfgeloken ogen in haar verweerde gezicht een strakke blik toe. De intensiteit daarvan doet me aan iets denken, maar aan wat weet ik niet. 'Ja, dat klopt,' zegt ze eindelijk. 'Je hebt er oog voor.' Dan draait ze zich om en loopt weg. Pas op dat moment herinner ik me waar ik die blik eerder heb gezien. Het is dezelfde kille oogopslag waarmee die uil op Callum en mij neerkeek.

TWINTIG

Na mijn laatste les ga ik op een holletje terug naar het huisje en negeer het verleidelijke aroma van versgebakken broodjes uit Dymphna's keuken. Ik moet gisteravond echt in een soort trance zijn geweest om zo achteloos dat dagboek van Lily in mijn stilleven op te nemen. Als het geheugen van Beatrice Rhodes haar niet bedriegt is Ivy St. Clare al sinds de dood van Lily op zoek naar dat dagboek. Natuurlijk had ik gewoon kunnen zeggen dat ik het dagboek in het huisje heb gevonden, maar dan zou ik ook moeten uitleggen waarom ik dat niet meteen verteld heb en misschien zou ze dan eisen dat ik het meteen aan haar geef. En ik wil het nog niet kwijt tot ik het hele verhaal van Lily heb gelezen. Ik kan alleen maar hopen dat de rectrix me geloofde toen ik zei dat het boek in het stilleven van mij was.

Ik ben opgelucht als ik het dagboek nog steeds aantref op de keukentafel, samen met de hoedendoos en de parfumfles, maar ik word ook een beetje zenuwachtig van het idee hoe gemakkelijk het voor Ivy St. Clare – of wie dan ook – zou zijn geweest om het huis in te lopen en het mee te nemen. Van nu af aan zal ik het op een veilig plekje moeten bewaren. Ik prent mezelf in dat ik het alleen mag lezen als ik in mijn eentje in het huisje ben. Ik begin die avond meteen en blijf op tot de kleine uurtjes om Lily's verslag te lezen van haar winter in het Saint-Lucy's Weeshuis en Opvangtehuis voor Ongehuwde Moeders.

Toen ik aan Vera vertelde dat ik een baan had gevonden door samen met Mimi Green aan de muurschilderingen in Saint-Lucy's te gaan werken, was ze lang niet zo boos als ik had verwacht. Ze kneep haar lippen op elkaar en sloeg haar handen in haar schoot in elkaar – twee gebaren waaraan ik zo langzamerhand kon zien dat ze zich met moeite beheerste – maar toen ze haar mond opendeed, klonk haar stem kalm en koel.

'En je hebt je best gedaan om die opdracht te krijgen zonder mij om hulp te vragen?'

Ik wist dat ze zich gekwetst voelde, maar ze kleedde haar klacht zo in dat ik de kans kreeg om mijn gezicht te redden. Dat deed ze altijd. Het was een van de dingen waarom ik zo van haar houd. Ze had er een hekel aan om in een hoek gedreven te worden en dus deed ze dat ook niet met andere mensen.

'Je hebt er bij mij altijd op gehamerd dat onafhankelijkheid en zelfstandigheid zo belangrijk zijn. Ik dacht dat je trots op me zou zijn.'

'En dat ben ik ook.' Haar mond krulde in een stijf glimlachje. 'Ik vraag me alleen af of dat wel de juiste manier is om je talent te ontplooien: een religieus thema en dan ook nog in zo'n uithoek. Ik had misschien wel iets beters voor je kunnen vinden.'

'Ja, dat zal best wel, maar dan had ik dat niet zelf klaargespeeld. Mimi zegt dat ze met een vriend van Harper's Bazaar heeft afgesproken dat ze een foto komen maken van de muurschildering als die klaar is.'

Vera snoof. 'Nou ja, als je echt van plan bent om het te doen, kan ik net zo goed een goed woordje voor je doen bij Vanity Fair.'

Toen wist ik dat ze zich erbij neergelegd had, maar ik was nog niet uit de zorgen. Die avond pakte ze haar wegenatlas van de staat New York en zocht het stadje Easton op, waar Saint-Lucy's was gevestigd.

'Goh, dat ligt eigenlijk best dichtbij,' riep ze uit. 'Het zal hooguit een autoritje van een uur zijn en je kunt er zelfs met de trein naartoe.'

De moed zakte me in de schoenen, toen ik naar de plek keek die haar vinger op de kaart aanwees. Mimi had een beetje vaag gedaan over de locatie van Saint-Lucy's, maar dat kwam omdat zij een stadsmeisje was en voor haar was het noorden van de staat New York een eindeloze aaneenschakeling van zuivelboerderijen en pittoreske achtergrondjes voor haar schilderijen. Maar ik zag meteen waar Saint-Lu lag: aan de oever van de East Branch, de oostelijke tak van de rivier de Delaware, niet ver van de boerderij waar ik was opgegroeid.

'Je kunt het weekend gemakkelijk hier doorbrengen,' verklaarde Vera terwijl ze de atlas met een vastberaden klap dichtsloeg. 'Ik weet zeker dat je blij zult zijn met een lekker bed en een goed maal nadat je de hele week bij de nonnetjes hebt gezeten.'

Wat moest ik zeggen? Als ik bezwaar maakte, zou ze het gevoel krijgen dat ik aan haar probeerde te ontsnappen. De volgende paar dagen overwoog ik om een andere opdracht te verzinnen waarvoor ik een stuk verder weg zou moeten of op te biechten wat er met me aan de hand was. Eén ding stond vast: als ik nog langer wachtte, zou die beslissing me uit handen worden genomen. Half september begon Vera er al opmerkingen over te maken dat ik zoveel molliger was geworden. 'Dat komt vast door het gemakkelijke leventje dat je hebt gehad,' zei ze toen we naar het jachthuis liepen. 'Je zult wel weer afvallen als je bij de nonnetjes bent.'

'Ja, maar dan kan ik nog steeds ieder weekend van de kookkunst van mevrouw Byrnes genieten.'

'Nu we het daar toch over hebben,' begon Vera, terwijl ze haar arm door de mijne stak. We waren aangekomen bij de grote rode beuk

midden op het gazon. De blaadjes hadden de laatste paar weken een nog donkerder paarse tint gekregen, maar ze begonnen nog niet te vallen. De beuk was een van de laatste bomen die in de herfst zijn blad verloor. Tegen de tijd dat het zover was, zou ik al weg zijn. Ineens wilde ik niets liever dan gewoon hier op Arcadia blijven en toekijken hoe eerst de blaadjes en vervolgens de sneeuw zou vallen en met Vera aan mijn zij voelen hoe de baby in me groeide. Maar toen ik Vera aankeek met de bedoeling alles op te biechten, ging ze gewoon verder. 'Zou je heel erg verdrietig zijn als ik deze winter op reis zou gaan? Dan kun je natuurlijk nog steeds gewoon in het weekend hiernaartoe komen. Mevrouw Byrnes blijft op het huis letten…'

'Waar ga je dan naartoe?' vroeg ik.

'Gertrude heeft gevraagd of ik met haar mee wil gaan naar Europa.'

'Maar ik dacht dat ze met haar man ging.'

Vera haalde haar schouders op. 'Heb je Bennett Sheldon wel eens ontmoet? Hij is de saaiste en vervelendste kerel die je je kunt voorstellen. Ik denk dat Gertrude bang is dat ze gek wordt als ze zes maanden lang niemand anders heeft om mee te praten. En ze wil dat ik haar advies geef over de kunstverzameling voor haar nieuwe museum. Ik had het idee om dan hier in Arcadia ook maar een kleine verzameling aan te leggen, zodat we wat voorbeelden hebben voor onze kunstenaars.'

'Ik dacht dat je Gertrude niet uit kon staan.' Mijn stem klonk ineens schril en Vera keek me verbaasd aan. 'Dat is ook zo. Je weet best dat ik een ontzettende hekel heb aan dilettantes. Maar ze kent de beste kunsthandelaren in Londen en Parijs. Je bent toch niet jaloers, lieverd?'

Tot mijn verbazing zag ik dat ze me ineens veel vriendelijker aankeek. Ik had altijd gedacht dat ze jaloezie niet uit kon staan, precies zoals ze alleen maar minachting kon opbrengen voor de meeste zwakheden, maar nu glimlachte ze ineens en trok me naar zich toe. 'Mijn liefste Lily, mijn reine Lily. Je weet best dat er voor mij niemand anders is. Je hoeft echt niet bang te zijn. Maar als je graag met ons mee wilt, dan weet je ook dat ik daar dolblij om zou zijn.'

Ik kon het bonzen van haar hart voelen onder de stijve stof van haar jurk. Haar arm trok me iets steviger tegen haar aan. Toen begreep ik dat ze me met dit nieuws jaloers had willen maken om me op die manier over te halen met haar mee te gaan. Ik ging er niet minder om van haar houden, eigenlijk alleen maar meer. Het was de eerste keer dat ik haar op een echte zwakheid had betrapt. En dat kwam door mij. Door haar liefde voor mij.

Ik omhelsde haar ook en mompelde tegen haar hals. 'Hoe zou ik je ooit niet kunnen vertrouwen, Vera? Zelfs je naam betekent al waarheid. Ga maar naar Europa en kom terug met je schatten. Ik zal hier op je wachten.'

Mimi wilde eerst terug naar Brooklyn om haar familie op te zoeken, dus spraken we af dat we elkaar in de laatste week van oktober in Saint-Lucy's zouden ontmoeten. Ik besloot dat ik in de tussentijd ook wel een bezoek kon brengen aan mijn familie in Roxbury.

Ik was niet meer bij ze geweest vanaf het moment dat ik naar de stad vertrok. Ik had wel brieven geschreven en regelmatig geld gestuurd, maar ik was een beetje bang geweest om terug te gaan, omdat ze dan zouden zien dat ik hun helemaal was ontgroeid. En eigenlijk zou ik nu juist bang moeten zijn, vanwege dat geheim dat aan mijn omvang, mijn dikker wordende taille en mijn gezwollen borsten af te lezen was, maar misschien was dat eigenlijk wel de reden dat ik ging. Misschien had ik ergens toch nog het idee dat er een plaats voor mij en mijn ongeboren kind zou zijn in het huis waar ik was geboren.

De boerderij van mijn ouders lag vlak bij het dorpje Roxbury, beschut in een uitholling vol malse weilanden die bevloeid werden door de East Branch. Toen ik in Roxbury uit de trein stapte, leken de keurige witte huizen me afkeurend en vol provinciale superioriteit aan te kijken. Tegen de tijd dat ik bij de witte boerderij aankwam, was ik al bijna zover dat ik weer wilde omdraaien om terug te lopen naar het station. Ik bleef in de schaduw van een oude treurberk staan en leunde ertegenaan, plotseling een tikje duizelig bij de aanblik van mijn oude huis. Vanaf die plek keek ik toe hoe mijn zusjes en mijn moeder naar binnen en naar buiten liepen. Ze gingen met emmers naar de schuur om te melken en voerden vervolgens de kippen met maïs en restjes van het ontbijt. Ik zag hoe mijn zusje Rose, die intussen een lange, mooie vrouw was geworden, water haalde uit de bron en hoe mijn vader, die oud was geworden na mijn vertrek, vanaf het land naar huis kwam om te eten. Hij had een assistent gekregen – de jongeman die mij een huwelijksaanzoek had gedaan en toen getrouwd was met Marguerite – en een nieuwe hond, die mijn geur niet opving toen ik daar onder die treurberk stond, verscholen achter een groen bladergordijn. Ik bleef daar zo lang staan dat ik me langzaam maar zeker een deel van de boom begon te voelen. Mijn ledematen waren zo gevoelloos dat het leek alsof ze met schors waren bedekt, mijn hoofd voelde zwaar aan alsof het bedekt was met een dicht bladerdak en mijn voeten leken in de grond geworteld te zijn. Ik wenste bijna dat ik één zou kunnen worden met de boom, want dan kon ik hier voorgoed blijven en onderdeel worden van het reilen en zeilen van het dagelijkse leven op de boerderij. Ik begreep nu pas dat ik daar alleen op die manier weer bij zou kunnen horen. Ze hadden me niet nodig. Ik zou ze alleen maar te schande maken als ik nu, zwanger en ongetrouwd, weer terugkwam.

Ik zette mijn loomheid van me af door aan Vera te denken en aan het leven dat me wachtte als ik terugging naar Arcadia. Het leek nog heel ver weg, alsof ik bergen zou moeten beklimmen om het opnieuw te vinden, maar ik zou er nooit komen als ik niet op weg ging. Het was net alsof ik een deel van mezelf achter moest laten, maar toen ik me eindelijk van die boom had losgerukt had ik het gevoel dat ik ook de laatste band met mijn oude leven had verbroken.

Ik liep terug naar het station en nam de trein naar Arkville, waar ik de rest van de week in een pension logeerde. Daar wachtte ik tot Mimi er ook was. Ze zag er opgewekt uit na het bezoek aan haar familie, vol verhalen en pakjes met koekjes waarvan ik nog nooit had gehoord, zoals mandelbrot en rugelach. Ze vroeg me hoe mijn bezoek was geweest en ik haalde mijn schouders op en verzon allerlei verhalen over mijn zusjes die ik bijna zelf ging geloven.

De volgende ochtend stapten we op de trein en reden door een ongerept landschap vol glooiende heuvels met koeien en laaghangende nevels die uit de rivier oprezen en de ramen van onze coupé besloegen. We waren de enige passagiers die in Easton uitstapten, een mooi plaatsje met een witte kerk en een stuk of tien witte houten huizen aan de oever van de East Branch. Terwijl we op onze koffers zaten te wachten keken we naar een groep jongens die in de snel stromende rivier stonden te vissen. Toen we aan een van hen vroegen waar het weeshuis was, reageerde hij door heel hard weg te rennen, alsof hij bang was dat wij van hem ook een wees wilden maken. Toen we ten slotte bijna overwogen om dan maar de volgende trein terug naar Arkville te nemen, hoorden we de wielen van een naderend voertuig en uit de mist doken achter elkaar op: een met modder besmeurde pony, een koetsier die helemaal weggedoken zat onder zijn capuchon en een boerenkar die ooit misschien wit was geweest maar nu de kleur had van de modder waarmee de pony volgespetterd was. De koetsier, een norse jongeman van wie het gezicht ook nadat hij zijn capuchon had afgezet nog steeds half schuilging onder een pet met een brede klep, begroette ons met de woorden: 'Jullie zullen die nieuwe meisjes uit de stad wel zijn.' Vervolgens zette hij onze koffers achter in de houten kar, die naar hooi en mest rook. Toen het duidelijk werd dat wij daar ook in moesten klimmen, stribbelde Mimi tegen.

'Daar ga ik niet in zitten, meneer.'

De man schoof zijn pet achteruit waardoor een paar dicht bij elkaar staande ogen en een haakneus zichtbaar werden. 'O nee? Nou, dan ga je maar lopen. Saint-Lucy ligt halverwege die berg daarginds.' Hij wees met zijn duim naar de oneffen helling van een heuvel die uit de parelgrijze riviermist oprees om vervolgens te verdwijnen in dreigende donkere regenwolken. Op het smalle reepje land tussen mist en wolken kon ik nog net een paar witte gebouwen onderscheiden die zich aan de berg leken vast te klampen. Terwijl Mimi en de koetsier stonden te kibbelen begon het te regenen.

'Ik vind het niet erg om in die kar te zitten,' zei ik. 'Ik ben op een boerderij opgegroeid, dus daar ben ik wel aan gewend,' vervolgde ik tegen de man. Ik zag nu pas dat hij een knul van hooguit achttien of negentien was. 'Maar mijn vriendin kan toch best bij je op de bok zitten?'

De jongen rolde met zijn ogen, haalde zijn schouders op en maakte vervolgens een hoofse buiging, met zijn pet in zijn hand en een brede zwaai naar het triplexplankje dat als bok dienstdeed. 'Na u, milady,' zei hij. Terwijl Mimi moeizaam op de bok klauterde, hielp hij me achter in de kar, binnensmonds mopperend over mensen die het hoog in hun bol hadden en zich beter waanden dan anderen.

De stank was behoorlijk sterk en eerst dacht ik dat ik daar, in combinatie met het wiebelen van de kar, wel misselijk van zou worden, maar ik kwam erachter dat het wel meeviel als ik in hetzelfde ritme meedeinde. We reden over een steil zandpad. Als ik achterom keek, zag ik de rivier beneden door de vallei kronkelen, terwijl de heuvels achter elkaar glooiden als golven met een witte kruin van de overal aanwezige witte mist. Ik had het gevoel alsof ik boven de zee werd weggedragen. Ik dacht aan Vera die op haar schip onderweg was naar Europa en hoewel ik haar miste, had ik voor het eerst sinds maanden weer een vredig gevoel. Niemand zou me hier zoeken. Ik had een schuilplaats gevonden. Ik hoorde Mimi lachen en ik begreep dat ze zich vrolijk maakte over de vergissing van de koetsier die dacht dat we twee ongetrouwde moeders waren die naar Saint-Lucy's kwamen om in het geheim een baby te krijgen. Mimi vond het leuk dat ze hem op zijn vingers kon tikken en vertelde hem dat we kunstenaressen waren die opdracht hadden gekregen om in de kapel nieuwe muurschilderingen te maken. De jongen – hij heette Johnnie, zou ik al snel te weten komen – bood meteen uitgebreid zijn exuses aan, maar ik was blij dat hij die vergissing had gemaakt. Daardoor had ik minder het gevoel dat ik onder valse voorwendselen hiernaartoe was gekomen.

Ik kwam er al snel achter dat het geen toeval was, dat Saint-Lucy's zo afgelegen lag. 'Veel van onze meisjes komen uit de beste katholieke families,' vertelde zuster Margaret, de directrice van het weeshuis, ons ' s avonds tijdens het eten. We hadden een plaatsje gekregen aan haar tafel, die op een klein podium in de enorme eetzaal stond. 'We geven ze privacy en een kans om gelouterd van hun zonden hun oude leven weer op te pakken.'

'Maar missen ze hun baby's niet?' vroeg Mimi tussen de hapjes rosbief door. Vera had zich geen zorgen hoeven te maken dat ik hier zou afvallen. Het eten was voortreffelijk.

Zuster Margaret keek op van haar bord. Zij had geen rosbief genomen. Op haar bord lagen alleen een paar bietjes en aardappels die ze volgens mij nog niet aangeraakt had. Ik vroeg me af of ze een asceet was. Het was moeilijk te schatten hoe mager ze onder haar zwarte habijt was, maar haar gezicht was lang en vel over been, met een huid die even wit was als de kap die het omlijstte, en haar blauwe ogen schitterden met de intensiteit van een fanaticus. Ik stond ervan te kijken dat Mimi het lef had haar een dergelijke vraag te stellen. Maar ze gaf rustig antwoord.

'Ja, natuurlijk wel. Ik veronderstel dat ze gedurende de rest van hun leven iedere dag aan ze denken. Maar het is onze hoop dat ze troost vinden in hun vertrouwen in God en dat hetzelfde, hoewel in mindere mate, geldt voor hun vertrouwen dat wij wel in staat zullen zijn om een goed thuis voor de kinderen te vinden. We hopen dat ze enige geruststelling zullen vinden door na te denken over het leven van Sint-Lucy, die net als zij een ongehuwde moeder was en die haar kind achterliet in de handen van God. Daarom heb ik er ook voor gekozen om haar leven in beeld te brengen in de kapel, waar veel van de meisjes het eerst naartoe gaan als ze bij ons komen. Ik neem aan dat jullie het materiaal dat ik heb opgestuurd over het leven van Sint-Lucy hebben gelezen.'

'Ik wel,' zei ik dankbaar dat ik over een ander onderwerp kon praten dan het missen van baby's. Ik was zo in beslag genomen door mijn pogingen om mijn zwangerschap te verbergen en een manier te vinden om het kind in het geheim ter wereld te brengen, dat ik

mezelf nog niet de kans had gegund om na te denken over hoe het zou voelen om de baby – mijn baby – over te dragen aan een volslagen vreemde. De gedachte bezorgde me een onverwachte pijnscheut, een felle kramp in mijn maag. 'Ik moet bekennen dat ik eigenlijk niets van haar leven af wist, hoewel ik katholiek ben opgevoed.'

'Sint-Lucy is niet erg bekend,' antwoordde zuster Margaret. 'Maar onze orde vereert haar al meer dan vijftienhonderd jaar, sinds haar martelaarschap in het Ierland van de vijfde eeuw, toen ze nog bekend was onder haar Ierse naam, Luiseach. Haar leven biedt met name inspiratie voor de jonge vrouwen die hiernaartoe komen.'

'Ze werd toch verkracht?' vroeg Mimi.

'Verkracht of verleid, daar maakt het verhaal geen onderscheid in, maar eigenlijk komt het op hetzelfde neer, nietwaar? Haar verleider was een heidens stamhoofd. Hoe kon het arme meisje zich tegen een man met zoveel macht verzetten? Veel van de jonge vrouwen die hier komen zijn verleid door machtige mannen, of in ieder geval door mannen die het leuk vinden om de baas te spelen over personen die zwakker zijn dan zij.'

'Ik neem aan,' zeg ik, terwijl ik in elkaar krimp bij een nieuwe pijnscheut in mijn buik, 'dat als een heilige het slachtoffer is geworden van een dergelijke verleiding er ook vergiffenis is voor een gewoon meisje dat hetzelfde is overkomen.'

'Precies,' zegt zuster Margaret terwijl ze me strak aankijkt. 'Dat is ook de boodschap die ik aan mijn meisjes doorgeef. Het bestuur is niet altijd blij met mijn aanpak. Het wil liever dat ik ze straf voor hun zonden en dat ik hun bestaan hier moeilijker maak, maar ik weet maar al te goed dat ze het straks nog zwaar en moeilijk genoeg krijgen.'

'Bedoelt u bij de geboorte?' vroeg Mimi. 'Ik heb in uw verhaal over de heilige gelezen dat die arme Lucy midden in een onweersbui boven op een klif het leven schonk aan haar kind en dat ze zich zo stijf aan een rotsblok heeft vastgeklemd dat haar vingerafdrukken erin stonden. Dat kunnen we wel schilderen als u dat wilt, maar denkt u niet dat het de meisjes bang zal maken?'

Het had mij in ieder geval doodsbenauwd gemaakt. Mijn hand lag nog steeds op mijn buik en ineens voelde ik wat die pijnscheuten veroorzaakt had. De baby die ik bij me droeg, bewoog.

'Dat is niet mijn bedoeling. Het belangrijkste wat we niet mogen vergeten, is dat Lucy het overleefde en het leven schonk aan een gezond meisje. En net als de meisjes hier…' – zuster Margaret zwaaide even naar het vertrek vol jonge vrouwen – '… kon ze haar kind niet bij zich houden. Toen ze besefte dat de mannen van het heidense stamhoofd haar op de hielen zaten, vertrouwde ze het kind toe aan de rivier en aan God. Ze bad dat de rivier haar kind in veiligheid zou brengen en God verhoorde haar gebeden. Het kind werd stroomafwaarts meegevoerd naar een klooster dat was opgedragen aan Sint-Brigitta en werd daar opgevoed door de nonnen tot ze zelf ook een groot leidster werd. Jaren later kwam ze bij toeval terecht in het kasteel waar Lucy door haar verleider naartoe was gebracht en hoorde ze de bekentenis van haar moeder aan, waarop ze prompt besefte dat het om haar eigen moeder ging. De twee verklaarden voor een rechtbank dat ze christen waren, waarop ze door het stamhoofd ter dood werden veroordeeld. Ze werden samen op een brandstapel gezet, maar toen het hout begon te roken zag iedereen hoe moeder en dochter samen op een wolk ten hemel voeren. Mijn hoop is dat de meisjes die hier komen moed zullen scheppen uit het verhaal van Sint-Lucy.'

Dat laatste zei ze niet tegen Mimi, maar direct tegen mij. Haar ogen waren op mijn buik gericht en ineens was ik er zeker van dat ze dwars door de kleren en het vlees heen mijn baby in me kon zien zitten.

Na het eten bracht een van de jongere nonnen ons zwijgend naar onze kamer, een onopgesmukte witgekalkte cel met twee smalle bedden. De enige andere meubels in de kamer waren een grenen toilettafel en twee rechte houten stoelen. De lakens op de bedden waren dun van het vele wassen, maar ze roken naar lavendel. Onder een gipsen medaillon met de beeltenis van Sint-Lucy en haar dochter omringd door pluizige wolkjes en met de ogen ten hemel geslagen was een enkel raam op het zuiden dat uitkeek over de tuinen die het klooster scheidden van de schuur, de slaapzaal van de meisjes en het weeshuis. Achter de slaapzaal lag de riviervallei in de diepte en de East Branch glansde in de verte. Ik vroeg me af of de meisjes dat konden zien en dacht aan Sint-Lucy die haar baby toevertrouwd had aan de rivier de Clare. Langs het klooster stroomde een kreekje en hoewel ik het vanuit onze kamer niet kon zien, kon ik het wel horen: een licht gemurmel dat klonk als ruziënde stemmen.

'Een nonnencel,' zei Mimi toen de zwijgende non ons alleen had gelaten.

'Wou je dan liever bij de ongehuwde moeders logeren? Of bij de wezen?' vroeg ik.

Mimi snoof en stak een sigaret op. 'Ik denk niet dat het veel uitmaakt. Het zit er dik in dat we hier in de rimboe geen herenbezoek zullen krijgen.' Ze zwaaide met haar sigaret naar het weidse uitzicht op de heuvels en de vallei. De rook kringelde omhoog naar de beeltenis van Sint-Lucy en leek haar met een extra laagje wolken te omhullen.

'Ik denk niet dat we hier mogen roken,' zei ik. 'Dat kun je beter uit het raam blazen.'

'Misschien worden we er wel uitgeschopt,' zei ze, maar ze deed het raam toch een paar centimeter open. 'Het spijt me dat ik je hiernaartoe heb gesleept.'

'Dat vind ik helemaal niet erg,' zei ik tegen haar. 'Eerlijk gezegd bevalt het me hier best.'

Mimi dacht dat ik haar voor de gek hield, maar dat was niet zo. Het beviel me echt in Saint-Lucy's, of Saint-Lu's zoals de meisjes het noemden, net als Johnnie. De volgende ochtend werd ik al vroeg wakker van de koeien die stonden te loeien om gemelkt te worden en heel even dacht ik dat ik weer thuis was in de kinderkamer die ik vroeger met mijn zusjes had gedeeld. Alleen de lucht van Mimi's sigaret die nog steeds in het kamertje hing, vertelde me dat ik me vergiste.

Ik trok mijn jas aan over mijn nachtpon, schoot in de met bont gevoerde laarzen die ik bij wijze van afscheidscadeau van Vera had gekregen en glipte naar buiten. Vlak boven de grond hing een laagje grondmist, als de dikke room die boven in een melkkan drijft. Terwijl ik daar doorheen liep, had ik het gevoel dat ik gewichtloos was en op dezelfde wolk die Sint-Lucy had gered omhoog werd gedragen. De oude grijze schuur die scheef hing in de ochtendzon leek rechtstreeks uit mijn dromen te komen, maar of het de melkschuur was uit mijn jeugd of de verlaten schuur waar ik de afgelopen paar maanden steeds met Nash had afgesproken, had ik niet kunnen zeggen. Ze leken me allebei even ver weg en even onwerkelijk.

Maar toen ik naar binnen ging, kwam ik door de scherpe geur van hooi, mest en de naar gras geurende adem van de koeien met een schok weer terug in het heden. Twee meisjes waren al op en zaten te giechelen en te fluisteren bij het regelmatige gesis van spuitende melk. Ze draaiden zich om toen ik de deur opendeed, waarbij hun gezichten als twee bleke halvemaantjes afstaken tegen de flanken van de koeien die ze zaten te melken. Ik zag hun ogen direct van mijn gezicht naar mijn buik glijden. Ik had mijn jas niet dichtgeknoopt en mijn nachtpon – een van die dunne witte batisten nachtponnen die Vera in Engeland op maat liet maken – was bijna doorzichtig. Ik had kunnen vertellen dat ik een van de kunstenaressen was die de muurschilderingen zouden maken, maar dat deed ik niet. Ik vroeg waar de emmers stonden. Een van de meisjes – Nancy, hoorde ik later – stond op om me de plek te wijzen. Tijdens het lopen drukte ze een van haar handen tegen haar rug. Ze was zo klein en tenger gebouwd – als een elfje uit een sprookje – dat het gewicht van haar ronde buik haar uit balans bracht. 'Heb je dat al eens eerder gedaan?' vroeg ze met een zangerig Iers accent, terwijl ze naar een rij emmers en krukjes wees.

Ik verzekerde haar dat dat inderdaad zo was en zette mijn kruk bij de koe die naast die van Nancy stond. Ik leunde mijn hoofd tegen de zachte, warme flank en liet mijn handen naar haar gezwollen uier glijden. Het was stil in de schuur. De meisjes wachtten om te zien of ik de waarheid had gesproken. Ze zouden er wel aan gewend zijn dat mensen logen, dacht ik, en misschien had ik dat ook wel gedaan. Zou ik dit nog steeds kunnen? Het meisje dat ik vroeger was geweest, kwam me volkomen onbekend voor. Misschien had ik haar wel verzonnen, zoals ik ook mijn verhalen verzon, zoals ik had verzonnen dat ik mijn ouderlijk huis moest verlaten om naar New York City te gaan en zoals ik Vera Beecher had verzonnen.

Ik sloot mijn ogen en luisterde naar het bonzen van het hart van de koe tegen mijn wang. Ik verbeeldde me dat de beide meisjes mijn zusjes waren. En in zekere zin waren ze dat ook, hè? Op dit moment hoorde ik hier thuis.

De koe slaakte een diepe, naar gras geurende zucht toen mijn vingers de melk uit haar uier persten en ik ademde even diep door. Het andere meisje – Jean, ontdekte ik al snel daarna – lachte en zei dat ze altijd aan haar tante moest denken die precies hetzelfde geluid maakte als ze na een lange dag werken een voetbad nam. Nancy en ik lachten mee en we bleven melken tot onze emmers vol waren en de uiers van de koeien leeg en slap. Tegen de tijd dat ik opstond, met een hand achter tegen mijn rug en een hand tegen de koe om mijn evenwicht te bewaren, had ik het gevoel dat ik weer thuis was.

Vanaf die dag zat ik iedere ochtend op een kruk koeien te melken en de rest van de dag zat ik op een kruk de achtergrond van de muurschildering in te schetsen. Tijdens het eten ging ik bij de meisjes zitten in plaats van aan de tafel van de nonnen. Mimi keek me nieuwsgierig aan toen ze zag waar ik plaatsnam – ik was tot nog toe in staat geweest om voor haar te verbergen dat ik in verwachting was door altijd een wijd schort over mijn jurk te dragen – maar ze kwam toch bij me zitten. Volgens mij was ze blij dat ze aan het gezelschap van zuster Margaret kon ontsnappen. Ze had meteen contact met de meisjes die bijna allemaal uit de stad kwamen. Een groot aantal kwam zelfs uit delen van Brooklyn – Bay Ridge, Sunset Park, Coney Island, Brighton Beach – vlak bij de plek waar Mimi zelf was opgegroeid. Mimi zat vrolijk met de meisjes te praten waarbij de namen van straten, snoepwinkels, parken en scholen heen en weer vlogen, ook al had het merendeel op katholieke scholen gezeten.

'Maar wat zijn ze er eigenlijk mee opgeschoten,' zei Mimi tegen mij terwijl we aan de muurschildering werkten. Ze had een grove

schets gemaakt van de eerste vier delen van het leven van Sint-Lucy die we wilden uitbeelden: haar verleiding door het heidense stamhoofd, op de vlucht voor zijn mannen waarbij ze verborgen werd door een wolk, de geboorte van haar kind tijdens een onweersbui en het moment waarop ze haar pasgeboren baby aan de rivier de Clare toevertrouwde. Het laatste tafereel, waarin ze de dochter die ze zo lang geleden had verloren weer terug had gevonden en ze samen op een wolk ten hemel voeren, zou op het plafond geschilderd worden. Maar daarvoor moest een stellage worden gebouwd, dus daarmee wachtten we tot het laatst. Ik was bezig met het inschetsen van het gezicht van Sint-Lucy terwijl ze door het stamhoofd in een hoek wordt gedreven, maar ik had de grootste moeite met haar gezichtsuitdrukking.

'Vind je ook niet dat hun kerk hun meer weerstand tegen verleidingskunstjes bij had moeten brengen?' vroeg ik. Ik had besloten dat de verleiding van Lucy in een schuur plaats moest vinden, niet om autobiografische redenen maar omdat ik eigenlijk geen flauw idee had welke andere bouwsels bestonden in het Ierland van de vijfde eeuw. Ik liet haar een koe melken toen het stamhoofd haar overviel en ik had haar het kleine donkere smoeltje van Nancy gegeven, dat ik me nog goed kon herinneren van de eerste ochtend dat ik haar bij het melken in de schuur had aangetroffen. Het was een gezicht dat ouderwets en mysterieus genoeg was voor een heidense Keltische. De koe stond argwanend naar het stamhoofd te kijken. Het was me prima gelukt om de uitdrukking van de koe vast te leggen, maar Lucy leek verstomd van verbazing en ik wilde niet dat ze er dommer uit zou zien dan de koe.

'Nou ja, dat zou in ieder geval een goed begin zijn. Al die slaafse gehoorzaamheid die ze met de paplepel ingegoten krijgen… dat ze de priester maar op zijn woord moeten geloven…'

'Maar is religie niet juist een kwestie van vertrouwen? Krijgen jullie dat in de synagoge dan niet te horen?'

'Vertrouwen in God, ja, maar geen blind vertrouwen in Zijn vertegenwoordigers hier op aarde. Nee, als Jood leer je vragen te stellen en te discussiëren.'

'Denk je dan dat een Joods meisje zou kunnen voorkomen dat ze verleid wordt door erover in discussie te gaan?'

Mimi zuchtte. Ze was bezig met de achtergrond van het vluchtgedeelte. We waren tot de slotsom gekomen dat ik beter was in gezichten terwijl haar gevoel voor perspectief beter was. 'Ik weet alleen dat mijn moeder me heeft geleerd om situaties te vermijden waarin een man misbruik van me zou kunnen maken. Ze heeft me verteld wat mannen willen en hoe ik kon vermijden dat ze per se hun zin door zouden drijven...' Haar stem stierf weg. Ze schilderde de rivieroever waarlangs Lucy vluchtte. Ze was al een paar keer 's ochtends naar buiten gegaan om te schetsen, waarbij de kreek die langs het klooster stroomde model moest staan voor de rivier de Clare. Ze was er zelfs in haar ruwe schetsen in geslaagd het gevoel van de East Branch-vallei vast te leggen.

'Maar?' drong ik aan.

'Ze heeft me nooit verteld wat ik moest doen als ik degene was... ik bedoel als ik voelde...'

'Je bedoelt als jij die man wilde?' Ik was verbaasd dat Mimi ondanks al haar wereldwijsheid nog steeds maagd was.

'Ja,' antwoordde ze blozend.

'Gaat het om de koetsier?' vroeg ik.

'John,' zei ze en ze slaagde erin om zelfs die ene lettergreep vol warmte te stoppen.

'Ik begrijp het.'

'Helemaal niet.' Ze lachte. 'Hoe zou je dat nou kunnen begrijpen? Jij bent verliefd op Vera Beecher. En jij hoeft in ieder geval niet bang te zijn dat Vera je...' Onder het praten draaide ze zich om en stopte halverwege haar zin, toen haar ogen op mijn buik vielen. Ik had me al afgevraagd waarom zij de enige was die niets doorhad. De meisjes hadden meteen geweten dat ik een van hen was en ik was ervan overtuigd dat zuster Margaret het ook wist. Maar Mimi, die een kamer met me deelde, die iedere avond zag hoe ik me uitkleedde, had nooit gezien dat ik zwanger was. Misschien omdat we alleen zien wat we verwachten te zien en zij niet had verwacht dat een 'vrouw die van vrouwen hield' in verwachting kon raken.

Ik liet de hand met het potlood op mijn bolle buik zakken en keek haar aan.

'O, Lily!' Ze viel naast mijn voeten op de vloer. 'Hoe? Wie?'

'Maakt dat echt iets uit...' begon ik, maar ik zag al dat ze in haar hoofd de losse eindjes aan elkaar knoopte.

'Het is van Virgil Nash, hè? Ik heb best gezien hoe hij naar je keek, alleen...'

'Je dacht alleen dat ik sterk genoeg was om weerstand aan hem te bieden? Nou, niet dus. Ik ben niet sterker dan de meisjes hier.'

'Maar hoe zit het dan met Vera? Weet zij het?'

'Nee, en ze mag het ook nooit te weten komen. Alsjeblieft, dat moet je me beloven.'

'Bedoel je dat je van plan bent om afstand te doen van het kind?'

Ik hoorde niet alleen het ongeloof in haar stem, maar ook de afkeuring. Ik moet haar nageven dat dit pas het eerste moment was dat ze me veroordeelde. Ze was verbaasd – en zelfs geschrokken – geweest toen ze hoorde dat ik het met Nash had aangelegd, maar daarom had ze me niet veroordeeld. Maar het idee om het kind af te staan stuitte haar kennelijk tegen de borst.

'Volgens zuster Margaret worden alle baby's die hier worden geboren door goede families geadopteerd.'

'Niet allemaal. Johnnie zegt dat ze soms terugkomen. Dat de baby soms "niet beantwoordt aan de verwachtingen van de familie". God mag weten wat ze verwachten. Misschien een baby die de hele nacht slaapt, bloemen schijt en met negen maanden het abc kan opzeggen.'

'Wat gebeurt er dan met de kinderen die teruggestuurd worden?' vroeg ik.

'Nou, die proberen de nonnen in een ander gezin onder te brengen, maar hoe ouder ze zijn des te moeilijker dat wordt. Iedereen wil een baby, geen chagrijnige kleuter of een nukkig mormel van zes. Als ze niet geadopteerd worden, blijven ze hier tot ze oud genoeg zijn om te werken. Daarna proberen de nonnen ze te plaatsen op boerderijen in de buurt waar ze echt afgebeuld worden.'

'Hoe weet je dat?'

'Dat heeft Johnnie me verteld en hij kan het weten, want hij is een van hen. Hij is hier geboren. Zijn eerste gezin stuurde hem terug omdat hij volgens hen niet vaak genoeg lachte. Ze dachten dat er iets mis was met hem. Het tweede gezin stuurde hem terug omdat hij alsmaar glimlachte en in de kerk zat te lachen. Bij het derde is hij weggelopen toen zijn adoptiebroer probeerde hem te verkrachten...'

'Ja, Mimi, ik begrijp het al. Maar de meesten komen toch goed terecht. Ik moet er gewoon op vertrouwen dat hetzelfde voor mijn kind zal gelden. Ik heb geen andere keus. Vera zou nooit meer een woord tegen me zeggen als ze wist dat ik haar bedrogen heb en dan sta ik op straat. Hoe moet ik dan voor mezelf zorgen, en met een baby op de koop toe?'

Mimi's gezicht werd zachter en ze pakte mijn hand. Ze zat nog steeds voor me op de grond geknield en ik besefte dat we wel voor een heel zonderling plaatje zorgden als er nu iemand binnen zou komen. Ik keek naar de deur aan het eind van de kapel, maar we waren alleen. Zuster Margaret had beloofd dat 'de meisjes', zoals zij ze noemde, ons niet voor de voeten zouden lopen.

'Ik zou je wel kunnen helpen,' zei Mimi. 'Ik kan je een baantje bij het tijdschrift bezorgen en op zoek gaan naar iemand die overdag op de baby kan passen. We kunnen samen een appartement nemen in de Village, of in Brooklyn in de buurt van mijn familie. Dat zou goedkoper zijn en de lucht daar is veel beter voor een baby. Mijn moeder wil vast wel helpen om voor de baby te zorgen...'

'En wanneer moeten wij beiden dan de tijd vinden om les te nemen of onze eigen kunstwerken te maken?'

Ze ging op haar hurken zitten en keek me met grote ogen aan. 'Denk je nou echt dat dit...' Ze zwaaide met haar armen naar de muurschildering waaraan we samen werkten, '... dat dit belangrijker is dan eigen vlees en bloed?'

Ik keek naar de muurschildering. De figuren en de achtergrond waren alleen maar contouren die nog ingevuld moesten worden. Ze leken op geesten die door een buitenaards landschap zweefden, schaduwen die door de hel zwierven. Misschien had Mimi wel gelijk. Maar toen viel mijn oog op het portret van Sint-Lucy waarmee ik *bezig was. Ik had al de hele ochtend geprobeerd om haar gelaatsuitdrukking goed te krijgen, om het moment vast te leggen waarop ze beseft dat ze door het stamhoofd in een hoek is gedreven en dat er geen ontsnappen meer mogelijk is. Ik had de verraste blik in haar ogen goed getroffen, maar er was nog iets nodig. Toen zag ik ineens wat ik moest doen. Wanneer het stamhoofd binnenkomt, maakt hij de koe aan het schrikken en ze schopt de emmer om. Lucy steekt er net haar hand naar uit als ze opkijkt en het stamhoofd ziet... en het lot dat haar staat te wachten. Haar hand blijft boven de emmer hangen, de melk is er al uit gelopen.*

Ik boog me voorover en schilderde haastig de nieuwe lijnen over de oude. Dit keer slaagde ik er op de een of andere manier in om de angst en de verrassing in haar ogen vast te leggen, maar ook de gelatenheid. Ze ziet wat haar te wachten staat, de goede en de slechte dingen, en ze weet ook dat ze niet bij machte is daar verandering in te brengen.

Toen ik precies de juiste uitdrukking had getroffen, draaide ik me weer om naar Mimi, maar die was opgestaan en alweer bezig met het landschap. Ik had haar vraag al beantwoord.

Zodra Mimi mijn geheim kende, ging ik naar zuster Margaret toe. Ik was nooit eerder in haar kantoor geweest en zag tot mijn verbazing dat het vrij indrukwekkend was, met een groot mahoniehouten bureau dat voor een boograam stond.

Toen ik binnenkwam, stond ze bij het raam dat een schitterend uitzicht bood over de vallei. Ze wendde haar ogen af van dat uitzicht toen ze me binnen hoorde komen en haar scherpe blauwe ogen – precies dezelfde kleur als de bergen in de verte – vestigden zich meteen op mijn buik. Natuurlijk had ze het al geraden. Ze stak haar handen uit en wenkte me dichterbij, maar toen ik voor haar stond, verraste ze me door haar handen op mijn buik te leggen.

'De baby zal rond de kerst geboren worden, hè?' vroeg ze.

'Iets later,' zei ik, terwijl ik terugrekende. 'In januari, denk ik.'

Zuster Margaret schudde haar hoofd. 'Volgens mij komt het rond de kerst, lieve kind. En weet je heel zeker dat je het kind niet wilt houden?'

'Ik ben niet getrouwd, zuster.' Dat vond ik een gemakkelijker antwoord, dan haar alles uit te leggen over Vera en de eisen van een kunstenaarsleven. Ze was even stil en knikte toen, voordat ze zich omdraaide en haar handen langs haar zij liet hangen. 'Als je het zeker weet... We kiezen de gezinnen waar de baby's naartoe gaan met de grootste zorg uit.' Ik dacht aan de ervaringen van Johnnie, maar hield mijn mond. 'Ben je wel in staat om verder te werken aan de muurschildering?'

'O ja, hoor,' verzekerde ik haar. 'We hebben het zo geregeld dat Mimi het bovenste gedeelte doet, waarvoor je op een ladder moet staan, en ik doe het onderste deel, waarbij ik kan zitten. En later, als de stelling voor de plafondschildering is gebouwd, kan ik liggend werken. Net als Michelangelo. Een zwangere Michelangelo.' Zodra het over mijn lippen kwam, had ik al spijt van dat stomme grapje, maar zuster Margaret leek niet beledigd. Ze wees naar de vallei beneden, waar de East Branch in de richting van de Delaware stroomde.

'Gods wegen zijn ondoorgrondelijk,' zei ze. 'Precies zoals Hij de kleine stroompjes in de richting van de grote rivieren stuurt en die ten slotte allemaal laat uitmonden in de oceaan is er volgens mij ook een reden waarom Hij je hierheen heeft gestuurd om Sint-Lucy te schilderen. Dat je een lotgenote van haar bent, zal je inspiratie geven. Ik weet zeker dat je schitterend werk zult afleveren.'

Maar misschien was het vertrouwen dat zuster Margaret in me had wel de inspiratie voor het werk dat ik die herfst deed. Of misschien had ik ook echt het gevoel dat er een verwantschap bestond tussen mij en dit meisje uit het Ierland van de vijfde eeuw. Ik weet alleen maar dat ik het gevoel had dat ik boven mezelf uitsteeg als ik haar gezicht schilderde. Soms gingen er uren voorbij voordat ik ineens wakker leek te schrikken uit een diepe slaap en ontdekte dat ik voor een voltooid deel van de muurschildering zag. Volgens Mimi was dit het beste wat ik ooit had gemaakt. 'Het zal wel komen omdat jullie allebei in dezelfde omstandigheden verkeerden en zo.'

Ik dacht dat Mimi's boosheid over mij wel zou afnemen, maar ze bleef even kil als de bergkreek die langs het klooster stroomde. Tegen *het eind van oktober vroeg ik zuster Margaret of ik niet bij de andere meisjes op zaal mocht slapen. Ik vertelde haar niet waarom en ze vroeg ook niets. Ze gaf me gewoon het bed naast dat van Nancy. Het was het laatste in de rij en naast een raam met uitzicht op de kreek die omlaag liep naar de vallei. Ik kon het geluid van stromend water horen wanneer ik in slaap viel, een geruststellend geluid en iets om naar te luisteren als iemand midden in de nacht begon te huilen.*

Het waren meestal de nieuwe meisjes die huilden, de meisjes die net aangekomen waren. 'Ze missen hun moeder,' zei Nancy tegen me.

Ik schrok ervan zo jong als sommigen waren. Eén meisje, Tilly (de meisjes mochten hun achternaam niet geven), was pas veertien. Ze was dienstmeisje in een groot huis op Fifth Avenue in New York City. Ze had de naam van de familie al bijna genoemd toen Jean haar sissend met een klap tot zwijgen bracht.

'Denk erom dat je het huishouden van je werkgever niet te schande maakt,' zei ze en voegde er toen fluisterend aan toe: 'Het was toch niet de meester des huizes die je...' Ze wees op Tilly's buik.

'O nee,' zei Tilly met grote ogen van schrik bij het idee alleen. 'Het was Tom, de loopjongen van de kruidenier. Hij zei dat ik geen baby zou krijgen als ik maar drie weesgegroetjes zei als we het deden.'

Jean klikte met haar tong. 'En jij geloofde hem?'

'Ja hoor, alleen kreeg ik niet de kans om drie weesgegroetjes te zeggen. Hij was al klaar voordat ik de tweede af had.'

Jean sloeg een hand voor haar mond en viel lachend achterover op haar bed. Nancy probeerde haar gezicht strak te houden, maar toen ze mijn blik opving, begonnen we allebei te giechelen. Zelfs Tilly deed mee en hield haar kleine ronde buikje vast alsof ze de baby die erin zat wilde beschermen tegen die grap ten koste van zijn of haar vader. Ik voelde me schuldig omdat we die arme Tilly hadden uitgelachen – ik had niet eens een leugen nodig gehad om me zover te krijgen dat ik Virgil Nash zijn zin gaf, een beetje maanlicht was al voldoende geweest – maar het viel me wel op dat ze die nacht niet huilde. Ze was opgenomen in de zusterschap van de gevallen vrouwen, zoals Jean ons noemde. Hetzelfde gebeurde met elk nieuw meisje. Zodra ze het gevoel had dat ze deel uitmaakte van de groep hield ze op met huilen. Iedere keer als er een nieuw meisje kwam opdagen, bleven de meisjes die avond laat op om te kletsen en allerlei verhalen te vertellen om de aandacht van de nieuwkomer af te leiden van de vreemde omgeving. Algauw was ik degene die het vertellen van verhalen op me nam. Ik vertelde alle sprookjes die ik voor mijn zusjes had verzonnen en nieuwe verhalen die ik tijdens het vertellen verzon.

Op een avond begon ik een verhaal met: 'Er was eens een meisje dat het leuk vond om net te doen alsof ze verdwaald was, tot de dag waarop ze werkelijk de weg kwijt raakte.' Het was het verhaal dat ik Vera had verteld in de eerste nacht dat ze naar me toe kwam, maar het verhaal liep nu ineens heel anders. Het meisje vond een heks in het bos, die haar liet zien hoe ze een dubbelgangster naar haar familie kon sturen. De meisjes vonden dat de heks erg op zuster Margaret leek en daar liet ik het bij. Toen ik bij het gedeelte was aangekomen waarin het meisje te lui was om de wortel in stilstaand water af te spoelen begon een aantal diep te zuchten. Wie van ons had geen fouten gemaakt? En moest je zien waar we daardoor beland waren: ver van huis en van de mensen van wie we hielden. Toen wist ik dat ik met het verhaal in de knoop was geraakt. Hoe moest het meisje in het verhaal weer thuiskomen? Dat was nu juist wat ze wilden horen. Ze zaten drie aan drie op de bedden, met hun knieën tot aan de kin opgetrokken zodat hun witte flanellen nachtponnetjes een soort tentjes leken onder hun over elkaar geslagen armen. In het maanlicht zagen ze eruit als rupsen die in hun cocon zaten. Buiten hoorde ik de kreek langs de slaapzaal stromen, gezwollen van de zware regens die de afgelopen week waren gevallen. Het gaf me een vervelend gevoel, maar ik kon niet meer terug. En was dat niet juist waar we allemaal bang voor waren? Dat we nooit terug konden gaan? We waren niet meer dezelfde meisjes die van huis waren vertrokken. Dat had ik zelf ingezien toen ik aan de rand van de boerderij van mijn ouders stond en wist dat ik niet terug kon. Zou ik hetzelfde gevoel krijgen als ik hierna terugging naar Vera?

Ik probeerde er voor hen een ander eind aan te maken, waarin wel werd erkend dat we volkomen veranderd waren, maar waarin ook werd gesuggereerd dat de toekomst nog steeds mogelijkheden bood. En het kind dat we achterlieten? Zij of hij zou een eigen onderkomen vinden, bij hetzelfde soort gezin als wij hadden achtergelaten.

Toen ik aan het eind van het verhaal kwam, bleef het stil in de slaapzaal. Ik kon hun gezichten niet meer zien, omdat de maan niet meer voor het raam stond. En ik hoorde de kreek ook niet meer. Had mijn verhaal de hele wereld in slaap gesust? Maar toen ik naar buiten keek, begreep ik wat er aan de hand was. Het sneeuwde. De meisjes trokken hun benen uit hun nachtponnen als rupsen die uit een cocon kropen en fladderden als een stel motten naar de ramen, waar we toekeken hoe de sneeuw de hele bedding van de kreek vulde waardoor het gemurmel stopte en vervolgens de hele vallei bedekte zodat we afgesloten waren van de buitenwereld. En zo bleven we staan tot we koude voeten kregen en de meisjes een voor een weer naar bed gingen. Als ze langs me heen liepen, voelde ik hun vingertoppen over mijn armen en handen strijken. Nancy kuste me op mijn wang en fluisterde: 'Dank je wel.'

Ik viel als een blok in slaap, maar nog voor het aanbreken van de dag werd ik wakker omdat ik stemmen hoorde. Zuster Margaret en een andere non die een lantaarn in haar hand had, stonden bij het bed van Tilly. Iemand huilde. Ik dacht eerst dat het Tilly was, maar toen ik opstond en naar haar toe liep, zag ik aan haar gezicht dat ze de tranen al voorbij was. Haar gezicht was verwrongen tot een verkreukeld balletje, als een appel die in de zon verdroogd is. Het was de jonge non die stond te huilen terwijl ze samen met zuster Margaret Tilly uit bed probeerde te tillen. Toen zuster Margaret mij daar als aan de grond genageld zag staan klakte ze met haar tong en wees naar een donkere, bebloede knot in de lakens.

'Als je toch op bent, kun je jezelf nuttig maken en dat opruimen. Breng de lakens maar naar de keuken en zeg tegen zuster Ursula dat ze die moet verbranden. Red je dat?'

Ik knikte, pakte de lakens bij elkaar en probeerde niet te kijken naar wat erin lag. Maar ik had de kronkelende rode streng al gezien, die leek op een karmozijnrood geverfd touw. Het was net de wisselkindwortel uit mijn sprookje. Ik bracht de bundel naar de keuken en gaf de lakens aan zuster Ursula, een dikke, vriendelijke non uit Ierland die de meisjes altijd een extra portie pudding gaf. Toen ik haar de opdracht van zuster Margaret doorgaf, vroeg ze van wie de lakens waren.

'Van Tilly, dat nieuwe meisje,' zei ik.

Zuster Ursula klikte met haar tong en legde de bundel op het vuur. 'Arm kind. Maar misschien is ze op deze manier wel beter af.' Toen leek ze ineens te beseffen tegen wie ze het had en sloeg een kruis. Ze schonk een kopje warme thee voor me in uit een ketel die op het fornuis stond, maar mijn maag draaide zich om bij de geur van de thee vermengd met die van de brandende lakens. Ik holde naar buiten en gaf over in de verse sneeuw. Daarna kon ik het niet meer opbrengen om terug te gaan naar de keuken, dus liep ik naar de schuur. Het was een beetje te vroeg om al te gaan melken, maar de koeien vonden het helemaal niet erg. En ik wilde alleen mijn hoofd tegen hun flanken leggen en hun naar gras en mest ruikende lucht opsnuiven tot de geur van bloed was verdwenen. Ik melkte alle zes de koeien. Jean en Nancy keken ervan op toen ze me vonden, maar ze zeiden niets.

Die dag schilderde ik het gezicht van Sint-Lucy terwijl ze midden in een onweersbui haar kind ter wereld brengt. Het verhaal gaat dat ze haar vingerafdrukken achterliet in een rotsblok waaraan ze zich vastklampte. Ze had nog steeds het gezicht van Nancy, maar ik gaf haar de uitdrukking die ik op Tilly's gezicht had gezien.

'Daarmee jaag je de meisjes de stuipen op het lijf,' zei Mimi toen ze zag wat ik had geschilderd.

'Beter dan ze voor te liegen,' zei ik.

'Ik hoorde dat een van de meisjes een miskraam heeft gehad,' zei Mimi toen. Ik kon merken dat ze haar best deed om het weer goed te maken na al die weken dat ze geen woord tegen me had gezegd. 'Arm kind.'

'In ieder geval zal zij niet hoeven te leven met het verdriet dat ze niet weet wat er met haar kind is gebeurd,' zei ik.

Mimi legde haar penseel neer en ging op haar knieën naast me zitten. 'Het spijt me van al die dingen die ik tegen je heb gezegd, Lily. Iedereen maakt fouten. Ik weet dat je alleen maar doet wat jou het beste lijkt. En per slot van rekening zal een arme vrouw die zelf geen kinderen kan krijgen je dankbaar zijn. Kijk maar naar Gertrude Sheldon. Die probeert al jaren om in verwachting te raken.'

'O, alsjeblieft, doe mijn baby dat niet aan! Stel je eens voor wat voor moeder Gertrude zou zijn!'

'Daar heb je gelijk in,' zei Mimi hoofdschuddend. 'Maar maak je geen zorgen. Ik heb vorige week een brief van Gertrude gehad, waarin ze min of meer suggereert dat het water in Baden-Baden het wonder heeft verricht en dat ze eindelijk zwanger is.'

'Nou, dat is dan fijn voor haar,' zei ik. 'Heeft ze nog iets over Vera gezegd?'

'Ja, ze zei dat Vera meer dan genoeg had van Baden-Baden en al dat geleuter over baby's en dat ze naar Engeland was gegaan om bij Clarice Cliff een cursus pottenbakken te volgen. Heb jij geen brief gehad?'

'We hebben afgesproken om niet te schrijven. Op die manier zouden we niet alleen bewegingsvrijheid hebben, maar ook vrijheid van geest.'

'Ik kan het Vera gewoon horen zeggen,' zei Mimi terwijl ze in mijn hand kneep en opstond. 'Uit de opmerkingen van Gertrude kan ik wel opmaken dat je gelijk hebt. Vera zou echt niet weten wat ze met een baby moest beginnen. Ik hoop alleen dat ze het waard is.'

Ik wees naar de muurschildering. 'Dit is het waard. Dit is waar ik goed in ben, Mimi. Dit en het vertellen van verhaaltjes. Niet met baby's. Het kind verdient een moeder die het echt graag wil hebben.'

Ik zag dat ze tranen in haar ogen had. Ze bukte zich en sloeg een beetje onhandig haar armen om me heen. Ik trok haar stijf tegen me aan en klopte op haar rug alsof ik haar troostte, maar ik vertelde haar niet dat ik, toen ik dat verschrompelde rode ding zag dat uit Tilly was gekomen, dacht: dat zit ook in mij. Een wisselkind voortgekomen uit dromen en pulp. Een monster dat in het leven is geroepen door een monsterlijke moeder die zich alleen maar zo snel mogelijk wilde ontdoen van haar eigen kind om weer naar huis te kunnen.

Maar toen mijn baby werd geboren was het helemaal geen monster. Er zat een veegje bloed aan de zijkant van haar hoofd, als een danseres die een roos achter haar oor heeft gestoken, maar verder was ze helemaal roze en blank. Geen kronkelige wortel, maar een mollige, volmaakte baby. Ik voelde mijn adem stokken.

Toen ze haar kwamen ophalen, vroeg ik of ik haar nog even mocht vasthouden. Ik zag dat de nonnen elkaar even aankeken, maar toen kwam zuster Margaret erbij en zei dat ze me mijn zin moesten geven.

Die avond kwam Mimi naar de ziekenzaal en vroeg of ik het echt zeker wist. Ze zag eruit alsof ze bang was dat ik boos zou worden omdat ze dat opnieuw vroeg, maar ik pakte haar hand om aan te geven dat ze zich geen zorgen hoefde te maken en trok haar naar me toe zodat ze de baby kon zien. 'Kijk eens hoe mooi ze is,' zei ik. 'En voel eens hoe stevig die vingertjes zijn.' Ik trok mijn hand weg onder die van de baby, zodat ze zich aan Mimi vastklampte in plaats van aan mij. 'Ze lijken gewoon op klimop. Daarom heb ik zuster Margaret ook gevraagd haar zo te noemen. O, ik weet best dat ze een andere naam zal krijgen als ze geadopteerd wordt, maar ik wil niet dat ze in de tussentijd helemaal geen naam heeft. Als achternaam wordt ze vernoemd naar de dochter van Sint-Lucy, die veilig door de rivier weggevoerd werd. Ivy St. Clare, zo zal ze in mijn geheugen gegrift staan.'

EENENTWINTIG

Ik blijf een hele tijd staren naar de naam die Lily haar baby had gegeven. Als ik eindelijk opkijk, zie ik dat de lucht buiten mijn raam al licht begint te worden. Ik heb de hele nacht zitten lezen en ik ben nog maar halverwege Lily's dagboek. Ik sla de bladzijde om en lees:

Bij mijn terugkomst op Arcadia kwam ik tot de ontdekking dat Vera een klein huisje voor ons had laten bouwen dat ze ter ere van mij Fleur-de-Lis had genoemd. 'Ik heb dit huis naar jou vernoemd,' zei ze terwijl ze op de drempel stond met een witte lelie die ze als een dirigeerstokje in haar hand hield. 'Mijn lelietje-van-dalen, mijn reine lelie, mijn lelie tussen de doornen.' Daarna wenkte ze met de lelie dat ik naar binnen moest komen en liet me het hele huis zien, waarbij ze geen enkel detail oversloeg. Ze had het zelf ontworpen, zodat het even strak en praktisch was als de hut van een schip en ze had er allerlei verborgen kastjes en geheime vakjes in laten aanbrengen, waarin ze allerlei verrassingen voor me verstopt had.

Verborgen kastjes en geheime vakjes, zoals dat achter het paneel bij de open haard waar ik het dagboek had gevonden. Als Vera het had ontworpen, waarom had ze het dagboek dan niet ontdekt? Of had ze het wel gevonden en het weer teruggelegd? Maar als dat zo was, waarom dacht Ivy dan dat het verdwenen was?

Al die onbeantwoorde vragen maken me onrustig. Ik sta op, nog steeds met het dagboek in mijn handen, en loop op blote voeten de gang in. Bij de deur van Sally's lege kamer blijf ik staan en besef met een steek in mijn hart dat ze er niet is, maar tegelijkertijd moet ik ook ineens terugdenken aan de laatste maanden van mijn zwangerschap. We waren inmiddels verhuisd naar Great Neck (Judes ouders waren zo blij dat hij de kunst had ingeruild voor Wall Street dat ze ons het geld voor de aanbetaling hadden geleend), maar we hadden nog geen tijd gehad om meubels te kopen. Ik bleef maar rondzwerven door de lege kamers en probeerde me voor te stellen hoe ons leven hier zou zijn. De enige kamer die we echt hadden gemeubileerd was de kinderkamer. Soms bleef ik daar op de drempel staan, met mijn hand op mijn dikke buik, en deed mijn best om het kind dat ik bij me droeg in deze mooie roze met witte kamer te zien. De stilte van het huis midden in de nacht had een zekere tijdloosheid terwijl het tegelijk vervuld leek van de eeuwigheid, alsof zowel ons heden als ons verleden door de lege, maanverlichte kamers waarde.

Hoe vaak, vraag ik me nu ineens af, had Lily 's nachts door dit huis rondgedwaald terwijl ze zich afvroeg wat er met het kind dat ze had afgestaan was gebeurd? Ze had de baby een naam gegeven om aan haar te kunnen denken. Wist ze dat het kind die naam nog steeds droeg? Wist ze dat de baby in het weeshuis was gebleven? Want dat moest wel, aangezien ze die naam had gehouden. Lily was daar op een gegeven moment kennelijk achter gekomen en had Ivy hierheen gehaald.

Ik herinner me van mijn research dat Ivy St. Clare in 1945, toen ze zestien was, naar Arcadia kwam als onderdeel van een nieuw beurzensysteem. Ik was er zeker van geweest dat het idee daarvoor afkomstig was van Lily, maar al op mijn eerste dag hier had Ivy volgehouden dat het Vera was die haar had uitgekozen en niet Lily. Inmiddels ben ik er nog zekerder van dat het Lily was. Ze moet erachter zijn gekomen dat haar kind nog steeds in Saint-Lucy's woonde en had de nieuwe beurzen bedacht omdat ze op die manier Ivy naar Arcadia kon halen zonder dat Vera argwaan kreeg. Maar vervolgens liet ze Ivy geloven dat het Vera was die haar had uitgekozen. Waarom? En waarom had ze Ivy nooit verteld dat zij haar moeder was?

De antwoorden op die vragen zullen waarschijnlijk wel in het boek staan dat ik in mijn hand heb, maar ik kan nu niet verder lezen. Het is al licht en voor het raam van Sally hoor ik een paar treurduiven koeren. Ik draai me om en loop de trap af met het boek in mijn armen alsof het een kind is dat ik wil beschermen. Ivy moet hebben geweten dat er iets in Lily's dagboek stond dat voor haar van belang was. Na Lily's dood had ze Dora en Ada ervan beschuldigd dat ze het dagboek hadden gestolen. Toen ze mijn stilleven zag, werd haar aandacht meteen getrokken door het groene boek. Zou ze het herkend hebben als het dagboek van Lily dat al jaren zoek was? Had ze me geloofd toen ik zei dat het boek in mijn stilleven een van mijn eigen boeken was? Als dat niet zo was, komt ze misschien hier om ernaar op zoek te gaan en ik wil niet dat ze het vindt voordat ik het helemaal uit heb.

Ik blijf voor de open haard staan en kijk naar het middelste paneel. Vera moet hebben geweten waar ze moest zoeken toen ze dat briefje van Lily kreeg... tenzij Vera het briefje nooit onder ogen heeft gehad. Ivy zei dat ze het aan Vera had gegeven, maar als ze dat nu eens niet heeft gedaan? Als ze Vera nu eens alleen maar heeft verteld dat Lily was weggelopen en het lieve briefje met de belofte van eeuwige trouw achter heeft gehouden? Als Vera het niet heeft gelezen, kan ze niet hebben geweten waar ze het dagboek moest zoeken. En als Ivy het wel had gelezen...

Ik sla het boek open en lees het briefje nog eens door. Je bent mijn hart, staat er. Ik heb mijn verhaal voor je achtergelaten bij het hart en de haard van ons leven samen. Ik had onmiddellijk aangenomen dat ze het over de haard in het huisje had – precies zoals Vera volgens mij zou hebben gedaan, omdat zij op de hoogte was van het geheime paneel – maar ik heb die regel ook nog ergens anders gelezen. Ik blader het dagboek door en vind wat ik zoek in Lily's beschrijving van de begindagen van het collectief. Vera zei dat ze hoopte dat de pottenbakkersoven een plek zou worden waar de kunstenaars 's avonds bij elkaar zouden komen – het hart en de haard van het collectief.

Als de pottenbakkersoven in Ivy's aanwezigheid zo werd beschreven, heeft ze misschien gedacht dat Lily haar dagboek had achtergelaten bij Dora en Ada. Vandaar dat Ivy naar hen toe ging toen ze ernaar op zoek was. Ze was niet op de hoogte van het geheime paneel in de haard.

Eén ding is zeker. Als Ivy het dagboek hier meer dan zestig jaar geleden niet heeft gevonden, dan zal ze het hier nu ook niet vinden. Ik doe het paneel open en schuif het dagboek weer terug in de schuilplaats. Daarna sluit ik het paneel en laat mijn vingers over de beeltenis van het kleine baby'tje tussen de wortels glijden. Geen wonder dat Lily het dagboek hier heeft neergelegd, ze heeft het geheim van het kind dat ze heeft verloren verstopt tussen de wortels waarin de wisselkindbaby verborgen lag.

Ik sta er echt van te kijken dat mijn leerlingen zo enthousiast zijn over het Dodenproject, zoals zij het noemen. Dankzij de wonderen van internet hebben veel van hen hun ouders al zover gekregen dat ze digitale kopieën van oude foto's hebben opgestuurd. Ze lijken zo graag over hun foto's te willen praten, dat ik de discussie over Bettelheim maar tot later bewaar en hun vraag om de foto's omhoog te houden en het verhaal erachter te vertellen.

De meeste foto's zijn vakantiekiekjes of foto's van diploma-uitreikingen of trouwfoto's. De verhalen zijn vrij simpel. Maar bij sommige steken binnen de kortste keren complicaties de kop op.

'Dit is een foto van mijn moeder op de dag dat ze op Vassar haar diploma kreeg.' Hannah houdt een foto omhoog van een donkerharig meisje met net zo'n Botticelli-gezichtje als zij zelf heeft. Ze staat samen met twee andere meisjes in donkere toga's op een gazon onder een felrode esdoorn.

'Goh, wat is ze knap,' zegt Tori Pratt. 'Maar,' voegt ze er dan aan toe, 'die foto is niet van de diploma-uitreiking, hoor. Mijn moeder heeft ook op Vassar gezeten en ze heeft een foto van haarzelf in haar toga, maar dan zonder dat witte kraagjesgeval dat zij dragen, en volgens haar kun je daaraan zien dat ze in de studentenraad zitten. Dat geldt voor alle studenten aan het begin van hun laatste jaar. En kijk maar, de bladeren aan de boom zijn ook rood. Deze foto is in de herfst genomen, niet in de lente wanneer de diploma's uitgereikt worden.'

'Hè?' Hannah kijkt nog wat beter naar de foto en fronst haar wenkbrauwen. 'Ik weet bijna zeker dat ze zei dat dit de foto van de diploma-uitreiking was.'

'Misschien heeft ze die door elkaar gehaald,' suggereer ik.

'Misschien wel,' beaamt Hannah, nog steeds fronsend. 'Dat zal ik haar moeten vragen.'

Clyde komt ook met een verhaal dat een nieuwe wending lijkt te krijgen zodra hij ermee voor de dag komt. De foto die hij heeft uitgekozen is een kiekje van zijn grootvader als jongeman in een militair uniform.

Hij is gladgeschoren, met heel kortgeknipt haar. Hij ziet er zo jong uit dat je nauwelijks kunt geloven dat iemand hem de oorlog in heeft gestuurd.

'Hij heeft meteen na Pearl Harbor dienstgenomen,' zegt Clyde. 'Volgens mijn oma deed iedereen dat toen. En ze vertelt ook altijd dat ze meteen dit zakhorloge voor hem ging kopen, zodat hij dat mee kon nemen en haar nooit zou vergeten. Maar weet u, gisteravond zat ik aan dat verhaal te denken en toen keek ik naar de datum op het horloge. Daar staat: "Voor Harold van Sarah, 3 juni, 1942." Maar de aanval op Pearl Harbor was op 7 december 1941. Dus wat heeft hij die zes maanden dan gedaan?'

'Kun je hun dat niet vragen?' vraagt Hannah.

Clyde schudt zijn hoofd. 'Ze zijn allebei dood. Ik heb gisteren een e-mailtje naar mijn moeder gestuurd, maar die zegt dat ze geen flauw idee heeft. Volgens haar heeft opa altijd verteld dat hij meteen na Pearl Harbor in dienst ging en kwam oma altijd aan met het verhaal dat ze hem toen dat horloge heeft gegeven. En het is nooit iemand opgevallen dat de data niet klopten.'

'Dat komt omdat die verhalen deel uitmaakten van de overlevering van jullie familie,' zeg ik. 'Dan ga je niet in op de details. Het worden bijna een soort legenden. Hoewel het verhaal iedere keer als het wordt verteld waarschijnlijk een beetje anders is, worden bepaalde zinnetjes altijd herhaald. Zoals "Toen ik nog klein was, moesten we gewoon naar school lopen..."'

'Of "Toen ik zo oud was als jij",' valt Hannah me in de rede, '"hadden we geen internet om van alles op te zoeken, wij moesten naar de bibliotheek".'

'En dan moesten we door anderhalve meter sneeuw waden,' voegt Clyde eraantoe.

'Ja,' doet ook Tori Pratt een duit in het zakje, 'mijn grootmoeder zit altijd te zeuren dat ze in de crisisjaren maar zo weinig hadden in vergelijking met wat wij nu allemaal hebben. En dan zegt ze altijd: "We hadden niet veel, maar we hadden elkaar."' Tori's stem klinkt een octaaf hoger en trilt als ze haar oma imiteert. Ze slaat haar ogen ten hemel, maar glimlacht toch en ik glimlach onwillekeurig terug, blij met de haarscheurtjes in dat wereldwijze fineerlaagje van Tori.

'Mijn grootmoeder,' zeg ik, 'begon haar verhalen altijd met "Vroeger in mijn tijd, toen vrouwen nog moesten kiezen tussen een gezin of werken". Ze zei altijd dat het maar goed was dat mijn moeder als onderwijzeres zo'n betrouwbare baan had. Oma werkte bij een tijdschrift voordat ze mijn grootvader ontmoette, maar ze gaf haar baan op toen ze trouwde. En dan zei ze...' Ik doe mijn ogen dicht om me de juiste woorden voor de geest te halen en meteen zit ik weer aan de groen-met-witte Porceliron-tafel in mijn grootmoeders keuken in Brooklyn Heights, te tekenen in een van de blanco schetsboeken waarvan mijn oma een eindeloze voorraad leek te hebben. '"Toen ik je moeder kreeg, ben ik opgehouden met werken, ook al was het midden in de crisis en hadden Jack en ik vrijwel geen cent om van te leven."'

Ik doe mijn ogen weer open en zie dat mijn toehoorders in aantal zijn toegenomen. Ivy St. Clare staat in de deuropening en luistert mee naar mijn verhaal.

'Maar toen ik ouder werd en meer interesse kreeg voor kunst, zei ze altijd: "Je grootvader slaagde erin om tijdens de crisis zijn baan te houden, omdat hij boekhouder was. Mensen hebben altijd boekhouders nodig, maar ze kunnen best zonder kunst. Tijdschriften ontsloegen illustrators en mensen van de advertentieafdeling. Kunst kun je niet eten," was altijd het laatste dat ze zei.'

De klas barst in lachen uit om dat laatste zinnetje en ik besef ineens dat ik het Brooklyn-accent van mijn grootmoeder Miriam zit te imiteren. 'Ik ben opgegroeid met die twee verhalen die eindeloos herhaald werden, maar ik heb mijn grootmoeder niet één keer gevraagd: "Hoe zat dat nou precies? Heb je je baan bij de advertentieafdeling opgegeven om een gezin te stichten of ben je je baan tijdens de crisis kwijtgeraakt?" En ik heb me ook nooit afgevraagd waarom ze mij op mijn verjaardag altijd schetsboeken en kleurpotloden gaf, als ze vond dat je als kunstenaar geen droog brood kon verdienen.'

'Raar hoor,' zegt Chloe.

'Kunt u haar dat nu dan niet vragen?' wil Hannah weten.

'Ze overleed toen ik zeventien was. En dat was ook zoiets raars. Ze liet me in haar testament een klein bedrag na om naar de kunstacademie te gaan. En dat moest dan ook echt de kunstacademie worden. Mijn moeder was behoorlijk gepikeerd. Aanvankelijk dacht ik dat het kwam omdat ze mij dat geld had nagelaten, maar later hoorde ik haar tegen een paar bevriende collega's die haar kwamen condoleren zeggen dat ze eigenlijk vooral nijdig was omdat mijn grootmoeder en grootvader niet wilden dat zij naar de kunstacademie ging, ook al had ze er een beurs voor gekregen.'

'Verdorie,' zegt Clyde. 'Geen wonder dat ze pissig was.'

'En bent u ook naar de kunstacademie gegaan?'

'Ja,' zeg ik. 'Ik ben naar Pratt gegaan...' Ik begin te hakkelen omdat ik nu pas besef hoe dit verhaal eindigt. 'Maar ik heb er al in het eerste jaar de brui aan gegeven.' Ik zeg er niet bij dat ik met mijn studie ophield omdat ik in verwachting was van Sally.

'Het lijkt wel een familievloek,' zegt Chloe. 'Drie generaties van gefrustreerde vrouwelijke kunstenaars.'

Ik probeer die opmerking weg te lachen – wat klinkt dat melodramatisch! – maar dan zie ik de afkeurende uitdrukking op het gezicht van Ivy St. Clare en denk aan wat ik gisteravond over haar afkomst te weten ben gekomen. Als ze wist dat haar moeder haar in een weeshuis had achtergelaten om als kunstenares carrière te maken, wat zou dan haar oordeel zijn over familievloeken?

'Nou ja,' zeg ik, 'misschien ben ik daarom wel naar Arcadia gekomen. Om korte metten te maken met die familievloek.'

'Vind je het wel verstandig om je eigen voorgeschiedenis in de klas te behandelen?' vraagt rectrix St. Clare me als mijn leerlingen verdwenen zijn.

'Ik vraag ze ook om hun eigen voorgeschiedenis te gebruiken. Volgens mij is het alleen maar eerlijk dat ik bereid ben om de opdracht meer vorm te geven met behulp van mijn voorgeschiedenis.'

'Heb je dat soort onderwijsmethodes van je moeder afgekeken? Ik had me niet gerealiseerd dat zij onderwijzeres was.'

'Ze heeft meer dan vijfendertig jaar voor de derde groep gestaan. Ze was heel goed in het maken van kijkdozen en het leren van schrijven volgens de Palmer-methode.'

'Echt waar?' zegt de rectrix. 'De Palmer-methode? Zo hebben wij het ook van de nonnen geleerd. Ik had eigenlijk wel verwacht dat die uit de tijd zou zijn toen je moeder voor de klas stond.'

'Ze was nogal ouderwets,' zeg ik, omdat ik geen zin heb om haar te vertellen dat mijn moeder al vrij oud was toen ze mij kreeg. In plaats daarvan probeer ik de aandacht naar haar te verplaatsen. 'Hebt u les gehad van nonnen? Op een katholieke school?'

'In een katholiek weeshuis, om precies te zijn. Daar zat ik nog steeds toen Vera Beecher me te hulp schoot door me een beurs toe te kennen om hier te komen.' Ze raakt de broche aan die ze altijd op heeft. 'Het is een heiligenpenning,' zegt ze als ze ziet dat ik ernaar kijk. 'Sint-Lucy en haar dochter, Sint-Clare, die ten hemel varen op een wolk. Die heb ik bij mijn vertrek van de nonnen gekregen. Maar Vera zei dat er ook aan te zien moest zijn wat ik was geworden, niet alleen waar ik vandaan kwam, dus heeft ze een cursus edelsmid gevolgd om er voor mij een krans van klimop omheen te maken.'

'Kijk, dat is nou precies wat ik vandaag mijn klas probeerde duidelijk te maken. We brengen allemaal mythes mee uit onze familiehistorie...'

'Zoals ik net al zei, ik heb geen familiehistorie. Ik ben opgevoed in een weeshuis.'

'Ja, natuurlijk hebt u die wel. Vera Beecher en Lily Eberhardt waren uw familie. U hebt me nu al twee keer verteld dat u "gered" bent door Vera Beecher. Dat is uw kant van het verhaal...'

'Wou je soms zeggen dat ik dat verzonnen heb?' Het kleine, gerimpelde gezichtje van Ivy St. Clare ziet er nog verschrompelder uit dan normaal. Ze heeft haar handen tot stijve vuisten gebald. Misschien ben ik te ver gegaan, maar nu moet ik ook door de zure appel heen bijten en gewoon volhouden.

'Nee, natuurlijk niet. Wat ik probeer te zeggen is dat u uw kant van het verhaal hebt geaccepteerd omdat u er altijd van overtuigd bent geweest dat het de waarheid was: dat u die beurs aan Vera Beecher te danken had. Maar het kan toch ook best Lily Eberhardt zijn geweest die u heeft uitverkozen?'

'Lily Eberhardt heeft me zelf verteld dat Vera me heeft gekozen,' zegt Ivy hoofdschuddend.

'Voor zover ik Lily heb leren kennen – ik bedoel uit de dagboeken van Vera en hun brieven,' voeg ik er haastig aan toe, zodat ze niet opnieuw over Lily's dagboek kan beginnen, 'gunde ze Vera altijd de hele eer bij alles wat ze deed. Ze adoreerde Vera.'

'Je vergist je,' zegt Ivy. 'Het was Vera die Lily adoreerde. Zo erg dat ze er kapot van was toen Lily wegliep. Ik heb Vera gezien op de avond dat Lily haar verliet om met Virgil Nash mee te gaan. Ze was gek van verdriet. Ze rende midden in een sneeuwstorm achter haar aan, met alleen een kamerjas en pantoffels aan...' Ivy's volgende zin wordt ingeslikt in een gorgelend gereutel, alsof haar keel dichtgeknepen wordt van woede.

'Liep Vera achter Lily aan naar buiten?' vraag ik. 'Ik dacht dat u me verteld had dat u die hele avond bij haar in het huisje bent geweest en dat Vera pas weken later tot de ontdekking kwam dat Lily in de kloof de dood had gevonden.'

'Ik heb niet gezegd dat ze helemaal tot aan de kloof achter haar aan liep. Ik heb haar opgevangen en ervoor gezorgd dat ze terugging naar het huisje. En de rest van de avond ben ik bij haar gebleven. We zijn bij het vuur blijven zitten, omdat Vera niet kon slapen. Ze bleef maar hopen dat Lily terug zou komen. Toen de dag aanbrak en ze besefte dat Lily voorgoed vertrokken was, pakte ze de pook en sloeg de tegels boven de haard kapot. Daarna is ze nooit meer de oude geweest. Lily had haar kapotgemaakt. Dus vraag me nou niet om te geloven dat Lily degene was die me uit dat weeshuis heeft gered. Ik was nog liever in Saint-Lucy's weggerot dan te moeten leven met het idee dat ik mijn redding aan die vrouw te danken heb.'

Ze wacht heel even, alsof ze me uitdaagt daartegenin te gaan, voordat ze zich met een ruk omdraait en vertrekt. Ik blijf haar sprakeloos nakijken en vraag me af hoe ellendig Ivy St. Clare zich zou voelen als ze wist dat de vrouw die haar idool te gronde richtte haar eigen moeder was.

TWEEËNTWINTIG

Ik moet hollen om op tijd te zijn voor mijn werkgroep met de Merling-tweeling en het kost me de grootste moeite om me te concentreren op de tekst die we vandaag behandelen: de twintigste-eeuwse versie van Assepoester – of Cinderella – van Angela Carter, 'Ashputtle'. Carter is een van mijn lievelingsschrijfsters en dit is een van mijn lievelingsverhalen, maar vandaag lijken de lugubere details me wel heel erg dwars te zitten. Het is een verdraaiing van het klassieke thema met de ontbrekende moeder, waarbij de achtergebleven heldin bovennatuurlijke hulp krijgt van haar dode moeder in de vorm van dierlijke helpers, magische talismannen en een petemoei. Maar in Carters versie neemt de geest van de moeder bezit van het lichaam van een vogel die zichzelf verminkt om ervoor te zorgen dat haar dochter een baljapon krijgt en in de slotscène redt de dode moeder haar dochter uit de askuil, om haar vervolgens uit te nodigen in haar doodskist te stappen.

'Ik ben ook in de doodskist van mijn moeder gestapt toen ik zo oud was als jij,' zegt de moeder tegen Assepoester.

'Volgens mij houdt dat in dat we allemaal gedoemd zijn om de fouten van onze moeder te herhalen,' zegt Peter Merling. 'De moeder die in het kraambed is gestorven veroordeelt haar eigen kind tot het huwelijk en kinderen krijgen en dus tot de dood.'

'Maar waarom komt de moeder niet gewoon terug om de dochter te vertellen dat ze moet vluchten en een ander leven moet gaan leiden dat niet automatisch gevangenschap en de dood tot gevolg heeft?' vraagt Rebecca. Haar stem klinkt onverwacht emotioneel. 'Al die bloedige offers voor je kind... wat heeft dat voor zin als je je kind veroordeelt tot diezelfde cyclus van seks en dood?'

Ik denk aan Lily Eberhardt die besloot om haar kind bij nonnen achter te laten om zelf een onafhankelijk leven te kunnen leiden. Daarna denk ik aan mijn eigen grootmoeder, die haar ambities opgaf om moeder te worden en die het vervolgens niet goed vond dat haar eigen dochter naar de kunstacademie ging, ook al had ze daar een beurs voor gekregen. En toen ze had geprobeerd om dat een beetje goed te maken – door mij het geld na te laten dat me in staat stelde om naar de kunstacademie te gaan – had dat alleen maar tot resultaat dat ik mijn opleiding opgaf om een kind te krijgen. Het lijkt wel een familievloek, had Chloe gezegd. Op dit moment heb ik het idee dat het de vloek van alle moeders en dochters is. We brengen offers om hun te geven wat wij niet hebben gehad, maar dat komt erop neer dat we hun alleen tonen dat een vrouw niet meer kan doen dan dat: zichzelf opofferen of haar kind opofferen. Het komt allemaal op hetzelfde neer.

Maar dat kan ik moeilijk tegen Rebecca en Peter Merling zeggen. In plaats daarvan stuur ik ze eerder weg en ga op zoek naar Shelley. Ze is in haar atelier, waar ze allerlei spullen op een tafel schikt.

'Je hebt me geïnspireerd,' zegt ze. 'Ik heb al eeuwen geen stilleven meer gemaakt. Ik ga mijn eigen Dodenproject beginnen.'

'Ik wou dat de leerlingen het een andere naam hadden gegeven,' zeg ik, terwijl ik naar de dingen kijk die Shelley heeft uitgekozen om haar voorouders uit te beelden. Het is een rare verzameling. Ze heeft gekozen voor een kopie van haar grootmoeders schilderij 'Priesteres uit de Oudheid in aanbidding aan de voeten van Artemis' en voor de spotprent die de Fakirs daarvan hadden gemaakt. Een paar dingen verwijzen naar de kunstacademie en naar de beginperiode van het Arcadia-collectief: een poster uit 1926 voor het jaarlijkse bal van de kunstacademie, een krans van gedroogde madeliefjes die sprekend lijkt op de kransen die Gertrude, Mimi en Lily dragen op de foto van de eerste mei die ik in mijn eigen stilleven heb verwerkt, een vaas met het Dorada-logo op de zijkant en een verschoten sjaal met geborduurde gouden Franse lelies. Shelley wil met haar tableau kennelijk de artistieke nalatenschap van haar grootmoeder oproepen, maar ik zie tot mijn verbazing dat verschillende van de voorwerpen die ze heeft uitgekozen Gertrude belachelijk maken. Dan schiet me weer te binnen hoe minachtend Shelley zich over het talent van haar grootmoeder heeft uitgelaten en hoe ze probeerde zich te distantiëren van Gertrude Sheldons stijl en haar labiele geestestoestand. Ineens krijg ik het idee dat er een nog grotere vloek rust op de relatie van de familie Sheldon met kunst dan bij mij het geval is.

'Wat is dit?' vraag ik, terwijl ik een koperen plaatje oppak. 'Dat ziet eruit als een heiligenpenning. Was je grootmoeder katholiek?'

'In het jaar voordat mijn moeder is geboren maakte ze een reis door Italië en toen is ze katholiek geworden. Haar ouders waren woest! Maar daarom heeft ze het natuurlijk juist gedaan. Ze beweerde dat ze pas in staat was om van mijn moeder in verwachting te raken nadat ze bij een katholiek heiligdom in Siena had gebeden.'

Ik kan me uit Lily's dagboek herinneren dat Mimi Green haar vertelde ze een brief van Gertrude uit Europa had gehad waarin stond dat ze zwanger was geworden nadat ze een kuur in Baden-Baden had gedaan, maar ik zeg niets. Ik pieker er in ieder geval niet over om Shelley te vertellen dat ik Lily's dagboek heb. Maar dat doet me wel aan iets anders denken. 'Heb jij iets dat je grootmoeder heeft geschreven over de begintijd van Arcadia?'

'Dat zal ik even moeten controleren. Mijn grootvader Bennett heeft na haar dood het merendeel van haar dagboeken en brieven verbrand. En hetzelfde geldt voor haar schilderijen en tekeningen.'

'Echt waar? Wat vreselijk.' Het idee dat een origineel kunstwerk – iets wat volslagen uniek is – wordt vernield heb ik eigenlijk altijd walgelijk gevonden.

'Nou ja, die waren ook niet bepaald goed. De enige dingen die zijn overgebleven zijn een paar stillevens van bloemen en haar agenda's – een eindeloze opsomming van afspraken, theevisites, liefdadigheidsfeesten en diners. Maar ik heb ook een keer wat papieren gevonden die ze in een oude naaidoos had verstopt. Die zal ik wel even doorkijken om te zien of er iets tussen zit. Zijn er specifieke dingen waar je in geïnteresseerd bent?'

'Ik vroeg me af of je grootmoeder nog steeds contact had met Vera en Lily toen Lily in 1947 stierf en of ze daar iets over op papier heeft gezet.'

'Ik kijk wel even,' zegt Shelley opnieuw en begint dan de spullen die op tafel staan weer te herschikken. 'En dan neem ik tegelijk de spullen van mijn moeder wel even door.'

'Van je moeder?'

'Fleur Sheldon. Zij was een van de eerste leerlingen hier en dat jaar was ze ook gedurende de kerstvakantie op Arcadia. Dus ze moet hier in de periode van Lily's dood zijn geweest. Ik kijk wel even in haar dagboeken of ze er iets over geschreven heeft. Niemand heeft haar spullen verbrand, ongetwijfeld omdat ze zo'n saai leven leidde dat niemand het idee had dat daar iets aanstootgevends in kon staan.'

Onderweg naar Beech Hall zie ik Sally samen met Chloe onder de rode beuk op het gazon zitten. Hoewel de meisjes allebei een schetsboek op hun knieën hebben liggen, zitten ze niet te tekenen. Hun hoofden zijn naar elkaar toe gebogen, waarbij Chloe's donkere haar afsteekt tegen het warme kastanjebruine haar van Sally. Het is een prachtig tafereeltje en het diepe paars van de rode beuk in combinatie met de donkere chocola- en goudtinten van het haar van de meisjes doet me denken aan het kleurgebruik van de impressionistische schilder Edouard Vuillard. Ik kom bijna in de verleiding om te blijven staan en het te tekenen – misschien ga ik straks ook wel weer schilderen – als het hele beeld compleet en voorgoed in elkaar stort.

Sally kijkt op en ik zie dat haar gezicht bleek is van verdriet. Ik ren naar haar toe.

'Wat is er aan de hand?' vraag ik en bekijk haar van top tot teen alsof ze twee jaar is en net een flinke smak heeft gemaakt op de speelplaats. Ik kan de neiging om haar overal te betasten op zoek naar gebroken botten nog net beheersen.

'Het is jouw schuld!' roept Sally uit. 'Jij hebt je hele klas verteld dat je de kunstacademie hebt laten vallen omdat je zwanger werd van mij.'

'Dat heb ik helemaal niet gedaan!' Ik val op mijn knieën om iets dichter bij haar te zijn en kijk Chloe aan. Ineens herinner ik me weer hoe ze me in de klas zat aan te staren. Ik had inderdaad op het punt gestaan om de klas te vertellen dat ik ermee kapte omdat ik zwanger was. Het is net alsof ze mijn gedachten kon lezen. En dat is nu weer het geval, want ze glimlacht flauw terwijl het bloed naar mijn wangen stijgt.

'Chloe liegt.' Ik heb al spijt van die woorden op het moment dat ze me ontglippen.

Chloe fronst. 'Ik heb alleen tegen Sally gezegd dat u al in uw eerste jaar met de kunstacademie bent gestopt. Toen zijn we terug gaan tellen en we kwamen tot de conclusie dat u ongeveer in dezelfde tijd in verwachting moet zijn geraakt van Sally.'

'Was het echt daarom?' vraagt Sally.

Haar ogen zijn groot en glanzend, glazig van de tranen. 'Lieverd,' zeg ik terwijl ik haar hand wil pakken, 'zo eenvoudig lag het niet. Wat je goed moet begrijpen...'

Ze trekt haar hand met een ruk weg en krabbelt overeind. 'Ik begrijp het best. Je bent gewoon jaloers omdat ik de kans krijg iets te doen wat jij niet kon.'

Ze is al weg voordat ik iets kan uitbrengen en Chloe rent achter haar aan.

Mijn volgende lesuur verloopt in een roes en ik ben blij dat Chloe niet in de klas zit. Hoe kon ik een leerling er zo cru van beschuldigen dat ze loog? Stel je voor dat ze naar de rectrix gaat en haar beklag doet over het gesprek? Maar de herinnering aan de beschuldigende blik in Sally's ogen is veel erger dan het idee dat ik problemen zou kunnen krijgen met de rectrix. Ik heb altijd geweten dat Sally op een dag het verband zou zien tussen het tijdstip waarop zij is verwekt en mijn vertrek van de kunstacademie, maar het had op geen slechter moment kunnen gebeuren.

Na de les kom ik tot de ontdekking dat het idee om in mijn eentje terug te gaan naar het huisje me tegen de borst stuit. Ik ben bang dat ik langzaam maar zeker verander in de boze heks die eigenlijk in zo'n huisje zou moeten wonen. Dus in plaats daarvan loop ik de heuvel op naar de bibliotheek, omdat ik liever de strenge miss Bridewall onder ogen kom dan mijn eigen spiegelbeeld. Wanneer ik haar vraag of ze me alle krantenberichten kan geven over de dood van Lily Eberhardt, kijkt ze me aan alsof ik haar een volslagen onmogelijke opdracht heb gegeven.

'We hebben ze niet onder die noemer in het archief,' zegt ze stijf. 'U zult ze zelf boven water moeten halen. Alles staat op microfilms en die worden beneden in de kelder bewaard.'

Een assistente met roodblond haar die naast het bureau van miss Bridewell bezig is teruggebrachte boeken op een karretje te leggen valt haar in de rede. 'Eerlijk gezegd heb ik al die microfilms aan het begin van het leerjaar nog opgezocht voor een leerling die onderzoek deed naar de dood van Lily Eberhardt.'

'Maar die heb je toch wel weer opgeruimd, Lynn?' Miss Bridewell zet haar bril af en kijkt de arme assistente boos aan. Opvallend genoeg lijkt het meisje zich niets aan te trekken van de venijnige blik van de bibliothecaresse.

'Ja natuurlijk, miss Bridewell, maar ik had zo'n gevoel dat er nog wel eens iemand kon komen die in datzelfde onderwerp geïnteresseerd was, dus heb ik een lijst gemaakt van de specifieke referenties compleet met de oproepnummers van de microfilms.' De onverschrokken hulp trekt een archiefla open en plukt er handig een map uit. 'Alstublieft,' zegt ze en ze overhandigt me het vel.

'Geweldig!' zeg ik en ik kijk het meisje stralend aan, want volgens mij heeft ze daar recht op en miss Bridewell zit haar nog steeds ontzet aan te kijken.

'Nou, als dat alles is, dan ga ik maar weer verder. Ik heb genoeg te doen,' zegt miss Bridewell.

'Eh... als u me alleen nog zou kunnen vertellen waar ik de microfilms kan vinden...'

'Ik breng haar wel even,' biedt de assistente aan. 'Ik ben klaar met deze kar en die moet toch naar beneden.'

Miss Bridewell geeft haar assistente met tegenzin toestemming om met me mee te lopen en vindt het zelfs goed dat ik samen met haar in de personeelslift naar beneden ga.

'Dank je wel, Lynn,' zeg ik als de liftdeuren dichtglijden tussen ons en de ijzige blik van miss Bridewell.

'Eigenlijk is het Glynn. Ik werk nu al drie jaar in de bibliotheek, miss Bridewell ondertekent mijn werkbriefjes en ze kent het Dewey Decimale Classificatiesysteem uit haar hoofd, maar om de een of andere reden ziet ze de G waarmee mijn naam begint over het hoofd.'

'Mensen doen wel vaker rare dingen. Als ze iets niet verwachten, zien ze het ook niet. Maar Glynn is wel een ontzettend leuke naam.'

'Dank u. De meisjesnaam van mijn grootmoeder was McGlynn. Mijn mam heeft gewoon het Mc eraf gelaten. Ze zei dat een meisje daar toch niets aan heeft, aangezien het zoon van betekent en dat het gewoon compensatie was omdat ik mijn vaders achternaam gebruik.'

'Je moeder is kennelijk behoorlijk feministisch.'

'Ja hoor,' zegt Glynn als de liftdeuren opengaan. 'Ze is echt een gaaf mens. Zo, we zijn er. Het microfilmapparaat staat daarginds. Als u dat wilt, kan ik die rollen wel even voor u opzoeken.'

'Ik wil niet dat je door mij moeilijkheden krijgt met miss Bridewell,' zeg ik.

'Doe me een lol,' zegt ze terwijl ze met haar ogen rolt. 'Ze komt nooit hier beneden. Volgens haar wordt haar astma erger van al het stof. En trouwens, ik zei al dat ik die rollen nog niet zo lang geleden tevoorschijn heb gehaald, dus ik heb ze zo.'

'Dat zou echt geweldig zijn,' zeg ik en ga achter het apparaat zitten. Terwijl zij weg is, pak ik een pen en een opschrijfboekje en ga vervolgens een beetje met de knoppen spelen en probeer me te herinneren hoe dat ouderwetse ding werkt. Het is al een hele tijd geleden dat ik iets moest opzoeken dat niet op internet was te vinden.

Glynn komt terug met een stapel kleine doosjes. Ze pakt een ervan en laat me zien hoe ik die in het apparaat moet laden, zonder op mijn bekentenis van onvermogen te wachten. Daarna laat ze me zien hoe ik kopieën kan maken door muntjes in een gleuf aan de zijkant van het apparaat te gooien. Ze wacht tot ik het eerste artikel op haar lijst heb gevonden en zegt dan dat ik haar hier beneden kan vinden als ik haar nodig heb. Ik luister hoe haar voetstappen tussen de stapels boeken wegsterven en concentreer me vervolgens op het verslag van Lily Eberhardts dood in de plaatselijke krant van Kingston. De datum is 8 januari 1948 en de kop luidt: PLAATSELIJKE KUNSTENARES DOOD AANGETROFFEN NA ERGSTE SNEEUWSTORM SINDS 1888. Arme Lily. Haar dood leek nauwelijks meer dan een voetnoot bij het weer. Ik scan terug naar de week ervoor en zie dat de storm, die begon op de avond van 26 december, inderdaad een dramatische gebeurtenis was voor het dorpje Arcadia Falls. De hele omgeving zat meer dan een week zonder elektriciteit. Tussen Albany en New York City was de rivier de Hudson verstopt door ijsschotsen en er reden geen treinen.

Geen wonder dat het zo lang heeft geduurd voordat ze Lily's lichaam vonden.

Ik maak een kopie van het artikel van 8 januari en kijk op Glynns lijst wat het volgende is. Dat is gedateerd op 10 januari en het bevat in ieder geval een wat vollediger verslag van Lily's dood en haar volledige naam in de kop. LILY EBERHARDT, GELIEFD SCHRIJFSTER VAN KINDERBOEKEN, KOMT OM IN SNEEUWSTORM.

Lily Eberhardt, die kinderen jarenlang verblijd heeft met haar geïllustreerde sprookjes, is vorige week dood aangetroffen in Witte Clove in Arcadia Falls, New York, op anderhalve kilometer afstand van de kunstenaarskolonie waar ze woonde en werkte. Haar metgezellin en beschermvrouwe, Vera Beecher, verklaarde tegenover de plaatselijke politie dat miss Eberhardt vroeg in de avond van 26 december, toen het net begon te sneeuwen, haar huis verliet.

Ze had een afspraak met de heer Virgil Nash om samen per trein naar New York City te reizen en de opening bij te wonen van een expositie van schilderijen van de heer Nash bij de National Arts Club in Gramercy Park. Miss Beecher hoorde pas dat haar vriendin zich niet aan haar afspraak om de heer Nash op het station te ontmoeten had gehouden toen ze op 7 januari een brief van de heer Nash ontving waaruit duidelijk werd dat miss Eberhardt zich niet bij hem bevond. Daarna werd meteen een speurtocht georganiseerd om miss Eberhardt te zoeken. Omdat bekend was dat ze om naar het dorp te gaan regelmatig gebruikmaakte van het pad dat door Witte Clove liep, werd dat gebied het eerst doorzocht.

Het valt me op dat er geen melding wordt gemaakt van het feit dat Nash en Lily elkaar in de schuur ontmoetten. En de verslaggever geeft ook geen commentaar op het eigenaardige feit dat een vrouw 's avonds zo'n donker pad kiest om een trein te halen in een dorp dat op zes kilometer van haar huis ligt.

Volgens de speurders die haar vonden, lag ze begraven onder een halve meter sneeuw. 'Ze moet tijdens de bui gedesoriënteerd zijn geraakt en is overvallen door vermoeidheid,' concludeerde de heer Pickering van de brandweer van Arcadia Falls. 'Dat maken we tijdens elke zware sneeuwval mee.'

Inwoners herinneren zich dat tijdens de sneeuwstorm van 1888...

Ik spoel door naar het eind van het artikel om te zien of er nog meer over Lily in staat, maar de rest gaat over eerdere sterfgevallen (een vrouw uit Palenville die op anderhalve meter van haar huis om het leven kwam, een dokter uit Troy die de dood vond toen hij op weg was naar een bevalling) en vergelijkingen tussen deze sneeuwval en de legendarische sneeuwstorm uit 1888. Pas helemaal aan het eind vermeldt de verslaggever de datum en de tijd waarop in Beech Hall een herdenkingsdienst voor Lily zal worden gehouden.

Miss Vera Beecher verzoekt eenieder geen bloemen te sturen. Donaties aan de Lily Eberhardt Beurs zijn welkom. U kunt zich voor inlichtingen wenden tot miss Ivy St. Clare, de persoonlijke assistente van miss Beecher.

Interessant, denk ik. Ivy was pas negentien en toch al de persoonlijke assistente van Vera Beecher.

Nadat ik het artikel heb gekopieerd kijk ik neer op het vel dat Glynn me heeft gegeven en zie dat er op deze filmrol nog een artikel staat. Ik spoel verder en vind het onder de datum 15 januari, 1948.

Ernest T. Shackleton, patholoog-anatoom verbonden aan de Gerechtelijke Medische Dienst van Albany County, heeft vandaag bekendgemaakt dat miss Lily Eberhardt niet, zoals werd aangenomen, is overleden aan onderkoeling, maar aan een hoofdwond. Miss Eberhardt, een plaatselijke kunstenares en schrijfster van kinderboeken, werd bedolven onder meer dan een halve meter sneeuw aangetroffen na de sneeuwstorm van 26 december die alle records overtrof. Men ging ervan uit dat ze het slachtoffer was geworden van de extreme weersomstandigheden, maar in plaats daarvan stierf ze aan een zware hoofdwond en bloedde dood in een diep ravijn op slechts anderhalve kilometer van haar huis. 'Haar dood is nog steeds het gevolg van de sneeuwstorm,' zegt miss Ivy St. Clare, de assistent-leidster van de Arcadia Kolonie waar miss Eberhardt woonde en werkte. 'Ze is in de sneeuwstorm gevallen en overleden. Het blijft hoe dan ook een zinloze tragedie.'

'De wereld heeft een begaafd kunstenares verloren en ik mijn beste vriendin,' zei miss Beecher (die voor dit artikel niet geïnterviewd wenste te worden) vorige week tijdens de herdenkingsdienst. Daarbij waren veel toonaangevende figuren uit de New Yorkse kunstwereld aanwezig, met inbegrip van Gertrude Sheldon, de oprichtster van het Sheldon Museum. Een bronzen standbeeld dat Virgil Nash van miss Lily Eberhardt had gemaakt, getiteld De Waterlelie, stond naast de kist en tijdens de dienst werd een telegram van de heer Nash voorgelezen. 'Lily Eberhardt was een begenadigd kunstenares wier werk voor mij altijd een inspiratie is geweest. Recentelijk heeft ze me geïnspireerd door voor me te poseren. Ze was mijn muze en mijn vriendin en ze zal diep betreurd blijven.' De heer Nash was al per boot onderweg naar Europa en niet in staat de dienst bij te wonen.

Wat een minkukel, denk ik, terwijl ik de microfilm met zo'n ruk uit het apparaat trek, dat er aan het eind van de rol een stukje afbreekt. Ik kijk meteen om me heen of iemand heeft gezien dat ik zo slordig omspring met schooleigendommen, maar het souterrain van de bibliotheek lijkt volkomen verlaten te zijn. Ik schaam me een beetje over die woede-uitbarsting, maar ik ben nog steeds boos op Nash. Zijn muze! Als hij alleen maar was gaan kijken waar Lily bleef toen ze zich niet aan hun afspraak in de schuur hield, had hij haar misschien in de kloof gevonden voordat ze doodbloedde. Wat een egoïstische klootzak! 'Dat geldt voor de meeste kunstenaars,' hoor ik mijn grootmoeder in gedachten zeggen. 'Geloof me, je bent veel beter af als je een betrouwbare werkman trouwt zoals je grootvader Jack, een man die gedurende de crisisjaren gewoon zijn gezin heeft onderhouden, in plaats van een wispelturige kunstenaar die het huishoudgeld besteedt aan verf en schilderslinnen.' Zij zou helemaal niet verbaasd zijn geweest dat Virgil Nash Lily had overgelaten aan een onzeker lot in de sneeuw, terwijl hij zich haastte om de trein naar New York te halen zodat hij niet te laat zou zijn voor zijn grote expositie.

De gedachte aan de manier waarop Lily is overleden bezorgt me in dit kille en saaie souterrain ineens koude rillingen. Ik vis een trui uit mijn boekentas en sla die om mijn schouders, terwijl ik de volgende film in het apparaat leg, vastbesloten om snel de resterende artikelen door te werken zonder opnieuw te gaan zitten mijmeren. En dat lukt me prima. De berichtgeving over Lily's dood concentreert zich in de stadskranten meer op haar artistieke prestaties en de historie van het Arcadia Kunstcollectief. Het meeste weet ik al, maar het is best interessant om te zien hoe de pers in die tijd over Lily en over het collectief dacht.

'Lily Eberhardt was een van de bekendste kunstenaressen van het collectief,' schreef een verslaggever van de *New York Herald Tribune*. 'Ze zal in de herinnering voortleven dankzij haar boeiende sprookjes en haar indringende illustraties, maar ook dankzij de portretten en de standbeelden die de heer Virgil Nash van haar heeft gemaakt en die recentelijk nog geëxposeerd werden in de National Arts Club (zie de recensie van 27 december, 1947).'

Pfff, denk ik. Met Lily's reputatie zou het niet zo goed aflopen als de verslaggever verwachtte. Haar sprookjes zouden niet meer gedrukt worden en alle lof ervoor zou uiteindelijk naar Vera Beecher gaan. En wat die portretten van Nash betrof, die hingen hier vrijwel onopgemerkt in Arcadia. En het standbeeld dat hij van haar heeft gemaakt (en dat ongetwijfeld naast haar kist stond) staat nu in een onverlichte alkoof stof te vergaren. Dat doet me weer denken aan iets wat mijn grootmoeder vaak zei: 'Kunstenaars denken altijd dat ze zichzelf door middel van hun kunst onsterfelijk zullen maken, maar niets is wispelturiger dan roem. Je kinderen maken je onsterfelijk, niet een paar krabbeltjes op papier of schilderslinnen.'

Ik heb niets van belang opgestoken en het hele verhaal heeft me behoorlijk depressief gemaakt. Ik leg de laatste film terug in de doos en loop met de hele handel terug naar Glynn. Ik vind haar in een studeercel in een hoekje van de opslagplaats, waar ze lekker opgekruld in een oude fauteuil de vijfde Harry Potter zit te lezen.

'Hebt u gevonden wat u zocht?' vraagt ze, terwijl ze opstaat van haar behaaglijke plekje.

'Volgens mij wel. Bedankt voor je hulp. Het was heel slim van je om die lijst te maken.'

Ze lacht als ik haar dat complimentje geef, omdat ze die volgens mij vrijwel nooit krijgt van de humeurige bibliothecaresse. 'Ik vond dat ik het best even kon vastleggen na alle moeite die het kostte om die artikelen boven water te krijgen. Ik had het idee dat Isabel vast niet de laatste zou zijn die dat onderzoek zou doen. O goh, dat klinkt eigenlijk best luguber, hè? Als je nagaat dat het wel het laatste onderzoek was dat Isabel ooit gedaan heeft.'

'Isabel? Bedoel je dat het Isabel Cheney was die deze artikelen het laatst heeft bekeken?'

'Uhuh. Ze is hier zelfs nog geweest op de dag dat ze stierf.'

DRIEËNTWINTIG

De zon begint al onder te gaan wanneer ik de bibliotheek uit kom. De klok is het vorig weekend achteruitgezet en ik ben er nog niet aan gewend dat het eerder avond is. Ik loop haastig over het pad op de richel, omdat ik liever niet in het donker door het bos wandel, zeker niet op het stuk dat vlak langs de kloof loopt en waar één misstap ervoor kan zorgen dat ik te pletter val op de rotsblokken beneden. Maar als ik bij de open plek boven de kloof kom, is het uitzicht zo spectaculair dat ik heel even blijf staan om te zien hoe de zon in het westen wegzinkt en de bergen verandert in blauwe en indigo golven en de wolken erboven in strepen roze en lavendel, alsof het om een hoger gelegen hemels gebergte gaat. Het tafereel lijkt zoveel op de laatste illustratie in *Het wisselkind* dat ik, als ik me omdraai naar het oostelijk gelegen schoolterrein, half-en-half verwacht alle andere opvallende plekjes uit dat sprookje te zien: de boerderij waar het boerenmeisje opgroeide, de boomgaard met de trollenbomen, de bloedrode beuk met de wisselkinderen tussen de wortels en het huisje van de heks in het dennenbos. En dat klopt: alles is aanwezig. Briar Lodge is de boerderij, de appelbomen zijn de trollen, de grote rode beuk, die staat te vlammen in de laatste stralen van de ondergaande zon, ziet eruit alsof haar wortels bloed drinken en in het donkere dennenbos is nog net de schoorsteen te zien van het huisje waar ik woon, Fleur-de-Lis. Het huis van de heks.

Ik heb toen ik klein was zo vaak naar dat plaatje in het boek gekeken, dat het heel vertrouwd aanvoelt. Nog fijner dan thuis, want het is het huis waarvan ik altijd heb gedroomd. Ik neem aan dat het verhaal daarom zo'n vat kreeg op mijn verbeelding. Misschien fantaseert elk klein meisje wel eens dat haar echte familie ergens anders is, dat deze vreemdelingen die haar opvoeden niet haar echte ouders zijn en dat ze op een dag weer terugkeert naar haar oorspronkelijke geboorterecht – het koninkrijk dat haar is ontnomen. Als ik me wat vaker dan andere kinderen aan die fantasie overgaf, dan komt dat misschien door de leegheid van mijn bestaan in mijn grootmoeders kleine huis in Brooklyn met een tuintje ter grootte van een postzegel dat ingeklemd lag tussen betonnen trottoirs en met een dagelijkse routine die verankerd was aan de lesuren van mijn moeder en de zuinigheid van mijn grootmoeder. Het was niet zo dat ik niet van mijn grootmoeder en mijn moeder hield, ik had alleen af en toe het gevoel dat we vluchtelingen in ballingschap waren die niet meer naar hun eigen huis terug mochten. En hoewel ik wist dat ze van me hielden, leken ze af en toe gewoon bang van wat ik zou worden. Net als het wisselkind hoorde ik ergens anders thuis. Toen ik te weten kwam dat de plaats uit mijn favoriete sprookje echt bestond – en dat mijn moeder daar bijna op school had gezeten – wist ik dat ik daar op een dag naartoe zou moeten gaan. Misschien had ik gehoopt dat Sally en ik hier vrede met elkaar zouden vinden op een manier die tussen mij en mijn eigen moeder nooit had bestaan. In plaats daarvan heeft Arcadia ons alleen maar verder uit elkaar gedreven.

Als het laatste licht van de zon in het westen wegvloeit, rijst boven het rafeldak van de dennen in het oosten een volle zilveren maan omhoog en loop ik in de richting van het huisje, dat wat mij betreft nog steeds niet als thuis aanvoelt. En het ziet er zeker niet zo uit. Vanavond ruikt het nog steeds muf en onbewoond als ik de deur opendoe. Sinds Sally in het studentenhuis is ondergebracht heb ik niet meer gekookt. Ik zet alleen maar de diepvriesmaaltijden die ik bij de Stop & Shop op Route 30 insla in de magnetron of warm de broodjes van Dymphna op in het tostiapparaat.

Misschien ga ik me hier meer thuis voelen als ik weer eens een echte maaltijd kook, denk ik terwijl ik de koelkast opentrek. Maar daar ligt niets anders in dan een zak appels, een half brood en een stukje kaas, dat ik vorige week in het dorp heb gekocht en ik ben nu zo moe en zo terneergeslagen dat ik geen zin meer heb om naar de winkel te rijden. Terwijl ik toekijk hoe een van mijn kant-en-klaarmaaltijden in de magnetron staat te tollen, prent ik mezelf in dat ik dit weekend echt naar de groenteboer moet om verse groente te halen. En ik zal er ook op staan dat Sally hier één keer per week komt eten. Dan zal ik alles klaarmaken waar ze dol op is en haar op de een of andere manier aan het verstand brengen dat ik nooit zelfs maar een moment spijt heb gehad dat ik haar heb gekregen in plaats van de kunstacademie af te maken.

Ik pak de maaltijd er net uit als de telefoon gaat. Ik word zo verrast door het ouderwetse gerinkel dat de schotel uit mijn hand schiet, waardoor de kokendhete saus op mijn hand terechtkomt, op precies hetzelfde plekje dat nog steeds pijn doet nadat Chloe me vorige week met de hete was heeft geraakt.

Ik pak de telefoon op en klem die tussen mijn oor en mijn schouder terwijl ik koud water over mijn hand laat lopen. Door het geluid van stromend water kan ik de ijle stem aan de andere kant van de lijn nauwelijks verstaan.

'... niet bij de les. Ik dacht dat je dat wel zou willen weten.'

'Wat? Wie was niet bij de les? Met wie spreek ik?'

'O sorry, met Toby Potter. Ik geef kunstgeschiedenis aan je dochter. Leuk meisje. Zoveel mogelijkheden. Misschien wat snel afgeleid, maar...'

'Sorry, Toby, maar is dit een verslag van haar vorderingen?'

'Van haar vorderingen? O nee, hoor. Sorry, had ik dat nog niet gezegd? Sally was vanmiddag niet in de les, terwijl ze vandaag een spreekbeurt over Fragonard had. En toen ik naar het dorp reed – ik woon in het dorp, zie je, je moet eens snel bij ons langskomen – zag ik haar samen met Chloe Dawson staan liften...'

'Liften?' vraag ik ontzet. Ik zie in gedachten meteen voor me hoe Sally in een aftands busje vol moordlustige maniakken stapt.

'Ja. Gelukkig kon ik hen oppikken voordat iemand anders ze een lift gaf. Ik heb ze een stevige preek gegeven. Per slot van rekening leven we niet meer in de jaren zestig...'

'Waar heb je ze naartoe gebracht?' vraag ik terwijl ik tegen alle logica in hoop dat hij ze op het schoolterrein heeft gedeponeerd.

'Ze vroegen of ik ze in het dorp wilde afzetten. Ze zeiden dat ze naar de kunsthandel gingen, maar toen ik de bocht om reed, zag ik onwillekeurig dat ze bij de Pleisterplaats naar binnen gingen, onze plaatselijke kroeg.'

'Shit.'

'Dat bedoel ik. Maar goed, ik ben net thuis en heb je meteen gebeld. Ik hoop dat je dat niet al te bemoeizuchtig van me vindt.'

'Helemaal niet, ik stel het juist op prijs. Ik ga er meteen vandoor om haar op te halen.'

Ik verbreek de verbinding en grijp met mijn nog steeds kletsnatte hand mijn tas en mijn sleutels. De hand blijft tot in de stad pijn doen, maar ik grijp het stuurwiel alleen maar nog steviger vast. Liever die tastbare pijn dan het idee dat Sally ergens naast een of andere seksmaniak aan een bar hangt. Misschien probeert zo'n perverseling haar op dit moment al mee te lokken naar de parkeerplaats. Hoewel er een tijd is geweest dat ik het volste vertrouwen had in haar intelligentie en inschattingsvermogen, is het duidelijk dat ze momenteel zo ontzettend de pest aan me heeft dat ze tot alles in staat is om zich op me te wreken... voor wat weet ik niet eens meer. Het gaat echt niet alleen om dat ik samen met Callum Reade bij de viering van de equinox kwam opdagen of aan mijn klas heb verteld waarom ik de kunstacademie niet heb afgemaakt. Het afgelopen jaar ben ik me gaan afvragen of ze misschien vindt dat het mijn schuld is dat haar vader is overleden, maar de laatste tijd begin ik het idee te krijgen dat ze het mij kwalijk neemt dat ik nog wel leef en hij niet.

Ik draai de parkeerplaats van de Pleisterplek op, waarbij het grind alle kanten op spat en het licht van mijn koplampen over het hele terrein scheert. Ik verras een familie wasberen die op strooptocht is bij de vuilcontainer, maar Sally is nergens te zien. Ik zet mijn auto scheef neer, naast een terreinwagen met overdreven dikke sneeuwbanden en een bumpersticker van de National Rifle Association. Geweldig. Intussen kan Sally al de beste maatjes zijn met een stel sektarische rednecks. Als ik de deur openruk met het misbaar van een revolverheld die ergens in het wilde westen een kroeg binnenstapt, zie ik twee oude kerels die bij de bar aan een biertje zitten te lurken en een bijeenkomst van de plaatselijke breiclub. Geen spoor van Sally. De barkeeper, een vrouw van in de twintig met kortgeschoren haar en een neusring, kijkt op van het glas dat ze staat te poetsen.

'Laat me eens raden,' zegt ze. 'U bent op zoek naar twee minderjarige meisjes met veel te veel mascara op. Ik snap nooit waarom die meiden denken dat ze er ouder uit zullen zien als ze zich opschilderen alsof ze een stel wasberen zijn.'

'Zijn ze hier geweest? Weet u waar ze naartoe zijn gegaan? Was er iemand bij hen? Hoeveel hebben ze gedronken?'

'Tjonge... Twintig vragen tegelijk! Ja, ja en nee en niets anders dan gemberbier en limonade. Ik zag meteen dat ze minderjarig waren, ondanks hun vrij knap vervalste identiteitsbewijzen, gaf ze twee Shirley Temples en belde sheriff Reade. Ze waren al weg voordat hij hier kon zijn, maar ze gingen naar hiernaast dus ik neem aan dat Callum ze inmiddels wel aangehouden heeft en meegenomen naar het bureau.'

'Hiernaast? Bedoelt u De Jaargetijden?'

'Ik vrees van niet, lieverd. Ze gingen naar Fatz Tatz. Volgens mij zijn ze hier alleen maar naar binnen gelopen om zich moed in te drinken. Het lange meisje zag er behoorlijk zenuwachtig uit. Het kleintje zei tegen haar dat het helemaal geen pijn deed.'

'De langste is mijn dochter... heb je Callum verteld waar ze naartoe zijn gegaan?'

De bardame knijpt haar ogen even samen als ze hoort dat ik de sheriff bij zijn voornaam noem.

'Ja. Zodra hij hier was. Maar hij zat op Fog Hollow Road toen hij het bericht kreeg, dus dat heeft wel een halfuurtje geduurd. Ik weet niet of hij op tijd hiernaast was om te voorkomen dat Fatz aan de slag ging.'

'U weet toch wel dat het in deze staat bij de wet verboden is om een minderjarige te tatoeëren...' begin ik, maar ik houd meteen mijn mond bij de kille blik van de bardame. Zij kan het ook niet helpen dat de stoppen bij mijn dochter zijn doorgeslagen. 'Dank u wel dat u de politie hebt gebeld. En ze alleen maar alcoholvrije drank hebt gegeven. Ze hebben u toch wel betaald?'

'Ja hoor. De langste dacht er zelfs aan om me een fooi te geven,' zegt ze met een glimlach. 'U hebt haar kennelijk goed opgevoed.'

Geweldig, denk ik, als ik uit de kroeg kom en de straat in loop. Dan zal Sally er ongetwijfeld ook wel aan denken om de tatoeëerder een fooi te geven nadat hij haar met hepatitis B heeft opgezadeld. Ik kom langs Fatz Tatz, maar die is nu gesloten, dus loop ik door naar het politiebureau. Als ik de deur opentrek, ziet alles er even somber uit als ik vreesde. Sally zit in elkaar gedoken op een bank langs de muur, met opgetrokken knieën onder een veel te groot T-shirt. Als ze opkijkt, zie ik dat haar gezicht opgezwollen is en nat van de tranen.

'Eindelijk!' roept ze uit terwijl ze opspringt. 'Ik dacht dat ik hier de nacht in de cel zou moeten doorbrengen. Waar zat je?'

'Waar ik zat?' begin ik, terwijl mijn stem meteen, alsof er een knop wordt omgezet, omhooggiert naar het niveau ongeloof en woede. 'Ik was op zoek naar jou, jongedame...' Ik hou mezelf in omdat ik net de stem van mijn moeder uit mijn mond hoor komen. En bovendien voel ik dat iemand naar me staat te kijken. Ik draai me om en zie Callum Reade tegen de deurpost leunen van wat ongetwijfeld zijn kantoor is. Hij glimlacht. Ongetwijfeld omdat ik precies hetzelfde klink als iedere hysterische moeder die haar verdorven kroost komt ophalen.

'Ik zou het wel op prijs hebben gesteld als je me had gebeld om te vertellen dat je mijn dochter had opgepakt,' zeg ik.

De glimlach verdwijnt van zijn gezicht. 'Ik heb een boodschap ingesproken en de school gebeld. Shelley Drake is net weg met Chloe Dawson, maar ik ging ervan uit dat jij zelf je dochter zou willen ophalen.'

'O,' zeg ik als ik besef dat hij precies juist heeft gehandeld door me een kans te geven alleen met Sally te kunnen praten. 'Is er... zijn er...'

'Geen aanklacht,' zegt hij en laat zijn stem zeker een octaaf zakken om eraan toe te voegen: 'Dit keer. Hoewel ik Sally heb uitgelegd dat het gebruik van een vervalst identiteitsbewijs een ernstig misdrijf is. En we hebben het ook nog uitgebreid gehad over de gevolgen van te veel alcohol en de risico's van hepatitis B.'

Ik kijk naar Sally en ze huivert. 'Hij heeft me foto's laten zien van ongelukken die het gevolg waren van rijden met een slok op. Maar ik wilde helemaal geen alcohol, echt niet. Ik wou alleen even weg uit die verrekte negentiende eeuw om vijf minuten aan de moderne wereld te ruiken.'

'Vraag de volgende keer dan maar aan je moeder of ze je mee wil nemen naar het winkelcentrum in Kingston,' zegt Callum en vervolgens tegen mij: 'Kan ik u even spreken, mevrouw Rosenthal?'

Ik knik en kijk weer naar Sally. Ze heeft de capuchon van het sweatshirt opgezet en is nog dieper weggedoken in de wijdvallende plooien. Ik kan nog net de verschoten en half weggesleten letters NYPD lezen en besef dat het van Callum moet zijn. Dan knijp ik even in Sally's schouder en zeg dat ik zo terug ben.

Callum staat in zijn kantoor, geleund tegen de voorkant van zijn bureau. Hij gebaart dat ik de deur dicht moet doen en duwt dan met zijn voet een stoel naar me toe. Ik doe net alsof ik dat niet zie en blijf staan. 'Ik ben blij dat je Sally hebt gevonden en dat je geen aanklacht indient...'

Hij wuift mijn dank weg. 'Er is niets mis met die meid,' zegt hij.

'Ze heeft gewoon de pest aan alles en iedereen omdat ze haar vader van haar hebben afgepakt. Dat kan ik haar niet kwalijk nemen. De enige om wie ik me echt zorgen maak, is Chloe. Toen ik bij Fatz Tatz aankwam, zat ze Fatz te vertellen dat ze iedereen kon laten doen wat zij wilde met behulp van zwarte magie. Ze wilde dat Fatz haar een tatoeage gaf van iemand die van een klif viel, omdat zij ervoor had gezorgd dat een meisje van een klif sprong door daar alleen maar aan te denken.'

'Denkt ze dat zij ervoor heeft gezorgd dat Isabel van de richel sprong?'

Callum knikt en laat zijn hand door zijn haar glijden. Hij ziet er ineens ontzettend moe uit. 'Ik heb nooit meegedaan met de inwoners van dit dorp die over de school roddelen. Leven en laten leven is mijn motto. Maar dit jaar is daar iets vreemds aan de hand. Toen dat meisje zich daar op die richel op me wierp, dacht ik dat we allebei over de rand naar beneden zouden vallen. Ze was niet zomaar boos, ze was waanzinnig boos. Ik had het gevoel dat ze ons allebei om zeep wilde helpen. Als ik jou was, zou ik mijn dochter uit de buurt houden van Chloe en dat kringetje om haar heen.'

Sally zit de hele weg naar huis te mokken. Als ik naar haar kijk, kan ik haar gezicht niet eens zien, omdat ze de capuchon zo ver naar voren heeft getrokken dat haar gezicht in de schaduw blijft. Wanneer we langs het roestige uithangbord van de allang verdwenen Witte Heks-kroeg komen, moet ik denken aan de eerste ochtend dat we hier reden. En ik herinner me het vluchtige enthousiasme dat ze had getoond toen ze haar oude lievelingssprookje in het landschap herkende en de kortstondige hoop die ik koesterde dat alles tussen ons weer goed zou komen nu we hier waren. Nu wens ik dat ik weer een verhaal zou hebben om haar aandacht vast te houden. En als ik de Notenboomlaan in draai, besef ik ineens dat ik dat wel degelijk heb.

'Het is waar dat ik de kunstacademie eraan gaf toen ik van jou in verwachting raakte,' zei ik. 'Ik dacht dat het zo hoorde. Dat ik anders geen goede moeder kon zijn.'

Ze zegt niets, maar ze zit in ieder geval niet tegen me te schreeuwen, dus ga ik verder.

'Ik dacht dat ik nog altijd terug kon gaan als je wat ouder was – en eigenlijk was dat ook zo. Je vader had met alle liefde mijn opleiding betaald en ervoor gezorgd dat ik oppas zou krijgen. Hij kwam vaak thuis met catalogi van allerlei kunstacademies en liet die dan opzettelijk rondslingeren.'

'Waarom heb je dat dan niet gedaan?' klinkt een klein stemmetje ergens uit de diepte van de capuchon.

'Ik denk dat ik bang was dat ik niet goed genoeg meer zou zijn... dat er te veel tijd was verstreken en dat ik mijn touch kwijt was...'

'Bedoel je dat je verpest was omdat je moeder was geworden?'

Hoewel ik in de verleiding kom om te liegen doe ik dat niet. 'Ja. Als je moeder wordt, verander je. Voordat ik jou had, kon ik helemaal opgaan in tekenen en schilderen, precies zoals jij nu. Uren vlogen voorbij...'

'Alsof het minuten zijn,' maakt Sally mijn zin af.

'Precies,' zeg ik. 'En toen jij nog klein was, vond ik het eng om zo in mezelf op te gaan. Als ik nou eens niet zou merken dat jij me nodig had? En later was ik bang dat ik het niet meer zou kunnen. Je vader moedigde me nog steeds aan om weer te gaan leren, dus toen je wat ouder werd, heb ik dat ook gedaan en ben literatuur en sprookjes gaan studeren. Maar ik heb nooit ook maar een moment spijt gehad van jouw komst.'

'En hoe zat het dan met pap? Heeft hij zijn grote droom voor mij opgegeven?'

Ik zucht. Ik had gehoopt dat we dit onderwerp konden vermijden. 'Hij is van Pratt weggegaan om een baan aan te nemen bij Morgan Stanley, waar opa Max werkte. Hij wilde er zeker van zijn dat er voldoende geld was.'

'Maar opa Max en nana Sylvia waren toch rijk? Wilden zij hem dan niet helpen?'

Ik schud mijn hoofd. 'Ze waren van de generatie die de crisis van de jaren dertig hebben meegemaakt, net als mijn grootmoeder. Oma Miriam bewaarde alles. Zelfs waspapier werd schoongemaakt en opnieuw gebruikt! Dus opa Max en nana Sylvia hadden wel geld genoeg, maar ze waren altijd bang dat ze het weer kwijt zouden raken. Ze wilden dat je vader in zaken zou gaan. Toen hij in plaats daarvan voor de kunstacademie koos, hielden ze zijn toelage in.'

'Wat afschuwelijk! Dat zou jij bij mij toch nooit doen, hè?'

'Ik zie niet in waarom je niet in staat zou zijn je geld met kunst te verdienen. Ik wil dat je iets gaat doen wat je echt fijn vindt. Maar je moet het opa Max en nana Sylvia niet kwalijk nemen dat ze deden wat volgens hen het beste was voor je vader en voor jou toen je er eenmaal was. Toen we wisten dat jij op komst was, bood opa Max aan om ons te helpen het huis in Great Neck te kopen als je vader samen met hem bij Morgan Stanley zou gaan werken.'

'Dus hij heeft ook vanwege mij de kunstacademie opgegeven?'

'Hij wilde gewoon de best mogelijke vader zijn. En ik weet dat hij daar ook nooit spijt van heeft gehad.'

Dat laatste zeg ik op vastberaden toon, waarbij ik mezelf voorhoud dat het in feite geen leugen is. Jude heeft nooit spijt gehad van zijn keuze om voor Sally de kunstacademie op te geven. Hij was ervan overtuigd dat hij juist had gehandeld. 'En,' zei hij altijd wanneer het onderwerp ter sprake kwam, 'als ik met pensioen ga, zal ik nog tijd genoeg hebben om weer te gaan schilderen.' Dus het is geen leugen. Hij wist alleen niet dat hij zich vergiste in de hoeveelheid tijd die hem nog restte.

We zijn bij het huisje aangekomen. Gelukkig heb ik het licht aan gelaten, dus het ziet er niet al te troosteloos uit. Het lijkt zelfs bijna vrolijk. Ik zal tosti's maken en een pot thee zetten. Daarna duiken we gewoon in de dozen met dvd's en gaan een oude film kijken. Een van Sally's favorieten: *Casablanca* of *Mr. Smith Goes to Washington*, waarbij ze altijd moet huilen als Jimmy Stewart voor even het vertrouwen in de 'American Dream' verliest.

Ik wil me net omdraaien naar Sally om te vragen of ze wil blijven als ik een zwart silhouet zie opduiken voor het verlichte raam van de zitkamer. De reden waarom het huisje er niet troosteloos uitziet, is omdat het niet leeg is. Er is iemand binnen.

VIERENTWINTIG

'Blijf jij maar hier,' zeg ik terwijl ik mijn best doe om vastberaden en zelfverzekerd te klinken. Ik knijp even in Sally's hand en reik dan voor haar langs naar het handschoenenkastje voordat ik me herinner dat de zaklantaarn daar niet meer ligt. 'Ik ga wel even kijken.'

'Maar als het nu een inbreker is, mam?'

'Het zal wel een van de kamermeisjes zijn die door Dymphna hierheen is gestuurd.'

Ik geloof er niets van dat Dymphna op dit uur nog iemand naar me toe zou hebben gestuurd, maar ik wil niet dat Sally echt bang wordt, of achter me aan naar binnen loopt. Ik stap uit de auto, controleer of allebei de portieren afgesloten zijn en loop dan naar het huis, wensend dat ik op z'n minst een zaklantaarn zou hebben waarmee ik me eventueel kan verdedigen. Maar zelfs zonder wapen zal ik geen enkel middel schuwen om te voorkomen dat een indringer, als het daar echt om gaat, in de buurt van Sally komt. Ik stop de sleutel in het slot, maar voordat ik die kan omdraaien zwaait de deur al open en zie ik Ivy St. Clare voor me staan, dramatisch in een zwarte omslagdoek gewikkeld.

'Daar ben je dan eindelijk! We zitten al een hele tijd op je te wachten. Heb je je dochter bij je? Sheriff Reade zei dat je haar had opgehaald.'

Ik ben zo onthutst bij de aanblik van rectrix St. Clare in mijn huis, dat ik geen antwoord geef. Ik kijk langs haar heen naar de zitkamer en zie Shelley Drake en Chloe Dawson tegenover elkaar zitten in de bladgroene fauteuils. Chloe ziet er even verwelkt uit als de blaadjes op de bekleding.

'Hoe bent u binnengekomen in mijn huis?' vraag ik aan de rectrix. 'En wat hebt u hier te zoeken?'

Ze schikt de omslagdoek over haar schouders en snuift. 'Ik heb nog steeds een sleutel uit de tijd dat ik allerlei dingetjes voor Vera moest opknappen. En wat de reden dat we hier zijn betreft... Sally en Chloe hebben de schoolregels overtreden door 's avonds naar het dorp te gaan en een gelegenheid te bezoeken waar sterkedrank wordt geschonken. Ik hanteer als regel dat personen die samen iets misdaan hebben daar ook samen en tegelijkertijd op aangesproken worden, en aangezien die man Sally niet mee wilde geven aan miss Drake, moesten we wel wachten tot je samen met haar thuis zou komen. Je wilt toch niet dat je dochter een uitzonderingsbehandeling krijgt, hè?' St. Clares blik glijdt van mijn gezicht naar iets rechts achter me. Ik draai me om en zie dat Sally in de deuropening staat. Maar ze kijkt mij niet aan, ze kijkt naar Chloe die haar geluidloos een boodschap doorgeeft.

'Ik verwacht geen uitzonderingsbehandeling, maar ik heb al met haar gesproken en ik denk dat ik de zaak verder wel aankan.'

'Dat is allemaal mooi en aardig, maar onze regels houden in dat overtredingen niet zonder gevolgen blijven. Vera stond er altijd op dat de leerlingen iets deden waar de hele school baat bij had. Miss

Drake en ik vonden het een goed idee om de meisjes vanavond en ook de rest van de week de eettafels af te laten ruimen.'

'Nu?' vraag ik. 'Wilt u echt dat ze nu...' – ik werp een blik op mijn horloge – 'om tien uur nog aan het werk gaan?'

'Nou ja, als we in staat waren geweest om Sally eerder op te halen zouden ze nu al klaar zijn geweest. Maar goed, ze hebben nog tijd genoeg om het af te maken en ik heb Dymphna op het hart gedrukt dat ze de tafels niet moest afruimen.'

'Maar ik wilde nog even met Sally praten...' begin ik, terwijl ik me naar haar omdraai. Als ik verwacht had dat ze me dankbaar zou zijn, kom ik bedrogen uit. Ze staat naar het plafond te staren en doet net alsof ze me niet ziet. De band tussen ons, die weer een beetje werd aangetrokken tijdens de terugrit uit het dorp, is verdwenen.

'Of wil je soms dat miss Dawson al dat werk in haar eentje moet doen?' vraagt de rectrix.

'Dat zou niet eerlijk zijn, mam. Laat me nou maar met Chloe meegaan. Ik vind het helemaal niet erg om een zootje borden te moeten afwassen.'

'Ik zorg er wel voor dat ze zonder problemen in hun kamers terugkomen,' zegt Shelley, die voor het eerst haar mond opendoet. Ze schenkt me een flauw glimlachje en kijkt dan zenuwachtig naar de rectrix, maar Ivy's aandacht is op de schoorsteenmantel gericht. Ik voel een schuldige blos opkomen als ik denk aan wat daar verborgen ligt en ik moet mezelf dwingen om niet te vergeten dat Ivy St. Clare niets afweet van de bergplaats achter het met houtsnijwerk versierde paneel. Ik kijk Sally opnieuw aan terwijl Shelley aandachtig toekijkt.

'Wil je dat echt, Sally?' vraag ik.

Ze haalt haar schouders op. 'Ik zal wel moeten. Maar mag ik me wel eerst even verkleden? Iemand heeft bier op mijn broek gemorst in die gore bar.'

Rectrix St. Clare knikt en wendt zich vervolgens, als Sally naar boven is, tot mij. 'Ik hoop dat je begrijpt waarom dit nodig is. Als Sally erachter komt dat ze zich achter jou kan verschuilen, dan zal ze het hier ontzettend moeilijk krijgen. En ik hoop dat je het niet erg vindt dat ik het zeg, maar Sally is een jong meisje met een heleboel problemen.'

'Een jaar geleden heeft ze haar vader verloren,' is mijn antwoord terwijl het bloed me naar de wangen stijgt.

St. Clare werpt me een meewarige blik toe. 'Ik ben als wees opgegroeid. Mijn moeder heeft me bij mijn geboorte afgestaan en god mag weten of mijn vader ooit van mijn bestaan op de hoogte is geweest. Het eerste gezin dat me adopteerde, heeft me teruggestuurd. Dat had ik mijn leven lang kunnen aangrijpen als reden om me slecht te gedragen, maar in plaats daarvan was ik vastbesloten om iets te bereiken. Je moet Sally de kans geven daar zelf achter te komen.'

'Natuurlijk begrijp ik dat best en wat u allemaal hebt klaargespeeld vind ik ook bewonderenswaardig. Maar u hebt daar hulp bij gehad. U hebt van Lily Eberhardt en Vera Beecher een tweede kans gekregen toen ze u die beurs gaven om hier te kunnen studeren.'

'Dat is waar, maar zo gemakkelijk ging dat allemaal niet, hoor. Ik heb vanaf het eerste moment dat ik hier binnenkwam geweten dat ik zou moeten werken om me hier een plaats te verwerven. En ik heb mijn hele leven dag in dag uit gewerkt om die plaats vast te kunnen houden. Je hebt geen idee wat ik daar allemaal voor heb moeten doen.' Ze zit er zo stram bij dat het lijkt alsof haar huid strak over de botten van haar gezicht is gespannen. Haar handen zijn gebald en haar sleutelbeenderen lijken op scherpe rotsrichels. Het is net alsof er iets bij haar vanbinnen wanhopige pogingen doet zich te bevrijden van het dunne laagje vlees en bloed. Dan klinkt er een scherp gekraak en heel even denk ik dat het Ivy zelf is, dat ze zich zo stram overeind houdt dat ze als een tak in de wind is geknakt, maar het is gewoon Shelley die met een van de poken naast de haard zit te rommelen.

'Sorry,' zegt ze. 'Dat ding zag eruit alsof het om zou vallen.'

Ik werp een zenuwachtige blik op de schoorsteenmantel, bang dat de geheime bergplaats is opengesprongen en Lily's dagboek compleet met al die geheimen over het weeshuisverleden van Ivy heeft uitgebraakt, maar alles zit nog stevig dicht. Als ik me weer omdraai, zie ik Sally de trap af komen in een trainingsbroek en het Pratt-sweatshirt van Jude (kennelijk kon ze niet wachten om dat shirt van Callum Reade uit te trekken). Ze is bezig om haar haar in een praktische paardenstaart te doen en als ze haar arm laat zakken vang ik een glimp op van iets roods en groens op haar rechterpols. Ik was ervan uitgegaan dat Callum op tijd bij Fatz Tatz was om te voorkomen dat Sally getatoeëerd werd, maar als ik een stap vooruit doe en haar bij haar pols pak, zie ik dat ik me heb vergist.

'Het heeft niets om het lijf, mam. En begin niet over hepatitis. Fatz werkt met steriele naalden.'

Het is een klein rozenknopje, zo'n beetje het onschuldigste beeld dat ze had kunnen kiezen, maar toch krijg ik hetzelfde gevoel als toen ik de littekens zag die ze op haar derde aan waterpokken overhield: alsof ze veel te snel door het leven is getekend.

Nadat ze weg zijn, dwaal ik door het huis als een moederkat waarvan ze de jongen hebben weggehaald. Ik loop van kamer naar kamer en kan het idee niet van me afzetten dat Sally in gevaar verkeert. Ik probeer mezelf gerust te stellen met de gedachte dat Shelley Drake een oogje op de meisjes zal houden, maar Shelley is ondanks al haar goede bedoelingen toch een tikje geschift. In Sally's kamer pak ik het afgedankte sweatshirt van Callum Reade op en druk dat tegen mijn borst alsof Sally er nog steeds in zit. In plaats daarvan dringt de geur van houtschaafsel en citroenolie in mijn neus, dezelfde lucht die ik die dag in de schuur heb opgevangen. Huiverend trek ik het sweatshirt aan en loop weer naar beneden.

Daar loop ik rechtstreeks naar de open haard en maak de geheime bergplaats open.

Lily's dagboek ligt op dezelfde plek waar ik het heb achtergelaten. Het was ook belachelijk om te denken dat het hier veertig jaar onopgemerkt heeft gelegen en dat Ivy het nu ineens bij toeval zou ontdekken. Maar toch vond ik het vervelend om haar zo dicht in de buurt van de schuilplaats te hebben. Daardoor besef ik ineens hoe teleurgesteld ik zou zijn als het dagboek me afgepakt zou worden voordat ik de kans krijg het uit te lezen. Ik pak het dagboek uit de nis, nestel me op de bank in de woonkamer, warm ingepakt in Callums sweatshirt en een van de oude wollen dekens van mijn grootmoeder, en ga zitten lezen, vastbesloten om nu Lily's verhaal eindelijk eens uit te lezen.

Ons leven in Fleur-de-Lis zat vol kleine verrassingen. Vera vond het heerlijk om mij kleine cadeautjes te geven en me op allerlei manieren gelukkig te maken. Ze had inderdaad de beloofde drukpers gekocht en die herfst nodigde ze een drukker uit de stad, Bill Adams, uit om ons te leren hoe we onze eigen boeken moesten drukken. Daarna kwam Anita Day van de vakvereniging van boekbinders drie zomers achter elkaar naar ons toe om een cursus boekbinden te geven. In de herfst van 1930 publiceerden we ons eerste boek, Het wisselkind, *in een oplage van honderd exemplaren. We hadden het werk nog niet helemaal onder de knie en maakten zoveel fouten dat er maar zeventig exemplaren goed genoeg bleken. Die stuurden we datzelfde jaar als kerstcadeautje naar vrienden. Vera vond dat het verhaal heel toepasselijk was voor de tijd waarin we leefden en de economische ontberingen waardoor zoveel mensen werden getroffen. Op onze kerstkaart (die ook gedrukt werd op de nieuwe pers) schreef Vera: 'Ik hoop dat je zult genieten van dit verhaaltje over een arm meisje dat haar familie door een moeilijke tijd heen helpt en het geluk vindt in goed en eerlijk werk.' Ik was blij dat Vera niet meer achter het verhaal zocht.*

Op de kaart voor Mimi Green, die met Johnnie was getrouwd en weer in Brooklyn woonde, schreef ik een extra opmerking. 'Misschien ontdek jij nog iets anders in dit verhaal.'

We kregen geen antwoord van Mimi – zelfs geen bedankbriefje – tot grote ergernis van Vera, die weliswaar hoog opgaf van het onconventionele kunstenaarsbestaan, maar die toch bijzonder veel waarde hechtte aan goede manieren. 'Nu zie je wat er gebeurt als vrouwen trouwen en kinderen krijgen,' zei Vera terwijl ze Mimi van onze kerstlijst schrapte. 'Ze laten al hun oude vrienden in de steek.'

'Gertrude heeft ons niet in de steek gelaten,' merkte ik ondeugend op.

'Deed ze dat maar,' kreunde Vera. Het feit dat ze in de lente van 1929 het leven had geschonken aan een gezond dochtertje had niet geholpen om Gertrude Sheldon wat gemoedelijker en minder labiel te maken. Toen ze terugkwam uit Europa had ze zich met het kind teruggetrokken op het buitengoed van de Sheldons op een eiland in Maine, waarbij ze aan iedereen vertelde dat haar dochtertje een teer gestel had en de luchtvervuiling en de hitte van New York niet aankon. Later circuleerde het gerucht dat Gertrude die zomer in werkelijkheid in een sanatorium had doorgebracht en dat ze als gevolg van de bevalling een zenuwinzinking had gehad. De zomer daarna bracht ze nog steeds in afzondering door, eveneens tot grote ergernis van Vera – niet omdat ze Gertrudes aanwezigheid miste, maar omdat Gertrude Virgil Nash had overgehaald om naar haar huis in Maine te komen. We hoorden dat ze hem had beloofd als zijn beschermvrouwe op te treden en Nash werd inderdaad rijk van de portretten die hij van de familie Sheldon en hun vriendenkring schilderde.

Ik was opgelucht dat ik niet met Nash geconfronteerd zou worden. Zelfs toen Gertrude een paar jaar later terugkeerde naar Arcadia bleef Nash weg. Misschien om mij te mijden, of misschien omdat hij zich schaamde voor de schilderijen die hij maakte. Zijn society-portretten hadden hem veel geld opgeleverd, maar ze waren oppervlakkig en geflatteerd. Hij moet het gevoel hebben gehad dat de kloof tussen hem en zijn collega-kunstenaars steeds groter werd, toen veel van onze vrienden het in de jaren daarna moeilijker kregen.

In het begin van 1930 vertelde Vera me dat ze veel geld op de beurs had verloren en dat ze haar huis in New York niet langer kon aanhouden, maar als ik bereid was om het iets zuiniger aan te doen konden we ons nog steeds veroorloven om het hele jaar op Arcadia te blijven wonen. Ik vertelde haar dat niets me blijer zou maken dan de mogelijkheid om constant op Arcadia te blijven. Om eerlijk te zijn vond ik het zelfs wel leuk dat we zuinig moesten zijn. Nu kon ik haar eindelijk van nut zijn! Ik kon koken en schoonmaken en groente telen. Ik wist haar zelfs over te halen om een koe en wat kippen aan te schaffen, zodat we onze eigen melk en eieren konden produceren.

Veel van onze bevriende kunstenaars waren niet zo gelukkig als wij en dus gaven we hun 's zomers onderdak, zodat ze een plek hadden waar ze even bevrijd waren van de dagelijkse strijd om in leven te blijven en zich gewoon weer konden wijden aan tekenen, schilderen, pottenbakken en het maken van boeken en meubels. Veel van hen konden het hoofd boven water houden dankzij het werk dat ze in die zomers op Arcadia produceerden.

En hoewel ik me wel degelijk bewust was van de armoede om ons heen, moet ik toch bekennen dat de jaren dertig de gelukkigste tijd van mijn leven zijn geweest. Wij hadden genoeg terwijl dat voor veel mensen niet gold, wij hadden de middelen om onze vrienden de helpende hand te reiken, wij hadden ons werk en, het allerbelangrijkste, Vera en ik hadden elkaar. Nu was het Vera die opdrachten kreeg voor belangrijke muurschilderingen, in postkantoren en banken, op scholen en zelfs in een hoofdstad van een van de staten. Ik fungeerde als haar assistente en als haar model, maar na de kapel van Saint-Lucy's had ik nooit meer de behoefte om zoiets grootschaligs aan te pakken.

'Ik ben tevreden met mijn sprookjes,' zei ik tegen haar, 'en met mijn tekeningen van mijn fantasieplekjes.' Dus ik was echt gelukkig.

Tot op de dag dat ik hoorde hoe het met Ivy ging.

Natuurlijk had ik aan haar gedacht. In dat opzicht had zuster Margaret gelijk gehad. Er ging geen dag voorbij zonder dat ik me afvroeg waar ze was, wat voor soort gezin haar had geadopteerd, hoe ze eruitzag. Maar ik wist dat het volgens de regels van Saint-Lucy's strikt verboden was dat moeders inlichtingen inwonnen over de baby's die ze hadden afgestaan. Ik wist ook dat het dwaas van me was om dat te wensen. Als ze nou eens niet gelukkig was? Of nog erger: dat ze ziek was geworden en was overleden? Dat gebeurde in die jaren met zoveel kinderen. Gertrude had altijd de mond vol over de gevaren van polio, hersenvliesontsteking, mazelen en nog een hele reeks andere ziekten die een kind het leven konden kosten als een moeder er niet streng op toezag dat in haar huishouden zo hygiënisch mogelijk werd gewerkt.

Ik wist niet zeker of ik mijn kind een moeder als Gertrude toewenste, die ervoor zorgde dat haar dochter lichamelijk in orde was maar een kleine zenuwpees van haar had gemaakt, of een wat meer ontspannen moeder die meer liefde gaf, maar wellicht niet voorbereid was op alle mogelijke kwaaltjes. Maar goed, zodra het idee bij me postvatte dat Ivy misschien wel dood was, moest ik het weten.

In de zomer van 1944 kreeg Vera een opdracht om een muurschildering te maken in een vrouwencollege in Noord-Oost Pennsylvania. Toen we daar aankwamen, zag ik dat het college niet ver van Saint-Lucy's lag en op een dag zei ik tegen haar dat ik naar het klooster toe wilde om te zien of de muurschildering die Mimi en ik hadden gemaakt nog in goede conditie was. 'Ik zou er graag een paar goede foto's van willen hebben,' zei ik. Ik was bang dat ze zou aanbieden om mee te gaan, maar ik had ervoor gezorgd dat ik een dag uitkoos waarop de modellen voor de fries waaraan ze werkte aanwezig waren, zodat ze niet weg kon. Vera was duidelijk geïrriteerd dat ik niet bij haar zou zijn om de verf te mengen, maar ik had voor een vervanger gezorgd.

'Maar jij bent de enige die de kleuren altijd precies goed krijgt,' klaagde ze.

Ik verzekerde haar dat ik mijn vervangster (een studente kunstgeschiedenis aan het college, die een verstandige indruk maakte) precies de juiste formules had gegeven en vertrok voordat Vera nog verder bezwaar kon maken. In de trein waarin ik hetzelfde traject aflegde dat ik zestien jaar eerder in tegenovergestelde richting had genomen, bedacht ik dat Vera in de loop van de jaren wel erg afhankelijk van me was geworden. Niet dat ik het erg vond om allerlei klusjes voor haar op te knappen – ik had met liefde mijn leven voor haar willen geven – maar ik vond het een beetje triest dat een vrouw die zo sterk was als zij zo nukkig en veeleisend was geworden. Ze zou voor die dominante geest eigenlijk een andere uitlaatklep moeten hebben.

Op dat moment begon voor het eerst het idee van een middelbare school als vooropleiding voor de kunstacademie door mijn hoofd te spelen. We waren al lang een trekpleister voor jonge kunstenaars die bij ons de zomer doorbrachten om les te krijgen van onze meer ervaren kunstenaars, maar het was een ongestructureerd gebeuren dat zich slechts gedurende een paar maanden per jaar afspeelde. Er was geen sprake van een vastomlijnd lesprogramma, een logisch studieverloop, of een bepaalde filosofie. Na een of twee zomers raakte het merendeel van de getalenteerde jonge vrouwen op drift, ze trouwden, kregen kinderen en gaven hun kunst op of beschouwden het als een hobby waarmee ze wat verloren uurtjes konden vullen in plaats van het als hun roeping te zien. Ik had het idee dat wij – Vera en ik en Arcadia – dat beter konden aanpakken. Als we van onze opleiding een echte school maakten, konden we jonge kunstenaars – en met name jonge vrouwen, dacht ik onwillekeurig – leren om zichzelf te bedruipen. We zouden natuurlijk les geven in schone kunsten, maar ook les geven in illustreren, grafisch ontwerpen, textiel, drukwerk, boekbinden… kunstnijverheid die voor een goed inkomen kon zorgen en tegelijkertijd de wereld een mooier aanzien zou geven. Tegen de tijd dat ik in Easton arriveerde, had ik het hele plan voor de Arcadia School voor de Kunst al in mijn hoofd. Ik had ook al besloten dat er beurzen moesten komen voor arme meisjes die bijzonder getalenteerd waren op het gebied van de kunst.

Het plaatsje Easton maakte een eigenaardige, verlaten indruk toen ik op het station uitstapte. Ik werd afgehaald door een chauffeur die me in een rammelende en roestige oude Buick naar Saint-Lucy's reed in plaats van in Johnnies ponykar. Hij vertelde me dat het dorp ten dode was opgeschreven.

'Alle gebouwen worden met de grond gelijkgemaakt en verbrand om plaats te maken voor het nieuwe reservoir,' zei hij. 'Als de oorlog niet was uitgebroken, zouden ze er nu al mee begonnen zijn, maar

het is alleen nog een kwestie van tijd. Over tien jaar staat deze hele vallei onder water.'

'Maar hoe zit het dan met Saint-Lucy's?' vroeg ik, denkend aan de meisjes die vanuit de stad hiernaartoe kwamen. Waar moesten zij heen als Saint-Lucy's er niet meer was? Wat zou er met de wezen gebeuren?

'Saint-Lu's ligt vlak boven de waterlijn, maar het zit er dik in dat de stad niet wil dat een stelletje nonnen vlak boven hun watervoorraad bivakkeert. Het gerucht gaat dat het naar de andere kant van de berg verplaatst wordt, maar zuster Margaret, de oude non die daar de scepter zwaait, vindt dat helemaal niks. Ze zegt dat ze hun plaats hebben uitgekozen omdat die zoveel leek op de plek in Ierland waar de oorspronkelijke Sint-Lucy haar baby in de rivier legde. Ze zegt dat als Sint-Lucy bereid was haar enige kind aan het water toe te vertrouwen, zij ook best het klooster aan dit water durft toe te vertrouwen. Ze weigert om plannen te maken voor de verhuizing. Eerlijk gezegd denk ik dat het oude wijffie… en dat is niet beledigend bedoeld,' zei hij terwijl hij een kruis sloeg, 'een beetje begint te malen.'

Ik schrok echt van de manier waarop de chauffeur over zuster Margaret sprak. Ik had gehoopt dat ze in staat zou zijn om me te vertellen wat er met mijn baby was gebeurd. Maar misschien was het wel beter dat ze niet meer precies wist wie ik was, aangezien het ongehuwde moeders niet was toegestaan om bij Saint-Lucy's inlichtingen in te winnen over de baby's die ze hadden afgestaan.

Tegen de tijd dat ik bij Saint-Lucy's aankwam, had ik mijn plan klaar. Ik zou tegen zuster Margaret zeggen dat mijn weldoenster, Vera Beecher, had besloten dat er op haar nieuwe school altijd een plaats zou zijn voor een kind dat in Saint-Lucy's was geboren. Daarvoor zou ik een lijst nodig hebben van de kinderen die daar tussen, zeg maar, 1927 en 1930 waren geboren, compleet met geboortedatum en het huidige adres. Aan de hand van haar geboortedatum moest ik er dan achter kunnen komen waar mijn dochter zich momenteel bevond.

Maar toen ik op de drempel van het klooster stond, merkte ik ineens dat ik bang was. Ik was bang voor wat ik te horen zou krijgen over het lot van mijn kind. Terwijl de chauffeur mijn koffer naar binnen bracht, liep ik in plaats daarvan naar de kleine kapel van Sint-Lucy, waar Mimi en ik die muurschilderingen hadden gemaakt. Ik kon me nog herinneren dat zuster Margaret had gezegd dat veel meisjes eerst naar de kapel gingen om een beetje op verhaal te komen voordat ze het klooster binnenliepen. Daarom had ze het ook zo belangrijk gevonden dat de muurschilderingen daar voor inspiratie en troost zouden zorgen.

Er was één persoon in de kapel toen ik daar binnenkwam. Ik dacht eerst dat het een van de zwangere meisjes was, die daar tot de heilige bad om raad te krijgen, maar toen zag ik dat het nog maar een kind was en dat ze niet zat te bidden. Ze zat te tekenen.

Ze was een lelijk klein ding in een versleten flanellen trui die los om haar schilferige knieën bungelde en gedragen werd over een gesteven witte blouse die hoog tegen haar schriele halsje dichtgeknoopt was. Haar korte zwarte haar zag eruit alsof het met behulp van een bloempot in model was gehakt. Ze zat over haar schetsblok gebogen en ik kreeg heel even de indruk dat ze mismaakt was – alsof ze een bochel had, of een slachtoffertje was van polio. Ik liep op mijn tenen naar haar toe, om haar niet te laten schrikken. Maar toen ik over haar schouder naar haar tekening keek, vielen al haar onvolmaaktheden in het niet. Het tafereel dat ze zat na te tekenen was van Sint-Lucy die haar kind aan de rivier de Clare toevertrouwt. Ze had niet alleen de gelijkenis van wat ik jaren geleden had geschilderd goed getroffen, maar ze had er iets nieuws van gemaakt, iets beters. Ze was er in geslaagd om het gezicht van de heilige een mengeling te geven van liefde, wanhoop en hoop, iets wat mij niet was gelukt. De blik van de moeder en van de baby waren aan elkaar gekluisterd met een kracht die onverbrekelijk leek.

'Wat heb je dat schitterend gedaan,' zei ik. 'Je hebt een fantastisch talent voor het vastleggen van gebaren en gelaatsuitdrukkingen.'

Het meisje leek niet eens te merken dat ik iets had gezegd. Ze bleef gewoon doortekenen en werkte lijn voor lijn zorgvuldig de schaduw bij van Sint-Lucy zoals ze daar geknield ligt bij de rivier.

Misschien is ze wel doof, dacht ik, of een beetje achterlijk. Maar toen ze klaar was met de schaduw keek ze naar me op met een stel donkere ogen die even zwart en scherp waren als de punt van haar potlood.

'Ik heb mijn leven lang de kans gehad om dit na te tekenen,' zei ze met een hoge, wat nasale stem. 'Dus ik mag hopen dat ik het zo langzamerhand wel voor elkaar krijg.'

'Je moet met andere voorbeelden gaan werken,' zei ik glimlachend. 'En met beter papier en betere potloden.' Het was me opgevallen dat het papier waarop ze werkte grof was en dat er van haar potloden nog maar kleine stompjes over waren. 'Ik denk dat ik je daar wel aan kan helpen.'

Ik stak mijn hand naar haar uit. 'Ik ben Lily Eberhardt en ik ga samen met mijn vriendin Vera Beecher een school beginnen voor meisjes zoals jij.'

Het meisje stopte haar potlood achter haar oor en legde haar koude, smerige handje in de mijne zonder zelfs maar te glimlachen. 'Aangenaam kennis met u te maken, miss Eberhardt. Ik heet Ivy St. Clare en ik denk dat u wel zult merken dat er niet veel meisjes zijn zoals ik.'

VIJFENTWINTIG

Ik liet Ivy achter in de kapel waar ze aan een nieuwe schets begon. Ze vertelde me dat ze er drie per dag maakte en 's middags tekenles gaf aan de jongere kinderen. Maar ik ging op zoek naar zuster Margaret en probeerde mezelf in bedwang te houden terwijl ik door de lange stenen gang naar haar kantoor liep. 'Ze zit daar 's ochtends zogenaamd te werken,' had Ivy gezegd, 'maar eerlijk gezegd denk ik dat ze gewoon naar buiten zit te staren. Ze is een beetje gaan malen toen ze te horen kreeg dat het klooster verplaatst moet worden. Als u iets van haar te weten wilt komen, wens ik u veel succes.'

Ik probeerde mezelf in te prenten dat, als zuster Margaret echt seniel was geworden, ik het haar niet kwalijk mocht nemen dat ze me niets over Ivy had verteld. Overigens zou ik er toch niets mee opschieten als ik zo'n oude vrouw de mantel uit zou vegen. Per slot van rekening had ik mijn kind onder haar hoede achtergelaten en kennelijk was ze goed verzorgd. In de korte tijd dat ik met Ivy had gesproken, had ik het gevoel gekregen dat ze het lievelingetje van de nonnetjes was. Ze had me verteld dat ze haar eigen kamer had en minachtend het idee van de hand gewezen dat ze bij de baby's was ondergebracht. Ze gebruikte de maaltijden met de nonnen en ze had de ochtenden vrij om te kunnen tekenen. Toen ik haar vroeg of ze niet liever bij een gezin zou willen wonen, snoof ze en zei dat ze geen familiemens was. 'Ik geef er de voorkeur aan om alleen te zijn.'

Misschien moest ik blij zijn dat ze zo zelfstandig was, maar het joeg me de stuipen op het lijf.

Ik klopte op zuster Margarets deur, maar toen ik niets hoorde, deed ik de deur toch maar open. Ivy had gelijk. De oude non zat met haar rug naar haar bureau uit het raam te kijken. Het was een schitterend uitzicht, precies zoals ik me het herinnerde van de dag waarop ik zuster Margaret had verteld dat ik zwanger was. Je kon de East Branch door de groene heuvels zien stromen, langs het witte torentje van de kerk van Easton in de richting van de wazige, blauwe bergen in de verte. Ik vroeg me af of ze in haar verbeelding de hele vallei al onder water zag staan, veranderd in een groot meer. Maar toen ze het geluid van mijn voetstappen hoorde en zich naar me omdraaide, zag ik tot mijn verbazing dat haar vroeger zo scherpe blauwe ogen bedekt waren met een melkachtig waas. Alsof ze nu al, net zoals binnenkort met haar geliefde vallei zou gebeuren, onder water waren gezet.

'Zuster Margaret,' zei ik zacht, terwijl mijn boosheid als sneeuw voor de zon smolt, 'waarschijnlijk kent u me niet meer, maar ik ben Lily Eberhardt. Ik ben hier zestien jaar geleden naartoe gekomen...'

'Lily Eberhardt,' zei ze, terwijl haar gezicht ineens bedekt werd door fijne rimpeltjes die op spinrag leken. 'Natuurlijk weet ik nog wie je bent.' Ze stak haar handen uit en ik besefte dat ze wilde dat ik mijn handen erin legde. Dat zou wel haar manier van mensen 'zien' zijn, dacht ik, terwijl ik dichterbij kwam. Maar toen ik mijn handen in de hare legde, werd ik ineens door de rare, plotselinge angst bevangen dat ze haar handen op mijn buik zou leggen, precies zoals ze dat had gedaan toen ik haar vertelde dat ik zwanger was. Maar

natuurlijk deed ze dat niet. Ze pakte mijn handen vast en jubelde: 'Zulke begaafde handen! Die hebben ons Sint-Lucy gegeven. Ik heb tegen de man van het waterbedrijf gezegd dat ze zelfs geen moment mochten overwegen om zulke mooie muurschilderingen onder water te zetten. Daar had hij niet van terug.' Ze glimlachte sluw. 'Dus je ziet wel, jouw schilderingen hebben ons gered. Ik wist dat het een prachtige dag was toen jij hier kwam. Je hebt ons zoveel schoonheid geschonken!'

Ik knielde voor zuster Margaret neer, terwijl ik nog steeds haar handen vasthield. 'Ik heb hier nog iets anders achtergelaten,' zei ik. 'Weet u dat nog? Ik heb hier een kind gekregen… een dochtertje.'

De oude vrouw stak haar hand op, met de wijsvinger omhoog. Heel even dacht ik dat ze naar de hemel wees, alsof ze mij en mijn zonden naar God wilde doorverwijzen, maar toen drukte ze de vinger tegen haar lippen en zei: 'Ssst. Dat is een geheim. Het pasgeboren meisje dat de schilderes meegenomen heeft. Zij is een geheim.'

'U bedoelt het pasgeboren meisje dat van de schilderes was,' zei ik, maar zuster Margaret wuifde mijn woorden weg, met kromme, reumatische vingers die in de lucht trilden. 'Ja, ik heb tegen u gezegd dat het geheim moest blijven. Maar toen niemand haar wilde adopteren…'

'Het was juist zo'n mooi kindje, natuurlijk was er wel iemand die haar wilde.'

'Maar ze is toch teruggekomen, hè?'

Zuster Margaret hield haar hoofd een beetje scheef en legde vervolgens haar beide trillende handen om mijn gezicht. 'Jij bent teruggekomen. Dat had ik wel verwacht.'

Ik zuchtte van ergernis, maar wat maakte het eigenlijk uit? 'Ja, ik ben teruggekomen. En ik zou Ivy nu graag mee willen nemen.'

'Ivy?'

'Ja, Ivy, mijn…' Ik kreeg het niet over mijn lippen. Ik slaagde er niet in mijn eigen kind als zodanig te erkennen tegen een van de twee mensen op deze wereld die wisten dat ze van mij was. Toen drong ook de bittere waarheid tot me door: ik had geen enkel gevoel, niet *van liefde en niet van genegenheid, ten opzichte van dat vreemde, saai uitziende meisje dat ik in de kapel was tegengekomen. Hoewel, er was één overeenkomst. Ik ben geen familiemens, had ze gezegd. Nou, dat hadden we dan gemeen. Ik was geen goede moeder en zij was er niet in geslaagd om een lieve pleegdochter te spelen. 'Ivy St. Clare,' zei ik en pakte de draad weer bij het begin op. 'Mijn nieuwe beschermelingetje. Ik wil haar graag een beurs aanbieden voor onze nieuwe school.'*

En dus nam ik Ivy mee naar Arcadia... O nee, niet meteen, natuurlijk. Eerst moest ik Vera ervan overtuigen dat we best alleen (of met z'n tweeën) een eigen school konden beginnen. Ze reageerde aanvankelijk nogal sceptisch, maar toen ze zag dat ik echt vastbesloten was, gaf ze toe.

'Ik neem aan dat dit jouw manier is om te compenseren dat je geen kinderen hebt,' zei ze op een avond toen we in Fleur-de-Lis voor de open haard zaten. 'Ik ben bang dat wij vrouwen uiteindelijk toch nooit onder dat moederinstinct uit komen.' Toen ze dat zei, drong het voor het eerst tot me door dat Vera het misschien wel betreurde dat ze geen kinderen had. Was het fout van me geweest om haar al die jaren geleden mijn geheim niet toe te vertrouwen? Had ze mijn kind misschien toch wel geaccepteerd? Een nare gedachte als je naging hoe alles verlopen was, maar die zette ik uit mijn hoofd toen ik mijn plannen begon uit te voeren. Ik had het komende jaar meer dan genoeg aan mijn hoofd als ik in de herfst onze nieuwe school wilde openen. Ik had leraren nodig, klaslokalen, schilder- en tekenbenodigdheden en – uiteraard – leerlingen. En een deel daarvan, dat begreep ik vanaf het begin, zou schoolgeld moeten betalen.

'Ik vind het vervelend om te zeggen,' zei Vera toen ze samen met mij de cijfers bestudeerde, 'maar als je Fleur Sheldon uitnodigt, zullen zeker een stuk of tien van de vrienden van de Sheldons ook meteen hun dochters sturen. En met dat lesgeld kunnen we ons veroorloven tien andere meisjes een beurs te geven.'

Ik was het met haar eens, ook al vond ik het vreselijk dat we Fleur Sheldon moesten aannemen. Niet dat ik iets tegen het meisje had, integendeel, ik had juist medelijden met haar. Het was overduidelijk dat ze geen talent had, maar dat wilde Gertrude niet inzien en ze dwong Fleur om zich dag en nacht aan haar kunststudie te wijden. Op geld werd niet gekeken. De meest exclusieve leermeesters werden ingehuurd en het arme kind werd langs de grote musea in Europa gesleurd en gedwongen de grote meesters te kopiëren. Wat een verspilling! Had die arme kleine Ivy maar zo'n opleiding en dezelfde kansen als Fleur gehad!

Maar die ongelijkheid zou ik nu rechtzetten, en als dat betekende dat we de familie Sheldon het vel over de oren moesten halen, nou dan was dat jammer.

En het ging precies zoals Vera had voorspeld. Rond de kerst schreef Vera een brief aan Gertrude Sheldon waarin ze Fleur uitnodigde om haar opleiding voort te zetten aan de Arcadia School voor de Kunst. Begin maart hadden we aanvragen van veertien leerlingen die de volle mep moesten betalen. Ik hing kennisgevingen op in de kunstacademie om sollicitanten uit te nodigen en Dora en Ada wierven leraren bij de scholen en de instituten in de stad waar ze lesgaven in pottenbakken. Daarna stuurde ik zuster Margaret een brief waarin ik Ivy uitnodigde, samen met andere getalenteerde meisjes die ze kon aanbevelen.

'Ik ben bang dat niemand het meer verdient dan Ivy St. Clare,' schreef ze terug. 'We zullen haar hier missen, maar ik vertrouw erop dat ze naar de plaats gaat waar ze thuishoort.'

Ik vroeg me af of dat een bedekte verwijzing was naar onze relatie, maar dat maakte eigenlijk niets uit. Aan het eind van de lente hadden we met inbegrip van Ivy, elf leerlingen uitgezocht die op een beurs mochten studeren naast veertien betalende leerlingen. Toen ik de bevestigingen stuurde naar alle aangenomen leerlingen, liet ik er ook een uitgaan naar een meisje dat helemaal geen verzoek had ingediend: de dochter van Mimi Green die volgens mij nu een jaar of zestien moest zijn en die, als ze ook maar iets van het talent van haar moeder had geërfd, bij uitstek geschikt zou zijn voor de school. Ik neem aan dat ik op die manier Mimi wilde laten weten dat ik het bijzonder op prijs stelde dat ze altijd haar mond had gehouden over mijn geheim. Mimi's antwoord was een stijf 'nee, bedankt'. Daarna heb ik nooit meer geprobeerd contact met haar op te nemen.

De meisjes arriveerden de laatste week van juli. We hadden nog geen studentenhuis, dus woonden ze met twee of drie personen in kamers in het hoofdgebouw. Behalve Ivy.

'Ik had in het weeshuis mijn eigen kamer,' zei ze meteen de eerste dag tegen me. 'Ik kan niet slapen als ik andere mensen hoor ademen.' Tegen ieder ander had ik gezegd dat ze daar dan maar aan moest wennen, maar hoe kon ik haar iets weigeren als ze zich door mijn schuld haar hele leven al allerlei dingen had moeten ontzeggen? Ik gaf haar de kamer die ik had voordat Vera en ik naar Fleur-de-Lis verhuisden.

Mevrouw Byrnes snoof afkeurend toen ik haar vroeg om beddengoed voor Ivy's kamer. 'En krijgt de dame soms ook ontbijt op bed?' vroeg ze. 'Moeten de meisjes die hier met een beurs studeren dan niet de handen uit de mouwen steken om de kost te verdienen?'

'Ik wil niet dat er onderscheid tussen de leerlingen wordt gemaakt,' zei ik tegen mevrouw Byrnes. Ze trok haar wenkbrauwen op, maar zei niets. Ik wist best wat ze dacht. Ik had al een onderscheid gemaakt. Op dat moment besefte ik dat ik nooit in staat zou zijn om Ivy links te laten liggen. Ik zou altijd mijn best doen om goed te maken dat ik haar nooit iets had gegeven. Desondanks had ik al gemerkt dat ze er niet op zat te wachten om in de watten gelegd te worden. Ze was al het lievelingetje van het klooster geweest en hier had ze behoefte aan een uitdaging… al moest die wel van iemand anders komen.

Toen Vera en ik die avond met de boekhouding voor de haard zaten, begon ik achteloos over mijn plannen voor Ivy. 'Ik heb zitten denken dat jij eigenlijk een van de leerlingen als persoonlijk assistente zou moeten hebben. Iemand die zorgt voor al die kleine dingen die je aandacht van je werk afleiden; afspraken, correspondentie, dat soort dingen.'

'Maar die neem jij altijd voor je rekening,' zei Vera terwijl ze opkeek van het kasboek.

'Ja, maar ik krijg het nu veel te druk met de school en volgens mij

zou het goed zijn als ook iemand anders op de hoogte is van dat soort dingen...'

'Je doet net alsof je van plan bent om weg te gaan.'

Toen ik opkeek, zag ik dat ze bleek was geworden en haar kaken op elkaar had geklemd. De hand met het potlood boven het kasboek trilde. Ik was stomverbaasd dat ze er zo angstig uitzag. Was ze dan zo bang dat ze me kwijt zou raken? Misschien had ik me gevleid moeten voelen, maar in plaats daarvan voelde ik zelf ook iets van angst opkomen. Ik had er geen moment over gedacht om hier ooit weg te gaan, maar als ik dat nou wel zou willen? Wat zou Vera dan doen? Zou ze me laten gaan?

Ik zette de gedachte van me af. Per slot van rekening was ik helemaal niet van plan om te vertrekken. Waar zou ik trouwens naartoe moeten?

'Nee, natuurlijk niet, lieverd,' zei ik, terwijl ik mijn best deed om achteloos over te komen. 'Zo gemakkelijk kom je niet van me af, Vera. Je zit voorgoed met me opgescheept. Ik dacht alleen... nou ja, dat arme weesmeisje, Ivy St. Clare, was eraan gewend om allerlei dingen voor de nonnen op te knappen. Ze lijkt op jou. Ik ben bang dat ze gaat zitten piekeren als ze haar energie niet kwijt kan. Volgens mij zou ze een goede assistente voor je zijn.'

'Ja, ze lijkt me behoorlijk intelligent. Zeg maar dat ze zich morgen na schooltijd in mijn kantoor moet melden. Dan kan ze me helpen de aanvragen voor volgend jaar te sorteren.'

De volgende dag trof ik Ivy bij het ontbijt en vertelde haar dat miss Beecher speciaal naar haar had gevraagd bij het zoeken naar een assistente.

'Naar mij?' vroeg ze, niet bepaald enthousiast. 'Waarom zou ze mij willen? Ze kent me niet eens.'

'O jawel hoor, ze kent je van je tekeningen en je schilderijen. Ze heeft alle inzendingen van de meisjes die een beurs aanvroegen bekeken en ze was bijzonder onder de indruk van je werk. Ze heeft jou zelf aangewezen voor een beurs en ze wil je graag beter leren kennen. En ze heeft echt hulp nodig bij de administratie. Ik ben bang dat ik daar totaal ongeschikt voor ben.'

Ik zag dat het meisje een beetje ontdooide bij al die lof. 'Nou ja, ik ben wel heel goed in het regelen van allerlei dingen,' zei ze een beetje neerbuigend. 'Natuurlijk zou ik graag de assistente van miss Beecher willen worden.'

En zo lukte het me met wat leugentjes om bestwil en een beetje vleierij om Ivy en Vera als twee stukjes van een legpuzzel in elkaar te passen. En ze vormden echt een prima koppel. Het leek bijna alsof ze Vera's kind was in plaats van dat van Nash, zo goed vielen ze bij elkaar in de smaak. Vera was veeleisend, maar Ivy vond het heerlijk om naar haar pijpen te dansen. Ze werkte dag en nacht om alles perfect voor elkaar te krijgen. Vera hoefde maar te kikken en Ivy zorgde dat het voor elkaar kwam. Zoals aan het eind van het eerste semester, toen Vera opmerkte dat het eigenlijk jammer was dat we geen cursus beeldhouwen gaven. Begin januari had Ivy al een leraar opgeduikeld en marmer en klei besteld. Haar enige fout was dat ze af en toe zo fanatiek Vera's wensen probeerde uit te voeren, dat ze gewoon over andere mensen heen liep. Toen het marmer voor de nieuwe cursus beeldhouwen rond Kerstmis werd afgeleverd, liet ze het in de pottenbakkersloods opslaan zonder zich zelfs maar af te vragen of dat Dora en Ada wel uit zou komen. Toen ik daar een opmerking over maakte, keek ze me aan alsof ze het in Keulen hoorde donderen. Alsof de gevoelens van andere mensen niets te betekenen hadden. Ik denk vaak dat er iets bij haar ontbreekt. Er is een sprookje over een meisje dat door wolven is opgevoed en Ivy lijkt net als dat meisje een elementair onderdeel van het mens-zijn te missen.

Het spijt me wel dat ik nooit in staat ben geweest om een sterke band met Ivy te krijgen. Volgens mij ligt dat eraan dat ik me nooit echt op mijn gemak voel bij haar en altijd bang ben dat ik haar zal voortrekken. Aan het eind van dat eerste jaar moest ik erkennen dat ik de kans voorbij had laten gaan om haar te vertellen dat ik haar moeder was. Die wetenschap zou haar bepaald niet blij hebben gemaakt en ze zou me nooit vergeven dat ik Vera had bedrogen. En ik kon haar ook niet vragen om het geheim te houden voor Vera, van wie ze duidelijk idolaat was. Ik legde me neer bij het besef dat ik Ivy een goed thuis had bezorgd. En dat gedurende het hele jaar. Toen de andere meisjes plannen begonnen te maken voor de zomervakantie, vroeg Vera aan Ivy om te blijven. 'Ze kan nergens anders heen,' zei ze tegen me, toen ze me vertelde dat Ivy haar oude suite in Beech Hall zou krijgen.

Ik denk dat ik heel tevreden zou zijn geweest, ware het niet dat Virgil Nash ineens weer zijn opwachting maakte.

Zijn naam was gevallen toen we een lijst begonnen te maken van mogelijke leraren. 'Maar ik weet zeker dat hij nu veel te rijk en te beroemd is geworden om zich te verwaardigen les te geven op een meisjesschool,' had ik gezegd om Vera te ontmoedigen. De waarheid was dat ik niet wilde dat Virgil in contact zou komen met Ivy. Hoewel ik in dat eigenaardige elfachtige gezichtje van haar geen enkele gelijkenis met hem kon ontdekken, had ik het rare voorgevoel dat hij automatisch een soort verwantschap met haar zou voelen. Maar Vera stond er toch op om hem aan te schrijven, een brief die ik linea recta in het keukenfornuis deponeerde. Toen hij niet reageerde op Vera's uitnodiging kwam ze tot de slotsom dat ik gelijk had gehad: hij was veel te belangrijk geworden om zich om ons te bekommeren. En er zou niets aan de hand zijn geweest als Gertrude Sheldon niet per se had gewild dat haar kind les zou krijgen van de grote meneer Nash. Gedurende de zomervakantie nam ze zelf contact met hem op om te vragen of hij geen zin had om les te geven op Arcadia. Ik weet niet zeker wat ze heeft gezegd om hem zover te krijgen (of ze hem geld heeft aangeboden of gedreigd heeft hem niet langer te steunen), maar wat het ook is geweest, het had succes. Toen de school in augustus weer begon, kwam hij onaangekondigd opdraven, in een open Cadillac en stinkend naar gin. Hij was nog steeds een knappe man, maar zijn gezicht was een soort onbewogen afgietsel geworden, net als de wasmaskers die we gebruikten om bronzen modellen te maken, en de scherpe blik was uit zijn ogen verdwenen. Toen hij zijn koffer en zijn schilderskist uit zijn auto pakte, trilden zijn handen. Ik had bijna medelijden met hem. Maar toen Vera zich omdraaide om tegen mevrouw Byrnes te zeggen dat ze een kamer voor hem klaar moest maken, greep hij die gelegenheid aan om me van top tot teen te bekijken en mijn sympathie verdween als sneeuw voor de zon.

'We kunnen meneer Nash niet in het hoofdgebouw laten logeren,' zei ik. 'Niet met al die jonge meisjes daar.'

'Ben je soms bang dat ik de voorkeur geef aan dat jonge grut boven jou, Lily?' vroeg hij. 'Dat hoeft niet, hoor. Je ziet er nog steeds prima uit.'

Ik had het gevoel dat de vlammen me uitsloegen en toen ik me omdraaide om mijn reactie te verbergen stond ik ineens tegenover Ivy die achter me aan was geslopen. Ze keek met grote ogen van mij naar Nash en weer terug. Voor het eerst zag ik dat ze in één opzicht wel op elkaar leken. Ze had dezelfde kille ogen.

'Ach, Ivy, je komt als geroepen,' zei Vera. 'Breng meneer Nash maar even naar Briar Lodge. Dan kan hij bij monsieur Paloque intrekken. Ik weet zeker dat je niet zit te wachten op een huis vol herrie en malle meiden die je van je werk houden.'

Nash glimlachte naar Vera en keek toen Ivy aan. 'Je hebt volkomen gelijk. Ik zou vast geen steek uitvoeren met zoveel schoonheid om me heen, hè?' zei hij met een zwierig knikje tegen Ivy.

Ik zag hoe Ivy Nash met die koele berekenende blik van haar opnam en keek vervolgens vol schrik toe hoe die kille bolster verschrompelde. Ze bloosde en glimlachte terug. Arme Ivy! Ze had tijdens haar kloosterleven maar een paar mannen leren kennen en die konden niet bij Virgil Nash in de schaduw staan. Ze viel onmiddellijk voor zijn nonchalante geflirt. Ik was zo ontzet, dat ik haastig tussenbeide kwam. 'Ik breng Virgil wel naar de Lodge.'

Vera keek verbaasd op en ik wist dat ik later zou moeten uitleggen waarom ik ogenschijnlijk zo graag alleen wilde zijn met Virgil Nash. Maar voorlopig wilde ik hem vooral uit de buurt hebben van Ivy. 'Ivy heeft het veel te druk met het ontvangen van de nieuwe meisjes.' Ik ving een boze blik op van Ivy, maar daar trok ik me niets van aan en stapte in de Cadillac waar ik met mijn vingers op de armleuning trommelde terwijl hij afscheid nam van Vera en Ivy. Toen hij de auto achteruitreed, legde hij zijn arm op de rugleuning van mijn stoel en ik voelde zijn vingers over mijn nek glijden. Ik hoopte alleen maar dat Vera het niet had gezien. Hij liet zijn rechterarm lui op de rugleuning liggen terwijl hij over de oprit naar het jachthuis reed. Zodra we uit het zicht waren, duwde ik zijn arm vinnig weg.

'Hou daarmee op! Let maar op de weg, anders rij je ons allebei nog dood!'

'Je bezorgdheid voor mij is ronduit roerend,' zei hij. 'En ik al die jaren maar denken dat je me totaal vergeten was.'

'Dat klopt ook.'

'Maar waarom dan die haast om met mij mee te gaan, Lily? Wat is er aan de hand? Je dacht toch niet echt dat ik ook maar een greintje belangstelling voor dat kleine mormel had?'

'Dat kleine mormel...' Ik had er bijna uitgeflapt dat ze zijn dochter was, maar ik hield me in. Nash zou nooit in staat zijn om dat geheim te houden, zeker niet als hij een slok op had. 'Ze betekent veel voor me... voor mij en voor Vera. Ik zou het niet leuk vinden als je haar voor de gek hield. Daar zou ze niets van begrijpen. Ze komt uit een weeshuis en is door nonnetjes opgevoed. Ze heeft geen ervaring met mannen zoals jij.'

'Dus het was niet omdat je jaloers bent?' vroeg hij, terwijl hij voor het jachthuis stopte. Ik was opgelucht toen ik zag dat er niemand was. Monsieur Paloque, de tekenleraar, was nog niet terug van zijn vakantie aan de Franse Rivièra.

'Nee. Je weet best dat ik niet op die manier om je geef. Alles wat er ooit tussen ons is geweest is verleden tijd. Als je van plan bent om me daarmee te pesten, dan ga ik naar Vera om haar alles te vertellen en te vragen of ze je je congé wil geven. Ik weet niet wat je denkt te bereiken door hierheen te komen.'

'Ik hoopte,' zei hij met een stem die plotseling somber klonk, 'dat ik hier mijn muze terug zou vinden. Sinds die zomer dat ik hier ben geweest, achttien jaar geleden, heb ik niets meer geschilderd dat ook maar een cent waard is.'

'Maar je hebt meer dan genoeg geld verdiend,' merkte ik op. 'Dat was je eigen keus.'

'Ja, dat was mijn eigen keus.' Hij zuchtte. 'Misschien is het wel te laat. Ik dacht dat ik misschien, als ik hier terug zou komen, weer iets van die oude magie te pakken zou kunnen krijgen.'

Ik keek hem even aan en zag dat hij naar me zat te staren, maar zonder een greintje lust. Ik zag wel verlangen, maar dat had niets met vleselijke dingen te maken. 'Als je echt bent gekomen om te schilderen en de meisjes met rust laat…'

'Ik heb meer dan genoeg van meisjes. Ik zou ze maar al te graag opgeven in ruil voor één schilderij waarvoor ik me niet hoef te schamen. Ik zal je eens iets vertellen: ik beloof je dat ik de meisjes – en met name dat kleine mormel van je – met rust laat als jij één ding voor me wilt doen.'

'Ik ga Vera niet bedriegen,' zei ik tegen hem. 'Sinds die zomer met jou ben ik haar altijd trouw geweest.'

'Daar heb ik het niet over. Geloof het of niet, maar op die manier wil ik je helemaal niet, Lily. Ook al moet ik toegeven dat ik af en toe terugdenk aan de nachten die we samen in die schuur hebben doorgebracht. Maar wat ik werkelijk wil, is je schilderen – daar in die schuur – met het licht dat door de kieren in de wanden naar binnen valt en allerlei patronen tekent op je huid… Ik heb al wat schetsen gemaakt…' Hij pakte een versleten leren map van de achterbank, trok hem open en schudde er een paar losse vellen tekenpapier uit die als herfstblaadjes op mijn schoot neerfladderden. Ik pakte er een op en zag de gestalte van een naakte vrouw in een deuropening staan, met haar rug naar de kijker, en haar lichaam vol strepen van licht en schaduw. Ik zag meteen dat ik het was.

'Beloof je dat je Ivy met rust zult laten?' vroeg ik.

'Ivy wie?' vroeg hij op zijn beurt.

Ik zou graag willen denken dat ik ja zei tegen Virgil om hem weg te houden bij Ivy, maar ik moet bekennen dat ik op het moment dat ik die tekening zag ineens wist wat ik sinds die zomer met hem had gemist. Het ging niet om de lichamelijke intimiteit. In dat opzicht had ik het veel fijner bij Vera. Ik miste wat hij in me zag, dat deel van mij dat hij kennelijk als enige kon zien, het deel dat meer dier dan vrouw was. En zo voelde ik me ook toen ik weer voor hem ging poseren en ook later, toen ik de schilderijen zag. Nash had gelijk. Zijn muze had hier op Arcadia op hem gewacht. De schilderijen die hij dat jaar van mij maakte, waren het beste werk dat hij sinds die eerste zomer had afgeleverd. Toen Vera ze zag, moest zelfs zij het erkennen: dat was waar het allemaal om ging.

Mijn liefste Vera. Ik wist dat ze jaloers was omdat ik voor Nash poseerde, maar daar kon ze mee leven vanwege de kunst die uit die sessies voortkwam. Volgens mij omdat ze me volkomen vertrouwde. Ze zou nooit vermoeden dat ik in staat was om haar te bedriegen. En dat vertrouwen maakte me zo deemoedig dat ik vaster dan ooit besloten was dat ze nooit te weten zou komen wat er zoveel jaren geleden tussen Nash en mij was voorgevallen.

Het was Ivy die me de meeste problemen bezorgde. Nash hield zich aan zijn woord en flirtte nooit meer met haar, maar de schade was al aangericht. Ze was duidelijk tot over haar oren verliefd op hem. Ze volgde al zijn lessen en ze greep elke kans aan om hem op te zoeken in zijn studio in het jachthuis. Af en toe kwam ze zelfs stiekem naar de schuur om toe te kijken hoe hij mij schilderde. Toen ik haar de mantel uitveegde omdat ze me bespioneerde, beschuldigde ze me ervan dat ik bang was voor wat ze zou zien... en aan Vera zou kunnen doorvertellen. Ik was blij toen er in de lente een eind kwam aan het schooljaar en Vera voorstelde om samen een paar maanden weg te gaan voordat het volgende kwartaal begon.

'We moeten geen slaaf van de school worden,' zei ze tegen me. 'En trouwens, Ivy blijft hier om alles in de gaten te houden. We kunnen gemakkelijk een tijdje weg.'

Ik was blij dat ik verlost zou zijn van Ivy's spiedende blikken, maar zelfs dat bezorgde me een schuldig gevoel. Hoe kon ik een hekel hebben aan mijn eigen kind, terwijl ze alleen maar door mij zo was geworden? Terwijl we op reis waren, besloot ik dat ik mijn best zou doen om de band met Ivy te verstevigen als we weer terug waren. Ik zou wel een manier vinden om vriendschap met haar te sluiten.

Maar toen we een paar dagen voor het begin van het schooljaar weer terugkeerden naar Arcadia kwam ik er al snel achter dat Ivy alleen maar een grotere hekel aan me had gekregen. Ze had in de tijd dat wij weg waren haar kans schoon gezien om het beheer over Beech Hall helemaal naar zich toe te trekken en zij bepaalde nu wat er ging gebeuren. Ze had uit mevrouw Byrnes alles los-

gepeuterd wat die te vertellen had over geheimzinnige feesten en rituelen en verklaarde dat het schooljaar zou beginnen met een heidens vreugdevuur waarbij zij, Ivy, de rol van wintergodin op zich zou nemen. Eerst moest ik lachen toen ik van haar plannen hoorde, maar ze herinnerde me aan het meifeest dat wij hadden gevierd tijdens onze eerste zomer hier en vroeg wat het verschil was. Of wilde ik soms een rol spelen? Want in dat geval zou ik de zomergodin kunnen zijn, die haar macht overdraagt aan de wintergodin. Ik verzekerde haar dat ik niets met dat soort poppenkast te maken wilde hebben, maar toen Vera hoorde wat ze van plan was, drong ze erop aan dat ik mijn medewerking verleende. 'Je zult er beeldschoon uitzien als de zomergodin en het zal een goed voorbeeld zijn voor de meisjes. Tenzij...' Ze begon te hakkelen en maakte ineens helemaal tegen haar gewoonte in een onzekere indruk.

'Tenzij wat?' wilde ik weten.

Ze zuchtte. 'Tenzij je echt bang bent dat Ivy je plaats inneemt. Maar je weet best dat dat niet zo is. Niemand zal bij mij ooit jouw plaats in kunnen nemen.'

Ik bloosde bij het idee dat ze dacht dat ik zo kinderachtig zou kunnen zijn. Vooral als je naging dat ik dan jaloers zou moeten zijn op mijn eigen kind... hoewel ze dat natuurlijk niet kon weten. Maar nu moest ik wel meewerken aan het spelletje van Ivy, want anders zou ik rancuneus en onzeker overkomen. Ik droeg dezelfde witte jurk die ik al die jaren geleden bij het meifeest had gedragen, met een krans van madeliefjes in mijn haar. Maar toen ik mijn opwachting maakte bij het vreugdevuur zag ik tot mijn stomme verbazing dat Ivy een vrijwel identieke jurk droeg. Ze had een oude foto gevonden en de jurk nagemaakt. Alleen hing het eenvoudige rechte modelletje bij haar stijf en strak naar beneden. In plaats van bloemen droeg ze een krans van in elkaar gevlochten hulst en klimop en ze maakte een onheilspellende indruk zoals ze daar voor het vreugdevuur stond, een wraakgierige heidense godin. Ik stak een toespraakje af over het doorgeven van de mantel van inspiratie aan de volgende generatie en overhandigde haar tot slot mijn bloemen-

krans. Ze smeet de krans in het vuur en riep toen de andere meisjes op om mij van het schoolterrein te verjagen.

Ik wist dat dit onderdeel vormde van het 'ritueel', dus dat verraste me niet, maar ik keek wel op van de energie waarmee de meisjes achter me aan gingen. Ik deed net alsof ik er mijn hand niet voor omdraaide, maar ik was niet meer zo jong als ik tijdens het meifeest was geweest. Ik holde door de boomgaard en dook toen weg achter het jachthuis, in de hoop dat ik niet tegen de heuvel hoefde op te rennen, maar toen kreeg Fleur Sheldon me in de gaten en zij riep de andere meisjes erbij. Ik had me toen gewoon aan hen kunnen overgeven en me af kunnen laten voeren naar de richel, maar ik vond het vervelend om te laten merken hoe oud ik intussen was geworden en bovendien had ik de tijd gehad om op adem te komen. Ik ging er zelfs met zo'n vaart vandoor dat ik het gelach en gegil van de meisjes al snel achter me liet. Omdat ik nu ook helemaal opging in het spel besloot ik ze voor de gek te houden. Boven op de richel trok ik een reepje kant van mijn jurk en hing dat over een struik vlak bij de rand van de kloof. Het was mijn bedoeling om me achter de struiken te verstoppen, zodat ze heel even zouden denken dat ze me over de rand hadden gejaagd. Dan, voordat ze zich echt zorgen zouden gaan maken, zou ik tevoorschijn komen.

Maar toen ik me omdraaide, zag ik Ivy aan de rand van de open plek naar me staan kijken. Ze was sneller geweest dan de andere meisjes, maar omdat ze zo geruisloos liep, had ik niet gemerkt dat ze al zo dichtbij was.

'Je hebt mijn grapje bedorven,' zei ik. 'Tenzij je natuurlijk mee wilt spelen.' Ik glimlachte en hoopte dat het gedeelde geheimpje ons iets dichter bij elkaar zou brengen. Ze kwam langzaam naar me toe, de blik strak gericht op het stukje stof dat aan een tak bij de rand van de klif hing te wapperen.

'Miss Beecher zou ontzettend overstuur raken...' begon ze.

'O, Ivy! Ik wil Vera helemaal niet voor de gek houden. De meisjes zullen allang weten dat mij niets mankeert voordat het nieuws Vera bereikt.'

'... maar na verloop van tijd zou ze er wel overheen komen,' maakte

ze haar zin af. Ze tilde haar hoofd op en keek me recht aan. De blik in haar ogen was kil en leeg als een nachtelijke hemel en ik werd me meteen ervan bewust dat we zo dicht bij de rand stonden, dat ze me met een simpel duwtje naar beneden kon laten vallen... maar toen was de open plek ineens vervuld van het luide en triomfantelijke gejubel van een stel jonge meiden.

'Maak dat je wegkomt, Zomer!' riepen ze. 'Het is nu tijd voor de Herfst!'

'Dat klopt,' zei Ivy zo zacht dat alleen ik haar kon verstaan. 'Nu is mijn tijd aangebroken.'

Na het openingsvreugdevuur wist ik dat ik iets moest doen om de verstandhouding tussen Ivy en mij te verbeteren. Ik zou nooit bevriend met haar kunnen raken zolang ze me ten opzichte van Virgil als een rivaal beschouwde. Ik bleef voor hem poseren – hij werkte nu aan een serie van drie bronzen standbeelden voor een expositie die vlak na de kerst in de National Arts Club zou worden gehouden – uit angst dat Ivy zou proberen zich aan hem op te dringen als ik daarmee ophield. En hoewel ik onderhand het volste vertrouwen erin had dat Virgil geen misbruik van haar zou maken vond ik het een onverdraaglijk idee dat ze een man zou proberen te verleiden die in werkelijkheid haar eigen vader was.

Dat was de zware last waarmee ik de laatste paar maanden heb rondgelopen. Hoe kon ik Ivy weghouden bij Nash zonder haar de waarheid te vertellen? Ik heb de afgelopen herfst voortdurend over dit probleem lopen piekeren, zo erg dat ik er zelfs ziek van werd. Natuurlijk moest Vera wel merken dat me iets dwarszat en daardoor stak het oude duiveltje van de jaloezie weer de kop op. Ze vond het steeds vervelender dat ik zoveel tijd spendeerde aan het poseren voor Nash en begon er zelfs tijdens het eten over, door Nash ronduit te vragen of hij nog niet klaar was en of hij zijn onderwerp langzamerhand niet voldoende in zijn geheugen had geprent om zonder model te kunnen werken.

'Iedere keer als ik naar Lily kijk, zie ik weer iets dat mij daarvoor niet was opgevallen,' antwoordde hij.

Vera's gezicht werd vuurrood. Niets maakte haar zo kwaad als de gedachte dat Nash me beter kende dan zij. De waarheid is dat Nash veel beter begreep hoe ik in elkaar stak dan Vera. Ik ben bang dat iedereen wel zag hoe jaloers ze op hem was, alleen dachten de meeste meisjes volgens mij gewoon dat ze jaloers was op zijn talent en zijn succes en niet vanwege mij. Maar Ivy was niet zo verblind. Zij hield me altijd nauwkeurig in de gaten als Vera, Nash en ik bij elkaar waren en ze was zich bewust van de groeiende vijandigheid tussen Vera en Nash. En ik kon zien dat ze zich daar onbehaaglijk bij voelde. Ze mocht dan tot over haar oren verliefd zijn op Nash, ze was ook nog steeds idolaat van Vera. En ze kon het niet verdragen als die twee het met elkaar aan de stok kregen. Uiteindelijk ben ik vorige week naar Nash toe gegaan en heb hem gesmeekt om weg te gaan. Ik heb niets over Ivy gezegd, maar het alleen over Vera's jaloezie gehad.

'Zolang jij hier bent, komt het tussen ons niet goed meer,' zei ik tegen hem.

Hij keek op van het kleimodel dat hij van me had gemaakt – het laatste van de drie en het kleinste. Daarbij stond ik in een plas water en keek om, alsof ik Diana was die tijdens het baden gestoord werd. De plas om mijn voeten lag vol waterlelies, als een verwijzing naar mijn naam. Het was mijn favoriet van de drie beelden en ik kon niet boos op Nash zijn als ik ernaar keek. 'Dus je schopt me het paradijs uit?' vroeg hij.

'Het zal geen paradijs meer zijn als jij blijft,' antwoordde ik.

Nash zuchtte. Hij draaide het beeld dat op een draaischijf stond rond. Daarna keek hij op en grinnikte tegen me. 'Om eerlijk te zijn begon ik me net weer een beetje rusteloos te voelen. Iedere vent zou gek worden als hij les moest geven aan Fleur Sheldon. Je krijgt gewoon het gevoel dat je probeert een aap aan het schilderen te krijgen. Als ik me uit de voeten maak, beloof je dan dat je niet aan de Sheldons vertelt waar ik naartoe ben gegaan?'

'Ik zal zeggen dat je met de noorderzon bent vertrokken,' beloofde ik hem. 'Op één voorwaarde.' Ik raakte het hoofd van het kleine beeld aan. 'Zou je hier voor mij persoonlijk een extra kopie van willen maken?'

Hij legde zijn hand op zijn hart. 'Wat ontroerend dat je een herinnering aan mij wilt hebben. Ja, natuurlijk! Op de dag van mijn vertrek kun je het in de schuur komen ophalen.' Ik vertelde hem niet dat ik helemaal geen herinnering aan hem wilde hebben, maar aan mezelf zoals ik vroeger was geweest.

We waren het erover eens dat we zijn aanstaande vertrek beter geheim konden houden tot na het kerstdiner dat als eind van het kwartaal kon worden beschouwd.

Dat was gisteren. Na het eten liep Nash achter me aan naar Vera's kantoor waar ik naartoe was gegaan om een boek op te halen dat ik voor haar mee moest nemen naar het huisje. Ze was al voor mij weggegaan, dus ik was niet bang dat ze ons samen zou betrappen, maar ik vroeg hem toch om de deur dicht te doen.

'Je beeldje is morgen om vier uur klaar,' zei hij. 'Kom je dan naar de schuur toe zodat ik je het bij wijze van afscheidscadeau kan geven? Mijn trein vertrekt om vijf uur.'

'Ja,' zei ik. 'Ik kom om vier uur naar je toe.'

'En heb je je aan je belofte gehouden en mijn nieuwe adres geheimgehouden voor die kleine aap?'

'Je moet niet zo onaardig over haar doen,' zei ik. 'Ze kan niet helpen dat ze zo is. Het komt gewoon door haar opvoeding...'

'Of door haar gebrek aan opvoeding,' zei hij.

Ik moest het wel met hem eens zijn. Hoewel ze Fleur volledig onder controle hield, was Gertrude Sheldon raar genoeg toch een ontaarde moeder. Ze liet het meisje bijvoorbeeld rustig de hele vakantie hier zitten terwijl zij in Europa op wintersportvakantie ging.

'Ik heb gewoon medelijden met dat arme kind,' zei ik. 'Had ze nou maar een beetje talent...'

'Lieve Lily.' Hij legde zijn hand tegen mijn gezicht en heel even was ik bang dat hij zijn armen om me heen zou slaan, maar hij liet zijn hand weer zakken. 'Altijd bezorgd om iedereen, behalve om jezelf. Ik hoop dat dat nu zal veranderen. Tot morgen dan, om vier uur in de schuur.'

Ik heb gisteravond de hele avond in dit dagboek zitten schrijven en er vanmorgen de laatste hand aan gelegd. Vera is naar het huis gegaan om de laatste kerstkaarten die we hebben gekregen te beantwoorden. Ik heb haar berispt omdat ze ook in haar vrije tijd nog doorwerkte, maar in werkelijkheid was ik blij dat ze me de kans gaf om dit hele verhaal af te maken, ook al werd ik er wel bij gestoord. Fleur Sheldon was hier een tijdje geleden, omdat ze me een paar tekeningen wilde laten zien. Ik vond het naar voor het kind dat haar moeder haar tijdens de feestdagen in de steek had gelaten en heb haar een halfuurtje van mijn tijd gegeven. Daarna moest ik wel tegen haar zeggen dat ik een dringende afspraak had met Dora en Ada, anders was ze nooit weggegaan.

Ik leg dit dagboek in de bergruimte achter het beukenpaneel boven de haard die het middelpunt is geweest van ons leven samen. Ivy komt zo meteen wat papieren ophalen en ik zal er een briefje bij doen voor Vera waarin ik haar vertel – een beetje tussen de regels door, zodat niemand anders het kan begrijpen – waar ze het kan vinden. Daarna is het aan Vera om te beslissen of ze nog steeds wil dat ik bij haar blijf. Ik kan niet voortdurend een rol blijven spelen. Wanneer ik naar de schilderijen kijk die Virgil Nash de afgelopen anderhalf jaar van me heeft gemaakt, zie ik een vrouw die naakt in het zonlicht staat alsof ze niets te verbergen heeft. Dat is de vrouw die Nash ziet als hij naar me kijkt en dat is de vrouw die ik weer wil zijn. En dat gaat niet als ik de waarheid – over Nash en over Ivy – voor haar verborgen blijf houden. Zelfs als Vera het niet kan opbrengen om me vergiffenis te schenken – hoewel ik nog steeds niet kan geloven dat ze dat over haar hart kan verkrijgen – is het beter om een eerlijk leven te leiden dan een leven vol leugens.

En dus, mijn liefste Vera, eindigt dit deel van mijn verhaal hier. Jij bent degene die bepaalt hoe het verder zal gaan. Dat laat ik helemaal aan jou over.

ZESENTWINTIG

Wanneer ik het dagboek uit heb, is mijn gezicht nat van de tranen. Omdat nu dus blijkt dat Lily Vera helemaal niet heeft bedrogen? Of omdat op de een of andere manier al haar plannen in het honderd zijn gelopen? Heeft Vera het dagboek gelezen en haar verzoek om vergiffenis van de hand gewezen? Heeft ze Lily in een sneeuwstorm het huis uitgezet? Of is Lily ervandoor gegaan en heeft ze zich van de richel gegooid nadat Vera niets meer van haar wilde weten?

Ik sta op van de bank en loop naar de open haard, waar ik mijn vingers over de gebroken tegels laat glijden alsof ze een boodschap in braille bevatten waaruit valt op te maken wat zich zestig jaar geleden in deze kamer heeft afgespeeld. Maar het enige wat er gebeurt, is dat er op de deur wordt geklopt, waardoor mijn hart bijna stilstaat.

In de seconden die ik erover doe om bij de deur te komen, bedenk ik al een stuk of zes rampen die Sally misschien wel zijn overkomen. Als ik Callum Reade op de stoep zie staan stelt dat me ook niet echt gerust. Maar kennelijk is de paniek van mijn gezicht af te scheppen.

'Dit heeft niets met Sally te maken,' zegt hij. 'Ik heb een telefoontje van de rectrix gehad, die me vertelde dat zij de meisjes straf had gegeven en me bedankte omdat ik geen aanklacht tegen ze heb ingediend. Ik wilde alleen zeker weten dat alles goed met je is. Ze klonk nogal streng...' Zijn stem ebt weg en ineens dringt tot me door dat hij naar me staat te staren... naar mijn borsten, om precies te zijn. Ik kijk omlaag omdat ik ineens bang ben dat ik hier in mijn nachtpon op de drempel sta, maar het is nog veel erger. Ik heb zijn sweatshirt aan... en verder niets.

Als ik weer opkijk, boren zijn ogen zich in de mijne en ik voel vanbinnen iets klikken, als een grendel die dichtglijdt. Het is net alsof hij dat ook heeft gehoord, want hij doet een stap naar me toe en blijft pas staan als er nog tweeënhalve centimeter ruimte tussen ons is. Maar ik ga niet achteruit. Hij legt zijn hand tegen mijn gezicht en zijn vingers glijden over mijn jukbeen terwijl de palm van zijn hand om mijn kin sluit. Ik heb het gevoel dat ik een van zijn houten beelden ben dat onder zijn handen langzaam maar zeker vorm krijgt. Dan tilt hij mijn gezicht op en bukt zich om me te kussen.

Heel even, als zijn lippen de mijne raken, heb ik het gevoel dat de tijd stilstaat. We zijn allebei standbeelden geworden die verstard zijn in het moment van de kus. Ik wens bijna dat dit nooit voorbij zal gaan. Bijna.

Ik weet niet zeker wie ermee begint, maar ineens komen we allebei in beweging. Zijn armen worden om me heen geslagen en trekken me stijf tegen hem aan terwijl zijn handen onder het dikke sweatshirt glijden. Als hij daaronder alleen blote huid vindt, kreunt hij. Of misschien ben ik wel degene die begint te kreunen. Hij doet een stapje achteruit – op de een of andere manier zijn we onder aan de trap beland – en legt zijn hand plat op mijn middenrif.

'Ik wil je niet overvallen,' begint hij. 'Ik weet niet of je al zover bent.'

In plaats van antwoord te geven – ik weet niet of ik wel een woord kan uitbrengen – leg ik mijn hand over de zijne en trek die mee naar mijn hart, zodat hij kan voelen hoe snel dat klopt. Dan vlecht ik mijn vingers door de zijne, draai me om en neem hem mee naar boven.

Later, in de kleine uurtjes van de morgen, vraagt hij: 'Toen je de deur opendeed, zag je eruit alsof je had zitten huilen. Maak je je zoveel zorgen over Sally?'

'Gedeeltelijk wel,' zei ik. 'Maar het kwam ook door iets wat ik had zitten lezen...' Ik zwijg even, omdat ik niet precies weet wat ik moet zeggen. Een paar uur lang was ik vergeten dat er ook buiten dit bed nog een wereld bestond. En nu heb ik eigenlijk geen zin om daar weer rekening mee te houden. Maar als ik naar het raam kijk, zie ik dat de lucht boven de toppen van de dennenbomen al lichter begint te worden. De buitenwereld zal zich snel genoeg weer melden.

Dus vertel ik hem dat ik Lily's dagboek heb gevonden en wat ik daar allemaal in heb gelezen, plus de dingen die ik van Beatrice Rhodes heb gehoord. Uiteindelijk zit ik in kleermakerszit op het bed – opnieuw gehuld in zijn sweatshirt – en lees hem het laatste stuk uit het dagboek voor. Als ik klaar ben, reageert Callum niet meteen. Hij ligt met zijn hoofd op zijn gebogen arm naar het plafond te kijken. Ik bedwing de neiging om de lijnen in zijn gezicht met mijn vinger te volgen of mijn hand door zijn korte haar te halen dat al knettert van de statische elektriciteit als ik het aanraak.

'Dus Lily was helemaal niet van plan om bij Vera weg te gaan,' zegt hij ongeveer drie seconden voordat ik over iets anders wil beginnen. 'Daar ben ik blij om. Ik heb Lily dat altijd een beetje kwalijk genomen.'

'Dan moeten we dat nu dus Vera kwalijk gaan nemen. Ze moet het dagboek gelezen hebben en kon het haar kennelijk niet vergeven.'

'Dat zou kunnen,' zegt hij fronsend. 'Maar als ze het dagboek heeft gelezen, waarom is het dan al die jaren zoek geweest?'

'Denk je dan dat Ivy dat briefje niet aan Vera heeft gegeven?'

'Volgens mij was het dom van Lily om Ivy te vertrouwen. Je moet me iets beloven. Als je mij ooit iets belangrijks te vertellen hebt, zorg er dan voor dat je me dat recht in mijn gezicht zegt, oké?'

Ik moet glimlachen om het idee dat we elkaar in de toekomst belangrijke dingen te vertellen hebben. Hij grinnikt terug. 'Heb je het soms,' zeg ik terwijl ik me buk en mijn lippen vlak bij zijn oor breng, 'over dit soort dingen?' Ik fluister de rest in zijn oor. Ik weet niet wie van ons beiden het hardst bloost.

'Dat,' zegt hij, als hij me omlaag trekt, 'mag in ieder geval nooit zwart-op-wit worden gezet!'

Als we eindelijk uit bed kruipen kom ik tot de ontdekking dat ik nauwelijks genoeg tijd heb om te douchen als ik eerst nog bij Sally langs wil gaan zoals mijn bedoeling was.

'Ik kom terug om een oogje te houden op het vreugdevuur ter gelegenheid van Halloween,' zegt Callum bij de deur. 'Of het Samhain-vuur, zoals die idiote heidenen het noemen.'

'O, nou, als je toch terug moet komen...'

Hij pakt me vast en drukt zijn gezicht in mijn nek. 'Als je dat wilt, kom ik ook terug bij jou.'

Ik huiver en druk mijn lippen tegen zijn oorlelletje. 'Ja, ik wil dat je terugkomt,' zeg ik. 'Na het vreugdevuur?'

'Na het vreugdevuur.' Hij tilt zijn hoofd op en grijnst. 'Als de heksen tenminste geen gebraden sheriff op het menu hebben staan.' Dan draait hij zich om en neemt de benen voordat ik kan zeggen dat ik dat geen leuk grapje vind.

Ik loop nog even langs Sally's kamer, waar Haruko me vertelt dat Sally al vroeg weg is gegaan. 'Ze had een afspraak met Chloe om die toestand van vanavond door te praten.' Ze rolt met haar ogen als ze 'die toestand' zegt.

'Jij geeft niets om dit soort rituelen, hè?' vraag ik.

'Nee, niet echt,' zegt ze. 'Eerst vond ik het best grappig, maar nu denk ik dat sommige mensen ze veel te serieus nemen.'

'Heb je het dan over Chloe?' vraag ik. Haruko voelt zich zichtbaar onbehaaglijk. Als Sally erachter komt dat ik bij haar kamergenoot heb lopen vissen, zal ze me dat nooit vergeven. 'Vergeet die vraag maar,' zeg ik tegen haar. 'Dat gaat me niets aan.'

'Jawel,' zegt Haruko. 'Het gaat u juist wel aan. Volgens mij is er iets wat Chloe ontzettend dwarszit. Iemand zou met haar moeten praten en waarschijnlijk bent u de beste persoon daarvoor.'

'Hoezo?'

'Omdat u volgens Sally heel goed kunt luisteren zonder meteen een oordeel over iemand klaar te hebben. Volgens mij is Chloe bang om te vertellen wat er die nacht dat Isabel overleed echt is gebeurd omdat ze denkt dat mensen haar dan zullen veroordelen, maar misschien wil ze wel met u praten.'

'Oké.' Ik zou Haruko het liefst willen vragen of Sally dat echt over mij heeft gezegd, maar dat doe ik niet. 'Ik zal proberen om met Chloe te praten.'

Maar eerst heb ik nog een les folklore. Gelukkig moet er nog maar één werkstuk doorgenomen worden en de leerlingen staan allemaal te trappelen om eerder weg te kunnen, zodat ze zich klaar kunnen maken voor het feest van vanavond. Ik heb goede hoop dat ik de les vroeger kan beëindigen en genoeg tijd zal hebben om met Chloe te praten voordat ik met mijn werkgroep begin. En omdat we vandaag haar werkstuk bespreken, is het logisch dat ik haar vraag om nog even te blijven.

Als ze naar voren komt, heeft ze een grote tekenmap onder haar arm.

'Ik heb eigenlijk niet zoveel aandenkens en foto's die ik graag aan iedereen wil laten zien,' begint ze. 'Mijn ouders reizen veel omdat mijn vader voor buitenlandse zaken werkt, en dus heb ik al ongeveer vanaf mijn tiende op kostscholen gezeten.'

Een paar leerlingen brommen bevestigend en ineens dringt tot me door dat waarschijnlijk een heel stel hiernaartoe is gestuurd omdat hun ouders geen tijd hebben om thuis voor hen te zorgen.

'Vandaar dat ik heb besloten om mijn project een tikje anders aan te pakken. Daar hebt u toch geen bezwaar tegen, mevrouw Rosenthal?'

Dat had Chloe natuurlijk van tevoren met mij moeten overleggen, maar dat kan ik wel tegen haar zeggen als ik haar na de les spreek. 'Ik ben benieuwd wat je ervan gemaakt hebt,' zeg ik.

'Ik kwam op het idee dat de Arcadia School eerder mijn familie was dan mijn eigen familie en dus heb ik voor mijn werkstuk de historie van de school gebruikt. Isabel en ik werkten samen aan een project over dat onderwerp, maar toen... nou ja, na de dood van Isabel zei de rectrix dat zij het werkstuk niet meer hoefde te zien en dat ik het maar gewoon moest vergeten... maar dat is me niet gelukt. Ik bedoel maar, Isabel heeft een hoop werk in het project gestoken, meer dan ik eerlijk gezegd, en het leek mij een soort eerbetoon aan haar als ik het afmaakte.'

Iemand in de klas begint te snuiven. Ik draai me om en werp een boze blik op Tori Pratt. 'Wilde je iets opmerken, Victoria?'

'Heeft Chloe op deze manier niet gewoon... nou, zeg maar plagiaat gepleegd? Ze heeft gewoon Isabels werk ingepikt en doet nu net alsof het van haar is.'

'Isabel heeft de tekst geschreven, maar ik heb de illustraties gemaakt.' Chloe doet de tekenmap open en pakt er een paar stukken tekenkarton uit die ze op de ezel zet. De voorste is een waterverftekening van een vrouw die met een baby in de armen onder de rode beuk zit.

'Moet dit een scène uit *Het wisselkind* voorstellen?' vraag ik.

Chloe schudt haar hoofd. 'Niet precies. Isabel ging uit van de theorie dat *Het wisselkind* autobiografisch was, ziet u, en dat het in feite een verhaal was over wat vrouwen moesten opgeven om kunstenaar te worden. Ze dacht dat Lily Eberhardt haar eigen kind had afgestaan om samen met Vera Beecher op Arcadia te kunnen blijven.'

Ik ben zo verbijsterd dat ik nu precies hetzelfde te horen krijg wat ik gisteren in Lily's dagboek heb gelezen, dat ik geen woord kan uitbrengen. Chloe haalt de eerste tekening weg en zet die achter de andere. De volgende waterverfafbeelding toont Lily die nog steeds met de baby in haar armen op de rand van de richel staat. Naast haar staat een andere gestalte, waarvan ik vermoed dat ze Vera Beecher moet voorstellen. Het saaie, landelijk ogende schoolterrein ligt aan de ene kant onder hen en aan de andere kant is de wilde, rotsachtige diepte van de kloof. Vera staat naar de kloof te gebaren alsof ze het over het uitzicht heeft, maar ik begin het griezelige gevoel te krijgen dat zich op deze tekeningen iets heel anders afspeelt.

'Vera Beecher geloofde dat een vrouw niet tegelijkertijd kunstenares en moeder kon zijn,' zegt Chloe. 'Dus vroeg ze Lily om haar kind op te geven. Maar dat wilde Lily niet...'

Chloe haalt de laatste tekening naar voren. Zoals ik al vreesde, springt Lily Eberhardt daarop in de kloof terwijl haar witte jurk als een soort wolk om haar heen fladdert en haar baby naast haar zweeft als een engeltje op een barok altaarstuk.

Het is tegelijkertijd angstig mooi maar ook heel verontrustend. De leerlingen zijn kennelijk ook met stomheid geslagen. Maar het zal niet lang duren voordat ze over de eerste verbazing heen zijn en willen weten waar Isabel dit rare verhaal vandaan heeft... en dat wil ik niet. Ik wil het zelf eerst horen.

'Oké,' zeg ik. 'Het is in ieder geval een originele manier om het onderwerp aan te pakken en ik weet zeker dat jullie Chloe een heleboel te vragen hebben, maar ik zou jullie vandaag graag wat extra tijd willen geven om je voor te bereiden op de viering van Halloween, dus spaar die vragen maar op tot morgen. Dit was het voor vandaag.'

De leerlingen zetten hun verbazing maar al te graag van zich af en gaan ervandoor. Chloe wil haar tekeningen terugstoppen in het portfolio, maar ik zeg dat ze daar even mee moet wachten. 'Ik wil met je praten over je werkstuk,' zeg ik.

Als ze op weg naar buiten langs ons heen komen, zegt Tori Pratt iets tegen Justin Clay en begint te lachen. Chloe kijkt ze boos na, maar zodra ze de deur uit zijn, begint haar onderlip te trillen.

'Ik weet best dat ik eerst met u had moeten overleggen voordat ik eraan begon, maar ik dacht dat u het mooi zou vinden!' jammert ze. 'U bent zo dol op dat verhaal over het wisselkind en het werkstuk van Isabel ging daar helemaal over.'

'Dat geeft niet, Chloe, ik ben niet boos, alleen maar nieuwsgierig. Waar heb je Isabels werkstuk vandaan? Ik dacht dat ze het op de middag van het vreugdevuur aan de rectrix had gegeven.'

'Ze heeft... ik bedoel, dat is ook zo. Maar toen ik de volgende dag mijn e-mail opende, zag ik dat ze het mij ook had toegestuurd.'

'Goh, daar kijk ik echt van op. Toen ik jullie samen zag, kreeg ik de indruk dat je boos op haar was omdat zij je het werkstuk nog niet had gegeven.'

'Dat was ook zo, maar ik denk dat ze ervan uitging dat als ze het voordat ze naar de rectrix ging naar mij toestuurde het toch zou lijken alsof ze dat wel gedaan had. Maar het liep finaal mis, omdat rectrix St. Clare ons allebei een onvoldoende gaf toen bleek dat we er niet samen aan hadden gewerkt.'

'En heeft de rectrix het werkstuk ook gehouden?'

'Eh.. ja, dat denk ik wel.' Chloe fronst, omdat ze niet begrijpt welke kant ik op wil.

'En weet je ook hoe Isabel op het idee is gekomen dat Lily Eberhardt een kind had gehad dat ze heeft afgestaan?'

'Nee. Isabel deed heel geheimzinnig over haar bronnen. Ze bleef maar opscheppen dat ze bezig was met een origineel onderzoek, maar ze wilde niet uitleggen wat ze daarmee bedoelde. En uiteindelijk heeft ze bij het werkstuk dat ze mij mailde niet eens de bibliografie meegestuurd.'

'Ik begrijp het. Heb je dat werkstuk bij je?'

Chloe knikt en pakt het uit een map die in haar portfolio zit. 'Het spijt me echt dat ik het niet eerst met u overlegd heb. Ik dacht dat het een manier was om het weer goed te maken met Isabel...'

Er verschijnt een bezorgde blik op haar gezicht. Ik leg mijn hand op haar arm en buig me naar haar over. 'Is er iets wat je niet hebt verteld met betrekking tot die avond?' vraag ik. 'Ik weet nog wel dat je heel boos was op Isabel.'

Chloe kijkt met grote ogen naar me op, bang dat ze zich versproken heeft.

Ik ben ook bang. Als Chloe erkent dat ze Isabel iets heeft aangedaan, wat moet ik dan doen?

'Ze was altijd zo zeker van zichzelf,' zegt ze met een verdrietig gezicht. 'Ik wilde haar alleen maar een beetje bang maken.'

'Op welke manier, Chloe?'

'Weet u nog dat miss Drake van die witte jurken voor ons had gemaakt? Nou, er was er nog eentje over, van een meisje dat naar huis terug moest. Die heb ik ingepikt en aan een boom aan de rand van het bos gehangen. Daarna heb ik ervoor gezorgd dat Isabel in die richting liep...'

'Zodat ze dacht dat er iemand aan die boom hing en daarvan zou schrikken?'

'Ja. In dat opzicht was ze echt een watje.'

'En werkte het?'

Chloe bijt op haar lip en knikt. 'Ze liep het bos in op de plek waar ik die jurk had opgehangen en een minuut later hoorde ik haar gillen. Ik dacht dat ze meteen weer het bos uit zou hollen, maar in plaats daarvan moet ze gewoon verder het bos in zijn gerend.'

'En je bent niet achter haar aan gegaan?'

Chloe schudt haar hoofd en de tranen springen haar in de ogen. 'We mogen niet in het bos komen en ik had me al genoeg moeilijkheden op de hals gehaald.'

Ik zucht en erger me opnieuw aan de gemankeerde logica die tieners hanteren. Vaak kiezen ze de meest onmogelijke momenten om zich aan de regels te houden. Dan zie ik dat Chloe zich nog steeds niet op haar gemak voelt. Het is iets waarop ik Sally ook regelmatig betrap.

'Is er nog iets dat je me eigenlijk zou moeten vertellen, Chloe?'

'Het heeft eigenlijk niets om het lijf. Alleen... ik dacht dat ik nog iemand – een van de andere meisjes – een eindje verder op de heuvel zag, maar meteen daarna was ze verdwenen en toen had ik het idee dat het alleen maar mijn verbeelding was geweest...' Ze ziet er een beetje beschaamd uit.

'Wat is er nou, Chloe? Wat heb je dan precies gezien?'

'Het is heel stom... Het was gewoon een van de meisjes in zo'n witte jurk. Maar toen ze verdween, moest ik ineens denken aan dat verhaal over die witte wieven die in het bos rondspoken en dat joeg me de stuipen op het lijf. Daarom ben ik ook niet achter Isabel aan gegaan. Stom, hè? Ik probeerde juist Isabel angst aan te jagen, maar uiteindelijk werd ik zelf bang.'

Nadat ik Chloe heb weggestuurd ga ik op weg naar het jachthuis, maar halverwege het gazon stop ik bij het bankje onder de beuk en ga zitten om even na te denken. Hoewel Chloe's tekeningen een verminkte versie van Lily's verhaal te zien gaven, was er genoeg gelijkenis met de werkelijkheid om me af te vragen of Isabel misschien het dagboek van Lily in handen had gekregen. Ik pak het werkstuk erbij en lees de eerste alinea door.

> Lily Eberhardt schreef in haar privédagboek: 'Toen we in ons paradijs aankwamen, droegen we het zaad van de ondergang ervan al bij ons.' Daarmee refereerde ze aan de driehoeksverhouding tussen haarzelf, Vera Beecher en de schilder Virgil Nash. Dat zaad van de ondergang dat zij en Vera Beecher meebrachten naar Arcadia was hun veronderstelling dat moederschap en creatieve kunst niet samen konden gaan, een veronderstelling die al in het eerste jaar van de kunstenaarskolonie aan de kaak werd gesteld, toen Lily Eberhardt zwanger werd. Lily's poging om haar zwangerschap te verbergen zou uiteindelijk haar dood worden.

Ik leg het werkstuk neer en haal diep adem. Isabel kon alleen weten dat Lily zwanger was geweest als ze Lily's dagboek had gelezen. Maar hoe was ze daaraan gekomen? En dan herinner ik me ineens weer dat Isabel en Chloe samen in de week voor mijn komst Fleur-de-Lis moesten schoonmaken... dat hadden ze althans moeten doen. En had Chloe niet gezegd dat Isabel steeds met haar neus in een boek zat als ze eigenlijk had moeten schoonmaken? Isabel had kennelijk het dagboek achter het paneel boven de open haard gevonden. Ze moet het idee hebben gehad dat ze een goudmijn in handen had en dat de rectrix diep onder de indruk zou zijn als ze het werkstuk onder ogen kreeg... maar dat was niet het geval geweest. Ik stelde me voor hoe Ivy had gereageerd op deze eerste alinea. Haar eerste vraag was ongetwijfeld geweest waar Isabel dat dagboek had gevonden. Had Isabel toen beseft dat ze ervan beschuldigd zou worden dat ze het dagboek uit Fleur-de-Lis had gestolen?

Chloe was niet de enige die op de avond van het vreugdevuur een glimp had opgevangen van een in het wit geklede gestalte. Toen ik terugliep naar het huisje had ik iemand in het wit door het bos zien flitsen. Aanvankelijk had ik net als Chloe gedacht dat het mijn verbeelding was geweest, en later, nadat Callum me het verhaal over de witte wieven had verteld, dacht ik dat ik een van de geesten had gezien die in de kloof rondspookten. Maar intussen vraag ik me af of het misschien Isabel Cheney is geweest, die terugkwam uit Fleur-de-Lis nadat ze het dagboek van Lily teruggelegd had. Dat is precies wat een tiener zou doen: iets verkeerds rechtzetten door het bewijs te verstoppen. Zou ze nu echt hebben gedacht dat de rectrix haar niet het vuur na aan de schenen zou leggen om erachter te komen waar dat dagboek was gebleven?

Ik kijk omhoog naar het kantoor van de rectrix. In de volle zon is de ruit een ondoorzichtig vlak waarin de bomen en de lucht weerspiegeld worden, je kunt onmogelijk zien of iemand naar buiten staat te kijken. Maar op de Openingsavond zag ik het silhouet van de rectrix achter het donkere glas staan. Ze houdt altijd alles in de gaten, had Callum gezegd. Had ze op de Openingsavond bij haar raam staan wachten op een gelegenheid om Isabel in haar kraag te grijpen en het dagboek op te eisen? Was zij de vrouw in het wit geweest die Chloe in het bos achter het jachthuis had gezien? Was zij achter Isabel aan het bos in gelopen en had ze haar aan de rand van de richel tot de orde geroepen?

Ik sta op, geschrokken van het beeld dat me ineens voor ogen staat: Ivy St. Clare die een angstig meisje op de rand van de kloof in een hoek drijft… maar dan komt mijn gezond verstand in opstand. Ivy zou toch niet bereid zijn om voor het bezit van dat dagboek een moord te plegen? Ik vraag me af wat Callum hiervan zou vinden. Ik zal hem meteen na mijn laatste les bellen, besluit ik als ik onder de rode beuk door loop.

De beelden van wat zich de afgelopen nacht allemaal heeft afgespeeld schieten door mijn hoofd met dezelfde regelmaat waarmee de wijnrode blaadjes van de boom omlaag dwarrelen. Ben ik te gehaast geweest? Wat weet ik nou eigenlijk van die man? Ik word gewoon een beetje bang van de heftigheid van mijn verlangen. Ik moet diep ademhalen om weer wat rustiger te worden, maar dan – als ik mezelf hervonden heb – geef ik de beuk bij wijze van afscheid een klopje. De schors is glad en voelt eigenaardig warm aan. Dan loop ik vastberaden door naar het jachthuis. Als ik daar aankom, ben ik nog steeds diep in gedachten. Peter en Rebecca zitten samen in de zitkamer te fluisteren, met hun donkere hoofden vlak bij elkaar. Ze kijken op als ik binnenkom, vier identieke bruine ogen die me aankijken als de ogen van grazende herten. Mijn blik glijdt van hen naar de schilderijen boven hun hoofd: de laatste drie portretten die Nash van Lily heeft gemaakt.

Terwijl ik naar de schilderijen kijk, moet ik denken aan de jonge Callum Reade, die als aan de grond genageld stond door de manier waarop Lily hem aankeek. Alsof ze dwars door me heen tot in mijn ziel keek en al mijn geheimen kende, had hij gezegd. Kon de man die haar op deze manier had geschilderd haar alleen hebben achtergelaten in een sneeuwstorm die haar het leven zou kosten?

Ik kijk opnieuw naar Rebecca en Peter die elkaar nu vragende blikken toewerpen, omdat ze mijn houding niet begrijpen. 'De eerste dag dat we elkaar ontmoetten, hebben jullie gezegd dat het zo'n fascinerend idee was dat de man die deze schilderijen van Lily heeft gemaakt haar vermoord heeft. Vertel me nog eens precies wat jullie daarmee bedoelden,' zeg ik.

'Iedereen weet dat ze op weg was naar hem toen ze stierf,' begint Rebecca.

'... en dat hij naar de stad vertrok zonder iemand te vertellen dat ze niet was komen opdagen,' maakt Peter haar zin af.

'Het was midden in een sneeuwstorm en hij moet hebben geweten dat ze door de kloof zou komen,' voegt Rebecca eraan toe.

'Maar hij heeft niet eens de moeite genomen om te gaan kijken of alles in orde was.'

'Hij moet zich wel schuldig hebben gevoeld, anders had hij later vast en zeker geen zelfmoord gepleegd.'

Ik schud mijn hoofd. 'Jullie hebben gelijk. Als hij niet naar haar op zoek is gegaan, staat dat min of meer gelijk aan moord. Maar stel je nou eens voor dat ze wel degelijk is gekomen en gewoon weer terugging omdat ze nooit van plan is geweest er met hem vandoor te gaan?'

'Dan had Nash zich helemaal niet schuldig hoeven te voelen,' zegt een nieuwe stem.

Ik draai me om en zie Shelley in de deuropening staan. Ze draagt haar schildersschort, die onder de witte verfspetters zit. Als ze de zitkamer binnenkomt, zie ik dat haar gezicht en haar haar ook vol witte verf zitten en dat haar pupillen onnatuurlijk groot zijn. Ze ziet eruit alsof ze net uit een trance is ontwaakt.

'Het trieste is dat iedereen hem de schuld gaf,' gaat Shelley verder. 'Na Lily's dood wilde niemand meer iets met hem te maken hebben. Mijn moeder, die hier op Arcadia les van hem had gehad en die hem ontzettend bewonderde, vertelde dat ze hem de volgende zomer in Europa was tegengekomen. Volgens haar was hij een dronken wrak. Hij heeft zelfmoord gepleegd op de dag dat Lily precies een jaar dood was.'

'Wat tragisch,' zeg ik, denkend aan wat Lily had geschreven over Nash die zo vol goede hoop was geweest toen hij aan die laatste schilderijen werkte.

'Ja,' beaamt Shelley. 'En vooral als Lily helemaal niet op weg was naar hem toen ze stierf. Heb je reden om te denken dat ze die ontmoeting met Nash toen al achter de rug had?'

Ik wil net antwoord geven als ik aan de tweeling denk. 'Peter en Rebecca,' zeg ik, 'zouden jullie het heel vervelend vinden als we de les van vandaag maar vergeten? Ik heb iets met professor Drake te bespreken.'

Twee identieke hoofden schudden precies tegelijk van nee. 'Helemaal niet. We moeten onze kostuums nog afmaken. We gaan als de Scharlaken Heks en Kwikzilver.'

'Ha, ik weet wie jullie bedoelen,' zeg ik trots. 'Dat zijn de kinderen van Magneto, ook een tweeling.'

Peter en Rebecca wisselen een van hun ondoorgrondelijke blikken en lachen me dan allebei op precies dezelfde manier toe. 'Hartstikke gaaf, mevrouw Rosenthal.'

Maar Shelley kijkt me met grote ogen aan. 'Daar heb ik nog nooit van gehoord. Uit welke mythologie stammen die figuren?'

'Uit Marvel Comics,' antwoord ik. 'Dat is een van de voordelen als je een tienerdochter hebt.'

Op weg naar Shelleys studio vertel ik haar alles over het werkstuk van Isabel en mijn vrees dat de rectrix Isabel misschien voor het blok heeft gezet om Lily's dagboek in handen te krijgen. 'Maar wat ik niet begrijp, is waarom Ivy dat dagboek zo wanhopig graag wil hebben,' besluit ik.

'Ik denk dat ik wel een idee heb. Het gaat om iets wat mijn moeder in haar brief vertelt...' Wanneer ze de deur opendoet, word ik zo verblind door een fel wit licht dat ik haar even niet meer kan volgen. Eerst denk ik nog dat het licht door de ramen naar binnen valt, maar het daglicht is op dit tijdstip nog steeds vrij wazig. Het felle licht komt van een stuk of tien krachtige schijnwerpers die rondom in de kamer staan opgesteld. Shelley ziet dat ik mijn ogen half dichtknijp en verontschuldigt zich.

'Wacht even, dan doe ik die eerst uit,' zegt ze en ze scharrelt haastig van de ene naar de andere lamp. 'Ik heb ze van de filmafdeling geleend om vannacht door te kunnen schilderen. Je weet toch hoe dat gaat als de muze je in haar greep heeft: dan kun je nergens anders meer aan denken, zelfs niet aan slapen.'

Ik knik, maar wat weet ik nou van dat soort vastberaden toewijding aan de kunst? Ik heb de afgelopen zestien jaar nauwelijks tijd genoeg gehad om iets te bedenken – laat staan te tekenen – zonder dat ik op moest houden omdat ik voor Jude of Sally moest zorgen. Een beetje jaloers kijk ik naar haar werk.

Het is duidelijk dat de foto van Gertrude, Mimi en Lily op de eerste mei de bron van inspiratie is geweest. Ze heeft de gestalten van de drie vrouwen op een enorm doek gereproduceerd. In dit formaat komen ze over als godinnen – het zouden de Drie Gratiën kunnen zijn. Maar daar heeft ze het niet bij gelaten. De in het wit gehulde vrouwen zijn haar schilderijen van het bos binnengeglipt waar ze als in lijkwaden gehulde geesten uit de schaduwen opduiken.

'Jeetje, en dat allemaal aan de hand van één fotootje?' zeg ik.

'De foto gaf me het idee voor het eerste schilderij, maar door de brief van mijn moeder besloot ik om de vrouwen door het bos te laten dwalen.'

'Haar brief?'

'Dat heb ik je toch net verteld!' Ze klinkt geërgerd en ik besef dat ze door gebrek aan slaap een beetje kribbig is geworden. 'Hier.' Ze pakt een crèmekleurige envelop uit de zak van haar schort en duwt me de brief toe. 'Kijk zelf maar.' Ik trek de zware vellen uit de envelop en lees.

15 januari 1948
Lieve moeder,

Neem me niet kwalijk dat ik niet eerder heb geschreven, maar in de laatste paar weken ben ik behoorlijk overstuur geraakt. Inmiddels hebt u het nieuws over die arme Lily Eberhardt vast wel gehoord. Een paar dagen na Kerstmis zag ik dat Ivy in de foyer van het huis een beeld dat meneer Nash van Lily had gemaakt in een donkere alkoof zette. En het was zo prachtig... een voorstelling van Lily die als een waternimf in een vijver vol waterlelies staat. Ik vroeg waar het vandaan kwam. Ivy zei dat Lily het achter had gelaten toen ze met meneer Nash was weggelopen, maar daar geloofde ik niets van. Volgens mij was Ivy gewoon jaloers, want waarom zou ze dat schitterende beeld anders in een donkere alkoof verstoppen alsof het maar een gewoon snuisterijtje was?

Een week later arriveerde een pakket met daarin drie schilderijen van Lily. Nash had ze aan miss Beecher gestuurd. Uit de brief die meneer Nash erbij had gedaan bleek duidelijk dat Lily niet bij hem was. Toen zijn ze naar haar gaan zoeken en pas na drie dagen vonden ze haar bevroren lichaam in de kloof. Ik zat in de Rozenkamer aan mijn portret te werken (u had gelijk dat ik hier de vakantie moest doorbrengen, ik heb een heleboel geleerd wat niet het geval zou zijn geweest als ik met u en vader naar Chamonix was gegaan) toen haar lichaam de grote hal werd binnengedragen. Ik dacht dat er een wilde hond in het huis was binnengedrongen, vanwege het onmenselijke gehuil dat door alle gangen weergalmde, maar toen ik ging kijken wat er aan de hand was, werd ik geconfronteerd met een heel opmerkelijk tafereel. Het lichaam lag languit op de grote eiken kloostertafel, op een rood met gouden wollen loper. Aan het lange blonde haar dat om haar heen gespreid lag, zag ik meteen dat het Lily was. Haar gezicht was zo wit als sneeuw. Vera lag voor haar op haar knieën en Ivy stond achter Vera, met een hand op haar schouder. Ik kwam van achteren, dus ze zagen me geen van beiden aankomen.

'Ze ziet eruit alsof ze doodgevroren is,' zei Vera. 'Weet je wel zeker dat ze door die val om het leven is gekomen?'

'Ja, natuurlijk weet ik dat zeker,' antwoordde Ivy. 'Je weet toch nog wel dat ik voor alle zekerheid ben gaan kijken?'

Vandaag heeft de patholoog-anatoom bevestigd wat Ivy zei. Hij heeft bepaald dat Lily om het leven is gekomen door een klap op haar hoofd, waarschijnlijk doordat ze is uitgegleden en bij de val in de kloof met haar hoofd op een rots terecht is gekomen.

Ik dacht eerst dat het semester misschien wel uitgesteld zou worden (daarom heb ik gewacht met schrijven tot ik dat zeker wist), maar toen ik naar het kantoor van miss Beecher ging om dat te vragen zat Ivy daar – achter het bureau van miss Beecher! – en zij zei nee, het was de wens van miss Beecher dat de school gewoon verderging.

Maar ik vroeg me af of u wel wilt dat ik hier blijf, aangezien u me toch voornamelijk hierheen hebt gestuurd om les te kunnen krijgen van miss Eberhardt en meneer Nash en die zijn er nu niet meer. Ik mis miss Eberhardt ontzettend, vooral omdat ze zich altijd gedroeg alsof ze mijn moeder was. En de manier waarop Ivy de zaak heeft overgenomen bevalt me ook helemaal niet. Ik weet zeker dat u het met me eens zult zijn dat ik hier maar beter kan vertrekken. Volgens mij heb ik inmiddels wel alles geleerd wat deze school me te bieden heeft.

Met vriendelijke groeten,
Fleur Sheldon

Wanneer ik opkijk van de brief staat Shelley me met haar felblauwe ogen strak aan te kijken. 'Je ziet toch ook wel wat er niet klopt?' vraagt ze.

Ik kom even in de verleiding om te zeggen dat er niets van klopt dat haar grootmoeder haar dochter overduidelijk op deze school gedumpt heeft en dat hun onderlinge relatie zo gedwongen was dat Fleur het noodzakelijk vond om een brief aan haar moeder met haar volle naam te ondertekenen, maar ik weet best dat ze dat niet bedoelt.

'Ivy zegt dat ze voor alle zekerheid is gaan kijken of de val haar gedood heeft. Dan moeten zij en Vera dus in de kloof zijn geweest toen Lily viel.'

ZEVENENTWINTIG

'Misschien is Vera Lily gaan zoeken, heeft ze haar terug zien komen door de kloof en haar toen zien vallen.'

'Waarom is ze dan niet meteen hulp gaan zoeken?' vraagt Shelley. 'Waarom heeft ze haar geliefde Lily daar in die kloof laten liggen en net gedaan alsof Lily er met Nash vandoor was gegaan? Waarom heeft ze gewacht tot het lichaam bij de zoektocht werd gevonden?' Bij iedere vraag priemt Shelley met haar vinger naar de brief van haar moeder.

'Als het geen ongeluk is geweest,' zeg ik, 'als Vera haar geslagen heeft...'

'Of als Ivy dat heeft gedaan,' voegt Shelley eraan toe.

'Dat zou pas echt afschuwelijk zijn.'

'Waarom zou dat nog erger zijn dan als Vera haar heeft geslagen?' vraagt ze. 'Vera was haar minnares.'

'Maar Ivy was Lily's dochter.'

Shelley zet grote ogen op. 'Echt waar? Maar ze lijken helemaal niet op elkaar!' Ze wijst naar haar schilderij van de eerste mei. Shelley heeft misschien Lily's schoonheid een tikje geïdealiseerd, maar de lenige blonde vrouw op het schilderij lijkt erg veel op de foto's die ik van Lily heb gezien en ze is het volslagen tegenbeeld van de kleine, donkere Ivy St. Clare.

Ik haal mijn schouders op. 'Niet alle kinderen lijken op hun ouders,' zeg ik. 'Ivy wist niet dat ze Lily's dochter was. Als ze iets te maken had met Lily's dood en erachter is gekomen dat Lily haar moeder was...'

'Dan zou ze daar kapot van zijn geweest!' Shelleys stem klinkt ontzet, maar haar ogen glanzen op een manier die bijna vrolijk aandoet. Ik prent mezelf in dat ze overwerkt en oververmoeid is.

'Ik heb geen flauw idee hoe ze zou reageren. De kans bestaat dat ze Isabel ook al vermoord heeft om het dagboek terug te krijgen. We moeten dit aan Cal... aan sheriff Reade vertellen. Mag ik de brief van je moeder lenen om die aan hem te laten zien?'

Ik steek mijn hand uit, maar ze drukt de brief steviger tegen zich aan.

'Misschien kan ik maar beter meegaan naar de sheriff, om je verhaal meteen te bevestigen.'

'Dat is heel vriendelijk van je,' zeg ik met een blik op haar met verf bespatte kleren, haar verwarde haar en haar wilde, met donkere schaduwen omrande ogen. Ze lijkt niet meteen de meest betrouwbare persoon om me op te verlaten. 'Maar ik denk dat ik het in mijn eentje wel zal redden.' Ze geeft me de brief met tegenzin.

'Ik zal er heel zuinig op zijn,' zeg ik. 'Als sheriff Reade hier vanavond naartoe komt om een oogje op het vreugdevuur te houden, duw ik hem die brief meteen onder de neus.' Ik werp een blik op mijn horloge, eigenlijk alleen om te verbergen dat ik al begin te blozen als ik Callums naam laat vallen, maar ik schrik echt als ik zie hoe laat het is. 'Verdorie! Zo meteen ben ik nog te laat voor mijn les. Vertel alsjeblieft aan niemand wat we hier net besproken hebben. Als rectrix St. Clare denkt dat we haar doorhebben, zou ze wel eens helemaal door kunnen slaan en nog iemand anders te pakken nemen...' Ik begin te hakkelen en vraag me af of ik Shelley moet vertellen dat Chloe die avond iemand in het bos heeft gezien, maar Shelley begrijpt zo al dat Chloe beschermd moet worden.

'Je bedoelt dat als Ivy zou weten dat Chloe Isabels werkstuk heeft gelezen ze haar misschien wel iets aan kan doen. Chloe zit de komende les in mijn klas. Terwijl jij je eigen les afmaakt en contact zoekt met sheriff Reade hou ik wel een oogje op Chloe en zorg dat haar niets overkomt. Ik ga haar wel helpen met haar kostuum en blijf ook tijdens het vreugdevuur bij haar in de buurt.'

Ik aarzel heel even, omdat ik me afvraag of Shelley in haar opgewonden toestand wel de meest geschikte persoon is om dat te doen, maar ik besef meteen dat ik geen andere keus heb. Ik kan niet op twee plaatsen tegelijk zijn. 'Oké, bedankt. Hou Chloe alleen maar uit de buurt van het kantoor van de rectrix. Zodra ik met sheriff Reade heb gesproken en hij naar de rectrix gaat, kom ik naar jou toe.'

'Zeg maar tegen sheriff Reade dat rectrix St. Clare altijd om halfvijf in haar kantoor theedrinkt. Dat is de beste plek om haar alleen te treffen.'

'Dat zal ik doorgeven. Zorg jij er nou maar voor dat je Chloe in de gaten houdt... en let als je kunt ook op Sally. Zij heeft nu ook tekenles van je.'

Shelley glimlacht geruststellend. 'Natuurlijk is het heel normaal dat je je zorgen maakt over je dochter, maar waarom zou rectrix St. Clare haar in vredesnaam iets willen aandoen?'

Tijdens mijn laatste les van die dag blijven Shelleys woorden door mijn hoofd galmen, maar echt geruststellend vind ik ze niet. Als Ivy vermoedt dat ik Lily's dagboek al die tijd in mijn bezit heb gehad (en ze heeft me gevraagd naar dat groene boek in mijn stilleven), dan is ze misschien gek genoeg om Sally te bedreigen en mij op die manier te dwingen mijn mond te houden. Ik kan nog net voorkomen dat ik halsoverkop naar het jachthuis ren, door mezelf in te prenten dat Sally gewoon les heeft van Shelley. Er is geen enkele reden om aan te nemen dat ze in de buurt van de rectrix is. Dus maak ik zo goed en zo kwaad als het gaat mijn les af, voordat ik over het zonovergoten gazon voor Beech Hall naar de plek van het vreugdevuur loop, waar ik Callum met Shelley Drake zie staan.

Zijn houding – het hoofd een tikje schuin, een hand op de heup, vlak bij zijn holster – vertelt me dat hij geduldig staat te wachten terwijl Shelley met haar zilverkleurige haar wapperend in de wind molenwiekend naar het hout wijst dat hoog opgestapeld in een kring van stenen ligt. Wat raar, denk ik, dat ik deze man pas een paar maanden ken en nu zijn lichaamstaal al kan lezen. Wat raar dat ik al na één nacht samen met hem het gevoel heb dat er tussen ons een elektrische leiding ligt, even zinderend als de gouden stralen van de late middagzon die op het gazon vallen. Voordat ik bij hem ben, tilt hij zijn hoofd op en kijkt me recht aan, alsof hij precies hetzelfde voelt. Hij glimlacht en vanbinnen voel ik die draad aantrekken. Dan richt hij zijn blik weer op Shelley, die even haar mond houdt om te zien naar wie Callum kijkt, en richt zijn aandacht weer op haar met de ernst die bij zijn functie als wetshandhaver hoort.

Ik loop om hen heen als ik Sally in het oog krijg. Ze staat samen met een groepje leerlingen – van wie een deel al verkleed is voor Halloween en de rest in spijkerbroek en T-shirt gehuld is hoewel het daarvoor eigenlijk al te fris is – rond een pot met warme appelcider. Ze ziet eruit alsof ze het ijskoud heeft. Ik trek mijn trui uit en bied haar die aan, maar ze schudt haar hoofd. 'Die heb ik toch niet meer nodig als ze klaar zijn met het artistiek opstapelen van de houtblokken en het vuur aansteken.'

'Artistiek opstapelen?'

Ze knikt. 'Miss Drake heeft de leiding over de opbouw vanaf het moment dat we hier aankwamen. In ieder geval zijn Chloe en ik erin geslaagd om haar af te schudden. Ze heeft zich na de les als een bloedzuiger aan ons vastgezogen tot we beloofden dat we hier zouden blijven.'

'Ik vrees dat dat mijn schuld is,' beken ik. 'Ik heb haar gevraagd om een oogje op jullie te houden.'

'Echt waar, mam? Wat dacht je dan dat me hier zou kunnen overkomen? Was je bang dat ik in het vreugdevuur zou vallen?'

De ergernis in haar stem lokt een soortgelijke reactie uit en voordat ik me kan inhouden snauw ik terug: 'Ben je soms vergeten dat er de laatste keer dat de school een vreugdevuur organiseerde een leerlinge om het leven is gekomen?'

Ze rolt met haar ogen. 'Ik beloof je dat ik niet van een klif zal springen. Goed?' Ze draait zich om en loopt terug naar de groep leerlingen die nu de bovenste laag hout van het vuur weghaalt. Ik overweeg om achter haar aan te lopen, maar ik besef dat ik zo ongerust ben dat het onvermijdelijk tot ruzie zal leiden. Dus loop ik maar naar Callum toe, die Shelley een preek geeft over brandveiligheid en het opbouwen van een vreugdevuur.

'Maar zoals wij het hadden opgebouwd zag het er veel pittoresker uit, sheriff Reade. Maar als u er op staat...'

'Ja,' zegt hij. 'Tenzij u de hele school wilt platbranden. En zorg er alstublieft voor dat de leerlingen op afstand blijven, zodat ze zichzelf niet in de fik steken. Vooral als ze van die lange jurken en capes dragen.'

Hij wijst naar een meisje in een wijde rode cape, waarin ik Rebecca Merling herken, verkleed als de Marvel-superheldin de Scharlaken Heks. Haar broer Peter draagt een blauwe jumpsuit versierd met een zilveren bliksemschicht. Hij heeft een zilverkleurige pruik op, waardoor hij meer op Andy Warhol lijkt dan op een superheld. Ze staan achter een meisje in een lange witte jurk, waarop grijzige nerven zijn geschilderd om de stof op marmer te laten lijken. Als ze zich omdraait, zie ik tot mijn verbazing dat haar haar wit gepoederd is. Haar armen zijn grijs geverfd en haar gezicht heeft een doodse blauwe kleur.

'Mijn god, wat moet Chloe Dawson voorstellen?' vraagt Callum.

'Ik ben verbaasd dat u dat niet eens weet, sheriff Reade, terwijl u van Keltische afkomst bent,' antwoordt Shelley. 'Dat is de Cailleach Bheur, de heks met het blauwe gezicht die ook bekendstaat als de winterkoningin. Ik was echt een tikje verbaasd toen ze vandaag naar me toe kwam en me vertelde dat ze zich als deze uitgave van de godin wilde verkleden. Ze heeft me gevraagd haar te helpen met het schilderen van de marmernerven op haar kleren en daarna wilde ze wat marmerstof van de beeldhouwafdeling om op haar armen en in haar haar te smeren, zodat ze op een standbeeld zou lijken.'

'Waarom dan een standbeeld?' vraag ik.

'De Cailleach Bheur regeert de hele winter over het land, maar op Beltane – oftewel de eerste mei – verandert ze in steen. Vanavond, op Samhain, wordt ze herboren. Chloe is van plan om haar marmeren kleding in het vreugdevuur te gooien als blijk dat de godin van steen in vlees en bloed is veranderd.'

'Ik vind het allemaal maar luguber klinken,' zegt Callum. 'Maar daar zullen jullie wel geen boodschap aan hebben. Wilde u me spreken?' vraagt hij, als hij mijn blik opvangt.

Ik knik en wil net achter hem aan lopen, als Shelley me bij mijn arm pakt en me tegenhoudt.

'Sheriff Reade heeft gelijk. Dat idee van Chloe om de heks met het blauwe gezicht uit te willen beelden is luguber,' sist ze in mijn oor. 'Ze voelt zich kennelijk echt schuldig aan Isabels dood. Misschien houdt ze op met zichzelf te kwellen als ze wist dat rectrix St. Clare daar in feite schuldig aan is.'

'Ik denk dat we dat beter aan sheriff Reade kunnen overlaten.' Ik werp nog een blik op Chloe die bewegingloos een stukje van de groep af staat, met een gezicht dat door de blauwe verf een uitdrukkingsloos masker lijkt. Misschien moet ik toch eerst even met haar praten, denk ik, maar als ik naar Beech Hall kijk, zie ik dat Callum midden op het grasveld ongeduldig wenkt dat ik mee moet lopen.

'Ik moet ervandoor,' zeg ik tegen Shelley. 'Zodra ik klaar ben met sheriff Reade kom ik terug om met Chloe te praten. Maar hou haar wel in de gaten, goed?'

'Ik verlies haar geen moment uit het oog,' verzekert Shelley me, terwijl ze me even verrassend hard in mijn arm knijpt. Ze loopt weg en gaat naar Chloe toe. Als ik naar mijn arm kijk, zie ik de witte vingerafdrukken die ze heeft achtergelaten. Dat zal het marmerstof wel zijn, dat ze voor Chloe's kostuum heeft gebruikt.

Ik ga op weg naar Callum, maar blijf toch nog even staan om nog één keer naar Chloe te kijken. Ze staat op de top van de heuvel die uitzicht biedt op de appelboomgaard. Zoals ze daar roerloos in de avondzon staat, lijkt ze griezelig veel op een stenen standbeeld, een antiek beeld op de koop toe. Ik begrijp waarom ze deze rol heeft uitgekozen. Na de dood van Jude heb ik een hele tijd het gevoel gehad dat ik versteend was en ik heb het idee dat Chloe ongeveer hetzelfde voelt. Misschien denkt ze dat zijzelf ook herboren zal worden als ze haar marmeren kleren in het vreugdevuur gooit.

Ik draai me om en veeg het marmerstof van mijn arm. Ik wens Chloe veel geluk, maar ik kan haar uit ervaring vertellen dat je verdriet en schuldgevoelens niet zo gemakkelijk van je af kunt zetten.

ACHTENTWINTIG

Ik tref Callum Reade onder de rode beuk en onderweg naar het grote huis vertel ik hem wat ik van Chloe heb gehoord en over de brief van Fleur die Shelley me heeft gegeven. Hij luistert aandachtig en knikt als hij de deur van Beech Hall voor me openhoudt. Zodra de deur achter ons dichtvalt, trekt hij me in de alkoof naast de hal en kust me. Hij drukt me tegen de muur en ik duw terug. Niet om weerstand te bieden maar om nog dichter bij zijn mond, zijn huid en zijn geur te zijn. Die lucht van met dennen en citroen vermengde stof waaraan ik intussen verslaafd lijk. Heel even is ons wederzijdse verlangen zo volkomen in evenwicht dat we hier op deze plek lijken te zweven als een stel libelles met in elkaar gehaakte vleugels. Dan drukt hij nog iets harder en ik voel iets hards in mijn rug prikken.

'Au,' zeg ik en ik draai me om. Als ik het hinderlijke voorwerp oppak, blijkt dat het bronzen standbeeld van Lily te zijn, naakt in een plas water en met een bloemenkrans op het lange haar dat over haar rug valt. Het is het waterleliestandbeeld dat Nash haar op zijn laatste dag op Arcadia beloofd heeft.

'Lily schijnt zich tussen ons te dringen,' zegt hij, terwijl hij het beeld weer in de donkere nis zet.

'Misschien heeft ze ons juist samengebracht. Als ik die dag niet naar de schuur was gegaan...'

Hij streelt mijn gezicht. Ik sluit mijn ogen en zou het liefst in zijn armen wegsmelten, maar nu ik over de schuur ben begonnen moet ik ook weer denken aan alles wat ik gehoord heb. Ik duw hem een stukje achteruit en vertel hem over de streek die Chloe met Isabel heeft uitgehaald en over de persoon die ze in het bos heeft gezien. Dan haal ik de brief van Fleur Sheldon tevoorschijn. 'Zie je wel?' zeg ik terwijl ik naar Fleurs verslag wijs van het gesprek tussen Vera en Ivy bij het lijk van Lily. 'Ivy zegt dat ze heeft gecontroleerd of Lily echt dood was, dus moeten zij en Vera erbij zijn geweest toen Lily in de kloof viel. En toch hebben ze haar lichaam daar achtergelaten. Ze moeten iets met haar dood te maken hebben gehad.'

'Als bewijsmateriaal is het niet veel waard,' zegt hij hoofdschuddend. 'En Chloe heeft hooguit een glimp opgevangen van de vrouw in het wit. Maar iedereen was die avond in het wit. We kunnen met geen mogelijkheid vaststellen of het Ivy wel of niet is geweest. En zelfs als zij het was, dan betekent dat nog niet dat ze Isabel van de richel heeft geduwd.'

'Dus je gaat er helemaal niets aan doen?' vraag ik. 'De kans bestaat dat die vrouw een kind heeft vermoord. Stel je voor dat het echt zo is, hoe kunnen we haar dan hier laten zitten, waar ze al die jonge meisjes onder haar hoede heeft?'

Hij wrijft even over mijn arm om me tot rust te brengen. 'Ik zal haar nog eens over die avond ondervragen. Ga jij maar gewoon terug naar het vreugdevuur. Op die manier kun je er het best voor zorgen dat Sally en al die andere meisjes niets overkomt.'

Ik moet toegeven dat hij gelijk heeft, ook al erger ik me wild dat ik niet met hem mee kan gaan.

'Nou, goed dan,' zeg ik. 'Maar kom je daarna dan wel direct terug naar het vreugdevuur?'

Hij grinnikt en trekt me weer stijf tegen zich aan. 'Ik zal je weten te vinden, waar je ook bent.' Hij geeft me nog even haastig een stevige kus en loopt dan weg, voordat ik een excuus kan verzinnen om mee te gaan. Ik kijk hem na tot hij in de schaduwen van de lange gang is verdwenen en draai me dan om, op weg naar de voordeur.

Dan valt mijn oog ineens weer op het standbeeld van Lily. Het brons glimt op de plek waar Callums vingers het vastgepakt hebben. Ik trek een papieren zakdoekje uit mijn zak en poets het beeldje tot het glimt. Het zou eigenlijk ergens in het volle licht moeten staan, denk ik als ik het weer in de nis zet. Fleur zei in haar brief dat Ivy het beeldje in een donkere alkoof had gezet omdat ze jaloers was op Lily.

Ik pak het beeldje weer op.

Fleur had gezien dat Ivy het in de alkoof zette voordat Lily's lichaam was gevonden. Maar dat kon niet waar zijn. Nash had Lily dat beeldje beloofd op de laatste dag voordat hij vanwege zijn expositie naar de stad vertrok. Ze was naar de schuur gegaan om het in ontvangst te nemen, maar ze was nooit teruggekomen.

De enige manier waarop Ivy het in haar bezit had kunnen krijgen voordat Lily's lichaam was gevonden, was als ze het Lily in de kloof had afgepakt. Samen met de brief was het beeldje het bewijs dat Ivy en Vera Lily in de kloof hadden ontmoet. Als Callum Ivy met het beeldje confronteert, staat hij veel sterker in zijn schoenen.

Ik loop de gang in met het beeldje in mijn hand. De heup van het figuurtje past precies in mijn handpalm, het gewicht voelt geruststellend aan...

Ik blijf als aan de grond genageld staan, terwijl ik in gedachten Lily omhoog zie klimmen in de sneeuwbui tot boven aan de rand waar ze Vera ziet staan. Wat zou Vera denken bij het zien van het geschenk van Nash? Hadden ze ruzie gekregen? Had Vera haar het beeldje afgepakt? Had ze er in woede een klap mee uitgedeeld?

Ik hol verder, in de hoop dat ik Callum kan inhalen voordat hij bij de rectrix naar binnen gaat. Als ik hem heb ingehaald, staat hij nog steeds nadenkend voor haar deur. Ik ben bang dat hij boos wordt als hij me ziet, maar zijn eerste reactie is een brede glimlach die meteen plaats moet maken voor een frons.

'Ik heb toch gezegd dat je moest wachten...'

'Dat weet ik wel, maar er drong ineens iets tot me door.' Ik leg hem uit dat het standbeeld onmogelijk in de alkoof kon staan voordat Lily's lichaam was gevonden, tenzij Ivy en Vera die dag in de kloof zijn geweest. Hij pakt het beeldje van me aan en draait het om, met een peinzende blik op de zorgvuldig gebeeldhouwde krans op het hoofd.

'Kan DNA nog bepaald worden aan de hand van bloed dat meer dan zestig jaar oud is?' vraag ik.

Callum glimlacht en stopt het beeldje in de diepe zak van zijn jas.

'Dat weet ik niet zeker,' zegt hij. 'Maar één ding kan ik je wel vertellen: Ivy St. Clare weet dat ook niet. Bedankt. Dit kan net het laatste zetje geven om haar zover te krijgen dat ze bekent. Nu moet je maken dat je wegkomt...'

Voordat hij zijn zin kan afmaken, zwaait de deur open en verschijnt Ivy St. Clare op de drempel.

'Blijven jullie tweeën daar de hele avond voor mijn deur staan kletsen of zijn jullie nog van plan om binnen te komen?' vraagt ze.

'Ik wilde net weggaan,' zeg ik, maar Ivy schudt haar hoofd.

'Volgens mij kunt u ook maar beter binnenkomen, mevrouw Rosenthal,' zegt ze snauwend. 'Per slot van rekening bent u toch degene die Lily's dagboek heeft gelezen, hè?'

'Hoe weet u dat?' vraag ik, terwijl ik achter haar aan het kantoor binnenloop.

'Van dat stilleven dat u hebt gemaakt,' zegt ze en ze loopt naar de erkerbank waar haar opengeslagen schetsboek ligt. Ze gaat zitten en kijkt naar me op. 'Vera en ik hebben het na Lily's dood overal gezocht, maar we kwamen uiteindelijk tot de conclusie dat ze het voor alle zekerheid aan iemand in bewaring had gegeven.

Ik heb altijd het vermoeden gehad dat het op een dag wel weer boven water zou komen.'

'Weet u wat erin staat?'

Ivy haalt haar schouders op. Door de beweging lijken de uithollingen boven haar sleutelbeenderen nog dieper. Ik vind dat ze op een skelet begint te lijken. 'Ik neem aan dat ze haar hart heeft uitgestort over haar relatie met Virgil Nash. Ze verkeerde kennelijk in de mening dat Vera haar alles zou vergeven als ze het opbiechtte, maar ze vergiste zich.'

'Hoe weet u dat?' vraagt Callum.

Ivy kijkt op en knijpt haar lippen op elkaar. 'Dat zal ik u vertellen, als u mij vertelt wat u verder nog hebt gevonden. Want er is meer, hè?'

Callum haalt de brief van Fleur Sheldon tevoorschijn en geeft haar die. Ze kijkt er even met samengeknepen ogen op neer en grabbelt dan naar de leesbril die aan een koordje om haar nek hangt.

'Ach, Fleur Sheldon. Dat schattige schoolmeisjeshandschrift van haar zou ik overal herkennen. Eens even kijken wat ze aan mammie heeft geschreven.' We wachten af terwijl zij zit te lezen. Callum ziet eruit alsof hij klaarstaat om zich op haar te werpen als ze ook maar een kreukje in de brief maakt, maar ze geeft hem gewoon terug en zet haar leesbril af. 'Ze was altijd al een nieuwsgierig aagje,' zegt ze. 'En vrijwel geschoond van elke vorm van talent. Ik heb haar dochter uit medelijden in dienst genomen...'

'Hieruit blijkt duidelijk dat u en Vera Beecher al voordat haar lichaam was gevonden op de hoogte waren van Lily's dood,' zegt Callum en voorkomt daarmee ongetwijfeld een lange litanie over de tekortkomingen van Shelley Drake.

Ivy zucht. 'Ik neem aan dat dat op te maken valt uit het gebazel van Fleur, maar maakt dat dan iets uit?' Ze haalt haar schouders op en glimlacht. 'Zelfs een politieman in zo'n negorij als Arcadia Falls moet toch weten dat daarmee niet is aangetoond dat er een misdrijf heeft plaatsgevonden.'

Callum glimlacht en trekt het beeldje uit zijn zak. 'Nee, maar dat geldt wel voor een moordwapen met het bloed van het slachtoffer.' Hij zwaait zo dicht met het beeldje voor Ivy's gezicht langs, dat ze met haar ogen knippert en achteruitwijkt tot ze tegen de ruit zit. Voor het eerst sinds ik haar ken, zie ik een zweem van onzekerheid in haar ogen. Maar ze vermant zich ogenblikkelijk.

'Dat is het beeldje dat Nash van Lily heeft gemaakt. Sterk geïdealiseerd als je het mij vraagt en vrij amateuristisch. Hij heeft het samen met zijn schilderijen van Lily aan Vera teruggestuurd.'

'Nee, dat heeft hij niet gedaan,' zeg ik en wijs naar de brief die Callum nog steeds in zijn andere hand heeft. 'Fleur zegt dat ze heeft gezien dat u het beeldje in een alkoof zette voordat het pakket met de schilderijen arriveerde. Nash heeft het Lily gegeven op de avond dat hij van Arcadia vertrok. Daarom ging Lily naar de schuur toe. Ze had het bij zich toen u en Vera haar op de richel aantroffen.'

'Was Vera boos toen ze zag dat ze het beeldje van Nash bij zich had?' vraagt Callum. 'Heeft ze het Lily afgepakt? Heeft Vera haar daarmee een klap verkocht?' Ik sta ervan te kijken dat Callum precies hetzelfde schijnt te denken als ik, maar als Ivy doodsbleek wordt, besef ik pas waarom hij Vera beschuldigt en niet Ivy.

'Vera had Lily nooit pijn kunnen doen! Ze aanbad haar. Kijk zelf maar!'

Ivy knikt naar het beschilderde paneel achter haar bureau, waarop Lily – als de muze van de tekenkunst – in haar Griekse gewaad staat met een potlood tegen haar lippen, terwijl haar lange goudblonde haar als een aureool om haar hoofd zweeft. 'Wat Vera betrof, had Lily niets menselijks. Ze was een idool. Vera had haar nooit iets aan kunnen doen.'

'Dus Lily's bloed zal niet op dit standbeeldje worden aangetroffen als ik het naar het lab in Albany stuur?' Ivy's ogen flitsen heen en weer tussen het hoofd van het standbeeld en Callums lichte ogen. De beweging is nauwelijks te zien, maar ontgaat Callum niet en hij dringt verder aan. 'U beseft toch wel dat u als medeplichtige zult worden aangeklaagd? Maar als u ons nu vertelt wat er precies is gebeurd, dan zal de rechter dat zeker in uw voordeel meewegen. Per slot van rekening is Vera dood. Wat maakt het voor verschil als bekend wordt dat ze meer dan zestig jaar geleden haar minnares heeft vermoord?'

'Wat het voor verschil maakt?' Ivy buigt zich voorover waarbij de spanning in haar kleine, verschrompelde lijf zich uit in haar gebalde vuisten en de spieren die als strengen op haar hals verschijnen. 'Deze hele school is gebaseerd op de herinnering aan Vera. Ik heb mijn leven lang gewerkt om die in ere te houden. Ik sta niet toe dat jullie die bezoedelen met een of ander laag-bij-de-gronds verhaal dat jullie uit je duim gezogen hebben.'

'Maar dat is wel het verhaal dat wij verder vertellen,' zegt Callum terwijl hij het beeld samen met Fleurs brief weer in zijn zak stopt. 'Laten we er maar vandoor gaan, mevrouw Rosenthal. Ik neem u mee naar het bureau waar u een verklaring kunt afleggen.'

Hij legt zijn hand op mijn arm en duwt me in de richting van de deur, maar voordat we twee stappen verder zijn is Ivy al opgesprongen. 'Ik was het,' roept ze uit. 'Ik heb haar vermoord. Vera heeft niets gedaan.'

We draaien ons om. Ik ben blij dat Callums hand nog steeds op mijn arm ligt, want Ivy biedt een afschuwelijke aanblik. Haar lippen zijn vertrokken in een grimas die net zo goed een schreeuw had kunnen zijn, maar die in werkelijkheid een glimlach is, zoals ik vol afschuw besef. De pezen in haar armen en haar nek lijken op een wegenkaart van de geheimen die ze al die jaren verborgen heeft. Ik begrijp ineens dat ze triomfantelijk is omdat ze haar idool nog één dienst kan bewijzen. En daar heeft Callum kennelijk op gerekend. 'Laat maar eens horen,' zegt hij rustig.

Ivy zakt weer terug op de erkerbank. Ze kijkt uit het raam naar het gazon waar de leerlingen om het net aangestoken vreugdevuur staan. 'Ik hoorde Nash en Lily in déze kamer een afspraak maken om elkaar in de schuur te treffen,' zegt ze. 'Ik zat hier, in de erker, achter de gesloten gordijnen. Ze hebben nooit geweten dat ik hier was.'

Ik denk terug aan wat Lily in haar dagboek over dat laatste gesprek met Nash heeft geschreven. 'Dan wist u dus dat Lily helemaal niet van plan was om er met Nash vandoor te gaan?'

'Ja, dat wist ik. Ik was diep teleurgesteld. Ik had gehoopt dat ze met hem mee zou gaan. Ik wist dat ze er uiteindelijk in zou slagen dat Vera zich tegen me zou keren. Dan zou ik hier nooit veilig zijn en waar moest ik dan naartoe? Ze had zelfs het lef om mij als tussenpersoon te gebruiken. Ze gaf me een briefje voor Vera mee...'

'Maar dat hebt u haar nooit gegeven, hè?'

Ivy lacht. 'Nee, natuurlijk niet. Waarom zou ik? Ik vertelde Vera dat ik had gehoord hoe Lily samen met Nash plannen maakte om ervandoor te gaan en dat ik haar weg had zien gaan om hem in de schuur te ontmoeten. Ze stond op dezelfde plek waar u nu staat, mevrouw Rosenthal. Toen ik haar dat vertelde, stond Vera heen en weer te zwaaien als een boom in de wind en zakte op de grond in elkaar. Ik ging naast haar zitten en pakte haar hand. Ik vroeg of ze wilde dat ik naar de schuur ging om te zien of ik Lily terug kon halen. Ik was van plan om tegen Lily te zeggen dat Vera niets meer van haar moest hebben, maar toen Vera besefte dat ze nog een kans had om Lily tegen te houden holde ze de Hall uit. Ze nam niet eens de moeite om een jas te pakken, maar rende zo de sneeuw in. Die kwam toen met bakken uit de lucht. Ik moest heel hard lopen om haar bij te houden. Ik was bang dat ik haar kwijt zou raken... en ook bang dat ze, als ze Lily terug zag komen, zou denken dat ze toch had besloten om niet met Nash weg te lopen. Dat Vera haar alles zou vergeven. Het sneeuwde zo hard dat ik nauwelijks de rand van de richel boven ons kon zien. Ik hield Vera vast, bang dat ze over de rand zou vallen als ze doorliep. Dat ze zichzelf in de kloof zou gooien. "Ze is weg," huilde ze. "Weg, weg, weg..." Maar ineens snakte ze naar adem en toen ik opkeek, zag ik een gestalte opdoemen in de dwarrelende sneeuw, als een geest die uit de mist tevoorschijn komt, net als in de verhalen die de dorpelingen elkaar vertellen over de witte wieven die in de mist uit de kloof oprijzen...' Bij de herinnering daaraan begint haar stem te trillen, omdat het beeld kennelijk na al die jaren nog steeds afschuwelijk is. 'Het was Lily, die op de rand van de richel stond. Ik was zo geschrokken dat ik vergat om Vera vast te houden en ze holde naar Lily toe – volgens mij alleen maar om haar te verwelkomen – maar kennelijk was Lily zo verrast om haar te zien dat ze een stap achteruit deed en viel.'

'Weet u wel zeker dat ze viel?' vraagt Callum.

'Ja. Heel zeker. Vera was haar zo nagesprongen als ik haar niet tegengehouden had. We konden haar onder ons zien liggen. Ik was ervan overtuigd dat ze dood was, maar Vera wilde naar beneden om het te controleren. Ik zei dat ze veel te opgewonden was voor zo'n klauterpartij en zelfs dat ze er te oud voor was! Ik zei dat ik wel naar beneden zou gaan en dwong haar om een eindje van de rand af op een omgevallen boom te gaan zitten. "Ik word er alleen maar zenuwachtig van als ik weet dat je naar me zit te kijken," zei ik tegen haar. Ik beloofde dat ik haar zou roepen als Lily nog leefde.'

'En was dat zo?' vraagt Callum.

Ivy antwoordt niet direct. Ze kijkt over het gazon naar het vreugdevuur dat nu volop brandt. Ze zet het smalle raampje links open en de kamer is ineens vervuld van het geluid van zingende jonge stemmen. Het geluid schijnt haar te helpen om een besluit te nemen. 'Ja,' zegt ze met haar rug naar ons toe. 'Ze leefde nog. Ze deed haar ogen open toen ik naast haar neerknielde en zei mijn naam. Ik zag het standbeeld dat naast haar op de grond was gevallen.'

Ik sla mijn hand voor mijn mond om te voorkomen dat ik een kreet slaak. Ik zie het tafereel letterlijk voor me. Lily, die gewond in de sneeuw ligt en opkijkt naar haar eigen dochter, met het idee dat ze is gekomen om haar te helpen.

'Ik pakte het op en heb haar een klap gegeven.' Ze keert zich af van het raam. Haar rechterhand is gebald alsof ze het beeld waarmee ze Lily heeft vermoord nog steeds vasthoudt.

'Maar waarom dan?' vraag ik, omdat ik me niet langer kan inhouden.

'Ik heb het voor Vera gedaan. Zodat ze eindelijk van haar bevrijd zou zijn.'

'Maar dat heb je niet aan Vera verteld,' zegt Callum met een kille stem. 'Je hebt haar laten denken dat Lily door die val om het leven is gekomen. Je hebt haar laten denken dat haar minnares is gestorven terwijl ze bij haar wegliep.'

'Daar heb ik destijds niet bij stilgestaan,' zegt Ivy. Ze kijkt voor het eerst sinds ze met haar verhaal is begonnen een beetje beschaamd.

Maar Callum blijft erop doorhameren. 'Maar die schuldgevoelens van Vera kwamen je algauw van pas, hè? Jij was de enige die haar geheim kende. Ze dacht dat je haar beschermde, maar in werkelijkheid hield je haar onder de duim.'

'Zo was het helemaal niet.' Ivy draait zich opnieuw om en kijkt verbaasd op van iets dat ze door het raam ziet. Twee gestalten die met vastberaden pas naar Beech Hall lijken te lopen steken zwart af tegen de oranje gloed van het vuur. Ik herken Chloe aan haar wijde gewaad en Shelley Drake aan haar grote bos kroezend haar dat nu in het licht van de vlammen vuurrood lijkt. Ze probeert Chloe in te halen.

'Wat is er toch in vredesnaam met dat meisje aan de hand?' zegt Ivy. 'Ze is al een wrak vanaf de dag dat Isabel Cheney overleed.'

'U bedoelt sinds ze vermoord is,' zegt Callum, die opstaat en tussen de rectrix en de deur gaat staan, om te voorkomen dat ze ervandoor gaat.

Ivy fronst, waardoor haar gezicht in een gerimpeld masker verandert. 'Vermoord? Maar Isabel is van de richel gevallen.'

'Isabel had het dagboek van Lily,' zeg ik. 'Dat besefte u zodra u haar werkstuk had gelezen.'

'Haar werkstuk? Zodra ik wist dat Chloe en Isabel er niet samen aan hadden gewerkt zoals de bedoeling was, heb ik niet de moeite genomen het in te kijken. Wat had dat nou voor zin?'

Callum kijkt me even aan en ik haal mijn schouders op. Ik weet niet of Ivy wel of niet de waarheid spreekt.

'Dus u was die avond niet in het bos?' vraagt hij.

Ze ziet eruit alsof ze op het punt staat om dat te ontkennen, maar dan slaakt ze een zucht. 'Ja, ik ben een tijdje op de richel geweest. Daar kom ik vaak.'

'De plaats van het misdrijf,' zegt Callum.

Ivy glimlacht. 'Nee, jongeman, daar gaat het helemaal niet om.' Ze kijkt mij aan. 'Weet je nog wat ik je verteld heb op de avond dat Isabels lichaam uit het ravijn naar boven werd gebracht? Dat Vera geloofde dat Lily's geest op de richel rondwaarde?'

'Ja, dat weet ik nog wel,' zei ik. 'Maar waarom zou u daar naartoe gaan als u haar zelf hebt vermoord? Ik zou denken dat het dan juist de laatste plaats was waar u wilde zijn.'

'Ik ga ernaartoe omdat ik denk dat als er zoiets bestaat als geesten en dat als Lily's geest in dat bos rondwaart dat ook de plek is waar Vera's geest zich bevindt. Daarom was ik op de avond van het vreugdevuur in het bos, om dicht bij Vera te zijn, niet om dat dwaze meisje iets aan te doen. Denken jullie nou echt dat ik zo monsterlijk ben?'

'In ieder geval monsterlijk genoeg om uw eigen moeder te vermoorden!' De woorden komen uit de deuropening, waar Chloe Dawson staat in dat naargeestige grijze gewaad, met een uitgestrekte arm waarvan onder de wijde mouw van haar jurk alleen een wijzend vingertoptje te zien is. Met haar blauwgeverfde gezicht lijkt ze op een wraakzuchtige furie. Ivy slaakt een gesmoorde kreet en wijkt achteruit, voordat ze haar zelfbeheersing hervindt.

'Wat een onzin! Ik had helemaal geen moeder. Ik ben een wees,' roept ze uit. Ik kijk boos naar Shelley die na Chloe is binnengekomen.

'Het was helemaal niet mijn bedoeling om dat aan Chloe te vertellen,' zegt Shelley. 'Maar ze bleef zo doorvragen, dat het me gewoon ontglipte.'

'Daarom hebt u Isabel vermoord,' zegt Chloe, terwijl ze nog een stap in de richting van de rectrix doet. Callum pakt haar bij de arm om te voorkomen dat ze nog dichterbij komt. 'Ze had in Lily's dagboek gelezen dat Lily uw moeder was en u kon het niet verdragen dat iemand anders zou weten dat u uw eigen moeder had vermoord.'

Ivy's ogen dwalen langzaam van Chloe naar mij. Haar gezicht dat omlijst wordt door de zwarte ruit is wit van schrik, haar zwarte ogen lijken bodemloze donkere putten. 'Heeft Lily dat in haar dagboek geschreven?' vraagt ze.

Ik kijk hulpzoekend naar Callum, maar zijn aandacht wordt in beslag genomen door Shelley die aan zijn mouw staat te trekken. Wat moet ik doen? Het zit er dik in dat de waarheid nu toch aan het licht komt. 'Ja,' zeg ik. 'Lily was in verwachting van Nash. Het kind is in Saint-Lucy's geboren, toen ze daar aan de muurschilderingen werkte. Ze noemde u Ivy omdat uw vingertjes zich zo aan haar vastklampten.' Dat zeg ik alleen maar om te bewijzen dat Lily van haar hield, maar de ontzetting van Ivy wordt alleen maar groter. 'Ze dacht dat u geadopteerd was, maar toen ze erachter kwam dat dat niet het geval was, heeft ze u hierheen gehaald...'

'Vera heeft me hiernaartoe gehaald!' roept Ivy uit. Ze steekt haar handen omhoog, gebald alsof ze probeert het verhaal zoals zij dat kent vast te houden, maar bij de aanblik van haar eigen handen die sprekend op sliertjes klimop lijken die zich aan een muur vastklampen, begint ze opnieuw te jammeren.

'Lily wilde dat u dat zou denken,' zeg ik zacht. Ik loop naar haar toe, maar ze wijkt achteruit. Haar benen stoten tegen de vensterbank en ze valt achterover, met haar schouder tegen de sponning van het openstaande zijraam. Ze grijpt de sponning vast om te voorkomen dat ze naar buiten valt. Ze kijkt de kamer rond, naar de kring van gezichten en dan dwalen haar ogen van de levende gezichten in de kamer naar het geschilderde gelaat achter haar bureau. De monumentale figuur van de muze van de tekenkunst kijkt terug met Lily's ogen. Ivy snakt naar adem en dan zwaait ze haar benen omhoog en glipt handig het raam uit. Ze komt op het gazon terecht.

Callum staat meteen bij het raam, maar hij is veel te groot om door de nauwe opening te kunnen. Door het glas van het middelste raam zie ik Ivy in de richting van het vreugdevuur hollen. We staan haar allemaal zo aandachtig na te kijken dat niemand in de gaten heeft dat Chloe het andere zijraam open heeft gemaakt. Ik probeer haar nog vast te grijpen voordat ze naar buiten glipt, maar ik houd alleen een handvol vlekkerig grijs katoen aan die moeite over. Ik meet haastig de wijdte van het smalle raam met mijn ogen op en besluit dat ik er net door kan.

'Ik ga wel achter hen aan,' zeg ik.

Ik spring op de grond voordat iemand bezwaar kan maken. Als ik omkijk, zie ik Callum in de erker staan. Hij kijkt me boos aan en schreeuwt me iets toe, maar ik wacht niet tot ik hoor wat hij me te vertellen heeft. Wanneer ik me omdraai, zie ik nog net bij de gloed van het vuur het lichte gewaad van Chloe over de rand van de heuvel verdwijnen. Ik hol achter haar aan, vlak langs het vreugdevuur en tussen de groepjes leerlingen door die op het gras zitten. Als ik op de top van de heuvel aankom, zie ik Chloe tussen de knokige vormen van de kale appelbomen door rennen. Ze is op weg naar de rand van het bos in de buurt van het jachthuis, waarschijnlijk omdat ze heeft gezien dat Ivy St. Clare die kant op liep.

Ik ga op weg naar het jachthuis en zie Callum en Shelley de Hall uit komen. Als ik op ze wacht, ben ik Chloe kwijt. En als ze St. Clare in de buurt van de richel inhaalt, is de kans groot dat een van beiden of allebei op de bodem van het ravijn de dood vinden. Op hetzelfde moment valt mijn oog op Sally die bij Clyde en Hannah zit. Sally kijkt op en haar mond valt open van verbazing. Ik roep dat ze tegen sheriff Reade moet zeggen welke kant ik op ben gegaan en hol de heuvel af, mijn blik vast op Chloe gericht. Maar ik heb de helling van de heuvel onderschat. Ongeveer halverwege verlies ik mijn evenwicht, val en rol naar beneden.

Gelukkig heb ik niets opgelopen. Een beetje duizelig plant ik mijn voeten stevig op de grond en staar naar de rijen met appelbomen. Hun kale takken glimmen zilverachtig in het licht van de pas opgekomen maan en hun schaduwen wijzen allemaal naar het westen alsof ze me in de richting van het bos willen hebben. Wanneer ik die kant op kijk, vang ik een glimp op van het lichte gewaad van Chloe dat tussen de donkerder schaduwen van de dennenbomen door schiet.

Ik probeer recht in die richting te lopen, maar de appelbomen staan in de weg. In het maanlicht krijgen hun knoestige stammen vertrokken gezichten, die veel weg hebben van het gerimpelde elfensmoeltje van Ivy St. Clare en die me allemaal boos en verwrongen aankijken. Daarbij vergeleken is het donkere dennenbos een regelrechte opluchting. Het maanlicht dat door de toppen van de bomen nog op de bodem van het bos valt, toont alleen de rechte schaduwen van de hoge dennen. De grond is bedekt met zachte dennennaalden die glinsteren onder mijn voeten. Ik zie Chloe voor me, met haar witte gewaad dat in het maanlicht zilver lijkt. Ik loop achter haar aan en klim geleidelijk aan naar boven. Ik krijg haar tussen de bomen door maar af en toe in het zicht, maar nu is het wel duidelijk waarheen we op weg zijn.

Het lijkt heel logisch dat Ivy op weg is naar de top van de kloof, de plek waar ze altijd naartoe gaat om in contact te komen met Vera's geest. Maar hoe moet ze zich vanavond voelen, op weg naar de plek waar ze Lily heeft vermoord, en nu met de wetenschap dat Lily haar moeder was? In welke toestand zal Ivy zich bevinden als ze op de top van de richel aankomt? En hoe zal ze op Chloe reageren als Chloe eerder bij haar is dan ik?

En in dit tempo zal dat zeker het geval zijn. Hoe hard ik ook mijn best doe, ik kan niet sneller naar boven lopen. Chloe heeft het voordeel van een voorsprong en ze is jonger.

Haar enige nadeel blijkt echter dat wijde gewaad te zijn. Ik haal haar in bij de omgevallen boom, waarvan de wortels de zoom van haar jurk te pakken hebben. Ze staat er vloekend aan te rukken als ik bij haar aankom.

'Chloe, wacht!' roep ik, met een stem die alleen maar een hees en ademloos gekreun kan uitbrengen.

Ze draait haar hoofd om in mijn richting en ik blijf als aan de grond genageld staan. Ik was dat blauwgeverfde gezicht vergeten. Op de met maanlicht overgoten open plek glanzen haar haar, haar gewaad en haar met marmerstof ingewreven armen, maar haar gezicht is onzichtbaar. Op de plek waar het zou moeten zitten, bevindt zich alleen een zwart gat.

Mijn geroep heeft ook Ivy's aandacht getrokken. Ze staat recht boven Chloe op de top van de richel. 'Ik wil dat jullie me allebei met rust laten,' roept ze. 'Dit gaat jullie niets aan. Het is iets tussen Vera en mij.'

Chloe draait zich om naar Ivy en ik zie dat Ivy een kreet slaakt en twee handen voor haar gezicht slaat. Ik kan wel raden wat ze ziet: een lijkwade zonder gezicht. Aan haar van afschuw verwrongen gezicht te zien vermoed ik dat ze in de duisternis Lily's gezicht ziet. Ik steek mijn hand uit om te voorkomen dat Chloe verder loopt. Ik slaag erin haar bij haar arm te grijpen, maar op hetzelfde moment hoor ik een stem achter me.

'Mam?'

Op het moment dat ik me omdraai naar Sally rukt Chloe zich los. Terwijl ik beschermend mijn arm om Sally sla, kijk ik toe hoe Chloe tegen de heuvel op begint te lopen en hoe Ivy een stap achteruit zet, waardoor ze op de rand van het klif terechtkomt. Ze wankelt en kijkt over haar schouder in de diepte. Heel even lijkt ze haar evenwicht te herwinnen, maar dan kijkt ze opnieuw naar Chloe. Ze knijpt haar lippen vastberaden op elkaar en doet nog een stap achteruit. In het niets. Ze verkiest de diepe val in de afgrond boven de peilloze diepte die haar in de ogen staart.

NEGENENTWINTIG

Callum vindt ons aan de rand van het klif waar ik Sally en Chloe zo stijf vasthoud, dat mijn bovenarmen nog een week lang pijn doen. Hij schijnt met zijn zaklantaarn naar beneden en het licht valt op Ivy's gemangelde lichaam dat dertig meter lager ligt. Daarna richt hij de lantaarn om de beurt op ons, op Sally, op Chloe en daarna op mij. Hij houdt het licht op mij.

'Is alles goed met jullie?' Hij blaft ons de vraag min of meer toe. Chloe beschut haar ogen tegen het licht en begint te jammeren omdat hij zo streng klinkt, maar ik begrijp de angst die eronder schuilt.

'Met ons is alles in orde,' zeg ik. 'Ivy is naar beneden gesprongen. Ze heeft zelfmoord gepleegd.'

Callum knikt kortaf en staat op. Terwijl hij met de zaklantaarn boven zijn hoofd staat te zwaaien, roept hij in het donker: 'We zijn hier!'

Hier weergalmt door de afgrond onder ons. Chloe begint te beven en ik laat haar heel even los om haar een klopje op de rug te geven. Callum knielt naast ons neer en ik fluister in zijn oor: 'Kun jij Chloe hier van de rand weghalen?'

Zodra hij zijn arm om Chloe heeft gelegd, sla ik mijn beide armen om Sally heen. Callum draait Chloe vastberaden weg van de kloof en leidt haar de heuvel af. Op het moment dat haar blik wordt losgerukt van de diepte begint ze te huilen, alsof ze gebiologeerd was door de duizelingwekkende diepte en zich nu pas realiseert dat het maar een haartje scheelde of ze was over de rand gekukeld. Ik hoor stemmen de heuvel op komen – Shelley Drake, Toby Potter, Dymphna Byrnes – die stuk voor stuk klaarstaan om zich over haar te ontfermen. En ook over ons veronderstel ik, maar ik laat ze nog even links liggen.

'Alles is in orde, lieverd,' zeg ik tegen Sally. 'We kunnen hier wel weg.'

'Ik was zo bang dat je iets zou overkomen.' Ze praat zo zacht dat ik mijn hoofd moet buigen om haar te verstaan. 'Daarom kwam ik ook achter je aan. Maar als ik dat niet had gedaan… dan had je haar tegen kunnen houden…' Ze begint te beven en ik trek haar stijf tegen me aan.

'Volgens mij had niemand haar tegen kunnen houden.' Ik weet niet zeker of dat waar is, maar Sally protesteert niet. Ik blijf haar vasthouden terwijl de maan langs de hemel omhoogklimt tot het licht in de afgrond valt. Ik kan het gewoon voelen, het is een ijzige golf die door me heen slaat en hetzelfde aanvoelt als zo'n koude stroming waarin je soms in zee terecht kunt komen. Alleen bestaat deze golf uit licht dat in de kloof stroomt en via de waterval en de losliggende rotsblokken uiteindelijk op het verminkte lichaam van Ivy St. Clare valt. Precies zoals de sneeuw zestig jaar geleden Lily's lijk bedekte, zo dekt nu een deken van licht het lichaam van Ivy. Nu zijn ze daar samen beneden, denk ik. Alsof Lily daar al die jaren heeft liggen wachten tot ze haar dochter – haar moordenares – mee kon sleuren in de kloof.

Nu begin ik ook te trillen. Maar dan voel ik ineens iets warms om me heen. Callum staat achter ons en slaat een deken om onze schouders voordat hij ons wegbrengt van de rand. Ik moet mijn ogen dichtdoen om de aantrekkingskracht van de kloof te doorbreken en met hem mee te gaan. Maar terwijl ik naar beneden loop, draag ik die kilte met me mee, als een blok ijs dat in mijn binnenste zit vastgevroren.

In de weken daarna zie ik iedere keer als ik mijn ogen dichtdoe de besneeuwde kloof overgoten met maanlicht. 's Nachts droom ik er zelfs van. Het is iedere nacht weer raak: ik sta op de rand van het klif en kijk omlaag in de kloof. Lily staat in haar witte jurk van het meifeest op de bodem. Maar in plaats van met een bloemenkrans zijn haar blonde haren met rijp bedekt. Ze steekt haar armen uit en dan voegt zich een tweede in het wit geklede gestalte bij haar. Het is Ivy St. Clare, met een krans van klimop in haar haar. De vrouwen haken hun armen in elkaar en steken allebei hun armen uit. Ze wachten op het derde lid van hun gezelschap – de derde Gratie – en ineens begrijp ik dat ze op mij staan te wachten.

Ik voel de wilskracht waarmee ze me in de kloof omlaag willen sleuren, mijn voeten schuifelen dichter naar de rand, mijn gewicht verschuift naar voren... en dan zie ik ineens tot mijn grote opluchting dat een derde gestalte zich bij hen heeft aangesloten.

Goddank, denk ik, ik hoef niet naar ze toe. Maar als de derde in een wijd gewaad gestoken gestalte het hoofd optilt, zie ik dat de ruimte onder haar capuchon leeg is. De derde gestalte heeft geen gezicht.

Dan val ik.

Ik word wakker, nog steeds vechtend met het gevoel dat ik omlaag stort.

Omdat ik niet meer kan slapen, loop ik naar beneden. Op mijn tenen om Sally niet wakker te maken. Sinds de dood van Ivy St. Clare woont Sally weer bij mij. In het begin was ik daar blij om, maar nu begin ik me zorgen te maken omdat ze nog steeds geen enkele neiging vertoont om terug te gaan naar het studentenhuis. Blijft ze bij me omdat ze denkt dat ik haar nodig heb? Of omdat ze ergens bang voor is? Kunnen we niet beter helemaal weggaan van de school? Of zou weglopen alles alleen maar erger maken? Ik heb het gevoel dat we nog steeds op die richel staan en ons aan elkaar vastklampen om niet over de rand te vallen. Ik ben bang dat we allebei zullen vallen als ik haar loslaat, maar als ik dat niet doe, zullen we ons nooit meer veilig voelen.

De eerste paar dagen hoopte ik bijna dat de school zou sluiten en dat de beslissing mij uit handen zou worden genomen. Per slot van rekening zou het niet echt vreemd zijn als ouders hun kinderen weg zouden halen na twee sterfgevallen. Dan konden we allemaal de benen nemen en Arcadia overlaten aan de spoken en de verhalen die hier rondwaren. Maar zo ging het niet.

Ik was verbaasd over het grote aantal mensen dat naar Ivy's begrafenis kwam. Ik herkende bepaalde mensen uit het dorp – Doris van het Rip van Winkle-restaurant, Beatrice Rhodes, Fawn van De Jaargetijden – maar er was ook een heel stel dat er veel te modieus uitzag om uit de buurt te komen.

'Oud-leerlingen,' vertelde Dymphna me fluisterend terwijl we in de rij stonden om langs Ivy's kist te lopen. 'En de geldschieters. Na afloop is er een vergadering. Als je het mij vraagt – maar dat is niet gebeurd – dan hadden ze ook nog wel een dagje kunnen wachten.'

Toen ik om me heen keek, herkende ik de gezichten van een aantal welvarende en invloedrijke schutspatronen van de kunst die ik wel eens was tegengekomen in de societyrubrieken van de *Times*. Van de in een victoriaans colbert gestoken Toby Potter kreeg ik de namen van de mensen die ik niet kende te horen. Kennelijk waren veel oud-leerlingen van Arcadia later curator, verzamelaar, kunsthandelaar en criticus geworden. Veel van hen waren afkomstig uit rijke families of hadden geld getrouwd waardoor ze het nu voor het zeggen hadden in de New Yorkse kunstwereld. Een paar waren zelf kunstenaar geworden.

'Ze moeten wel heel veel om de school geven,' fluisterde ik tegen Toby.

'Waarschijnlijk willen ze zeker weten dat ze het loodje heeft gelegd,' fluisterde Toby terug, terwijl hij de rij die in de richting liep van de open kist in de gaten hield. 'Ik denk dat sommigen gewoon bang zijn dat ze weer uit de kist springt en eist dat er meer geld wordt gedoneerd.'

Ik huiverde al bij het idee, want ik vond deze vorm van lijkschouwen wel heel macaber. De enige begrafenissen die ik had meegemaakt waren Joodse plechtigheden geweest, allemaal met een gesloten kist. Het laatste wat ik wilde, was haar in het gezicht kijken. Ik vroeg me af of ik misschien zonder te kijken door kon lopen, maar toen ik bij de kist kwam, lukte me dat absoluut niet. Maar ik schrok gewoon toen ik zag hoe vredig Ivy eruitzag. Haar gezicht dat bij leven zo verschrompeld en gerimpeld was geweest was nu ontspannen, hetzij omdat de begrafenisondernemer er een truc mee uit had gehaald of omdat de dood de spanning uit haar gelaatstrekken had gewist. Maar toch kon ik niet lang naar haar kijken zonder aan die blik vol afschuw te denken die ik op haar gezicht had gezien toen ze daar op de rand van de kloof stond. Ik liet mijn blik dwalen naar de kraag van haar mantelpakje, waarop de speld zat die ze haar leven lang had gedragen: de krans van klimop rond de twee heiligen die op een wolk ten hemel voeren. Ik prevelde een schietgebedje in de hoop dat ze uiteindelijk toch een beetje vrede had gevonden.

Aan het eind van de dienst vroeg de geestelijke of iemand nog een paar woorden wilde zeggen over de dode. Het werd afschuwelijk stil en ik dacht dat niemand zich zou melden. Maar toen schraapte Shelley Drake haar keel en stond op. Ze was vreemd uitgedost voor een begrafenis, in een lavendelkleurige bloemetjesjurk en bijpassende lavendelkleurige schoenen. Het was angstig stil in de kapel en ik vroeg me af of ik de enige was die met angst en beven wachtte op wat Shelley zou zeggen.

'We zijn hier vandaag bijeen als een gemeenschap die gebukt gaat onder verdriet en tragedie,' begon ze, met een stem die ijl en beverig klonk in het licht dat door de oude glas-in-loodramen naar binnen viel. 'Velen onder u vragen zich misschien wel af of er nog een toekomst is voor Arcadia na de vreselijke gebeurtenissen van de afgelopen paar maanden. Maar ik weet wat Ivy St. Clare gezegd zou hebben als ze nog in leven was.' Shelley keek naar de open kist. 'Ze zou vragen: wat is het doel van kunst als we daar geen toevlucht meer bij kunnen zoeken in tijden van verlies en teleurstelling? De recente sterfgevallen, van iemand die aan het begin van haar artistieke carrière stond en van iemand die het eind van de hare had bereikt, zijn nog veel tragischer omdat ze met elkaar in verband staan. Misschien zullen we nooit weten wat er werkelijk is gebeurd en of Ivy St. Clare ook schuldig was aan de dood van Isabel Cheney, maar uit haar zelfmoord blijkt duidelijk dat ze zich daar even verantwoordelijk voor voelde als voor de dood van Lily Eberhardt. Ze was ervan overtuigd dat ze met haar daden de Arcadia School in leven kon houden. Dat het een tragische vergissing was, weten we inmiddels. Maar moeten we daarom dit toevluchtsoord voor de artistieke geest sluiten? Misschien zullen we nooit begrijpen wat rectrix St. Clare heeft bewogen, maar we mogen wel de hoop koesteren dat in de jaren die voor ons liggen haar zonden afgelost zullen worden door de kunstenaars die hier nog naartoe zullen komen en die hier zijn opgeleid. Wat is kunst per slot van rekening anders dan een manier om de chaos en de zinloosheid van tragedies en teleurstellingen vorm te geven en in banen te leiden?'

Het was een vreemde toespraak voor een begrafenis, maar ik begreep dat die misschien wel meer bedoeld was voor de bestuursbijeenkomst die later die dag plaats zou vinden. In ieder geval vond het bestuur er niets vreemds aan, want dat benoemde Shelley Drake unaniem tot interim-rectrix.

Tijdens de thee en de receptie die volgden op de bestuursvergadering uitte ik mijn verbazing tegenover Toby Potter. 'Ik had nooit gedacht dat Shelley over de organisatorische eigenschappen beschikte om leiding te geven aan een school,' zei ik. En omdat ik bang was dat ik een beetje al te kritisch klonk, voegde ik eraantoe: 'Ik bedoel maar, haar kwaliteiten liggen toch meer op het artistieke dan op het bureaucratische vlak.'

'Met andere woorden, jij denkt dat ze te geschift is om leiding te geven aan iets wat meer inhoud heeft dan het verkopen van koekjes voor het goede doel,' vertaalde Toby mijn twijfels over

Shelley met een kwaadaardig grijnsje. 'Maar maak je geen zorgen. Volgens mij is die hele houding van "verstrooide kunstenares" waar ze zo goed in is, gewoon een pose. Ik denk dat ze die handig vond om bepaalde vervelende verantwoordelijkheden uit de weg te gaan. Het zou mij niets verbazen als ze uiteindelijk een capabele en bijzonder strenge leidster blijkt te zijn.'

Ik was verbaasd over die opvatting van Toby, vooral omdat hij de eerste keer dat we elkaar ontmoetten behoorlijk had doorgezaagd over de geestelijke labiliteit van Shelley. Maar toen herinnerde ik me weer hoe georganiseerd ze de zoektocht naar Isabel had aangepakt. Ze was zelfs met roze hoofddoekjes en fluitjes op de proppen gekomen. 'Denk je dan dat het bestuur haar benoemd heeft vanwege haar organisatorische kwaliteiten?'

'Nee.' Toby wiegde heen en weer als een opwindspeeltje en grinnikte vrolijk. 'Ze hebben haar tot interim-rectrix benoemd omdat de Sheldons de grootste weldoeners van de school zijn.'

'Echt waar?' Ik keek over Toby's hoofd naar Shelley, die geflankeerd werd door een vrouw van middelbare leeftijd in een kasjmieren pakje met parelketting en een man in een donkerblauwe blazer, een gestreken roze overhemd en een kakikleurige katoenen broek. Het stel zag eruit alsof ze rechtstreeks vanuit de Greenwich Country Club hiernaartoe waren gekomen. Shelley had nog steeds de flodderige flanellen jurk aan die ze ook bij de begrafenis had gedragen en ik zag dat de stof onder de verfspatten zat. Ze was erin geslaagd om haar kroezende grijze haar in een knotje te dwingen, maar daar staken aan alle kanten nog onwillige pieken uit, waardoor het aan een slordig geknipte heg deed denken. 'Ik weet nog wel dat ze tegen me gezegd heeft dat een van de redenen waarom ze hier op Arcadia lesgaf, was dat haar chique familie dat maar nauwelijks kon verkroppen. Maar als haar familie de school financieel ondersteunt...'

'Waarom zouden ze zich er dan aan ergeren dat ze hier lesgeeft?' maakte Toby mijn vraag af. 'Daar is geen enkele reden voor, lijkt me. Ik kan me ook nauwelijks voorstellen over welke familie ze het had. Haar moeder, Fleur Sheldon, is al jaren geleden in een psychiatrische inrichting overleden. Onze Shelley kreeg van het advocatenkantoor van de familie een voogd toegewezen en is opgevoed door kindermeisjes en kostscholen. Nee, Shelley mag dan naar believen de rol van de rebelse kunstenares op zich nemen, ze heeft precies hetzelfde gedaan wat haar grootmoeder Gertrude Sheldon dolgraag zou hebben gewild: ze heeft Vera Beechers rol als meesteres van Arcadia overgenomen.'

Ik keek nog eens naar Shelley en zag haar knikken terwijl ze ondertussen met een verlegen glimlachje de loshangende plukjes haar platstreek. Ze leek zich volkomen op haar gemak te voelen. Toen ik me herinnerde hoe jaloers Gertrude Sheldon op Vera Beecher was geweest, moest ik Toby wel gelijk geven: ze zou het fantastisch hebben gevonden dat haar kleindochter het beheer over Arcadia had overgenomen.

In de dagen en weken daarna merk ik dat Toby het ook bij het rechte eind had met betrekking tot Shelleys verborgen organisatorische kwaliteiten. Hoewel ze zich meer op reorganisatie richt. Ze lijkt overal tegelijk te zijn, duikt onaangekondigd op bij allerlei lessen, houdt informele bijeenkomsten met leerlingen om te horen welke richting Arcadia volgens hen in moet slaan en bemoeit zich zelfs met de gang van zaken in Dymphna's keuken door voor te stellen dat er vegetarische menu's beschikbaar komen en toetjes met een lager caloriegehalte.

Ze heeft zelfs Callum Reade uitgenodigd om een toespraak te houden over veiligheidsmaatregelen op het schoolterrein. Ik ga er heen omdat het verplicht is, maar ik voel me niet op mijn gemak en doe net alsof ik druk aantekeningen zit te maken zodat ik hem niet aan hoef te kijken. Want ik heb het gevoel dat iedere keer als ik opkijk zijn blik strak op mij gevestigd is.

Het was niet mijn bedoeling om zo'n onbehaaglijke verstandhouding tussen ons te creëren. In het begin had ik alleen maar aandacht voor Sally, zodat hij er gewoon bij inschoot. Toen hij naar het huisje toe kwam, liet ik hem op de stoep staan en legde uit dat Sally thuis was en dat ik me op haar wilde concentreren.

'Ze is bang dat ze me kwijt had kunnen raken,' verklaar ik, onaangenaam getroffen door de gekwetste uitdrukking op zijn gezicht. 'Het is nu niet het geschikte moment om haar met een nieuwe persoon in haar leven te confronteren.'

Hij respecteerde mijn wensen en bleef weg. En na een paar weken begon ik me af te vragen of het niet toevallig ook zijn eigen wensen waren.

In de slapeloze nachten die ik naast de open haard in mijn huisje doorbracht, houd ik mezelf voor dat ik het Callum niet kwalijk mag nemen dat hij wegbleef. Waarschijnlijk is dat toch het beste. Sally heeft er nog geen behoefte aan dat ik een andere man krijg en trouwens, hoeveel heb ik eigenlijk gemeen met Callum Reade?

Ik ben er bijna in geslaagd mezelf wijs te maken dat hij me niets meer doet als ik hem in de laatste week van het semester tegenkom op het pad naar het huisje. Dat mijn hart ineens begint te bonzen komt omdat ik schrik.

'Wat doe je hier?' vraag ik. Het klinkt lomper dan mijn bedoeling is. Hij houdt zijn hoofd scheef en blijft me even aankijken voordat hij antwoord geeft. Hij heeft donkere kringen onder zijn ogen, maar verder is het moeilijk om zijn gezichtsuitdrukking te doorgronden. In de vroege schemering van de naderende winter is het donker hier onder de dennenbomen.

'Rectrix Drake heeft me gevraagd om een kijkje te nemen op dit pad en haar te vertellen waar ze beveiligingsverlichting moet laten aanbrengen,' antwoordt hij even later.

'O,' zeg ik. Ik voel me dom, alsof ik hem ervan beschuldigd heb dat hij me bespioneert. 'Is dat niet een beetje... weet ik veel... aanmatigend?'

Hij lacht. 'Heb ik niet iets beters te doen, bedoel je? Ja, dat idee had ik ook wel een beetje, maar ik heb rectrix St. Clare jarenlang verteld dat dit pad eigenlijk verlicht zou moeten worden, dus ik ging er maar van uit dat het geen zin meer had om nu trots te doen. En trouwens, ik had nog een reden om hiernaartoe te komen. Ik wilde met jou praten.'

'O,' zeg ik en dwing mezelf om hem recht aan te kijken. 'Als het daarom gaat... Dat had ik je eigenlijk al moeten vertellen, maar ik denk erover om na de kerstvakantie te vertrekken. Sally schijnt het feit dat ze Ivy dood heeft zien vallen maar niet van zich af te kunnen zetten. Ze wijkt nauwelijks van mijn zij. Volgens mij zou het verstandiger zijn om haar weg te halen van een plek met zoveel nare herinneringen. Dus je begrijpt dat het eigenlijk weinig zin heeft... ik bedoel... voor jou en mij...'

Terwijl ik steeds meer begin te hakkelen, staat Callum met zijn armen over elkaar te luisteren en lijkt zich tevreden te stellen met toe te kijken hoe ik sta te bazelen en mezelf aanstel. Als ik eindelijk mijn mond hou, schenkt hij me een verdrietig maar neerbuigend glimlachje, alsof ik de dorpsgek ben.

'Ik had er al rekening mee gehouden dat je na de vakantie niet terug zou komen. Daarom wilde ik ook met je praten voordat je weg bent. Ik moet je iets vragen over de avond waarop Isabel Cheney om het leven kwam.'

'O,' zeg ik en hoop dat er te weinig licht is om te zien dat ik bloos. 'Ja, natuurlijk. Wat kan ik voor je doen, sheriff?'

Hij lijkt even achteruit te deinzen als ik zijn titel gebruik, maar dat kan ook liggen aan de schittering van de ondergaande zon, die precies tussen de dennenbomen door valt. Hij beschut zijn ogen en wendt zijn blik af. 'Jij hebt toch nog voor het vreugdevuur met rectrix St. Clare gesproken?'

'Ja, in haar kantoor.'

'En weet je nog wat ze toen aanhad?'

'Eh... een tuniek en een lange broek.'

'Welke kleur?'

'Donkergroen, volgens mij. Waarom...'

'En later, toen je haar bij het raam zag staan, had ze toen hetzelfde aan?' Callum kijkt me recht aan. De zon die in zijn ogen scheen, is gezakt, maar het amberkleurige licht dat van de onderste helft van zijn gezicht weerkaatst, geeft zijn ogen een doordringende groengouden glans en die blik is zo zenuwslopend dat ik mijn eigen ogen dicht moet doen. Maar als ik dat doe, zie ik in gedachten Ivy St. Clare achter haar donkere raam staan.

'Dat kon ik niet zien. Het licht in haar kantoor was niet aan.'

Hij zucht. 'Ik kon het ook niet zien. Chloe zegt dat ze in het bos een vrouw in het wit heeft gezien. Maar waarom zou Ivy zich omkleden in een witte jurk? Ze nam geen deel aan het feest rond het vreugdevuur.'

'Maakt het dan wat uit?' vraag ik. 'Ivy heeft zelf toch toegegeven dat ze die avond in het bos was.'

'Ze heeft toegegeven dat ze boven op de richel was, maar ze heeft niet gezegd dat ze Chloe in de appelboomgaard is tegengekomen.'

'Misschien heeft Chloe zich die vrouw in het wit wel verbeeld, omdat ze zichzelf had wijsgemaakt dat ze in de legende geloofde.'

'Of misschien was er die avond nog iemand in het bos, iemand die Isabel van de richel heeft geduwd.'

Ik besef ineens waar die donkere kringen vandaan komen. Callum Reade was in New York City verantwoordelijk voor de dood van een jonge man en hij kan het idee niet verdragen dat de dood van een ander jong mens onopgelost blijft, zelfs als dat betekent dat hij achter een legende aan moet jagen.

'Ben je daarom zo inschikkelijk tegenover rectrix Drake... zodat je op het schoolterrein verder kunt zoeken naar bewijsmateriaal?'

Hij glimlacht. In tegenstelling tot het lachje van een minuut geleden, komt dit triest en verdrietig over. 'U hebt me door, mevrouw Rosenthal. Ik ben in het bos op zoek naar tekens en voorboden.' Hij strekt zijn armen uit, met de palmen naar boven, en kijkt dan omhoog alsof de tekens en de voorboden waarover hij het had in de toppen van de dennen verborgen zitten. Dan snuift hij de lucht op en stuurt me weg. 'Ga maar gauw naar huis,' zegt hij tegen me. 'Het ruikt alsof er sneeuw komt.'

Die nacht word ik wakker omdat het veel te stil is. Ik ben gewend geraakt aan de dennenbomen die staan te zuchten en te kraken in de wind en aan het gemurmel van de Wittekill die langs mijn huisje stroomt. Maar als ik midden in de nacht wakker word, is er geen geluid te horen. Het huisje ligt in een dikke dot stilte. Ik sta op om uit het raam te gaan kijken, half-en-half verwachtend dat het hele bos verdwenen is, omdat de bomen net als in Lily's sprookje tot leven zijn gekomen en de benen hebben genomen. In plaats daarvan kom ik tot de ontdekking dat de bomen gehuld zijn in zware witte gewaden en dat hun takken tot zwijgen zijn gebracht door de constant vallende sneeuw. Dat doet me denken aan de nacht waarin Lily de meisjes in Saint-Lucy's voor het eerst het verhaal van het wisselkind had verteld en Lily zelf dacht dat ze de hele wereld in slaap had gesust met haar verhaaltje. Pas daarna kwam ze tot de ontdekking dat het de sneeuw was die de kreek tot zwijgen had gebracht. Ze had de meisjes beschreven als rupsen die uit hun cocon kropen en als een stel motten naar de ramen fladderden. Heel even, nu ik hier in mijn eigen donkere slaapkamer naar de in het wit gehulde bomen sta te kijken, voel ik ze om me heen: al die meisjes die zo ver van huis zijn gekomen om bij vreemden het leven te schenken aan hun baby en die zitten te luisteren naar een verhaal over een meisje dat in het bos verdwaalt. Ik voel dat ze zitten te wachten tot ik het verhaal afmaak.

Maar ik denk niet dat ze het einde dat ik voor hen in petto heb leuk zouden vinden.

Als ik weer in bed stap, kruip ik diep onder de dekens om de stilte van de wachtende meisjes te smoren, maar ik kan me er niet aan onttrekken: aan dat gevoel dat de tijd stilstaat en dat ik hier voor altijd zal moeten blijven, alleen en geïsoleerd in de stilte van de sneeuwbui. Het duurt heel lang voordat ik weer in slaap val.

's Ochtends sneeuwt het nog steeds. Als ik Sally wakker maak, zeg ik dat ze eerst even uit het raam moet kijken, omdat ik me herinner hoe haar gezicht ieder jaar opnieuw opklaarde bij de aanblik van verse sneeuw. Maar als ze nu naar de schitterende nieuwe wereld kijkt, zucht ze alleen maar. 'Ze hebben hier vast geen ijsvrij,' zegt ze als ze weer onder de dekens kruipt.

Maar Sally vergist zich. Tijdens het ontbijt in de grote eetzaal kondigt Shelley – of rectrix Drake zoals ze nu graag genoemd wil worden – aan dat alle lessen zijn afgelast omdat het toch de laatste dag van het semester is. 'Ik wil niet dat iemand in de kloof valt,' zegt ze. Ze hoeft er niet bij te zeggen net als rectrix St. Clare of net als Isabel, want die namen weergalmen toch in de stilte die op haar aankondiging volgt. De enige die iets zegt, is Dymphna, maar dat is alleen een binnensmonds gemompel dat ik alleen kan verstaan omdat ik naast haar bij de theepot sta.

'Rectrix St. Clare zou nooit lessen afgezegd hebben omdat er een beetje sneeuw naar beneden is gekomen.'

Verrast door haar scherpe toon kijk ik haar even aan. Haar ronde gezicht met de kuiltjes in de wangen is roze van onderdrukte woede. Waarschijnlijk is ze de enige op Arcadia die Ivy St. Clare echt mist.

'Misschien komt het door haar onervarenheid dat rectrix Drake zo overdreven voorzichtig is. Ik weet zeker dat ze alleen maar haar best doet om ervoor te zorgen dat de leerlingen niets kan overkomen.'

'Wou u soms zeggen dat miss St. Clare niet altijd aan de veiligheid van die kinderen dacht?' vraagt ze terwijl ze nog roder wordt. 'U wilt me toch niet vertellen dat u dat onzinnige verhaal dat zij Isabel Cheney kwaad heeft gedaan echt gelooft? Zoiets zou ze nooit doen.'

'Maar ze heeft bekend dat ze Lily Eberhardt heeft vermoord,' zeg ik zo vriendelijk en zacht als ik kan. Het valt me op dat Shelley, die zit te vertellen hoe de leerlingen hun kamers achter moeten laten, boos naar ons zit te kijken.

'Ja, nou ja, daar keek ik eigenlijk niet echt van op. Mijn moeder zei altijd dat miss St. Clare Lily niet uit kon staan en dat ze vanaf de dag dat ze hier binnenkwam verschrikkelijk jaloers op haar is geweest. Maar dat was iets heel anders. Arcadia betekende alles voor de rectrix. Ze zou nooit iets doen wat de school – of de leerlingen – schade zou toebrengen.'

Ik zou kunnen opmerken dat ze misschien heeft gedacht dat Isabel vermoord moest worden om de school in bescherming te nemen of dat het een ongeluk is geweest, maar nu is Clyde Bollinger naar de theepot toe gekomen en steekt zijn mok uit voor een kop thee.

'De Arcadia-melange?' vraagt hij.

'Sorry, lieverd, maar die is op en de nieuwe rectrix zegt dat we van nu af aan alleen maar cafeïnevrije dranken mogen schenken,' vertelt Dymphna hem. 'Dus je kunt kiezen tussen kamille of thee van frambozenblaadjes die bijzonder goed schijnt te zijn voor de harmonisatie van de baarmoeder.'

De arme Clyde verschiet van kleur. 'Eh... nee, dank u wel. Zou ik u even kunnen spreken, mevrouw Rosenthal?'

'Natuurlijk,' zeg ik. 'Zullen we even naar de leeskamer gaan? Die is vast leeg nu iedereen hier zit.'

Clyde knikt dankbaar en loopt voor me uit, na een laatste argwanende blik op Dymphna voor het geval ze ook andere organen wil 'harmoniseren'. Ik moet me haasten om hem bij te benen als hij met grote passen de eetzaal uit en de trap naar de leeskamer op loopt. 'Als het de bedoeling is dat ik iets doe aan het veranderde thee- en koffiebeleid, dan vrees ik dat ik je niet kan helpen,' zeg ik tegen hem als we in de leeskamer aankomen. 'Maar als je naar mijn huisje komt, wil ik met alle plezier een stevige kop earl grey voor je zetten.' Ineens komt de gedachte bij me op dat het misschien een leuk gebaar zou zijn om een paar van mijn leerlingen bij mij thuis uit te nodigen, omdat ik door Shelleys besluit om de lessen van de laatste dag af te zeggen geen kans meer krijg om afscheid van ze te nemen.

'Het gaat niet om de thee, mevrouw Rosenthal. Het gaat om Chloe.'

'Wat is er aan de hand?' zeg ik terwijl ik gebaar dat hij op de bank moet gaan zitten en zelf een stoel bijtrek om voor hem te gaan zitten.

Hij laat zijn lange, slungelachtige lijf voorzichtig op de bank neerzakken en gaat voorovergebogen zitten, met de ellebogen op de knieën. Onwillekeurig voel ik me ineens een beetje schuldig. Ik maakte me weliswaar zorgen over Chloe toen ik hoorde dat ze na de dood van de rectrix niet naar huis zou gaan, maar ik heb het veel te druk gehad met Sally om Chloe de afgelopen weken meer dan oppervlakkig in de gaten te houden. Ze maakte een vrij timide indruk, maar leek niet echt overstuur. Ze heeft haar werkstukken op tijd ingediend, antwoordde tijdens de les op de vragen die haar gesteld werden en ze zag er zelfs uit alsof ze een paar pondjes was aangekomen, hoewel dat ook kan hebben gelegen aan de dikke truien en de wijde corduroy broeken die ze ging dragen toen het wat kouder werd.

'Ze voelt zich toch niet nog steeds schuldig aan Isabels dood? Ik heb haar proberen uit te leggen dat de kans groot is dat de rectrix haar over de rand heeft geduwd en dat zij dat onmogelijk had kunnen voorkomen.'

'Volgens mij heeft ze daar helemaal geen boodschap aan,' zegt Clyde. 'Zij zegt dat als ze die streek niet had uitgehaald Isabel nooit naar de richel zou zijn gelopen. En nu vindt ze dat het ook haar schuld is dat de rectrix dood is. Ze wil op de avond van de zonnewende een soort zuiveringsceremonie houden om die cyclus van schuld en vergelding te doorbreken.'

'Ik vind dat we meer dan genoeg ceremonies hebben gehad,' zeg ik tegen Clyde. 'Trouwens, het zonnekeerpunt is morgen al. En dan gaat iedereen naar huis voor de kerstvakantie.'

'Maar zij blijft hier tijdens de feestdagen. Ze heeft miss Drake, ik bedoel de rectrix, gevraagd of ze in haar kamer mocht blijven en de rectrix heeft ja gezegd.'

Ik sta op en zeg tegen Clyde dat hij zich geen zorgen moet maken. 'Ik praat wel met Chloe. Als ik haar niet zover kan krijgen dat ze naar huis gaat, zal ik zeggen dat ze bij Sally en mij kan logeren. Dan kunnen we samen de kortste dag vieren.'

Ik heb Chloe binnen de kortste keren gevonden. Zodra het ontbijt voorbij is, maken de leerlingen zich uit de voeten met de grote dienbladen uit de eetzaal en hollen naar de heuvel boven de appelboomgaard om te gaan sleeën. Ik kom Sally en Haruko tegen die op weg zijn naar het huisje.

'We hebben die oude slee van pap nog wel, hè?' vraagt Sally. 'Die heb je toch niet weggegeven?'

Met een schuldig gevoel vraag ik me ineens af of ik dat echt niet heb gedaan. Tegen de tijd dat in Great Neck zo'n beetje alles was ingepakt, was ik behoorlijk meedogenloos geworden en ik kan me nog vaag herinneren dat ik in de garage een prijssticker op Judes oude Flexible Flyer heb geplakt. Maar dan herinner ik me ook weer dat ik midden in de nacht terug ben gegaan en die sticker er weer af gehaald heb. Hij had die slee al vanaf zijn achtste en in het eerste jaar dat we in Great Neck woonden, had hij de tien maanden oude Sally erop door de achtertuin gesleept. 'Wanneer ze wat ouder is, leer ik haar wel sleeën,' had hij gezegd. Maar omdat de winters in Long Island zacht zijn en we meestal in Florida Kerstmis vierden, was de slee de afgelopen zestien jaar nauwelijks gebruikt. Op het laatste moment kon ik er toch geen afstand van doen. Het ding leek beladen met alles wat we niet meer met Jude zouden kunnen doen.

'Volgens mij staat die in de garage,' zeg ik tegen Sally.

'Zie je nou wel,' zegt ze tegen Haruko. 'Mijn moeder heeft alle belangrijke dingen bewaard.' Dan draait ze zich om en schenkt me een lachje dat me dwars door mijn ziel snijdt. Ik durf mijn mond nauwelijks open te doen uit angst dat ik iets zal zeggen wat alles bederft, maar als ik haar zie rillen in haar dunne jack rollen de woorden 'als je toch naar huis gaat, kun je maar beter je parka aantrekken' ongewild over mijn lippen. Sally kijkt Haruko aan en slaat haar ogen ten hemel, maar haar lach wordt alleen maar breder en dan gaan de twee meiden ervandoor. Ik blijf ze nog even nakijken en dank de hemel in stilte voor de veerkracht van de jeugd. Maar dan draai ik me om en mijn vertrouwen in die veerkracht krijgt meteen weer een deuk als ik Chloe boven op de heuvel zie staan waar iedereen aan het sleeën is. Ze staat op precies dezelfde plek waar ze ook stond op de avond van Halloween, alleen heeft ze nu een poederblauwe North Face-parka aan in plaats van een wit gewaad. Haar gezicht ziet er even gekweld uit als die avond. Hoe kan het dat ik die donkerblauwe kringen onder haar ogen en haar gezwollen rode oogleden niet heb opgemerkt?

'Ga je niet sleeën?' vraag ik als ik bij haar ben. 'Het ziet er heel leuk uit.'

Ze schudt haar hoofd. 'Ik vind dat gevoel van vallen niet fijn. Dat doet me denken aan...' Ze hoeft haar zin niet af te maken. Ik vraag me af of ze net als ik nachtmerries heeft over vallen. We blijven een minuutje staan kijken hoe haar klasgenoten op hun geïmproviseerde snowboards de heuvel af suizen, joelend in een mengeling van angst en verrukking en schaterend als ze onderaan met bord en al onderuit gaan. Ik kan me de tijd niet meer herinneren dat ik jong genoeg was om te genieten van dat gevoel van gewichtloosheid en de roes van de zwaartekracht, maar ik vind het triest dat Chloe dat vermogen al op zo'n jonge leeftijd is kwijtgeraakt.

'Luister eens,' zeg ik, 'ik hoorde dat je van plan was om tijdens de feestdagen hier te blijven. Waarom kom je dan niet bij Sally en mij logeren? Het zal in het huisje vast gezelliger zijn dan in het studentenhuis en ik weet zeker dat Sally je gezelschap op prijs zal stellen.'

'Echt waar? Zou u dat niet vervelend vinden?'

'Nee, natuurlijk niet,' zeg ik, maar ik vraag me wel af of het echt verstandig is om Sally met zo'n sombere kamergenoot op te zadelen. 'Breng je spulletjes morgen maar gewoon mee.'

Terwijl ik wegloop bij Chloe kom ik Shelley tegen. 'Ik zag dat je met Chloe stond te praten,' zegt ze. 'Is alles goed met haar?'

'Dat weet ik niet,' beken ik. 'Ze voelt zich nog steeds verantwoordelijk voor Isabels dood.'

'Voor Isabels dood? Maar ze weet toch dat het Ivy's schuld was?'

'Ja, maar als zij die streek niet met Isabel had uitgehaald...' De wezenloze blik op Shelleys gezicht doet me eraan denken dat ik Shelley nooit iets heb verteld van het gedoe met de jurk. Ik vertel haar kort wat zich heeft afgespeeld en sluit af met de verschijning van de vrouw in het wit. 'Natuurlijk kan ze zich dat laatste ook verbeeld hebben.'

'Uiteraard. Die meisjes kunnen knap hysterisch zijn.'

'Ja, dat klopt,' zeg ik en moet me bedwingen om niet in lachen uit te barsten om Shelley Drake die iemand anders hysterisch noemt.

DERTIG

Sally besluit die avond in het studentenhuis te blijven omdat de leerlingen een feestje geven. Ik ben blij dat ze zover is dat ze zich weer buitenshuis durft te wagen, ook al voelt het huis eenzaam aan zonder haar. Ik wil niet zo'n moeder worden die zich vastklampt aan haar kinderen, prent ik mezelf wel tien keer in terwijl ik mijn eenzame maaltje klaarmaak, de laatste proefwerken van mijn leerlingen nakijk en naar buiten staar waar het maar blijft sneeuwen.

Ik had hun gevraagd om hun eigen wisselkindverhalen te schrijven en op die manier na te gaan welke betekenis de mythe van het wisselkind voor hen heeft. Ik ben diep onder de indruk van de diverse manier waarop ze gereageerd hebben – er is een sci-fi verhaal van Clyde Bollinger en een hartverscheurend verhaal van een meisje dat het hele kwartaal haar mond nauwelijks heeft opengedaan over haar broer die in een afkickkliniek zit. (Af en toe heb ik het idee dat hij niet dezelfde broer is die vroeger altijd met me zat te ganzenborden... dat die midden in de nacht ontvoerd is en vervangen door een buitenaards wezen.) Maar het verhaal dat me het best bevalt, is dat van Hannah Weiss.

Ze had me al verteld dat, toen ze haar moeder vroeg hoe dat nu zat met die foto, haar moeder bekende dat ze nooit aan Vassar was afgestudeerd. Ze had haar studie opgegeven toen ze met Hannahs vader trouwde. En ze zei tegen Hannah dat ze haar dat nooit had verteld omdat ze geen slecht voorbeeld wilde zijn. En dat ze hoopte dat Hannah nu dankzij de privéschool aan de oostkust de kans zou krijgen om te doen wat haar moeder had nagelaten. In haar werkstuk schrijft Hannah:

> *Wat mij zo bevalt aan al die verhalen over wisselkinderen die we het afgelopen semester gelezen hebben is dat aan het eind het echte kind altijd terugkomt. Je kunt je moeder niet voor de gek houden. Zij weet wie je werkelijk bent, ook al wens je af en toe dat dat niet zo zou zijn. Af en toe zou je veel liever bij een andere familie horen – een familie van feeën die onder een boom in het bos woont – maar uiteindelijk bestaat je echte familie uit mensen die weten wie je werkelijk bent.*

'S Ochtends sneeuwt het niet meer, maar de snelweg is gesloten en volgens de radio zijn de volgende zware buien alweer op komst. Sally komt samen met Haruko rond twaalf uur opdagen.

'Haruko's ouders kunnen hier vanwege de sneeuw niet naartoe komen. Mag zij vanavond hier blijven?'

Een klein uurtje later arriveert Chloe in het gezelschap van Clyde en Hannah Weiss die allemaal koffers meezeulen. Clydes ouders hebben door de sneeuw ook vertraging opgelopen en Hannahs vlucht naar Seattle is geannuleerd.

'Hé!' merkt Sally op. 'Dan hebben we genoeg mensen om Risk te spelen. De spelletjes die ik vroeger met mijn vader deed, waren marathonpartijen. Mam, hebben we dat nog...'

Ik heb de doos al tevoorschijn gehaald voordat Sally haar zin kan afmaken, blij dat het verfomfaaide bordspel (waar wat infanterie aan ontbreekt, plus de helft van Kamchatka) de strooptocht voor de rommelmarkt heeft overleefd. Ik heb alle belangrijke dingen bewaard, zei ze gisteren. Een slee, een spel, wat potten en pannen... een paar magische talismans als bescherming tegen het duister. Hoe kon je ooit weten wat uiteindelijk de belangrijke dingen zouden zijn? Ik laat het vijftal alleen, languit op de vloer van de woonkamer met genoeg chocolademelk, popcorn en imperialistische neigingen om de middag door te komen, terwijl ik naar het dorp ga om proviand in te slaan voor het slechte weer dat er aankomt.

De snelweg mag dan gesloten zijn, maar de weg naar het dorp is keurig schoongemaakt en in het dorp zelf is het een drukte van belang. Onder hun witte dekens zien de vervallen quasivictoriaanse en Griekse huizen eruit alsof ze een verse lik verf hebben gekregen. De schoongemaakte trottoirs zijn vol voetgangers die driftig heen en weer rennen tussen de supermarkt en de ijzerhandel, om voorraden in te slaan voor de komende storm. De ruiten van het Rip van Winkle Restaurant zijn beslagen door de adem van alle inwoners die zich te goed doen aan Dymphna's taarten en hete koffie.

In de supermarkt sla ik de ingrediënten in voor lasagne, salade en knoflookbrood, ervan uitgaande dat al die jongelui ook blijven eten. Het zal best fijn zijn om weer eens een huis vol te hebben, denk ik. Ik neem nog wat extra pakken melk en twee pakken Ben & Jerry's-ijs mee. Ik gebruik de telefooncel bij de drogist om naar huis te bellen. Als Sally opneemt, hoor ik gelach op de achtergrond en Haruko die roept: 'Ik lust dat land van jou rauw!'

'Is alles in orde bij jullie?' vraag ik.

'Ja,' zegt Sally ademloos, alsof zij ook heeft zitten lachen. 'Ik had geen flauw idee dat Haruko zo fel is op de wereldheerschappij.'

Ik lach. 'Dat heb je altijd met die stille types. Hé, het leek me een goed idee om eten voor iedereen te maken... zijn ze er nog allemaal?'

'Alleen Chloe en Haruko nog. Clydes ouders zijn aangekomen en hebben Hannah ook meegenomen. Ze blijft bij de Bollingers logeren tot ze op een vliegtuig naar Seattle kan stappen. Rectrix Drake was bij hen. Ik heb haar verteld dat je naar het dorp was...' Ik mis het volgende wat Sally me vertelt omdat er ineens een bandje wordt afgespeeld waarop wordt gezegd dat ik een kwartje moet bijstorten om nog vijf minuten te kunnen praten. Ik stop het muntje in de automaat en hoor Sally zeggen: '... dus heb ik onze grafkaarsen gepakt, maar ik wilde eerst vragen of jij het goed vindt dat we die gebruiken?'

Rectrix Drake heeft kennelijk gecontroleerd of we berekend zijn op een stroomuitval. Ik heb de grafkaarsen gekocht om ze aan te steken op de overlijdensdag van Jude en realiseer me nu met een schuldig gevoel dat ik dat vergeten ben.

'Ja hoor,' zeg ik, 'zoals je overgrootmoeder Miriam altijd zei: "Er is op deze dag vast wel iemand doodgegaan."' Als ik naar mijn auto in Maple Street loop, valt me op dat er rook komt uit de schoorsteen van het blauwe Queen Anne-huis dat Callum Reade heeft opgeknapt. Er hangen gordijnen voor de ramen en de deur is versierd met een krans van dennentakken. Kennelijk is het gekocht door een of ander stel uit de stad. Ik ben blij dat Callum het met winst heeft kunnen verkopen, maar het gaat me toch aan het hart dat iemand anders het gezellige familieleven leidt dat ik in gedachten voor me zag toen ik de afgelopen zomer langs dit huis kwam.

Hè ja, nu doe ik niet alleen sentimenteel over mijn verleden met Jude, maar ook over een toekomst die puur verbeelding was. Maar bij de aanblik van de kleine bungalow van Beatrice Rhodes kikker ik weer op. Dat is een vrouw die gewoon in haar eentje heeft gezorgd dat ze een gelukkig leven heeft. Bij haar hangt ook een krans op de deur – hulst, geen dennentakken – en de rook komt niet uit de schoorsteen van het huis, maar uit de schoorsteen van de studio erachter. Ze moet vanmorgen al vroeg aan het werk zijn gegaan. Het is zo'n uitnodigend tafereeltje dat ik besluit om mijn boodschappen in de auto te zetten en dan even bij

Beatrice Rhodes op bezoek te gaan en misschien tegelijkertijd even kijken of ik een paar kerstcadeautjes op de kop kan tikken.

Ik loop over een smal paadje – ter breedte van een sneeuwschuiver – om het huis naar de studio, waar dikke witte rook uit de schoorsteen komt. Ondanks de kou wordt de deur met behulp van een aardewerken vaas op een kier gehouden.

'Miss Rhodes?' roep ik als ik over de drempel stap. Ik wil de vrouw niet laten schrikken. 'Beatrice?'

'Ik ben achter,' roept een ijle maar vaste stem uit de achterkamer.

Ik loop om de toonbank heen en stap de werkkamer in. Beatrice Rhodes staat gebukt voor de deur van de oven, afgetekend tegen de oranje gloed. Ze pakt er een blad met blauw geglazuurde kommen uit, die stuk voor stuk glanzen als een Chinese lampion. Als ze het blad op een stalen rooster heeft gezet richt ze zich op, ziet mij en schenkt me een brede glimlach die rimpeltjes veroorzaakt in wangen die roze zijn van de warmte van de oven.

'Mevrouw Rosenthal, ik liep net aan u te denken.'

'Echt waar?'

'Ja, er schoot me iets te binnen dat u vast wel interessant zult vinden.' Ze trekt haar dikke leren handschoenen uit en geeft me een hand. Het valt me opnieuw op hoe zacht haar hand is, net een oude flanellen nachtpon. Ik moet in een van de twee rookstoelen voor de haard gaan zitten en dan begint ze te rommelen in de vakjes van een oude secretaire. 'Het moet hier ergens liggen,' zegt ze. 'Door al die heisa over Ivy's dood moest ik er ineens weer aan denken, maar toen kwamen al die kerstopdrachten en sindsdien heb ik nauwelijks tijd om adem te halen. Neem maar een kopje thee, terwijl ik het opzoek.'

Er staat een grijsgroen geglazuurde theepot met twee bijpassende kopjes op het kleine tafeltje tussen de beide stoelen, alsof ze op me zat te wachten. Samen met de *New York Times* van vandaag, opengeslagen bij de kruiswoordpuzzel die helemaal is ingevuld met balpen. Niet gek voor de puzzel van zaterdag, denk ik. Beatrice Rhodes is kennelijk behoorlijk bij de tijd, ook al komt ze nu even warrig over.

'Het begon al bij de begrafenis van Ivy. Die speld die ze droeg, deed me ergens aan denken, alleen wist ik niet meer aan wat. Maar nu weet ik zeker dat hij hier ergens in dit bureau ligt, want daar heb ik hem verstopt.'

'Wat ligt er dan in het bureau?' vraag ik, omdat ik me niet meer kan inhouden. 'Wat zoekt u?'

Beatrice kijkt om en gaat rechtop staan om me aan te kijken. 'De speld, natuurlijk. Heb ik dat niet gezegd? Ivy's speld.' Ze draait zich weer om naar het bureau alsof daarmee alles verklaard is, maar nu ben ik helemaal in de war. Volgens mij weet ik wel over welke speld ze het heeft – de zilveren broche met de krans van klimopblaadjes die Ivy altijd droeg – maar ik kan me duidelijk herinneren dat ik die in de kist op Ivy's kraag heb zien zitten.

'De speld van Ivy? Maar daar is ze mee begraven, miss Rhodes. Dus die kan niet hier in uw bureau liggen.'

'Ja, dat weet ik natuurlijk ook wel... Aha! Daar is hij!'

Beatrice draait zich weer om terwijl ze iets uit een stuk oud en vergeeld papier pakt en steekt dan haar hand naar me uit. Ze heeft precies dezelfde zilveren speld die Ivy St. Clare droeg – dezelfde twee heiligen, moeder en dochter, die op een wolk ten hemel varen – alleen zonder de krans van klimopbladeren.

'Hoe komt u daaraan?'

'Van Fleur Sheldon,' vertelt ze me, terwijl ze in de andere stoel gaat zitten. 'Die was ik helemaal vergeten tot ik de speld zag die Ivy bij de begrafenis op had. Fleur heeft hem hier achtergelaten op de dag dat Lily stierf.'

'Was ze toen hier? Waarom?'

'Ik weet niet eens of ze dat zelf wel wist. Ze leek ontzettend in de war. Ik zat daarginds...' Beatrice wijst naar een raam met een brede vensterbank die schuilgaat achter dikke gordijnen, echt een plekje waar een kind zich kan verstoppen. 'Ik zat naar de sneeuw te kijken en zag haar over het pad aankomen. Ze zag eruit... ik weet het niet... een beetje verwilderd, op de een of andere manier. Haar haar was losgeraakt en bedekt met sneeuw en ze liep zwaaiend over het pad alsof ze dronken was... net als mijn vader als hij thuiskwam uit de kroeg. Dat maakte me bang. Ik had mensen de meest afschuwelijke dingen zien doen als ze dronken waren.'

Haar stem beeft en de hand, waarmee ze nog steeds de speld vasthoudt, trilt. Ik schenk een kop thee voor haar in en sta erop dat ze die opdrinkt voordat ze verder gaat. Hoewel ik heel nieuwsgierig ben naar de rest van het verhaal kan ik zien dat de herinnering haar behoorlijk aanpakt. Maar al na één slokje gaat ze verder, met de speld vastgeklemd in haar hand, tegen haar borst gedrukt.

'Ik was hier nog maar een paar dagen, zie je. Mijn moeder was in oktober overleden en mijn vader kon het allemaal niet aan. Toen tante Ada me voor de kerst over liet komen, wist ik wel dat er sprake van was dat ik zou blijven, maar ik dacht dat het alleen door zou gaan als Ada's vriendin Dora me ook aardig vond. Om eerlijk te zijn wist ik niet eens of ik wel wilde dat ze me aardig zou vinden. Ik hield van mijn vader, maar ik was doodsbang voor hem als hij gedronken had... en tegelijkertijd was ik ook bang voor wat er met hem zou gebeuren als ik er niet meer was om op hem te letten. Dus ik wist eigenlijk niet of ik wel wilde dat tante Ada en Dora me in huis namen. Het ene moment gedroeg ik me engelachtig en meteen daarna ging ik tekeer als de duivel in eigen persoon. Die ochtend, de dag na de kerst, had ik alle ballen in de kerstboom kapotgemaakt en was in ongenade gevallen. Daarom had ik me op de vensterbank achter de gordijnen verstopt toen Fleur binnenkwam. Ze was kletsnat van de sneeuw, dus zetten de tantes haar voor de oven, op dezelfde plek waar jij nu zit.' Beatrice wijst naar mijn stoel. 'Ze zetten thee voor haar. Toen ze niet meer zo zat te klappertanden en weer kon praten, pakte Fleur deze speld die in dit papier zat gerold uit haar zak.' Beatrice laat me de speld in haar hand opnieuw zien. '"Weten jullie wat dit is?" vroeg Fleur met een stem die heel raar klonk. Dora pakte de speld aan en bekeek die voordat ze hem doorgaf aan Ada. Ze keken elkaar even aan op die manier waarop ze zonder woorden met elkaar leken te praten en toen zei Ada: "Dat is een Sint-Lucypenning. Volgens katholieke mensen is zij de beschermheilige van wezen, dus als een baby weggaat uit een weeshuis om geadopteerd te worden, spelden ze die op de kleertjes. Hoe kom je daaraan, Fleur?" Maar Fleur begon meteen te huilen.'

Beatrice kijkt op van de speld die ze nog steeds in haar hand heeft en ik zie dat zij ook tranen in haar ogen heeft. 'Daar werd ik echt bang van – dat gehuil van haar en mijn tantes die over een weeshuis begonnen. Toen drong pas tot me door dat ik in een weeshuis terecht zou komen als mijn vader me niet bij zich kon houden en mijn tantes me niet zouden willen. Ik had meteen spijt dat ik me zo naar gedragen had.'

Beatrice houdt haar mond en neemt nog een slokje thee. Haar hand trilt als ze het kopje oppakt. Geen wonder dat ze de akelige herinnering aan deze gebeurtenis verdrongen heeft. Ik buig naar voren en leg mijn hand op de hare, die fluwelig aanvoelt na al die jaren dat ze met klei heeft gewerkt. Maar haar ogen lijken op die van een kind dat bang is dat het alleen op de wereld komt te staan. 'Toen kwamen er mensen de winkel binnen en Ada liep weg om ze te helpen, terwijl Dora op de oven paste. Ik bleef achter de gordijnen zitten en bad dat ik niet naar een weeshuis zou worden gestuurd. Ik beloofde God dat ik lief zou zijn.' Ze lachte en poetst in haar ogen. 'O, lieve hemel, ik geloof dat ik de meest ongelooflijke dingen heb beloofd. En ik bleef de hele tijd maar bang dat de tantes heel boos zouden zijn als ze erachter kwamen dat ik me op de vensterbank had verstopt. Ze dachten dat ik in mijn slaapkamer zat. Dus toen Ada riep dat Dora ook naar de winkel moest komen, besloot ik om de benen te nemen. Ik had echt het idee dat het meisje zo overstuur was dat ze me helemaal niet zou zien. Maar toen ik achter het gordijn vandaan kwam, keek ze op alsof ik haar betrapt had op iets dat niet mocht. Ze had iets op schoot... een groen boek.'

'Een groen boek? Stond er iets op het omslag?'

Ze knikt. 'Ik was toen nog te jong om dat patroon te herkennen, maar nu weet ik dat het een Franse lelie was, een fleur-de-lis. Dat was het teken van Lily.'

'Denk je dan dat het boek dat Fleur bij zich had Lily's dagboek was?'

'Ja! Dat zal ook de reden zijn geweest waarom Ivy St. Clare dacht dat de tantes het hadden. Ze moet hebben geweten dat Fleur het weggepakt heeft en hiernaartoe is gekomen.' Ze schudt treurig met haar hoofd. 'En dan te bedenken dat ik, toen Ivy de tantes ervan beschuldigde dat ze Lily's dagboek hadden gestolen, ze had kunnen vertellen dat Fleur het had. Maar ik wist echt niet dat het om hetzelfde boek ging!'

'Nam Fleur het weer mee toen ze wegging?'

'Ja. Toen ze mij zag, stopte ze het in haar zak en rende naar buiten. Maar ze nam de speld niet mee en ook niet het papier dat eromheen gewikkeld zat. Die liet ze hier op tafel liggen. Toen ik hoorde dat de tantes achter Fleur aan renden, liep ik naar de tafel en pakte de speld op.' Beatrice opent haar hand en kijkt neer op de speld. Ze heeft hem zo stijf vastgehouden dat de afdruk ervan in het zachte vlees van haar handpalm staat. 'Ik vond dat de moeder er heel lief uitzag. En ik had van Ada gehoord dat ze wezen beschermde. Dus bad ik tot haar. Ik vroeg haar eerst of ze voor mijn vader wilde zorgen, maar daarna vroeg ik of ik alsjeblieft hier bij Dora en Ada mocht blijven. Dat was het moment waarop ik zeker wist dat ik bij hen wilde blijven.'

Beatrice kijkt van de penning naar mij. Haar gezicht is nat van de tranen, maar inmiddels kan ze weer lachen. 'En toen heb ik de speld weer in dit papier gewikkeld en in het bureau verstopt. Ik had het vage idee dat ik de penning moest verstoppen als ik wilde dat mijn gebeden verhoord zouden worden. Dan mocht niemand anders hem aanraken. En al die jaren is hij hier blijven liggen. Ik was hem volkomen vergeten, tot ik zag dat Ivy dezelfde droeg. Waarom zou Ivy zo'n speld hebben gehad?'

'Omdat Ivy is opgegroeid in Saint-Lucy's,' zeg ik tegen haar. 'Maar ik kan me niet voorstellen hoe Fleur Sheldon eraan is gekomen.'

'Ik denk,' zegt Beatrice terwijl ze me het gekreukte papier overhandigt, 'dat het antwoord hierin staat.'

Ik kijk neer op het vergeelde papier. Het is een adoptiecertificaat voor een baby, gedateerd op 15 januari 1929. Mijn hart slaat een paar tellen over – dat is slechts een paar weken na Ivy's geboorte. En als ik wat verder kijk, zie ik dat bij de naam van de natuurlijke moeder inderdaad die van Lily Eberhardt is ingevuld. Een eindje verder staan de namen van de adoptieouders: Gertrude en Bennett Sheldon.

'Maar als dit klopt, was Fleur Sheldon de dochter van Lily, niet Ivy. En als Fleur Lily's kind was, dan is Shelley Drake Lily's kleindochter...'

Ik sta op en gooi in de haast bijna de tafel om. De theekopjes rinkelen als een stel kerkklokken dat alarm slaat. 'Ik moet ervandoor, miss Rhodes, maar ik wil u wel bedanken dat u me dit allemaal verteld hebt. Ik weet dat het niet gemakkelijk voor u was om al die oude herinneringen op te halen.'

Beatrice wuift even met haar hand. 'Het is goed voor me om er nog eens aan te denken hoe bang ik was toen ik hier voor het eerst kwam. Daardoor weet ik ook weer hoe dankbaar ik moet zijn voor wat ik heb gekregen. Mijn arme vader heeft zichzelf doodgedronken. Ik had alleen en verlaten achter kunnen blijven, maar in plaats daarvan kreeg ik twee lieve moeders terug voor die ene die ik had verloren. Hier.' Ze pakt mijn hand vast en ik voel iets hards tegen mijn handpalm drukken. Als ik kijk, heb ik de Sint-Lucypenning in mijn hand.

'Wilt u die dan niet zelf houden?' vraag ik.

'Waarom?' wil ze weten. 'Al mijn gebeden zijn al uitgekomen. Misschien zullen nu die van jou verhoord worden.'

EENENDERTIG

Ik hol terug naar mijn auto zonder te letten op de gladheid van de tweeënhalve centimeter verse sneeuw die is gevallen. De verschillende stukjes van het hele verhaal dwarrelen door mijn hoofd als de vlokjes die hardnekkig omlaag blijven komen. Lily vermeldde in haar dagboek dat Fleur op de dag na Kerstmis bij haar huisje langskwam. Fleur die volgens Ivy een echt nieuwsgierig aagje was. Het was duidelijk dat Fleur idolaat was van Lily – niet alleen omdat Lily zo mooi en zo getalenteerd was, maar omdat ze een geboortebewijs had gevonden (wat slordig van Gertrude Sheldon om dat ergens rond te laten slingeren zodat Fleur het in handen kon krijgen!) waaruit bleek dat zij het kind van Lily was. Toen ze in het huisje op bezoek was, moet ze hebben gezien waar Lily haar dagboek verborg. En je kunt het dat meisje toch niet kwalijk nemen dat ze meer te weten wilde komen over haar echte moeder? Na Lily's vertrek zal ze wel teruggegaan zijn naar het huisje, het dagboek hebben gepakt en het hebben gelezen. Wat moet het een teleurstelling zijn geweest dat Lily in de veronderstelling was dat Ivy haar dochter was. Waarschijnlijk is ze meteen op zoek gegaan naar Lily om haar te vertellen dat ze zich vergiste. En ze was naar het huis van Dora en Ada gehold, omdat Lily had gezegd dat ze daarnaartoe ging.

Ik kan me goed voorstellen hoe Fleur in alle staten door de sneeuw rende, want als ik op de grote weg kom, sneeuwt het hard. Dikke witte vlokken die even groot lijken als babyhandjes jagen vanuit de invallende duisternis tegen mijn voorruit. Ik zet mijn ruitenwissers op de hoogste stand en doe mijn grote lichten aan, verbaasd dat het al zo donker is. Ik ben rond halftwee naar het dorp gegaan, dus het kan nu toch niet veel later zijn dan drie uur... Ik kijk naar de klok op het dashboard voordat ik me herinner dat die het al jaren niet meer doet. Ik draai aan Judes horloge om mijn pols om op de wijzerplaat te kunnen kijken – en bots bijna op een tegemoetkomende sneeuwploeg. Ik moet even aan de kant gaan staan tot mijn hart minder hard begint te bonzen... en om te kijken hoe laat het is. Halfvier. Geen wonder dat het al donker begint te worden. We hebben nog hooguit een uurtje daglicht over.

Ik rijd de weg weer op, want ik wil absoluut voor het donker weer thuis zijn. Maar ik kan niets veranderen aan de richting die mijn gedachten inslaan.

Fleur moet er kapot van zijn geweest dat Lily verdween, en nog veel wanhopiger toen haar lichaam werd gevonden. In gedachten loop ik de brief die Shelley me heeft laten lezen nog eens door: Fleur die heeft gezien hoe Ivy en Vera bij het dode lichaam stonden van de vrouw van wie zij dacht dat ze haar moeder was. Ik kan me goed voorstellen dat ze op zoek is gegaan naar haar werkelijke identiteit en van Gertrude te horen heeft gekregen dat ze niet alleen stapelgek was om te denken dat zij Lily's dochter was, maar ook stapelgek omdat ze dacht dat Vera en Ivy Lily hadden vermoord. Wat moet ze daarna een afschuwelijk leven hebben gehad. En hetzelfde geldt voor haar eigen dochter.

Als ik aan Fleurs dochter denk, begint de Jag over de weg te slingeren. De achterkant van de auto raakt in een slip omdat ik verzuimd heb de versleten banden aan het begin van de winter te vervangen. Ik grijp het stuur nog steviger vast en slaag er puur op wilskracht in de auto weer recht te trekken. Ik probeer mezelf te dwingen om langzamer te rijden, maar dat lukt niet. Niet zolang Shelley Drake zich op hetzelfde schoolterrein bevindt als Sally en Chloe.

Ik doe mijn best om mezelf wijs te maken dat ik niet kan bewijzen dat Shelley iets met Isabels dood te maken heeft, maar de puzzelstukjes vallen met onweerlegbare logica op hun plaats. Fleur Sheldon was de laatste die Lily's dagboek in haar bezit had. Shelley moet het tussen de spullen van haar moeder hebben aangetroffen, samen met de brief waarin staat hoe Lily's lichaam is gevonden en ze besefte dat Ivy St. Clare verantwoordelijk was voor Lily's dood – de dood van haar grootmoeder. Daarnaast moet ze Ivy ook de schuld hebben gegeven van de verminderde geestelijke gezondheid van haar moeder. Maar waarom heeft ze Ivy dat niet voor de voeten gegooid? Misschien was ze bang dat ze dan de indruk zou wekken dat ze probeerde om het ontslag van Ivy bij Arcadia te bewerkstelligen, zodat ze zelf die positie kon overnemen. Wat uiteindelijk ook is gebeurd. Daarom heeft ze iemand anders gezocht om het verband te leggen en Ivy te beschuldigen: Isabel Cheney, een intelligente, ambitieuze leerling met geschiedenis als hoofdvak, die zeker uit het dagboek en de brief zou opmaken dat Ivy St. Clare Lily's dochter was en ongetwijfeld ook op het idee zou komen dat Ivy Lily vermoord had. Maar Isabel was daarnaast ook slim genoeg om door te hebben wat Shelley probeerde te doen en haar daarmee te confronteren. Alleen iemand die echt niet goed wijs is, zou daarop reageren door Isabel in het bos achterna te gaan en haar van de richel te duwen, maar ik begin het vermoeden te krijgen dat Shelley inderdaad gek is. Shelley moet de vrouw in het wit zijn geweest van wie ik in de buurt van het huisje een glimp heb opgevangen en die Chloe in het bos heeft gezien.

En dat heb ik gisteren aan Shelley verteld.

Shelley wist nu ook dat Chloe haar gezien heeft. Zou ze wachten tot Chloe op het idee komt dat het Shelley is geweest, of zou ze nog een ongeval op de richel arrangeren?

Ik ben net de oude schuur gepasseerd en rijd de heuvel op naar de school als ik me tegelijkertijd twee dingen herinner: Chloe wil een ritueel uitvoeren ter ere van de zonnewende, die vandaag plaatsvindt, en Sally zei dat Shelley langs was gekomen en naar kaarsen heeft gevraagd. Niet, zoals ik aannam, voor het geval van een stroomstoornis, maar kaarsen die gebruikt kunnen worden bij een ritueel ter ere van de zonnewende.

Bij de gedachte aan Shelley die samen met Sally en Chloe het bos in gaat, trap ik het gaspedaal nog verder in... en de auto maakt een zwieper naar links. Ik gooi het stuur om naar rechts, maar daardoor ga ik nog sterker slippen. Als in slow motion glijdt de Jag naar de andere weghelft en begint te tollen. Ik heb het gevoel dat ik in zo'n glazen sneeuwbal zit, alleen bevindt de sneeuw zich aan de buitenkant. Ik heb nog genoeg tijd om Jude te vervloeken – Had je me niet tenminste een auto met fatsoenlijke banden na kunnen laten? – en me af te vragen of dat mijn laatste gedachte zal zijn.

Als de auto tot stilstand komt, zie ik het met sneeuw bedekte korenveld en de oude schuur voor me. Wonder boven wonder ben ik ongedeerd, maar als ik probeer achteruit te rijden slippen de banden door de diepe sneeuw zonder houvast te vinden. Ik stap uit de auto, zak weg in dertig centimeter sneeuw en kijk links en rechts de weg af of er misschien nog een auto aan komt. Maar door het slechte weer is het verkeer tot stilstand gekomen. Ik grabbel al in mijn tas om mijn mobiel te pakken wanneer ik me herinner dat er hier geen ontvangst is.

Het verstandigste is om via de weg naar de ingang van de school te lopen en vervolgens over de Notenbomenlaan naar het huisje. Als ik geluk heb, komt er iemand langs die me een lift kan geven, maar als dat niet het geval is, doe ik er zeker een uur over om thuis te komen.

Ik kijk op mijn horloge. Het is tien minuten voor vier. Hoe laat gaat de zon onder op de kortste dag van het jaar? Twintig over vier? Halfvijf? Ik draai me om naar het westen en tuur tegen de sneeuw in, maar de bui heeft de horizon in een grauw waas veranderd. Zou Chloe dwaas genoeg zijn om zich op de richel te wagen als je de zonsondergang niet eens kunt zien? Maar dan herinner ik me haar gekwelde gezicht en ik weet dat er niet veel voor nodig is om haar zover te krijgen dat ze meegaat naar de richel... waar een klein duwtje voldoende is om haar naar beneden te laten vallen. Achteraf zal Shelley dan gemakkelijk kunnen zeggen dat Chloe is uitgegleden in de sneeuw, samen met eventuele getuigen die mee zijn gekomen. Zoals Sally.

Ik kijk naar de kloof. Eerst kan ik helemaal niets zien in de sneeuw, maar dan gaat de wind ineens als bij toverslag liggen en het begint minder hard te sneeuwen. Ik kan de waterval zien, vol ijs maar het water stroomt nog steeds. En ernaast het met sneeuw bedekte pad. Het zou waanzin zijn om in deze omstandigheden te proberen omhoog te klimmen – net zo waanzinnig als Lily die op deze manier terugging nadat ze in de schuur afscheid had genomen van Nash. Maar ze had het gedaan. En ze had het gered. Als ze geen ruzie had gehad met Vera – als Ivy dat briefje niet had achtergehouden en als Fleur haar dagboek niet had gestolen – dan zou er niets aan de hand zijn geweest. Zij waagde zich aan die klim om bij haar geliefde te kunnen zijn. Ik moet me eraan wagen om er zeker van te zijn dat Sally en Chloe niets zal overkomen.

Ik loop het veld af via de stukken waar de wind de sneeuwlaag dunner heeft gemaakt. De halmen van het verdroogde gras verpulveren onder mijn voeten. Het lijkt geen weken maar jaren geleden dat ik door het gras liep dat toen nog tot aan mijn middel reikte. De omgeving is volslagen veranderd. De wilgen om de eerste poel aan de voet van de waterval zijn kaal en hun lange, met ijzel bedekte takken tinkelen in de wind als de bamboegordijnen in de winkel van De Jaargetijden in het dorp. Ik moet ineens denken aan wat Fawn zei over de legende van de kloof, over de witte wieven die daar rondspookten. Ze had Isabel verteld dat iedereen die puur van hart was zich daar veilig kon wagen.

Terwijl ik tegen het steile pad langs de waterval omhoogklauter, vraag ik me voor het eerst af wat ze daarmee bedoelen. Hoe kon je weten of je hart puur was? Zou Lily zich hebben afgevraagd of haar hart puur was, toen ze aan deze klim begon? Ze had voorgoed afscheid genomen van Virgil Nash. Ze had haar misdragingen op papier gezet zodat Vera ze kon lezen – dat dacht ze althans. In gedachten zie ik haar tegen deze ijzige helling op klauteren met het gevoel dat ze haar zonden beleden heeft, zonder enige vrees voor vergelding. Toen ze op de top aankwam en Vera zag, moet Lily hebben gedacht dat haar geliefde was gekomen om haar te verwelkomen. Wat moet het een vreselijke schok zijn geweest om te ontdekken dat ze zich kwaad en verraden voelde. Om vervolgens, nadat Lily was gevallen, op te kijken in de ogen van de vrouw van wie ze dacht dat ze haar dochter was en te zien hoe die haar arm ophief om haar een klap te geven! Ze moet in die laatste ogenblikken van haar leven gedacht hebben dat de wraakgierige witte wieven uit de kloof haar uiteindelijk toch straften omdat ze gezondigd had door haar kind af te staan.

Ik ben zo verdiept in mijn voorstelling van Lily's laatste ogenblikken dat ik niet voldoende oplet waar ik mijn voeten zet en stap op een met sneeuw bedekte steen die onder mijn voet kantelt, waardoor ik mijn evenwicht verlies. Met zwaaiende armen ga ik onderuit, op zoek naar iets wat kan voorkomen dat ik langs de steile helling omlaag glijd, maar ik voel alleen maar lucht. Mijn knieën komen op scherpe stenen terecht en dan kwakt mijn maag hard op het met sneeuw bedekte pad. Een wolk sneeuw stuift op als ik begin te glijden. Als ik maar op mijn buik blijf liggen, dan kan me niets overkomen, denk ik, maar dan hoor ik vlak bij mijn oor een geruis en ik besef dat ik naar het water glijd. Als ik over de rand van de waterval schiet, heb ik geen schijn van kans op overleven. Ik probeer mijn nagels in de grond te haken, maar de sneeuw is te dik. Het gebulder van de waterval komt dichterbij en vervult me met een blinde paniek.

Ik sla mijn armen uit… en raak iets hards, een tak of een boomstam. De pijn straalt door tot in mijn schouder, maar daar let ik niet op en ik grijp de tak vast. De ruwe schors schuurt de huid van mijn handen en de tak buigt door onder mijn gewicht, maar ik glijd niet langer naar beneden. Het duurt even tot de wolk sneeuw die ik heb opgeworpen is verdwenen en ik weer om me heen kan kijken. Als het zover is, heb ik daar meteen spijt van. Het dunne boompje dat ik te pakken heb gekregen, groeit op een richel boven de tweede waterval, vlak bij de plek waar Isabels lichaam is gevonden... en dat van Lily. Onder me is een steile rotswand tot aan de bodem.

Ik probeer mezelf omhoog te trekken, maar ik glijd weer iets verder omlaag. Ik voel dat de wortels van de boom waaraan ik me vasthoud los beginnen te komen. Een paar steentjes, die door mijn beweging wegschieten, vallen over de rand van de waterval en storten met duizelingwekkende vaart in de mist. Ik sluit mijn ogen en dwing mijn lichaam om stil en gewichtloos te blijven hangen. Achter mijn oogleden zie ik Sally's gezicht waarop duidelijk te lezen staat dat ze zich verraden voelt. De uitdrukking die ik na Judes dood zo vaak heb gezien. Als ik hier om het leven kom, zal ze me dat dan kwalijk nemen? Ik weet dat ze het Jude kwalijk neemt dat hij is gestorven, omdat ik hetzelfde gevoel heb. Ik neem hem kwalijk dat hij dood is gegaan zodat ik nu Sally in mijn eentje groot moet brengen en – zelfs nu vind ik het nog vreselijk om dat tegenover mezelf te bekennen – ik neem het hem kwalijk dat hij ons diep in de schulden en behoeftig heeft achtergelaten. Het lijkt op dit moment gewoon kleinzielig, maar ik weet dat het waar is. Hooguit een halfuur geleden, toen ik in die slip raakte, heb ik hem nog vervloekt omdat hij me met kale banden heeft opgescheept.

Ik vraag me af of Jude, in de ogenblikken vlak voor zijn dood, ook bang is geweest voor de toestand waarin hij ons achterliet. Die gedachte vervult me met verdriet voor hem. Wat vreselijk als zijn laatste gedachten op deze wereld vervuld zijn geweest met angst voor Sally en mij over iets dat zo onbelangrijk is als geld. Als ik kon, zou ik hem nu vertellen dat het me helemaal niets kan schelen. Dan zou ik tegen hem zeggen dat ik begrijp dat hij zijn best heeft gedaan om voor ons te zorgen en dat we ons prima redden zonder dat grote huis in Great Neck en alle geneugten van rijkdom.

Vanbinnen voel ik ineens iets losschieten – een samengebalde spier die al sinds Judes dood strakgespannen stond. Het is zo'n fijn gevoel dat ik bijna hardop begin te lachen. En als ik vervolgens mijn ogen opendoe, moet ik echt lachen. Ik hang krampachtig aan een vijf centimeter dik boompje boven een woeste waterval en heb ineens vrede met mijn lot. Het geluid weerkaatst tegen de stenen wanden van de kloof, luid in met sneeuw omhulde stilte. Ik staar naar de wervelende sneeuwvlokken die omlaag vallen om zich te vermengen met de nevel die van de waterval af slaat. Op het punt waar ze elkaar raken, wordt de lucht dikker en draait in een wiebelende kolom vol stoom. Misschien is dat wat mensen bedoelen als ze zeggen dat ze de witte wieven van de kloof hebben gezien. Ik kan bijna een gestalte onderscheiden: een lange, slanke vrouw in een witte jurk, met haar rug naar me toe, die zich ieder moment kan omdraaien om me aan te kijken...

Sneeuw, mist en schaduwen vloeien in het halfduister ineen en vormen de omtrek van een gezicht. Ogen die uit niets bestaan, kijken recht in de mijne. Ik heb het gevoel alsof ze alle leegheid en angst in me ziet... zonder een oordeel te vellen. Ze begrijpt en vergeeft.

De tranen stromen over mijn wangen. Als ik ze wegknipper, is het gezicht verdwenen, maar er is iets anders voor in de plaats gekomen. Volgens mij is het weer een illusie – dat was zij toch ook? – maar dan grijpen sterke handen me bij mijn schouders en trekken me omhoog naar de vaste grond.

'Ik heb je vast,' zegt Callum Reade. 'En vertel me nu maar eens wat je hier verdomme midden in een sneeuwstorm uitspookt.'

TWEEËNDERTIG

'Ik probeer thuis te komen,' zeg ik, terwijl ik met mijn handen over mijn armen wrijf om er weer gevoel in te krijgen. 'Wat doe jij hier?'

Hij trekt zijn jas uit en hangt die om mijn schouders. Ik voel zijn lichaamswarmte die erin is achtergebleven. 'Ik zag dat je met je auto midden op het veld terecht was gekomen – mijn hart stond bijna stil! – en daarna ben ik je spoor gevolgd. Ik kon mijn ogen niet geloven toen je op weg bleek naar de kloof. Waarom heb je de weg niet genomen?'

'Ik was bang dat ik er dan te lang over zou doen. Ik moet naar de richel. Ik ben bang dat Shelley Drake ze bij zonsondergang meeneemt naar de richel om de zonnewende te vieren.'

'Ik kan niet geloven dat zelfs Shelley Drake zo gek zou zijn om die kinderen in dit weer mee naar buiten te slepen.'

'Maar dat is het juist... ze is echt gek.' Ik vertel zo snel als ik kan wat ik van Beatrice Rhodes heb gehoord, laat hem de Sint-Lucy-penning en het geboortebewijs zien en schotel hem het verhaal voor zoals ik dat onderweg naar huis in elkaar gedraaid heb. Ik moet toegeven dat het allemaal een beetje vergezocht klinkt en hoop bijna dat hij het weg zal wuiven, maar dat doet hij niet. Hij knikt kort, met een ernstig gezicht.

'Ik heb altijd al gedacht dat er een steekje loszit aan Shelley Drake,' zegt hij. 'We moeten meteen naar boven. Ga jij maar eerst. Als je dan valt, kan ik je opvangen.'

De blik in zijn ogen geeft me moed. Ik begin aan het pad en loop zo snel als ik kan over de gladde stenen. Vlak achter me hoor ik Callums voetstappen en zijn ademhaling. De wetenschap dat hij me opvangt als er iets misgaat, geeft me het zelfvertrouwen om nog sneller te gaan lopen. Een paar meter onder de top van de richel, waar het pad zich in tweeën splitst, pakt hij mijn arm en houdt me tegen.

'Wacht even. Als ze echt boven op de richel staan, willen we hen niet aan het schrikken maken.' Hij wijst naar het pad dat linksaf gaat. 'Dit pad loopt naar een groepje bomen vlak onder de top van de waterval. Van daaruit kunnen we beter zien wat er precies aan de hand is en de situatie bekijken.' Het idee van een omweg – waardoor het nog langer duurt voordat we boven zijn – bezorgt me kippenvel. Stel je voor dat Shelley nu al samen met Sally op die richel staat? Ik doe mijn best om stemmen te horen, maar het enige geluid komt van het water.

'Oké,' zeg ik. 'Maar we moeten wel opschieten.'

Hij loopt voor me uit om de weg te wijzen en dat is maar goed ook, want het bos heeft een metamorfose ondergaan. De met sneeuw bedekte dennen lijken op in witte mantels gehulde schildwachten die de geheimen van het bos bewaken en het enige geluid dat ze maken, is af en toe een ssst van de sneeuw die van hun takken glijdt.

Wees stil en houd je mond, lijken ze te zeggen. Ik denk aan Fleur Sheldon die door de sneeuw loopt te dwalen nadat ze Lily's dagboek heeft gelezen en beseft dat Lily geen flauw idee heeft dat zij Fleurs echte moeder is. Ik denk aan Lily die ziet dat Vera haar aan de top van de kloof staat op te wachten, denkt dat Vera haar dagboek heeft gelezen en zo al haar geheimen te weten is gekomen en vervolgens aan haar gezicht ziet dat ze zich bedrogen voelt. Een blik die maakt dat ze over de rand in het ravijn stort. Ik denk aan het moment waarop ze opkijkt en ziet dat het meisje van wie ze denkt dat het haar dochter is haar arm opheft om haar dood te slaan. Ik denk aan Ivy's gezicht op het moment dat Chloe haar vertelde dat de vrouw die ze heeft vermoord haar eigen moeder was. Al die vrouwen die aan hun eigen liefde ten onder zijn gegaan.

Ik vraag me af wanneer Shelley Drake voor het eerst te horen kreeg dat ze Lily's kleindochter was. Heeft haar moeder dat verteld? Of dacht ze dat het een verzinsel was van een krankzinnige vrouw die de moeder die haar had grootgebracht haatte? Of gaf zij er zelf ook de voorkeur aan om zich te identificeren met Lily Eberhardt, de mooie kunstenares, in plaats van met de rijke en talentloze Gertrude Sheldon?

Als ik haar dat nu voor de voeten gooi, zou Shelley dan nog gekker worden?

Ssst, zeggen de bomen als we ons een weg zoeken door het donkere bos. Wees stil en houd je mond.

Als we in de buurt komen van de kop van de kloof blijft Callum staan en houdt me met zijn hand tegen. Dan steekt hij zijn vinger op. Hij luistert naar iets, maar ik hoor alleen het geluid van de sneeuw die van de takken glijdt. Maar dan dringt ineens heel vaag tot me door wat Callum heeft gehoord. Het is een zingende meisjesstem, even ijl als de ijspegels aan de takken van de dennen. Een flard van een zinnetje zweeft door de stille lucht: *Let it out and let it in*... Het lijkt op de ademhaling van de dennen.

'Dat is een liedje van The Beatles,' zegt Callum. '"Hey Jude".'

'Dat was Judes lievelingsliedje. Hij zong het iedere avond voor Sally voordat ze naar bed ging...'

Ik zwijg even en luister naar de trillende stem. '... en dat is Sally die daar staat te zingen.'

Ik hol verder. Callum probeert me tegen te houden, maar ik duik onder zijn arm door en hij glijdt uit op de sneeuw als hij probeert me vast te pakken. Ik wil niets weten van 'de situatie bekijken'. Ik wil alleen Sally.

Ik ga recht op het geluid van haar stem af, dwars door het bos en door dikke struiken die met stekels uitgeruste hulst blijken te zijn, en beland zwaaiend op de open plek, ongeveer tweeënhalve meter van de rand van de richel.

Chloe en Haruko staan onder de richel, elk met een brandende grafkaars in de hand. Sally staat verder naar boven, vlak bij de rand van het klif, met een kaars in haar in een want gestoken hand en zingt het laatste refrein van 'Hey Jude'.

Shelley staat naast haar.

Als ik Sally's naam roep, draait ze zich om.

'Mam, je bent weer terug! Ik zong net paps liedje. Rectrix Drake zei dat het een goeie manier was om afscheid van hem te nemen.'

'Ja,' zegt Shelley, terwijl ze dichter bij Sally gaat staan en een arm om haar schouders slaat. 'Dit is een goede plek om afscheid te nemen van alles wat we kwijt zijn geraakt.'

Ik doe mijn mond open om te vragen of ze dat ook heeft gedaan toen ze hier met Isabel was, maar ik houd mezelf in. Ik wil Shelley niet gek maken of haar in de verdediging dringen terwijl ze daar samen met mijn dochter aan de rand van een afgrond staat.

'Ja, dat klopt,' zeg ik in plaats daarvan. 'Volgens mij weet ik precies hoe je je voelt.'

'O ja?' Ze houdt haar hoofd iets scheef en kijkt me vragend aan. Dan flikkert er iets op in haar ogen. 'Je bent erachter, hè? Ik vroeg me al af hoelang dat zou duren.'

Ik kan natuurlijk net doen alsof ik niet weet waar ze het over heeft, maar ik heb het gevoel dat ik daarmee niets opschiet. Shelley heeft een hongerige blik in haar ogen die volgens mij betekent – dat hoop ik tenminste – dat ze behoefte heeft om met iemand te praten die haar geheim kent. Als ik haar duidelijk kan maken dat ik haar begrijp, is ze misschien bereid om Sally los te laten.

'Ik weet hoe het is om iemand van wie je houdt te verliezen,' zeg ik terwijl ik aarzelend een stap dichterbij kom.

'Heb je het over je mán?' Shelley lacht. 'Dat is heel iets anders. Jij bent niet opgegroeid met een moeder die in een psychiatrische inrichting zit. Jij kunt niet beweren dat je weet hoe dát voelt.' Shelley klemt haar arm nog steviger om Sally's schouders en ik zie Sally's gezicht vertrekken.

'Nee,' zeg ik terwijl ik mijn handen opsteek. Uit mijn ooghoeken kan ik Callum aan de rand van het bos zien staan, verscholen in de schaduw. Hij maakt een ronddraaiende beweging met zijn hand: houd haar aan de praat. 'Dat weet ik niet. Vertel het maar.'

Shelley glimlacht. In de gloed van de kaars die Sally in haar hand heeft lijkt het een spookachtige grimas, een Halloween-masker. 'Mijn moeder is opgegroeid met het gevoel dat ze een vreemde in haar eigen huis was. Ze heeft altijd het vermoeden gehad dat ze geadopteerd was en nadat ze Lily's dagboek had gelezen wist ze dat ze eindelijk haar echte moeder had gevonden, ook al raakte ze haar meteen weer kwijt. Maar na Lily's dood wilde niemand mijn moeder geloven, omdat ze het niet kon bewijzen.'

'Maar u zei tegen mij dat Lily de moeder van Ivy was!' roept Chloe achter me. Ik was bijna vergeten dat zij en Haruko er ook bij zijn. Zonder om te kijken – ook al zou ik het willen, ik kan Sally geen moment uit het oog verliezen – steek ik mijn arm uit om te voorkomen dat ze dichterbij komt. Mijn hand glijdt over het zijdezachte nylon van haar gewatteerde parka.

'Ja, zodat jij het weer aan onze eerbiedwaardige rectrix kon vertellen,' zegt Shelley. 'Ik wist dat Ivy, als ze zou denken dat ze haar eigen moeder had vermoord, het liefst in een afgrond zou willen springen.' Shelley lacht. 'En dat heeft ze ook gedaan. Letterlijk!'

Verdomme. Hoewel ik Shelley graag aan het praten wilde hebben, was het niet de bedoeling dat ze zich zo laat gaan dat ze niets meer te verliezen heeft.

'Dat was haar eigen beslissing,' zeg ik. 'Niet die van jou. Ivy moet haar leven lang achtervolgd zijn door het spookbeeld van

Lily's moord. Dat zou bij iedereen het geval zijn. Maar daar hoef jij niet over in te zitten. Kom eens weg van die rand.' Ik steek mijn hand uit, met de handpalm plat naar boven, zoals ik dat bij een vreemde hond zou doen. 'Allebei.'

In Sally's ogen laait de angst op. Hoewel ik mijn woorden zorgvuldig heb gekozen om niet te klinken alsof ik me alleen om haar veiligheid bekommer, beseft ze nu pas waarom Shelley haar daar bij de rand van het klif vasthoudt.

De kaars in haar hand trilt en de gesmolten was klotst tegen het glas.

'Zodat jij en je politievriendje me ervan kunnen beschuldigen dat ik Ivy heb vermoord?'

Ik haal mijn schouders op en probeer wanhopig er een nonchalant gebaar van te maken, hoewel de spieren in mijn nek en mijn rug bijna verkrampen van de opgekropte spanning. 'Waarom zouden we dat doen? Chloe en ik hebben zelf gezien dat Ivy zelfmoord heeft gepleegd.'

'Dat klopt,' zeg Shelley met een verwaande glimlach. 'En per slot van rekening was het onze Chloe hier die de rectrix daartoe aangezet heeft.' Shelley richt haar Halloween-grijns op Chloe en ik voel hoe ze onder haar parka verstijft.

'Maar u hebt zelf tegen me gezegd dat Lily de moeder van Ivy was!' roept ze uit. 'U hebt ervoor gezorgd dat ik haar beschuldigde!'

'O, Chloe,' zegt Shelley terwijl ze met haar tong klakt. 'Kan iemand echt iemand anders iets laten doen wat ze niet wil? Ga je me nu ook de schuld geven van de streek die je met Isabel hebt uitgehaald? Je had haar gezicht moeten zien toen die jurk ineens vanuit die boom op haar af kwam! En toen ik haar vertelde dat jij die truc met haar had uitgehaald, was ze woest op je. Ze stond te trappelen van verlangen toen ik haar de kans bood om je dat betaald te zetten.'

Shelley kijkt van Chloe naar mij. 'Ik had het idee uit Lily's dagboek, van die grap die ze met de andere meisjes wilde uithalen. Ik heb haar geholpen een stuk van haar jurk af te scheuren en dat achter te laten tussen de wortels van de omgevallen boom. Daarna zijn we naar de kop van de waterval gegaan om van het uitzicht te genieten...'

'U hebt Isabel vermoord!' Chloe springt naar voren. Ik kan haar nog net bij haar parka grijpen om haar tegen te houden. Shelley doet een stap achteruit, richting de rand, en trekt Sally mee. Waarom doet ze dit? Die vraag giert door mijn hoofd. Ik heb mijn best gedaan om haar een uitweg te bieden, maar ze heeft Chloe opzettelijk zo gesard dat die haar van de moord op Isabel beschuldigt. Dan begrijp ik het ineens. Op de een of andere manier wil Shelley sterven – het liefst op dezelfde manier als Lily, nadat ze haar moord heeft gewroken.

Ongewild werp ik een blik in de richting van Callum. Hij is er in geslaagd om tot op een kleine meter van Sally te kruipen. Hij staat gebukt, klaar om te springen, maar zal hij erin slagen om Sally te redden als Shelley probeert om haar mee te sleuren over de rand van de afgrond?

Ik kan een schietgebedje doen dat hij daarin slaagt, maar ik durf er niet op te rekenen. Ik moet Shelley iets anders aanbieden, een reden om in leven te blijven.

'Je hebt gezegd dat niemand Fleur geloofde toen ze zei dat Lily haar moeder was, omdat ze geen bewijs had. Maar ik heb dat bewijs wel.'

De kille blik in Shelleys ogen wordt warmer. Ze doet een stap vooruit en sleurt Sally mee. Tegelijkertijd doe ik ook een stap vooruit – ik kan het niet helpen! – en Shelley blijft staan.

'Hoe weet ik dat je niet liegt?'

Ik haal het geboortebewijs dat ik van Beatrice heb gekregen tevoorschijn. 'Ik kan je dit laten zien of...' Ik draai me om naar Chloe, waarbij het me letterlijk pijn doet om mijn ogen van Sally af te wenden, en houd het papier boven haar kaars. 'Of ik kan het verbranden. Wat vind jij ervan, Chloe? Zullen we het verbranden? Het enige document dat bewijst wie werkelijk Lily Eberhardts dochter was?'

Ik houd het oude document zo dicht bij de kaars dat de rand ervan begint te schroeien. De open plek in het dennenbos raakt meteen vervuld van de geur van brandend papier. Later zal ik het idee hebben dat het die geur was waar Shelley zo opgewonden van raakte. Ze komt zo snel naar voren dat Sally omvalt. Callum springt meteen naar Sally toe. Ik ontwijk Shelley en volg zijn voorbeeld, waarbij ik het papier uit mijn hand laat vallen. Het is puur toeval dat op dat moment een windvlaag over de open plek strijkt. Een vlaag die vanuit de bomen lijkt te komen, een ademtocht vol sneeuwkristallen en naar dennen geurende lucht die het papier oppakt en hoog in de lucht gooit. Ssst, fluisteren de bomen. Wees stil, houd je mond.

Shelley steekt haar hand uit naar het papier, maar het glipt uit haar vingers, waait verder omhoog en zwiert naar de rand van het klif. Ze loopt erachteraan, als een kind dat probeert een ballon te pakken. Ze blijft ernaar kijken, zonder op de rand van de afgrond te letten.

Ik probeer haar nog tegen te houden, maar een hand trekt me achteruit. Shelley loopt zo langs me heen – met uitgestrekte armen en een stralend gezicht, alsof ze op het punt staat zich in de armen van een moeder te storten – en over de rand van het klif.

Er klinkt geen kreet, geen schreeuw van angst, alleen een misselijkmakende doffe dreun als haar lichaam op de bodem van het ijzige ravijn smakt en vervolgens een laatste beweging van sneeuw die van de bomen glijdt om dat geluid te maskeren. Ssst, zeggen de bomen. Wees stil. Het is gebeurd.

DRIEËNDERTIG

Sally en ik brengen kerstochtend door aan boord van een Jet Blue-vlucht naar Fort Lauderdale en eten een zak chips leeg terwijl we naar een film van Will Ferrell zitten te kijken. De titel is *Stranger Than Fiction* en de film is ongeveer tien keer beter dan ik had verwacht. Sally en ik barsten aan het eind allebei in tranen uit, waardoor niet alleen de stewardess maar ook de bejaarde vrouw naast ons helemaal overstuur raakt. Ik had ze wel kunnen vertellen dat we om veel meer huilden dan om het lot van Will Ferrell, maar ik besef meteen dat onze eigen lotgevallen van de afgelopen tijd nog veel ongeloofwaardiger zijn dan de fantastische gebeurtenissen in de film.

Dat we de hand zouden kunnen leggen op een stel lastminutetickets leek al heel onwaarschijnlijk, maar toen ik Max en Sylvia Rosenthal belde en vroeg of we de feestdagen bij hen konden doorbrengen, had ik twintig minuten later de e-mailbevestiging van de boeking al in mijn mailbox. Ik word al naar bij de gedachte aan wat ze moeten hebben gekost, dus denk ik daar maar niet aan.

De sfeer in Boca West blijkt bij uitstek geschikt om niet na te denken. De neonkleurige vlijtige liesjes die tot heuphoogte opschieten en de reuzenhibiscus met bloemen zo groot als een soepbord geven de plaats het aanzien van een Disney-film. Sally en ik brengen onze dagen door met Max in het zwembad of winkelend met Sylvia in de van airconditioning voorziene winkelcentra. We gaan iedere avond uit eten in een van de vrolijk uitgedoste gelegenheden van een restaurantketen. In dit milde klimaat kun je je nauwelijks voorstellen dat er zoiets als Arcadia Falls bestaat.

Maar ik weet dat er aan dit bepaalde paradijs een prijskaartje hangt. Op onze laatste dag stelt Sylvia voor om samen met Sally schoolinkopen te gaan doen, terwijl ik even een babbeltje maak met Max. Ik neem grimmig plaats aan de tafel naast het zwembad die meestal is gereserveerd voor de maatjes van Max uit de tijd dat hij nog op Wall Street werkte. De jongens schitteren vandaag door afwezigheid, ongetwijfeld attent gemaakt op de conferentie die Max en ik samen zullen hebben.

Ik heb altijd bewondering gehad voor Max. Hij heeft zelf zijn studie bekostigd met een toelage van het leger en heeft puur dankzij zijn wiskundeknobbel en zijn brutaliteit carrière gemaakt bij Morgan Stanley. Hij is nog even slank als op de dag dat hij uit het leger kwam en heeft een dikke bos wit haar. Hij speelt iedere dag nog een rondje golf om in conditie te blijven en een spelletje bridge om zijn geest scherp te houden. Als ik naar hem kijk, zie ik hoe Jude eruit had gezien als hij ouder was geworden.

'Je had ons moeten vertellen dat Jude je zo weinig heeft nagelaten. Daar hadden we geen idee van. Sylvia dacht dat je het huis in Great Neck verkocht had omdat je het daar nooit naar je zin hebt gehad.'

'Ik wilde niet dat jullie slecht over Jude zouden gaan denken,' zeg ik. 'Hij zou het verschrikkelijk hebben gevonden als jij had geweten dat hij zo verkeerd met het geld was omgesprongen.'

Max knikt en in zijn scherpe bruine ogen staat te lezen dat hij weet dat ik de waarheid spreek, maar hij steekt toch zijn vinger op en schudt die heen en weer. 'Maar hij zou het nog veel erger hebben gevonden dat jij en Sally niets meer over hadden.'

'We hoefden niet van de honger om te komen,' zeg ik. Omdat ik het eerste vleugje woede voel opkomen, haal ik even diep adem. 'Toen ik het huis had verkocht hadden we genoeg over om naar het noorden te trekken en ik wil graag lesgeven...'

'Natuurlijk, lesgeven is prima, maar laten we wel wezen, je had een betere plek kunnen kiezen om dat te doen. Drie sterfgevallen in het eerste semester. Ik heb tijdens mijn jeugd in The Bronx ook op een paar moeilijke scholen gezeten, maar dat is mesjokke. Maar goed...' Hij wuift even met zijn gebruinde hand, waarbij zijn universiteitsring van Columbia schittert in de felle zon. 'Dat is nu allemaal goddank voorbij. Sylvia en ik willen je graag het geld geven om terug te gaan naar Great Neck. Laat Sally daar maar gewoon de middelbare school afmaken. Ik weet zeker dat je op Long Island ook wel een baan als lerares zult kunnen vinden, als je dat per se wilt.'

'Dat is een heel gul gebaar, Max, maar ik moet dit jaar wel afmaken,' zeg ik tot mijn eigen verbazing. Ik had me tot op dit moment niet gerealiseerd dat ik echt terug wil gaan... in ieder geval voor het volgende semester. 'Ik heb een contract afgesloten,' ga ik verder.

'Natuurlijk, dat is gewoon een kwestie van fatsoen. Maar daarna. En we hebben natuurlijk ook geld vastgezet zodat Sally kan gaan studeren. Ze is een intelligente meid. Met haar artistieke aanleg kan ze zo aan de slag in de reclamewereld.'

Ik onderdruk de neiging om te zeggen dat ze natuurlijk ook kunstenares kan worden. Het feit dat hij bereid is toe te geven dat je ook in de reclame carrière kunt maken is al heel wat voor Max Rosenthal.

'Vind je het goed als ik daar nog een semester over nadenk?' vraag ik met het meest charmante lachje dat ik kan opbrengen. 'Ik wil er graag met Sally over praten.'

'Ja natuurlijk, lieverd.' Hij buigt zich voorover en klopt me op mijn knie. 'Maar als ik mijn kleindochter een beetje ken, zal ze maar al te blij zijn als jullie weer in de buurt van een groot winkelcentrum wonen.'

Sally schijnt het heerlijk te vinden om door haar grootouders vertroeteld en verwend te worden. Op de terugweg naar het noorden hebben we twee koffers meer dan op de heenweg. Ik begin niet meteen over het aanbod om terug te gaan naar Great Neck. Ik wil graag dat ze haar jaar op Arcadia met zo veel mogelijk inzet afmaakt. Ik ben bang dat als ze weet dat ze toch weer weggaat ze haar lessen niet meer serieus zal nemen.

Maar dat doet ze nu wel. De nieuwe tekenleraar, Emanuel Ruiz, een jongeman die net is afgestudeerd aan de School of Visual Arts, is niet alleen streng maar ook getalenteerd en hij ziet er ongelooflijk goed uit. Aanvankelijk heb ik het idee dat Sally zijn lessen zo graag volgt omdat hij zo knap is, maar het dringt al snel tot me door dat hij het beste in haar naar boven haalt. Haar figuurtekeningen veranderen van spotprenten in levensechte portretten en ze waagt zich ook aan landschappen, een terrein dat ze tot nu toe altijd heeft vermeden.

'Het was echt een briljant idee om hem in dienst te nemen,' zeg ik tijdens een theevisite in maart tegen onze nieuwe interimrector, Toby Potter.

'Ik had zijn werk afgelopen jaar al bij een studentenexpositie van de SVA gezien. We hadden geluk dat we hem konden krijgen. Ik moest tegen het bestuur zeggen dat ze mijn salaris erbij konden doen, zodat we hem genoeg konden bieden om hem hier te krijgen.'

'Wat edelmoedig van je,' zeg ik.

'Niet echt. Ik wist dat ze zich de ogen uit de kop zouden schamen als ze mij op mijn salaris zouden korten, dus toen ik toch bezig was, heb ik maar meteen salarisverhoging geëist voor iedereen die hier werkt.'

'Nog bedankt daarvoor,' zeg ik terwijl ik een slokje van mijn thee – Arcadia-melange – neem. 'Dat kwam goed van pas.'

Ik heb het geld gebruikt om Sally in te schrijven voor een zomercursus kunst aan Parsons in Manhattan en haar op die manier ervoor te compenseren dat ze maandenlang op het platteland heeft gezeten zonder fatsoenlijke winkels in de buurt. Ik heb haar niet verteld – en dat zeg ik ook niet tegen Toby Potter – dat ik bij een stuk of tien middelbare scholen in Long Island en New York City sollicitaties heb lopen. Ik vind het eigenlijk oneerlijk dat ik overweeg om weg te gaan na alles wat hij heeft gedaan om de Arcadia School te redden, maar ik moet doen wat het beste is voor Sally.

Want ook al doet Sally het nog zo goed bij de lessen van Emanuel Ruiz en heeft ze ook voor de andere vakken ruime voldoendes, ik vrees toch dat de sfeer hier op Arcadia niet deugt. Dat gevoel heb ik voornamelijk als ik 's avonds alleen in het huisje zit en de aantekenboeken doorneem die Vera Beecher in de jaren voor haar dood bijhield. Haar droge opsommingen van leerlingen en leraren, voorraden en projecten, leveren meer dan voldoende feiten op om mijn scriptie te onderbouwen, maar ze zijn niet echt inspirerend.

Hoewel ze haar best heeft gedaan om de school in stand te houden kon ze er na Lily's dood geen liefde meer voor opbrengen. Soms loop ik 's avonds laat nog even naar beneden en ga voor de open haard zitten kijken naar de vernielde lelies in de tegelwand van de haard. Dan peins ik over het verdriet dat je moet hebben als je erachter komt dat de persoon van wie je hield heel anders was dan je dacht en hoe dat verdriet – het verlies van de persoon van wie je dacht te houden – misschien nog wel erger is dan de dood. Ik besef nu ook dat als Jude was blijven leven ik waarschijnlijk woest op hem was geweest omdat hij alles wat we bezaten had geriskeerd om dat hedgefonds op te starten. Het zou een knallende ruzie zijn geworden, maar toch heb ik het gevoel dat ons huwelijk dat wel overleefd had. Alleen hebben we nooit de kans gehad om te zien of dat echt waar was. Als Lily in leven was gebleven, zou Vera haar dan vergiffenis hebben geschonken voor haar ontrouw en het kind dat ze in het geheim had gekregen? Ik vind het een prettig idee dat een dergelijke vergevingsgezindheid een betere kunstenares van Vera zou hebben gemaakt. In plaats daarvan zat ze de rest van haar leven vast aan dat laatste ogenblik vol woede en bedrog.

Een dergelijk lot wil ik liever vermijden.

Ik probeer het gevoel van vergiffenis ten opzichte van Jude dat me in de kloof bekroop vast te houden, maar het komt en het gaat, vermengd met spijt en verdriet en even vluchtig als de eerste tekenen van lente in dit koude klimaat. Ik kan merken dat Sally met soortgelijke gevoelens worstelt en dat een groot deel van haar woede ten opzichte van mij plaatsvervangende woede op Jude is. Maar in plaats dat ik me daardoor beter voel, vind ik het juist triest dat ze geen zuiverder herinnering aan haar vader heeft.

Zo voel ik me tenminste tot de lente-expositie plaatsvindt. Die valt op een dag aan het eind van april, vol kille zonneschijn die de eerste groene knopjes aan de notenbomen ontlokt en sneeuwklokjes uit de bosgrond tevoorschijn laat komen. De expositie vindt plaats in de zitkamer van Briar Lodge. Het werk van de leerlingen hangt op scheidingswanden van piepschuim en de geschilderde weergaven van Lily Eberhardt kijken uit over de waterverfschilderijen en de pasteltekeningen. Ik stel me voor dat ze heel trots zou zijn op de school die zij en Vera hebben opgericht. Misschien zou ze moeten glimlachen om een paar van de meer pretentieuze pogingen, zoals Tori Pratts portret van een onthoofde etalagepop die voor een natgeregend raam staat met als titel Melancholieke Monoloog, maar ik denk dat ze in lachen was uitgebarsten bij het zelfportret van Hannah Weiss als de boze stiefmoeder uit de Disney-film *Sneeuwwitje en de zeven dwergen*.

'Afgelopen semester had miss Drake ons opdracht gegeven om twee zelfportretten te maken,' legt Hannah uit als ik haar complimenteer met het schilderij. 'Een dat toont hoe anderen ons zien en een zoals we onszelf zien.'

'En is dit hoe andere mensen je zien?' vraag ik.

'Dat dacht ik eerst ook, omdat ik het idee had dat mijn moeder en mijn stiefvader me heel egoïstisch en lelijk vonden, omdat ik niet genoeg geduld kan opbrengen voor mijn kleine broertjes. Maar toen drong het tot me door dat het eigenlijk weergeeft hoe ik mezelf zie. En volgens mij zien andere mensen me zo.' Ze wijst naar het volgende schilderij aan de wand. Het is een felgekleurde striptekening van haarzelf als Sneeuwwitje, omringd door vogels en bosdieren. Pas na een minuut dringt het tot me door dat alle figuren op het schilderij – de herten, de konijnen, de roodborstjes en de andere zangvogels – allemaal Hannahs gezicht hebben.

'Dat vind ik leuk,' zeg ik lachend tegen Hannah. 'Maar ik zou het nog leuker vinden als je jezelf zag als Sneeuwwitje in plaats van als de heks.'

'O nee,' roept Hannah uit. 'De heks is stukken beter. En trouwens, miss Drake zei ook dat je er niet van moest opkijken als je voortdurend van mening veranderde over wat de portretten nu precies uitbeelden. Het valt niet altijd mee om het onderscheid te zien tussen hoe je over jezelf denkt en hoe volgens jou andere mensen over je denken.'

Misschien was dat wel Shelleys probleem, denk ik, als ik bij Hannah wegloop om de rest van de expositie te bekijken. Ze was zo bang dat mensen haar zouden zien als het kind van een krankzinnige vrouw, dat ze zelf ook krankzinnig werd. Maar ik moet toegeven dat haar opdracht een paar interessante resultaten heeft opgeleverd. De twee portretten van Clyde tonen hem als een bleekscheterige computerfanaat die bij het licht van een videospelletje koekjes zit te eten en vervolgens als Mr. Spock uit *Star Trek*.

De onthoofde etalagepop van Tori Pratt is haar 'Hoe andere mensen mij zien'. Haar 'hoe ik mezelf zie' is dezelfde achtergrond maar dan zonder etalagepop, met alleen maar een hoopje kleren op de grond. Chloe heeft maar één schilderij gemaakt, waarop ze in een spiegel kijkt. De beide voorstellingen zijn identiek, alleen ziet ze er in de spiegel zeker vijftig jaar ouder uit. Ik kan Chloe niet kwalijk nemen dat ze zich ouder voelt dan ze is na het jaar dat zij achter de rug heeft.

Ik vind het bijna eng om naar Sally's schilderijen te kijken. Ik ga ervan uit dat dit het project is dat ze het hele jaar voor me verborgen heeft gehouden. Is ze soms bang dat er iets is in het beeld dat ze van zichzelf heeft waarvan ik overstuur zal raken?

Ik zie haar voor haar schilderijen staan, giebelend met Haruko. Hun hoofden belemmeren het zicht op Sally's portretten als ik naar hen toe loop, maar dan stapt Sally opzij en kan ik de eerste zien. Daarop staat Sally alleen in een troosteloos landschap onder een betrokken lucht. Ze ziet er verdrietig, zielig en eenzaam uit. Mijn hart krimpt samen bij de gedachte dat dit het beeld is dat ze van zichzelf heeft. Maar als ik dichterbij kom, zie ik dat er een bordje onder hangt met de tekst: HOE ANDERE MENSEN ME ZIEN – ALLEEN. Ik kijk naar het tweede stuk dat er rechts naast hangt. Dat is een groepsportret waarop Sally tussen Jude en mij in staat. We hebben allebei een arm om Sally heen geslagen, maar mijn gezicht is op dezelfde hoogte als het hare, terwijl dat van Jude iets boven en achter ons zweeft. Het is geschilderd naar een foto die Jude een paar jaar geleden van ons heeft gemaakt tijdens een vakantie in Florida. Hij had de timer op zijn camera ingeschakeld en was vervolgens naar ons toe gerend om ook op de foto te komen. Als gevolg daarvan stond hij er een beetje wazig op – en op dit schilderij lijkt hij op een geest, die over Sally en mij waakt. Met wazige ogen staar ik naar de titel van het schilderij: HOE IK MEZELF ZIE – BEMIND.

'Vind je ze mooi?' vraagt Sally. 'Ik wilde je verrassen.'

'Ik vind ze prachtig,' zeg ik tegen haar en sla mijn arm om haar middel. Voor de verandering verzet ze zich niet tegen deze openlijke blijk van genegenheid. Ze leunt tegen me aan en legt haar hoofd heel even tegen mijn schouder, maar lang genoeg om me het gevoel te geven dat ik even bemind word als de vrouw op dat schilderij – veilig in de armen van haar familie.

Dat gevoel dat ze van me houdt, geeft me de kracht om iets te doen wat ik voor me uit geschoven heb. Een paar dagen na de expositie ga ik naar het dorp om Callum Reade op te zoeken. Op het politiebureau, want ik ben bang dat als we ergens anders afspreken ik zo in zijn armen zal vallen – en dat kan ik niet maken. Ik denk dat hij begrip heeft voor mijn beweegredenen als hij opkijkt en me in de deuropening ziet staan. De blijdschap in zijn ogen heeft nog maar net zijn mond bereikt, als hij zich beheerst.

'Ik had al gehoopt dat je langs zou komen voordat het schooljaar om was,' zegt hij. Hij wijst naar de stoel voor zijn bureau, maar ik schud mijn hoofd en blijf op de drempel staan.

'Ik heb een baan aangeboden gekregen op een school in Queens,' gooi ik eruit. 'En mijn schoonfamilie heeft aangeboden om ons te helpen bij de koop van een appartement in Great Neck.'

'Ik begrijp het,' zegt hij terwijl hij zich bukt om iets uit een la van zijn bureau te pakken. 'En neem je dat aan?'

'Dat weet ik nog niet,' zeg ik, terwijl ik me moet bedwingen om niet mijn handen door zijn haar te halen. 'Ik heb nog niets tegen Sally gezegd. Ik wilde dat ze eerst dit jaar af zou maken, daarna zal ik haar vragen wat ze wil. Ik wil dat ze een keus heeft.'

Hij kijkt op met felle groene ogen. 'En heb jij geen keus?'

'Dit is waarvoor ik kies,' antwoord ik.

Zijn ogen worden dof. Hij buigt opnieuw zijn hoofd en kijkt naar het papier dat hij in zijn handen heeft. 'Dan kan ik je dit maar beter nu geven.' Hij steekt me een gekreukeld velletje papier toe. Ik moet de kamer in lopen om het aan te pakken. Als ik erop neerkijk, zie ik dat het om het adoptiecertificaat gaat, dat ik van Beatrice Rhodes heb gekregen.

'Waar...'

'Shelley Drake had het in haar hand geklemd,' zegt hij. 'Zo graag wilde ze het hebben.'

Ik knik. 'Dat ze Lily's kleindochter was, moet haar het gevoel hebben gegeven dat ze hier hoorde. Dat dit haar thuis was.'

'Ja, dat zal wel. Maar ik begon me toch af te vragen hoe het kon dat er twee Ivy St. Clares waren. Dus heb ik wat research gepleegd bij de Andes Historical Society – waar het hele archief van Saint-Lucy's naartoe is gegaan toen de vallei onder water werd gezet – en bij het provinciale archief. Daar heb ik deze gevonden.' Hij houdt nog twee velletjes papier omhoog. 'Ik denk dat je die wel interessant zult vinden.'

'Wat...' begin ik, als ik de papieren wil aanpakken, maar als hij mijn hand vastpakt, kan ik geen woord meer uitbrengen.

'Ik blijf bij je uit de buurt tot je me vraagt om naar je toe te komen,' zegt hij. 'Maar volgens mij wil Sally helemaal niet dat je dit offer brengt, net zomin als jij zou willen dat zij haar geluk opoffert voor jou.' Dan laat hij mijn hand los. Ik maak me met de beide velletjes papier uit de voeten voordat hij ziet dat de tranen in mijn ogen staan.

Callums opmerking blijft me de hele terugweg naar de school achtervolgen. Ik denk aan mijn grootmoeder die haar carrière heeft opgeofferd om mijn moeder groot te brengen en dan aan mijn moeder die haar kans om naar de kunstacademie te gaan heeft opgeofferd om meer zekerheid te hebben. Zouden zij gelukkiger zijn geweest als ze hetzelfde hadden gedaan als Lily: hun eigen kind afstaan voor een kunstenaarsbestaan met Vera? Kon je jezelf wel in tweeën hakken en verwachten dat die andere helft ook zou floreren?

Wanneer ik thuis ben, lees ik de beide documenten die hij me gegeven heeft en ineens wordt alles wat ik dacht te weten omver gekegeld. Ik breng de rest van de middag door met het plegen van telefoontjes en online speurwerk. Daarna zit ik tot diep in de nacht Lily's dagboek te herlezen. Als ik eindelijk uitgelezen ben, zie ik dat de lucht buiten al roze begint te kleuren. Het is de eerste mei. En hoewel ik had durven zweren dat ik genoeg had van heidense rituelen, besluit ik dat er toch iets is dat ik moet doen.

Ik ga naar het studentenhuis om Sally wakker te schudden. Ze kan haar ogen nauwelijks openhouden, maar ik geef haar een reismok vol warme chocolademelk en beloof dat ik op donuts trakteer als we onze bestemming hebben bereikt.

'Waar gaan we dan heen?' mompelt ze terwijl ze zich in de spijkerbroek hijst die ik van de vloer heb opgeraapt. In het andere bed ligt Haruko zacht te snurken, zonder iets van ons gesprek te merken.

'Dat zul je wel zien,' zeg ik. 'Het is een verrassing.'

Zodra we in de auto zitten, valt ze weer in slaap. Ik leg een deken over haar heen, rijd naar Route 28 en volg die in westelijke richting. In Pine Hill stop ik bij een bakkerij en koop fruittaartjes, met jam gevulde donuts en croissantjes, plus twee bekers warme chocola. De hele auto ruikt naar chocola, gist en suiker – een aroma dat de geur van wierook overtreft. De weg rolt onder ons door als een lint dat zich tot in de toekomst uitstrekt. Ik heb het gevoel dat we altijd door kunnen blijven rijden. Wat moet ons tegenhouden?

Deze vroege ochtendrit doet me denken aan die van afgelopen augustus, toen we uit Great Neck vertrokken, maar destijds had ik het gevoel dat we op de vlucht waren voor onze in puin gevallen oude levens en op weg waren naar de enige plek waar ze ons wilden hebben. Nu heb ik het gevoel dat de hele wereld voor ons open ligt. Het enige wat we moeten doen is een keuze maken.

Maar ik wil dat Sally dit keer bij die keuze betrokken is en om dat mogelijk te maken zal ze alles moeten weten. Ik betast de opgevouwen papieren die in het zakje van mijn sweatshirt zitten. Ze knisperen als ik ze aanraak, even broos als herfstblaadjes en zo vol spanning dat het lijkt alsof ze in mijn zak spontaan tot ontbranding kunnen komen.

Op de afrit van Route 28 komt er leven in Sally en ze rekt zich uit. 'Wat ruikt er zo lekker?'

'Ik heb toch gezegd dat ik op donuts zou trakteren,' zeg ik en laat haar even aan de zak van de bakkerij ruiken voordat ik die weer haastig terugtrek. 'Maar eerst moeten we een eind wandelen.'

Ze kreunt, maar ze stapt opgewekt genoeg uit de auto. Zelfs als ze het steile pad ziet, komt er geen klacht over haar lippen.

Wat begint ze toch een fijne meid te worden, Jude, fluister ik onwillekeurig binnensmonds als ik hijgend achter haar aan naar boven loop. Je zou echt trots op haar zijn.

Ze bereikt ver voor me de top van de heuvel en ik hoor dat ze verrast een kreet van verrukking slaakt. Bovenop staat een eenzame, kleine kapel.

'Het lijkt wel iets uit een sprookje. Hoe is die hier gekomen?'

'Dit is de kapel van het klooster van Saint-Lucy. Die is hierheen verhuisd toen de vallei onder water werd gezet,' zeg ik met een gebaar naar het uitzicht dat langzaam maar zeker uit het duister tevoorschijn komt. De zon staat net boven de bergen in het oosten en verlicht het hoge punt waar wij staan, maar nog niet de lagergelegen vallei. 'Een groep kunstenaars heeft de handen in elkaar geslagen en de kapel gered vanwege de muurschilderingen die erin zijn aangebracht.'

Sally trekt de deur open zonder zich iets aan te trekken van het uitzicht op de vallei en begint de luiken open te maken. Ik heb haar niet meer zo opgewonden gezien sinds Jude haar op haar vijfde verjaardag een plastic poppenhuis gaf. Maar de muurschilderingen brengen haar tot zwijgen. Ze loopt van het ene tafereel naar het andere en volgt het verhaal van een Iers meisje uit de vijfde eeuw dat waarschijnlijk niet ouder was dan Sally nu toen ze van huis wegliep. Waar dat nodig is, ga ik iets dieper op het verhaal in, maar eigenlijk spreken de schilderingen van Lily en Mimi voor zich.

'Dus ze moest haar baby afstaan en haar dochter groeide zonder haar op! Wat afschuwelijk!' roept Sally met de verontwaardiging van de jeugd over alles wat oneerlijk en onterecht is.

'Maar kijk, ze zijn later herenigd.' Ik sla het stuk maar over dat moeder en dochter op de brandstapel stierven omdat ze het christelijke geloof beleden. 'Hier varen ze op een wolk ten hemel.'

Sally schudt haar hoofd. Ze vindt het maar niks. 'Bedoel je dat ze elkaar alleen maar terugvonden om samen te sterven? Bah, wat een afschuwelijk verhaal! Stel je toch eens voor dat ik bij vreemden had moeten opgroeien in plaats van bij jou, mam.' Ze drukt zich even tegen me aan en ik knijp in haar schouder. Dan is ze alweer weg en valt in een hoek op haar knieën bij de signatuur van de kunstenaars. 'Lily Eberhardt en Mimi Green,' leest ze hardop voor. 'Dezelfde Lily die een van de stichters van Arcadia was?'

'Dezelfde Lily,' zeg ik.

'Wie is Mimi Green?'

'Zij was een van de eerste kunstenaars die in Arcadia gewerkt hebben. De landschappen zijn van haar hand. Vind je ze niet mooi?'

Sally loopt achteruit en gaat midden in het vertrek staan om de landschappen in zich op te nemen. De zachtglooiende heuvels, de groene valleien, de glinsterende rivier en de dichte bossen die als achtergrond dienen, harmoniëren zo goed met de figuren op de voorgrond dat ze in het niet lijken te vallen, als half vergeten plekjes die verdwijnen in mist en nevels. Maar als je goed kijkt, vallen je ineens allerlei dingen op: de gele springbalsemien en de blauwe korenbloemen die in de weilanden groeien, vossen en konijnen die verborgen zitten in het bos, epauletspreeuwen en gele vinkjes op de takken van de bomen. Het is een paradijs, maar het is ook echt: de vallei van de East Branch voordat die onder water werd gezet, een klein paradijs op aarde dat is vereeuwigd op de stenen muren die van het water zijn gered.

'Jemig, ze was echt goed,' zegt Sally. 'Ik heb nog nooit van haar gehoord. Heeft ze nog meer geschilderd?'

'Ze heeft het schilderen opgegeven,' zeg ik, terwijl ik Sally mee naar buiten trek, naar de bank. Ik pak de nu lauwwarme bekers chocola uit de zak en geef haar een croissant. 'En ze is haar eigen naam weer gaan gebruiken. Mimi Green was de naam die ze had aangenomen voor haar werk bij tijdschriften omdat haar echte naam te... nou ja, te etnisch was.' Ik pak het adoptiecertificaat dat Callum in het provinciale archief heeft gevonden en strijk het glad op mijn schoot. Dan wijs ik de naam van de adoptiemoeder aan.

'Miriam Zielinski,' leest Sally. 'Dat komt me bekend voor...'

'Zielinski betekent "groen" in het Pools,' vertel ik haar. 'En Mimi is een afkorting van Miriam...'

'Heette de moeder van oma niet Miriam? En haar meisjesnaam was toch Zielinski?'

'Ja. Nadat ze getrouwd was, heette ze Kay. Dat heb ik altijd een vreemde naam gevonden voor een Poolse Jood, maar ik ging ervan uit dat de naam van de vader van mijn opa Jack zo lang en onuitspreekbaar was dat ze er maar Kay van hebben gemaakt toen hij op Ellis Island aankwam. Ik heb het een keer gevraagd, maar oma Miriam deed net alsof ze niets hoorde en mijn moeder zei dat ze dat nooit heeft geweten. Maar nu weet ik het wel.'

Ik wijs naar de naam van de adoptievader: John McKay. 'Hij was Iers... dat wil zeggen, ze gaven hem een Ierse naam in het klooster toen hij daar werd achtergelaten. Hij stierf toen ik vijf was, dus kan ik me niet veel van hem herinneren, maar iedereen zei dat hij dol was op Miriam, dus ik neem aan dat hij het geen probleem vond om in haar familie in Brooklyn opgenomen te worden...'

Sally zwaait het formulier voor mijn neus heen en weer en valt me in de rede. 'Maar hier staat dat ze een meisje adopteerden van wie de natuurlijke moeder Lily Eberhardt was!'

'Ja. Miriam – jouw overgrootmoeder Miriam – was namelijk een vriendin van Lily, zie je. Ze was hier in Saint-Lucy's toen Lily van haar baby beviel, het kind van wie niemand het bestaan mocht weten. Lily vertrok voordat de baby werd geadopteerd, maar Mimi – Miriam – bleef. Ze had aan Gertrude Sheldon, een van de weldoeners van het klooster, verteld dat Lily een baby had gekregen en toen wilde Gertrude, die naar ik vermoed in Europa zwanger was geworden maar vervolgens die baby had verloren, het kind adopteren.' Ik pak het adoptieformulier uit mijn broekzak dat die arme Fleur Sheldon had gevonden en had achtergelaten in het huis van Dora en Ada en waarin Gertrude Sheldon staat vermeld als adoptiemoeder van Lily's baby. 'Maar ik denk nu dat Mimi op het laatste moment besloot dat ze het niet kon verdragen dat Lily's baby naar Gertrude zou gaan, want dat was volgens iedereen echt een akelig mens.' Ik huiver als ik denk aan de arme Fleur die de feestdagen alleen in Arcadia moest doorbrengen terwijl haar ouders op wintersport in Chamonix waren. In mijn zak zit ook de brief die Callum in het archief van Saint-Lucy heeft gevonden.

Beste zuster Margaret, ik stuur u hierbij het kind terug dat we van u hebben gekregen, aangezien ik het geluk heb gehad om van mijn eigen kind in verwachting te raken. Je reinste voorbeeld van Gods genade, dat moet u met me eens zijn! Ongetwijfeld zult u begrip kunnen opbrengen voor het feit dat ik onmogelijk voor twee kinderen kan zorgen. Hoe het ook zij, het karakter van dit kind past totaal niet bij het mijne – het

lijkt ongewoon deprimerend. Het spijt me van het ongemak dat ik u hiermee bezorg en sluit een cheque bij ten behoeve van uw weeskinderen. Met vriendelijke groeten,
Gertrude Elizabeth Sheldon

Ik neem aan dat Gertrude Sheldon een soortgelijk briefje schreef als ze zich gedwongen voelde om een hoed terug te sturen die haar niet 'paste'. Maar ik laat Sally dit opmerkelijke staaltje van onmenselijkheid niet zien. In plaats daarvan ga ik verder met het verhaal van Mimi en Jack.

'Ze wist de non over te halen om de baby's te verwisselen en een ander meisje de naam Ivy St. Clare te geven. En zij en Jack, die ze hier had leren kennen en op wie ze verliefd was geworden toen ze aan deze muurschilderingen werkte, ontfermden zich over Lily's kind. Ze noemden haar Margaret, ter ere van de non die de leiding had over het klooster en die hun had geholpen om de baby in het geheim te adopteren. Zo is je grootmoeder Margie dus aan haar naam gekomen. En ik aan de mijne. Ik heb het altijd een vreemde naam gevonden voor een Joodse familie. Ze gingen terug naar Brooklyn en Mimi – of Miriam, zoals ze zichzelf noemde – gaf het schilderen op. Ik denk dat ze vond dat ze niet anders kon, want dat was destijds normaal voor vrouwen.'

'Dus Lily Eberhardt is...'

'Mijn grootmoeder en jouw overgrootmoeder. Ja. Maar dat is niet de enige reden waarom ik je heb meegenomen naar deze plek. We moeten een besluit nemen.'

Ik vertel haar wat onze opties zijn. De baan in Queens. Het aanbod van Max om voor een appartement in Great Neck te zorgen. De mogelijkheden die hier voorhanden zijn. We praten alles zorgvuldig door. Als we klaar zijn, zitten we onder de poedersuiker en is de mist in de vallei opgetrokken.

'Dus je weet het zeker?' vraag ik terwijl ik de suiker van mijn handen veeg.

'Ja hoor,' zegt ze. 'Kom op. We gaan naar huis.'

Op de terugweg voel ik me een beetje zweverig, maar dat komt waarschijnlijk door al die suiker die ik naar binnen heb gewerkt. Of door de felle ochtendzon die recht in ons gezicht staat. Als we in Arcadia Falls aankomen, ziet het dorp er fris uit en lijkt het totaal niet op het vervallen plaatsje in de Catskills dat me een paar maanden geleden voor ogen stond.

'Hé, daar zijn Haruko en Hannah... ze zijn vast op weg naar de tweedehandsplatenwinkel die net in het dorp geopend is. Ik heb ze verteld dat wij nog een echte draaitafel hebben... Dat is toch zo, hè?'

'Ja,' zeg ik zonder aarzelen. Dat is nog zo'n relikwie van Jude waarvan ik geen afstand heb kunnen doen. 'Wil je uitstappen en met ze meelopen?'

'Ja... als jij het niet erg vindt, tenminste.'

'Helemaal niet,' zeg ik. 'Ik heb nog een paar dingen in het dorp te doen. Ik zie je wel weer op het schoolterrein.'

Ik zet de auto weg en loop met bonzend hart naar het Rip van Winkle Restaurant. Ik probeer dat ook op de suiker af te schuiven, maar ik weet best dat het komt omdat ik hoop Callum hier te treffen, zodat ik hem kan vertellen dat we hebben besloten om te blijven. Maar als ik de deur opendoe, voelt mijn hart ineens net zo zwaar als de brokken deeg in mijn maag. Hij is er niet. Ik weet best dat het belachelijk is om te verwachten dat hij hier op me zit te wachten, net zo belachelijk als om te denken dat hij al die maanden op me heeft gewacht, maar toch voel ik me om een onverklaarbare reden teleurgesteld over zijn afwezigheid. Omdat ik te ontmoedigd ben om te blijven en iets te eten wil ik de deur weer uit lopen, maar dan ziet Doris Byrnes me en wenkt.

'Bent u op zoek naar sheriff Reade?' vraagt ze.

Ik overweeg even om het te ontkennen, maar ze werpt me een blik toe die dwars door me heen lijkt te gaan. Ik herinner me ineens dat Callum me verteld heeft dat Dymphna Byrnes wel iets van een heks weg had en ik heb het gevoel dat haar nicht over een soortgelijke toverkracht beschikt.

'Ja,' zeg ik. 'Weet jij waar hij is?'

'Hij zal wel weer aan dat huis werken,' zegt ze.

'Dat blauwe victoriaanse huis in Maple Street?' vraag ik, alsof ik niet precies weet over welk huis ze het heeft.

Ze knikt en wordt afgeleid door iemand die een tweede kop koffie wil. Ik ga ervandoor voordat iemand in de gaten krijgt hoe opgewonden ik me voel. De mensen voor wie Callum het huis heeft gerenoveerd zullen hem wel in de arm hebben genomen om nog een paar karweitjes op te knappen, denk ik bij mezelf als ik Maple Street in loop en het blauwe huis zie. Het pad naar de voordeur is omzoomd met narcissen en de seringenstruik in de voortuin begint al blad te krijgen. Over een paar weken zullen de seringen bloeien. Ik loop de veranda op onder de waakzame en raadselachtige blik van de Griekse godin aan de voorgevel, die weer teruggekeerd is in haar krans van uit hout gesneden berenklauw. Haar gezicht is nu helemaal gerestaureerd, maar ze ziet er nog steeds uit alsof ze iets te verbergen heeft. De voordeur staat open. Binnen staat de radio aan, een triest Iers klinkend liedje dat ineens overgaat in keiharde rock.

De muziek is zo luid dat het geen zin heeft om te kloppen – trouwens, de eigenaars zijn waarschijnlijk toch niet thuis als Callum de radio zo hard aan heeft staan – dus loop ik gewoon naar binnen. Het huis ruikt naar zaagsel en citroengeurige meubelolie. De hardhouten vloeren in de hal en de woonkamer glanzen in het zonlicht dat door de net gelapte ramen naar binnen valt. Het huis ziet eruit alsof het van boven tot onder is schoongeboend en ergens op staat te wachten, maar in de zitkamer zijn geen meubels te bekennen en mijn voetstappen weergalmen in de hal alsof het hele pand leegstaat. In de zitkamer staat alleen het standbeeld van de houten nimf. Haar gezicht, dat is afgemaakt, komt me vreemd bekend voor. Ik blijf er een paar minuten naar kijken om na te gaan op wie ze lijkt, als ineens tot me doordringt dat ze hetzelfde gezicht heeft als het schilderij op het paneel achter het bureau van Ivy St. Clare. Het is Lily's gezicht, maar ook dat van mij. Callum heeft de gelijkenis gezien voordat die tot mij doordrong.

Ik loop in de richting van de muziek en herken onder de harde rockbeat de bekende tonen van 'Amazing Grace'. In de keuken staat Callum op een trap een lege kast schoon te maken. Hij draait zich om als hij me binnen hoort komen, maar hij komt niet naar beneden. Hij kijkt me aan alsof er op mijn gezicht een verhaal geschreven staat dat hij probeert te lezen.

'Ik dacht dat je dit huis klaarmaakte voor een of ander stel uit de stad,' zeg ik, verbaasd dat dit het eerste is wat uit mijn mond komt.

Hij laat de schoonmaaklap op het aanrecht vallen en stapt van de trap af. Ik doe een stap naar voren en de citroengeur van de olie op de lap die nu ook op zijn handen zit, dringt in mijn neus. Kersenhout. Citroen. En nog iets anders, dat ik niet onder woorden kan brengen. Hij.

'Jij en je Sally, jullie zijn het stel uit de stad. Ik dacht dat dit huis ideaal voor jullie zou zijn. Ik kan je een goede prijs geven... dat wil zeggen, als je blijft.'

Bij wijze van antwoord ga ik nog dichter bij hem staan en leg mijn hand op zijn borst. Ik voel zijn hart kloppen onder de dunne stof van zijn T-shirt en ruik de warme muskusachtige geur van zijn huid onder de lucht van kersenhout en citroen die in zijn kleren hangt. De harde huid van zijn wang wrijft over mijn kruin als ik mijn hoofd tegen zijn borst leg. Zijn armen sluiten zich om me heen. Ik heb het gevoel alsof ik in de mal stap waarin ik ben gevormd. Het gevoel dat ik weer thuis ben.